# TRIÁNGULO
# Aprobado

Wayside®
PUBLISHING

www.waysidepublishing.com

Printed in USA

12 KP 21

Print date: 1324

**Hardcover ISBN** 978-1-938-026-40-9

# AGRADECIMIENTOS

Many people have worked on this book and we are grateful for all that they have contributed. The requirements for finding, molding and editing authentic materials have been complex and labor intensive. Without the help of the following this work would not have been possible or enjoyable. We thank Camilo Torres and Isabel Guasca de Torres for their help with the audios; Jimena Concha for her help with the permissions; Hiram Aldarondo, Marisa Cabra, Rafael Moyano and Mariel Fiori for editing and Liliana Smith and George Watson-López, who have been with us since the beginning, for their editing, materials acquisition, advice and direction. George is responsible for the all-important Preguntas Culturales. Lourdes Cuellar, who has done a bit of everything very well—editing, researching, organizing and writing—has been steadfast in her support and in her clear and precise advice. Barbara and I would not have been able to pull all the strands together without the invaluable help of all these people. We would like to send a special word of praise to Greg Greuel, our publisher, and the many people who have helped him work on this book. Karen Arruda did some very tedious editorial work excellently. Eliz Tchakarian is the imagination and management behind *Triángulo Aprobado* Explorer and, as such, she has been superb. Greg's team has been instrumental in developing Wayside Publishing into an important ally in the student's quest to be a life-long learner.

# UNAS PALABRAS PARA EL ESTUDIANTE

El estudiante, su profesor y este texto son los tres elementos que comprenden este proyecto múltiple. Como el triángulo es la forma arquitectónica que sostiene y refuerza las pirámides del antiguo Egipto, estos antiguos y grandes monumentos dedicados a la labor humana, TRIÁNGULO APROBADO va a servir de base en la preparación del estudiante para exámenes avanzados como el examen de Advanced Placement. El profesor y el texto, que están en los ángulos inferiores, por supuesto, forman los cimientos que sostienen al estudiante, que está en el ángulo superior del triángulo. La cooperación mutua entre estos tres elementos refuerza al estudiante. La interdependencia que representa este triángulo puede realizar un programa que sea una de las ocho maravillas del mundo.

Tú, el estudiante, has llegado a cierto nivel de comprensión del español, una lengua que no es la tuya. Poco a poco has desarrollado tu capacidad de comprender oralmente, de hablar con fluidez, de leer con perspicacia y de escribir con claridad. Por lo menos sabes comunicarte en un español claro y simple. Hasta ahora has tenido que aprender etapa por etapa, formándote una base sólida. Y ahora quieres dar un salto monumental hacia adelante para subir a la cima de esta empresa que tanto te fascina. Con la ayuda de este librito y tu profesor vas a continuar este proceso vital y creador.

Nosotros, los autores hemos escrito este manual para proporcionarte a vista de pájaro el examen de Advanced Placement y para ayudarte a subir a un nivel más avanzado del dominio del español. Para realizar esta meta hemos puesto mucho énfasis en la cultura. Por lo tanto, este libro no sirve sólo en la preparación para un examen específico sino en el mejoramiento general del manejo del idioma español y el conocimiento del mundo español. Seguimos el formato y organización del examen de lengua Advanced Placement. Hemos elegido los temas más destacados e interesantes de la vida cotidiana. Te invitamos a repasar y a aprender de una gran variedad de materiales auténticos que representan la extensión y la profundidad de culturas de habla española mientras te acostumbras a los distintos tipos de tareas que comprenden el nuevo formato del examen de lengua Advanced Placement.

Un examen como el de lengua Advanced Placement es muy comprensivo y, a nuestro parecer, presenta muchas importantes oportunidades de las que los estudiantes pueden aprovechar para conseguir su ciudadanía mundial. Creemos también que no puedes lograr el progreso sin tu esfuerzo, tu dedicación y tu entusiasmo y tu deseo de mejorar tu dominio del idioma. Por eso, los autores esperamos que con la ayuda de este librito TRIÁNGULO APROBADO y la destreza y el entusiasmo de tus profesores, realices tus sueños académicos.

Buena suerte,
los autores

# CÓMO APROVECHAR ESTE PROGRAMA:
# UNOS CONSEJOS PARA EL ESTUDIANTE

<u>TRIÁNGULO APROBADO</u> se ha hecho con la intención de ayudarte. Esperamos que te sirva para mejorar tu español, para desarrollar tu capacidad de comunicar tus ideas y para ampliar tu conocimiento de las culturas de habla española. Para aprovechar <u>TRIÁNGULO APROBADO</u> debes conocer el libro. Así que te apuntamos algunas de sus ventajas.

## 1. LOS TEMAS GLOBALES
Hemos elegido textos impresos y auditivos que presentan algún aspecto de la herencia de los que hablan español. Hay tanta diversidad y variedad que es imposible presentarlo todo. Por esto, cuanto más presentamos, más queda por saber. El ansia por descubrir algo nuevo es el alimento de la vida.

## 2. LOS SUBTEMAS
Lo bello de estos subtemas es cómo se entretejen. Siempre debes estar pendientes de los enlaces entre los subtemas. Por ejemplo, es imposible hablar del arte sin tocar temas económicos, morales, tecnológicos, políticos y sociales. Lo que presentamos es una gran telaraña; si tocas un hilo, tocas todos. El desafío es encontrar las conexiones.

## 3. LAS ACTIVIDADES
Las actividades intelectuales del examen de AP son las de interacción humana de todos los días; no hay nada nuevo ni artificial en dejar mensajes, escribir sobre los resultados de investigaciones, participar en una conversación o dar una conferencia. El fin de escuchar y leer es la producción de algo original y personal de alta calidad. Te presentamos estas actividades con cada subtema además de práctica con audios, lecturas y tablas de datos.

## 4. LAS CÁPSULAS CULTURALES
Te ofrecemos la oportunidad de investigar una gran variedad de personas, eventos, lugares y fenómenos naturales. Aunque hay 21 países oficiales de habla española, no hay una sola cultura, ni un solo idioma, ni siquiera una sola historia. En fin, no hay una sola cultura de habla española. Presentamos unos granos de arena como punto de partida: al seguir estos granos empezando en España con Carlos V del siglo XVI vas a llegar al Paraguay de hoy con su población indígena que todavía habla guaraní. Aprovechando estas Cápsulas Culturales puedes disfrutar los triunfos y los fracasos, la grandeza y los desafíos de una tierra inmensa y diversa.

## 5. LAS PREGUNTAS CULTURALES
Cada país produce algo especial que lo distingue de otros. Si pensamos en estos productos nos revelan algo sobre la cultura que representan. Cada producto tiene un uso y porque se usa, por consiguiente, ocupa un lugar importante en la conciencia de la cultura. Usa tú estos productos y las preguntas que hemos preparado para estimular tu curiosidad para saber más de las culturas de habla española. Haz tú el primer paso y nunca dejarás de hacer una caminata larga y fructífera por una senda llena de sorpresas.

## 6. EL VOCABULARIO
La clave de la comunicación es un conocimiento variado y extenso de vocabulario. Tú debes poseer un dominio del lenguaje porque el vocabulario te permite entender. Sin un entendimiento de lo que lees o escuchas no puedes aprovechar <u>TRIÁNGULO APROBADO</u>. Primero, te presentamos el vocabulario en letra negrilla en la lectura. Tu profesor lo tiene en los guiones para las fuentes auditivas. Luego, te lo presentamos al final de cada capítulo en tres categorías: las esenciales son para una amplia comprensión de las ideas

centrales, las importantes son para lograr discutir el contenido del artículo, la ilustración o el audio y las útiles son para pulir la coherencia de tus ideas. Un conocimiento de la gramática es fácil; el vocabulario es un desafío cuyo enfrentamiento te va a facilitar una expresión más amplia y perspicaz. No te olvides de los glosarios al final del libro. Tenemos tres: español/español, español/inglés e inglés/español. Además recomendamos que disfrutes de los beneficios de dixio (dixio.com) y Word Reference (wordreference.com) que son dos sitios importantes de consulta. En ellos vas a encontrar definiciones, sinónimos, uso contextual, etimología, etc.

## 7. LAS IMÁGENES

Hemos incluido muchas imágenes en esta edición de <u>TRIÁNGULO APROBADO</u>. Son para comunicarte el sabor de las tierras de habla española. Estúdialas, busca más información y disfruta. Por ejemplo, cada capítulo empieza con la portada de un periódico de un país distinto. Lee los titulares y examina la foto. ¿Qué puedes adivinar del contenido del artículo? También el índice que se encuentra en la esquina inferior derecha tiene una afirmación o declaración sobre algún aspecto de la actualidad del país. Es otra oportunidad de aprender algo importante sobre el mundo de habla española.

## 8. TRIÁNGULO APROBADO EXPLORER (GUÍA DIGITAL)

Para darte más práctica y conocimiento, hemos desarrollado un sitio donde puedes encontrar ejercicios y oportunidades para trabajar y compartir con tus compañeros de clase.

▲ **Vocabulario:** Hay varias actividades para ayudarte a memorizar y usar el vocabulario.

▲ **"Cápsulas Culturales", "Preguntas Culturales" y "Discursos":** Hay tareas extras y enlaces útiles para investigar puntos culturales. Hay sugerencias de artículos, videos y audios que brindan una gran variedad de ideas y datos.

▲ **Los ejercicios de selección múltiple:** Hay actividades para prepararte para leer o escuchar, actividades de enfoque mientras lees o escuchas y actividades para resumir y discutir los artículos, gráficos y audios.

## 9. UNAS VERDADES

Nos gustaría ofrecerte unos consejos y comentarios acerca de las actividades que tendrás que practicar para prepararte para el examen.

# LOS EJERCICIOS DE SELECCIÓN MÚLTIPLE

**¡Y ahora, unos trucos!**

▲ Para desarrollar tu español expresa las preguntas de otra forma para entenderlas.

▲ Aprende el vocabulario.

▲ Explica no sólo por qué no es la respuesta sino por qué NO es la respuesta.

▲ Usa las preguntas sin sus respuestas como tema para un ensayo o presentación oral.

▲ Cambia las respuestas incorrectas a afirmaciones correctas.

**¡Y ahora, unas sugerencias para conquistar el examen!**

▲ Tienes 15 segundos para contestar cada pregunta.

▲ Como las preguntas siguen un orden cronológico, usa las preguntas como guía y medida de tu lectura. Lee la primera pregunta, encuentra la respuesta, lee la segunda y encuentra la respuesta, etc. Así puedes encontrar las respuestas con más confianza y no tienes que depender tanto de tu memoria.

▲ Si no sabes la respuesta elimina dos respuestas y adivina; no dejes una respuesta en blanco.

▲ Para encontrar la respuesta correcta, a veces las respuestas parafrasean el texto usando sinónimos.

▲ Si hay preguntas de inferencia, debes tenerlas en cuenta al leer o escuchar y contéstalas al concluir la lectura.

▲ Las respuestas que afirman absolutos de siempre y nunca casi siempre son incorrectas.

# LOS MENSAJES ELECTRÓNICOS

▲ Aprende varios saludos y varias despedidas.

▲ Subraya las preguntas y lo pedido dentro del mensaje recibido para no saltarlos.

▲ Usa una variedad de vocabulario.

▲ Desarrolla tus ideas apropiadamente.

▲ Usa frases de transición y modismos.

▲ Practica el uso del "Usted" dado que esta sección requiere que uses un tono formal.

▲ Contesta a todas las preguntas, sin reciclar las palabras de la carta original. Usa tu propio vocabulario, el mejor y más pulido con el que puedas expresar ideas completas.

# EL ENSAYO

▲ Entiende bien lo que pide el tema.

▲ Subraya las dos palabras más importantes en el tema para dar dirección a tu ensayo.

▲ Antes de leer o escuchar decide si estás de acuerdo, en desacuerdo o una combinación con el tema.

▲ Lee y escucha ideas para defender tu punto de vista; no señales el material que no sea pertinente al tema.

▲ Cita las dos fuentes igualmente.

▲ Discute, elabora, justifica; no presentes tus ideas en forma de lista.

# 🔊 LAS CONVERSACIONES

▲ Usa los veinte segundos completos para la respuesta.

▲ Trata las Conversaciones: como si fueran mini-dramas.

▲ No tengas miedo de inventar escenarios y de actuar un poco.

▲ Sigue la conversación con un dedo y con los ojos en el esquema; no mires distraídamente por la sala mientras escuchas.

▲ Pon un tic al lado de la respuesta que acabas de dar.

## ◀)) LOS DISCURSOS

▲ Primero prepara la información cultural sobre el extranjero; no te olvides de comparar las dos culturas.

▲ Considera fuentes de experiencias personales, de televisión, de literatura, de canciones, de imágenes.

▲ Ten en cuenta una tesis que guíe tu presentación.

▲ Prepara una discusión en lugar de una lista de ideas.

▲ Incluye una introducción, una defensa y una conclusión.

▲ Está pendiente del tiempo para que puedas dar una conclusión.

## LO QUE DEBES Y NO DEBES HACER DURANTE EL EXAMEN

▲ Debes escribir y hablar con confianza.

▲ Debes tomar notas.

▲ No debes escribir notas en frases completas.

▲ No debes usar inglés antes, durante ni después del examen.

▲ No debes estar consciente de lo que están haciendo los demás.

▲ Debes usar un reloj.

Esperamos que disfrutes TRIÁNGULO APROBADO y los materiales que hemos preparado con tanto cariño.

Los autores

John McMullan
Barbara Gatski
Marzo, 2013

# ÍNDICE GENERAL

AGRADECIMIENTOS . . . . . . . . . . . . . . . . . . . . . . iii

Unas palabras para los estudiantes . . . . . . . . . . . . .iv

Cómo aprovechar este programa: unos consejos
para los estudiantes . . . . . . . . . . . . . . . . . . . . . . v

## Capítulo Uno: LOS DESAFÍOS MUNDIALES

### Los temas económicos . . . . . . . . . . . . . . . . . . 2

Lecturas: "Cuba: la economía se hunde,
las remesas crecen" . . . . . . . . . . . . . . . . . . . . . . 2

   Cápsula Cultural: "Breve historia de inmigración
   y emigración en Cuba"

Correos Electrónicos: "Se está haciendo tarde para
invertir en tu futuro". . . . . . . . . . . . . . . . . . . . . 4

Lecturas con Audio: "Carta abierta a
Carlos Slim"; "Carlos Slim encabeza la
lista de los más ricos" . . . . . . . . . . . . . . . . . . . . 5

   Cápsula Cultural: "Las hispanas más
   poderosas del mundo"

Audios: "La crisis ninja y otros misterios
de la economía actual" . . . . . . . . . . . . . . . . . . . 7

   Cápsula Cultural: "La Feria Internacional
   del Libro"

Ensayo: "La globalización: ¿Amenaza u
oportunidad?"; "Latinoamérica enfrenta
la crisis económica global" . . . . . . . . . . . . . . . . 8

Conversaciones: "Cómo ganar plata" . . . . . . . . . . 9

Discursos: "Los productos extranjeros" . . . . . . . . . 9

VOCABULARIO Y PREGUNTAS CULTURALES . . . 10

### Los temas del medio ambiente . . . . . . . . . 11

Lecturas: "Agricultura orgánica y medio ambiente"

   Cápsula Cultural: "Cultivos argentinos"

Ilustración con Audio: "Para plantar un árbol";
"Cómo plantar un árbol" . . . . . . . . . . . . . . . . . . 13

   Cápsula Cultural: "Los árboles nacionales"

Audios: "Los glaciares del sur argentino están
desapareciendo" . . . . . . . . . . . . . . . . . . . . . . . 15

   Cápsula Cultural: "La Tierra del Fuego y Ushuaia"

Correos Electrónicos: "Su ayuda" . . . . . . . . . . . 16

Ensayo: "Desechos electrónicos son reutilizables";
"Desechos electrónicos" . . . . . . . . . . . . . . . . . . 16

Conversaciones: "Club del Medio Ambiente" . . . . 17

Discursos: "Iniciativas ambientalistas" . . . . . . . . 17

VOCABULARIO Y PREGUNTAS CULTURALES . . . 18

### El pensamiento filosófico y la religión . . . . . . . . . . . . . . . . . . . . . . . . . . 19

Lecturas: "Mi religión"—Miguel de Unamuno . . . 19

   Cápsula Cultural: "El tuteo de Dios"

Lecturas con Audio: "Camino de Santiago, la metáfora
de la vida"; "La experiencia de Juan Andrés" . . . . . 20

   Cápsula Cultural: "La Catedral de Santiago
   de Compostela"

Audios: "José Gregorio Hernández, el siervo
de Dios" . . . . . . . . . . . . . . . . . . . . . . . . . . . . 22

   Cápsula Cultural: "Para la Iglesia Católica,
   ¿qué es un siervo de Dios?"

Correos Electrónicos: "OVNI" . . . . . . . . . . . . . . 23

Ensayo: "El hijab en las aulas"; "No me voy a
quitar el velo" . . . . . . . . . . . . . . . . . . . . . . . . 23

Conversaciones: "Un asunto de importancia
filosófica" . . . . . . . . . . . . . . . . . . . . . . . . . . . 24

Discursos: "La religión" . . . . . . . . . . . . . . . . . . 24

VOCABULARIO Y PREGUNTAS CULTURALES . . . 25

### La población y la demografía . . . . . . . . . . 26

Lecturas: "Carta sobre la sobrepoblación de
perros en México" . . . . . . . . . . . . . . . . . . . . . . 26

   Cápsula Cultural: "Una mascota no es una ganga"

Lecturas con Audio: "Menos mexicanos
indocumentados van por sueño americano";
"Un día sin inmigrantes" . . . . . . . . . . . . . . . . . 28

   Cápsula Cultural: "Poblaciones de adultos y
   jóvenes hispanos en los Estados Unidos"

Audios: "Árboles sin raíces" . . . . . . . . . . . . . . . 30

   Cápsula Cultural: "Películas sobre la inmigración"

Correos Electrónicos: "Tendencias desagradables". 31

Ensayo: "La política de la inmigración"; "El quinto
país del planeta" . . . . . . . . . . . . . . . . . . . . . . . 32

Conversaciones: "Una encuesta" . . . . . . . . . . . . 33

Discursos: "Los inmigrantes indocumentados" . . . 33

VOCABULARIO Y PREGUNTAS CULTURALES . . . 34

### El bienestar social . . . . . . . . . . . . . . . . . . . 35

Lecturas: "Levantate: alzá la voz" . . . . . . . . . . . . 35

   Cápsula Cultural: "La Casa Rosada, residencia
   de los presidentes argentinos"

Ilustración con Audio: "El futuro del estado del
agua"; "La falta y la escasez de agua en el
mundo" .. . . . . . . . . . . . . . . . . . . . . . . . . . . . . 36

   Cápsula Cultural: "El Lago Titicaca"

Audios: "La pobreza en América Latina" . . . . . . .37

    Cápsula Cultural: "El Ecuador: país de una
    diversa diversidad"

Correos Electrónicos: "Declaración de derechos y
responsabilidades para los alumnos" . . . . . . . . . .38

Ensayo: "¿Se puede medir el bienestar social?";
"La felicidad interna bruta" . . . . . . . . . . . . . . . .39

Conversaciones: "Tu abuela busca tu
comprensión" . . . . . . . . . . . . . . . . . . . . . . . . .40

Discursos: "La privacidad" . . . . . . . . . . . . . . . . .40

VOCABULARIO Y PREGUNTAS CULTURALES . . . 41

## La conciencia social . . . . . . . . . . . . . . . . . . . .42

Lecturas: "Carta abierta del poeta Javier Sicilia" . . .42

    Cápsula Cultural: "La guerra contra
    el narcotráfico en México"

Ilustración con Audio: "Principios que nos rigen";
"Conciencia social" . . . . . . . . . . . . . . . . . . . . . .44

    Cápsula Cultural: "Pontificia Universidad
    Javeriana y la Universidad de Santiago de Chile"

Audios: "Conciencia social en el sector
emprendedor" . . . . . . . . . . . . . . . . . . . . . . . . . .45

    Cápsula Cultural: "La importancia de
    las señales de tránsito"

Correos Electrónicos: "Oferta de dos programas de
verano" . . . . . . . . . . . . . . . . . . . . . . . . . . . . . . .47

Ensayo: "Dinámica cerebral inconsciente del
prejuicio hacia minorías"; "Dinámica del trabajo
infantil en la República Dominicana"; "Hazle frente
al ciberacoso" . . . . . . . . . . . . . . . . . . . . . . . . . .47

Conversaciones: "El Concurso del Modelo de las
Naciones Unidas" . . . . . . . . . . . . . . . . . . . . . . .49

Discursos: "La familia y el colegio en el desarrollo de
un sentido de conciencia social" . . . . . . . . . . . . .49

VOCABULARIO Y PREGUNTAS CULTURALES . . . 50

# Capítulo Dos: LA CIENCIA Y LA TECNOLOGÍA

## El acceso a la tecnología . . . . . . . . . . . . . . .52

Lecturas: "Maestranzas de noche"
–Pablo Neruda. . . . . . . . . . . . . . . . . . . . . . . . . .52

    Cápsula Cultural: "El cobre, el bronce,
    los mineros y Pablo Neruda"

Ilustración con Audio: "Las brechas de acceso TIC en
América Latina: un blanco móvil"; "Computadoras,
teléfonos, herramientas del desarrollo" . . . . . . . .53

    Cápsula Cultural: "El teclado en español"

Audios: "Una computadora por niño" . . . . . . . .55

    Cápsula Cultural: "La computadora en
    los colegios: a favor y en contra"

Correos Electrónicos: "Tu opinión cuenta" . . . . . .56

Ensayo: "Crimen y violencia en Centro América: un
desafío para el desarrollo"; "Derecho a poseer y portar
armas NO es una concesión del estado" . . . . . . .57

Conversaciones: "Estresada" . . . . . . . . . . . . . . .58

Discursos: "Torres de señal" . . . . . . . . . . . . . . . .58

VOCABULARIO Y PREGUNTAS CULTURALES . . . 59

## Los efectos de la tecnología en el individuo y en la sociedad. . . . . . . . . . . . . . .60

Lecturas: "La innovación tecnológica, la solución
para la crisis en España" . . . . . . . . . . . . . . . . . .60

    Cápsula Cultural: "Su Majestad Felipe VI de
    Borbón, Rey de España y Grecia"

Ilustración con Audio: "Barreras para comprar por
Internet"; "Cómo comprar en Internet" . . . . . . .62

    Cápsula Cultural: "Los grandes almacenes
    por departamentos"

Correos Electrónicos: "Tu gran interés en
las compras online" . . . . . . . . . . . . . . . . . . . . . .63

Audios: "La ONU celebra el primer Día Mundial
de la Radio" . . . . . . . . . . . . . . . . . . . . . . . . . . .64

    Cápsula Cultural: "La antigua radio
    eternamente joven"

Ensayo: "Las ventajas de utilizar lectores electrónicos";
"BOOK, un producto revolucionario" . . . . . . . . .65

Conversaciones: "Un nuevo celular" . . . . . . . . . .66

Discursos: "La tecnología y la artesanía
tradicional" . . . . . . . . . . . . . . . . . . . . . . . . . . .66

VOCABULARIO Y PREGUNTAS CULTURALES . . . 67

## El cuidado de la salud y la medicina. . . .68

Lecturas: "Carta al Dr. Lázaro Pérez" . . . . . . . . . .68

    Cápsula Cultural: "El sistema de salud
    de Colombia y el INC"

Lecturas con Audio: "La obesidad infantil";
"La obesidad en los niños" . . . . . . . . . . . . . . . .69

    Cápsula Cultural: "La dieta mediterránea"

Audios: "Romero Epazote: Medicina tradicional
mexicana" . . . . . . . . . . . . . . . . . . . . . . . . . . . .71

    Cápsula Cultural: "El curanderismo"

Correos Electrónicos: "Los niños con cáncer" . . .72

Ensayo: "¿Le deberían aplicar impuestos a
la comida chatarra?"; "Alimento chatarra en
escuelas, Veracruz" . . . . . . . . . . . . . . . . . . . . . .73

Conversaciones: "Un problema" . . . . . . . . . . . .74

Discursos: "Los médicos" . . . . . . . . . . . . . . . . .74

VOCABULARIO Y PREGUNTAS CULTURALES . . . 75

## Las innovaciones tecnológicas . . . . . . . . . . 76

Lecturas: "El gadget que te avisa cuando
te roban la cartera" . . . . . . . . . . . . . . . . . . . . . . . 76

Cápsula Cultural: "El argot de los carteristas"

Lecturas con Audio: "NAO el robot más famoso
llega a México"; "NAO el robot humanoide". . . . . 77

Cápsula Cultural: "Inventos mexicanos que han
influido el mundo"

Audios: "La importancia de los prototipos en
el proceso de innovación" . . . . . . . . . . . . . . . . . . 79

Cápsula Cultural: "La Universidad Politécnica de
Cataluña"

Correos Electrónicos: "Inventores e invenciones"..80

Ensayo: "Las cámaras de vigilancia en las escuelas";
"Cámaras de seguridad en los colegios" . . . . . . . . 81

Conversaciones: "Adicta a la computadora" . . . . . 82

Discursos: "La presión de poseer lo más nuevo" . . 82

VOCABULARIO Y PREGUNTAS CULTURALES . . . 83

## Los fenómenos naturales . . . . . . . . . . . . . . . 84

Lecturas: "La noche más corta"; "Cómo funciona
un eclipse" . . . . . . . . . . . . . . . . . . . . . . . . . . . . . 84

Cápsula Cultural: "Los mayas se preocupaban por
los eclipses"

Ilustración con Audio: "Las migraciones de
la mariposa monarca entre México y Canadá";
"La mariposa monarca, un fenómeno migratorio
de la naturaleza" . . . . . . . . . . . . . . . . . . . . . . . . . 86

Cápsula Cultural: "El cóndor andino, símbolo
de la inmortalidad"

Audios: "Semillas andinas, cinco mil años
de sabiduría genética" . . . . . . . . . . . . . . . . . . . . . 87

Cápsula Cultural: "La quínoa"

Correos Electrónicos: "Las tortugas en peligro" . . 88

Ensayo: "En 20 años podremos viajar a Marte";
"Cuidemos nuestros árboles" . . . . . . . . . . . . . . . 89

Conversaciones: "Agencia Comunitaria de
Alertas" . . . . . . . . . . . . . . . . . . . . . . . . . . . . . . . . 90

Discursos: "Jardines de flores o huertillas
de verduras" . . . . . . . . . . . . . . . . . . . . . . . . . . . . . 90

VOCABULARIO Y PREGUNTAS CULTURALES . . . 91

## La ciencia y la ética . . . . . . . . . . . . . . . . . . . 92

Lecturas: "Ciencia y moral: la ciencia está cuestionada
por sus implicaciones potencialmente
peligrosas" . . . . . . . . . . . . . . . . . . . . . . . . . . . . . .92

Cápsula Cultural: "La Inquisición Española"

Lecturas con Audio: "Polémica por la eutanasia,
una confesión real sobre una vida de película";
"La eutanasia" . . . . . . . . . . . . . . . . . . . . . . . . . . . 94

Cápsula Cultural: "Varios sistemas de salud en
América Latina"

Audios: "Nuevas tecnolgías de la educación" . . . .96

Cápsula Cultural: "La Iberoamérica sociable"

Ensayo: "Debate: Los beneficios y perjuicios de la
clonación"; "Desacuerdo por posible debate" . . . .97

Correos Electrónicos: "ECUCM" . . . . . . . . . . . . .98

Conversaciones: "El ADN" . . . . . . . . . . . . . . . . .99

Discursos: "Decisiones sobre la donación
de órganos" . . . . . . . . . . . . . . . . . . . . . . . . . . . . .99

VOCABULARIO Y PREGUNTAS CULTURALES . . 100

## Capítulo Tres: LA VIDA CONTEMPORÁNEA

## La educación y las carreras profesionales . . . . . . . . . . . . . . . . . . . . . . . . . 102

Lecturas: "Carta de solicitud de constancia
de trabajo" . . . . . . . . . . . . . . . . . . . . . . . . . . . . 102

Cápsula Cultural: "¿Qué documentos se necesitan
para trabajar?"

Ilustración con Audio: "Honduras, estadísticas";
"Educación primaria en Centroamérica" . . . . . . . 103

Cápsula Cultural: "Las notas: cuando una nota de
70 es buenísima"

Correos Electrónicos: "Beca Fulbright" . . . . . . . 104

Audios: "Los hologramas y las carreras
profesionales" . . . . . . . . . . . . . . . . . . . . . . . . . . 105

Cápsula Cultural: "Las diez carreras profesionales
más requeridas por las empresas peruanas"

Ensayo: "Diez carreras que son más rentables y diez
no tan rentables"; "Comunicaciones en el siglo XXI:
puerta de entrada al mundo profesional" . . . . . . . 106

Conversaciones: "Jueza Judy" . . . . . . . . . . . . . . 108

Discursos: "Programas atléticos y la preparación
profesional" . . . . . . . . . . . . . . . . . . . . . . . . . . . 108

VOCABULARIO Y PREGUNTAS CULTURALES . . . . 109

## El entretenimiento y el ocio . . . . . . . . . . . 110

Lecturas: "Santuario histórico de Machu Picchu";
"El plano de Machu Picchu" . . . . . . . . . . . . . . . 110

Cápsula Cultural: "En las terrazas de Cusco
se puede cultivar más que hortalizas"

Lecturas con Audio: "Cartagena: destino colombiano
de historia y cultura"; "Cartagena de Indias" . . . .112

Cápsula Cultural: "Los estereotipos nos engañan"

Correos Electrónicos: "Día Internacional
de la Danza" . . . . . . . . . . . . . . . . . . . . . .114

Audios: "Frontón, potencial mundial que nace
en la calle" . . . . . . . . . . . . . . . . . . . . . .115

Cápsula Cultural: "Los deportes para siempre"

Ensayo: "Hablar con el teclado"; "Familia
Ciber Café en Detroit" . . . . . . . . . . . . . .116

Conversaciones: "Viaje a Cuba" . . . . . . . . . . .117

Discursos: "La música clásica" . . . . . . . . . . . .117

VOCABULARIO Y PREGUNTAS CULTURALES . . 118

## Los estilos de vida . . . . . . . . . . . . . . . . . . . .119

Lecturas: *La casa en Mango Street*
—Sandra Cisneros . . . . . . . . . . . . . . . . . .119

Cápsula Cultural: "El patio—una sala sostenible"

Lecturas con Audio: "Parques biosaludables:
gimnasios al aire libre"; "Parque biosaludable" . .120

Cápsula Cultural: "¿Cuál es el precio de estar
en buena forma en España?"

Correos Electrónicos: "Viajes Culturales y
Programas de Lenguajes (VCPL)" . . . . . . . . . .122

Audios: "Tu basura mi música" . . . . . . . . . . . .123

Cápsula Cultural: "El día internacional del
reciclaje—el 17 de mayo"

Ensayo: "El estilo de vida actual, ¿es saludable?";
"Educación para el consumo responsable" . . . . . .124

Conversaciones: "El uso de las redes sociales" . . .125

Discursos: "Estilos alternativos de vida" . . . . . . .125

VOCABULARIO Y PREGUNTAS CULTURALES . . 126

## Las relaciones personales . . . . . . . . . . . . . .127

Lecturas: "La familia contemporánea: la familia
chilena en el tiempo" . . . . . . . . . . . . . . . . .127

Cápsula Cultural: "¿Hay una familia típica?"

Ilustración con Audio: "Relaciones personales";
"Relaciones humanas" . . . . . . . . . . . . . . . .129

Cápsula Cultural: "Para una buena degustación
de la vida, aprovecha la sobremesa"

Audios: "Cómo ser más sociable en tres
simples pasos" . . . . . . . . . . . . . . . . . . . .130

Cápsula Cultural: "El arte de matear"

Correos Electrónicos: "Ayuda voluntaria en
el comité" . . . . . . . . . . . . . . . . . . . . . . .131

Ensayo: "Atender a las relaciones personales";
"¿Cómo educar a un niño?" . . . . . . . . . . . . .132

Conversaciones: "Día sin tecnología" . . . . . . . .133

Discursos: "La velocidad de
la vida contemporánea" . . . . . . . . . . . . . . .133

VOCABULARIO Y PREGUNTAS CULTURALES . . 134

## Las tradiciones y los valores sociales . . .135

Lecturas: "Preámbulo – *Tape porã*"
—Mirella Cossovel de Cuellar . . . . . . . . . . . .135

Cápsula Cultural: "Al columpiarse en una hamaca"

Lecturas con Audio: "Millones visitan a la Virgen de
Guadalupe"; "Mañanita: Virgen de Guadalupe" . .136

Cápsula Cultural: "Tuits vaticanos leídos alrededor
del mundo"

Audios: "Charla: educación y valores sociales" . . .138

Cápsula Cultural: "Las Fallas de Valencia"

Correos Electrónicos: "La desigualdad" . . . . . . .139

Ensayo: "El beso argentino"; "Tradiciones navideñas
perdidas" . . . . . . . . . . . . . . . . . . . . . . .140

Conversaciones: "Ciberacoso" . . . . . . . . . . . .141

Discursos: "Las tradiciones de los antepasados
familiares" . . . . . . . . . . . . . . . . . . . . . .141

VOCABULARIO Y PREGUNTAS CULTURALES . . 142

## El trabajo voluntario . . . . . . . . . . . . . . . . .143

Lecturas: "Ecuador – Ofrecerse como
voluntario" . . . . . . . . . . . . . . . . . . . . . .143

Cápsula Cultural: "Fundación Pies Descalzos—
Caminando tras las huellas de Shakira"

Ilustración con Audio: "Formulario para solicitar
trabajo como voluntario"; "Trabajos voluntarios" .145

Cápsula Cultural: "ONCE (Organización
Nacional de Ciegos de España)"

Audios: "¿Qué se siente al ser voluntario?" . . . . .146

Cápsula Cultural: "Un año de "gap""

Correos Electrónicos: "Visita de La Luz Brilla" . .147

Ensayo: "El voluntariado puede aumentar
la esperanza de vida"; "Brigada de dentistas
españoles en Nicaragua" . . . . . . . . . . . . . . .147

Conversaciones: "Visita de medianoche" . . . . . .149

Discursos: "El trabajo voluntario" . . . . . . . . . .149

VOCABULARIO Y PREGUNTAS CULTURALES . . 150

## Capítulo Cuatro: LAS IDENTIDADES PERSONALES Y PÚBLICAS

## La enajenación y la asimilación . . . . . . .152

Lecturas: "Los pájaros" —Ana María Matute . . . .152

Cápsula Cultural: "La literatura y el Premio Miguel
de Cervantes"

Lecturas con Audio: "La civilización pone en riesgo a
los ayoreos en Paraguay";
"Los indígenas aislados" . . . . . . . . . . . . . . .153

Cápsula Cultural: "Los totobiegosode: un grupo
ayoreo no contactado"

Audios: "Inmigrantes en los pueblos:
integración total" . . . . . . . . . . . . . . . . . . . . . . . .155

Cápsula Cultural: "Castilla y León—Lugar
de bienes culturales"

Correos Electrónicos: "Editoriales
estudiantiles" . . . . . . . . . . . . . . . . . . . . . . . .156

Ensayo: "La xenofobia no llega a las urnas"; "Por la
erradicación del racismo en España" . . . . . . . . .157

Conversaciones: "Cómo llevarse bien" . . . . . . .158

Discursos: "La asimilación y el idioma" . . . . . . .158

VOCABULARIO Y PREGUNTAS CULTURALES . . 159

**Los héroes y los personajes históricos** 160

Lecturas: "¿Sabes quién es Juan Diego?"; "Mapa de
seguridad entorno a la Basílica de Guadalupe". . .160

Cápsula Cultural: "La tilma de Juan Diego"

Lecturas con Audio: "Mi raza" —José Martí;
"José Martí, símbolo de Cuba y de América". . . .162

Cápsula Cultural: "Mario Vargas Llosa, escritor
espectacular y candidato político"

Audios: "Homenaje a Mercedes Sosa" . . . . . . . .164

Cápsula Cultural: "El gaucho Martín Fierro
—Libro nacional de Argentina"

Correos Electrónicos: "Su participación" . . . . . .165

Ensayo: "¿Qué es ser un héroe? ¿Quiénes son
héroes?"; "Entrevista sobre *Héroes Cotidianos*" . . . . .165

Conversaciones: "El show de héroes" . . . . . . . .167

Discursos: "Los héroes ficticios" . . . . . . . . . . . .167

VOCABULARIO Y PREGUNTAS CULTURALES . . 168

**La identidad nacional y
la identidad étnica** . . . . . . . . . . . . . . . . . . . .169

Lecturas: "La balada de los dos abuelos"
—Nicolás Guillén . . . . . . . . . . . . . . . . . . . . . . . .169

Cápsula Cultural: "Los esclavos y el
sincretismo en Cuba"

Ilustración con Audio: "Sueños y aspiraciones
de l@s mexican@s"; "América Latina y
sus estereotipos" . . . . . . . . . . . . . . . . . . . . . . . .170

Cápsula Cultural: "La Revolución Mexicana
1910-1917 o ¿Todavía?"

Audios: "Afrolatinos: La revista Ébano
de Colombia" . . . . . . . . . . . . . . . . . . . . . . . .172

Cápsula Cultural: "El multiculturalismo de
Colombia"

Correos Electrónicos: "Su petición de
adhesión" . . . . . . . . . . . . . . . . . . . . . . . .173

Ensayo: "Los 5 de mayo"; "El 5 de mayo" . . . . .174

Conversaciones: "El disfraz étnico". . . . . . . . . .175

Discursos: "La comida étnica". . . . . . . . . . .175

VOCABULARIO Y PREGUNTAS CULTURALES . . 176

**Las creencias personales** . . . . . . . . . . . . . . . .177

Lecturas: "El manual de Carreño"; "Normas
de conducta". . . . . . . . . . . . . . . . . . . . . . . . .177

Cápsula Cultural: "Manuel Antonio Carreño y la
comida"

Ilustración con Audio: "¿Se considera una
persona supersticiosa?"; "Amuletos para atraer
la suerte en Año Nuevo" . . . . . . . . . . . . . . . . . .179

Cápsula Cultural: "¡El ojo ajeno te está mirando!"

Audios: "Receta para tener dinero todo
el mes" . . . . . . . . . . . . . . . . . . . . . . . .181

Cápsula Cultural: "La buena suerte, la mala
suerte y la intervención humana"

Correos Electrónicos: "Una semana hacia
la tolerancia". . . . . . . . . . . . . . . . . . . . . . . . .182

Ensayo: "El fin justifica los medios";
"El bombardeo de Hiroshima" . . . . . . . . . . . .182

Conversaciones: "Una invitación". . . . . . . . . . .184

Discursos: "La religión y las relaciones
sociales" . . . . . . . . . . . . . . . . . . . . . . . .184

VOCABULARIO Y PREGUNTAS CULTURALES . . 185

**Los intereses personales** . . . . . . . . . . . . . . . .186

Lecturas: "La jubilación y los trenes modelo" . . .186

Cápsula Cultural: "El AVE es una bala"

Lecturas con Audio: "El placer de leer";
"Me gusta leer". . . . . . . . . . . . . . . . . . . . . . . . .187

Cápsula Cultural: "No te quedes nunca sin
palabras"

Audios: "Curso de observación de las aves". . . . .189

Cápsula Cultural: "Los Quetzales tienen parque"

Correos Electrónicos: "Antología de
Pasatiempos". . . . . . . . . . . . . . . . . . . . . . . . .190

Ensayo: "Los videojuegos pueden ser peligrosos";
"Sueños: videojuego" . . . . . . . . . . . . . . . . . .191

Conversaciones: "Una conversación por
casualidad". . . . . . . . . . . . . . . . . . . . . . . . .192

Discursos: "Las instalaciones para intereses
personales". . . . . . . . . . . . . . . . . . . . . . . . .192

VOCABULARIO Y PREGUNTAS CULTURALES . . 193

**La autoestima**. . . . . . . . . . . . . . . . . . . . . . . .194

Lecturas: "El coaching ontológico" . . . . . . . . . .194

Cápsula Cultural: "La confianza de
los mexicanos en instituciones mexicanas"

Ilustración con Audio: "Escala de autoestima";
"Sube tu autoestima estando de tu parte" . . . . . .196

    Cápsula Cultural: "México: una apetitosa
    ensalada mixta de gentes"

Audios: "¿Caminas con seguridad?" . . . . . . . . .198

    Cápsula Cultural: "El tradicional paseo
    contemporáneo"

Correos Electrónicos: "¡Ten confianza y
confiarán en ti!" . . . . . . . . . . . . . . . . . . . . .198

Ensayo: "La autoestima y el fracaso"; "Para
triunfar debes fracasar" . . . . . . . . . . . . . . . .200

Conversaciones: "La Juventud Encuestas" . . . . . .201

Discursos: "La confianza en la estabilidad
social y económica" . . . . . . . . . . . . . . . . . . .201

VOCABULARIO Y PREGUNTAS CULTURALES . . 202

## Capítulo Cinco: LAS FAMILIAS Y LAS COMUNIDADES

### Las tradiciones y los valores . . . . . . . . . . .204

Lecturas: "El nacimiento de las tortugas"
—Pedro Pablo Sacristán . . . . . . . . . . . . . . . .204

    Cápsula Cultural: "Las Islas Galápagos,
    emblema de la biodiversidad"

Ilustración con Audio: "El Ayuntamiento de
Los Fayos"; "La fiesta de las tortillas de hinojo" . .205

    Cápsula Cultural: "Las cofradías y
    la Semana Santa"

Audios: "Planificación de reuniones
familiares" . . . . . . . . . . . . . . . . . . . . . . . .206

    Cápsula Cultural: "La familia de Felipe IV
    de España"

Correos Electrónicos: "Una gran oportunidad" .207

Ensayo: "Costumbres y tradiciones"; "Los jóvenes
perpetúan las tradiciones en la Semana
Santa de Icod" . . . . . . . . . . . . . . . . . . . . . .208

Conversaciones: "Una fiesta de gala" . . . . . . . .209

Discursos: "La tradicional solidaridad familiar" . .209

VOCABULARIO Y PREGUNTAS CULTURALES . . 210

### Las comunidades educativas . . . . . . . . . . .211

Lecturas: "El invierno estudiantil sacude Chile";
"Los aranceles y gastos públicos en la educación
universitaria de América Latina" . . . . . . . . . .211

    Cápsula Cultural: "Otro 11 de septiembre"

Lecturas con Audio: "¿Por qué todavía hay centros
no coeducativos?"; "Educación diferenciada, una
carta a la Administración en Educación" . . . . . .213

    Cápsula Cultural: "Unos datos acerca de la educación
    secundaria de España"

Audios: "Consejo educativo amazónico
multiétnico" . . . . . . . . . . . . . . . . . . . . . . .215

    Cápsula Cultural: "Bolivia multilingüe"

Correos Electrónicos: "Eficacia de los
profesores" . . . . . . . . . . . . . . . . . . . . . . . .216

Ensayo: "La educación en casa: una alternativa
cada vez más frecuente"; "La educación en casa
a examen" . . . . . . . . . . . . . . . . . . . . . . . .217

Conversaciones: "Una agencia que ayuda
a estudiantes" . . . . . . . . . . . . . . . . . . . . . .218

Discursos: "Los asaltos y los colegios" . . . . . . . .218

VOCABULARIO Y PREGUNTAS CULTURALES . . 219

### La estructura de la familia . . . . . . . . . . . .220

Lecturas: "Carta del Teniente Roberto Estévez a
su padre" . . . . . . . . . . . . . . . . . . . . . . . . .220

    Cápsula Cultural: "¿Las Malvinas son argentinas?"

Ilustraciones con Audio: "Personas jóvenes
emancipadas"; "La emancipación de los
jóvenes" . . . . . . . . . . . . . . . . . . . . . . . . . .221

    Cápsula Cultural: "El matrimonio: cuestión de
    edad y circunstancias"

Audios: "Aumenta la diversidad de la estructura
familiar cubana" . . . . . . . . . . . . . . . . . . . . .223

    Cápsula Cultural: "Los diarios oficiales
    del gobierno cubano"

Correos Electrónicos: "Los quehaceres y
la ética laboral" . . . . . . . . . . . . . . . . . . . . .224

Ensayo: "Matrimonios jóvenes"; "Matrimonio
a temprana edad" . . . . . . . . . . . . . . . . . . . .224

Conversaciones: "Mis padres me regañan" . . . . .226

Discursos: "La mudanza frecuente y fácil" . . . . . .226

VOCABULARIO Y PREGUNTAS CULTURALES . . 227

### La ciudadanía global . . . . . . . . . . . . . . . .228

Lecturas: "Invita a tus familiares y amigos a
unirse a Médicos Sin Fronteras" . . . . . . . . . . .228

    Cápsula Cultural: "Médicos Sin Fronteras
    superando barreras"

Lecturas con Audio: "Historia y origen
del brindis"; "Fiesta familiar" . . . . . . . . . . . .229

    Cápsula Cultural: "¿Qué hay en un número?
    Carlos V y Carlos I era el mismo monarca"

Audios: "Puerto Pinasco, el pueblo donde
nació la amistad" . . . . . . . . . . . . . . . . . . . .231

    Cápsula Cultural: "La Virgen de Caacupé"

Correos Electrónicos: "Su carta" . . . . . . . . . . .232

Ensayo: "ONU: ¿Relevante para el mundo?";
"Orquesta Sinfónica Simón Bolívar de gira por 5
ciudades estadounidenses con
Gustavo Dudamel"........................232

Conversaciones: "Los lugares desconocidos" ...234

Discursos: "Problemas económicos a
nivel internacional"......................234

VOCABULARIO Y PREGUNTAS CULTURALES . . 235

## La geografía humana...................236

Lecturas: *Cuando era puertorriqueña*
—Esmeralda Santiago .....................236

Cápsula Cultural: "El jíbaro y la mancha
de plátano"

Lecturas con Audio: "Cruzada por los idiomas
nativos latinoamericanos"; "Lingüicidio" ......237

Cápsula Cultural: "Los códices prehispánicos"

Audios: "El poblamiento de América".........239

Cápsula Cultural: "Los Moáis te esperan
en Rapa Nui"

Correos Electrónicos: "El comité asesor sobre
trabajos de verano para jóvenes" ...........241

Ensayo: "Infraestructura en América Latina
y el Caribe: tendencias recientes y retos
principales"; "Cumbre de las Américas" .......241

Conversaciones: "Una cena hondureña".......243

Discursos: "El estatus social"..............243

VOCABULARIO Y PREGUNTAS CULTURALES . . 244

## Las redes sociales.....................245

Lecturas: "Un hospital para la ignorancia";
"Estructura de la sociedad mapuche" .........245

Cápsula Cultural: "La actualidad mapuche"

Ilustraciones con Audio: "Estado de las Redes
Sociales en América Latina"; "¡Activagers, la nueva
red social para mayores de 40 en español!" .....247

Cápsula Cultural: "¿Coinciden estas redes
con tu perfil?"

Audios: "Las nuevas tecnologías y la familia" ...248

Cápsula Cultural: "Surfeando la Web desde UCAM
hasta el estilo clásico desornamentado"

Correos Electrónicos: "¿Tiene Ud. ganas
de ganar?".............................249

Ensayo: "Las redes sociales comunican pero
integran poco a la gente"; "Las redes sociales y
los jóvenes".............................250

Conversaciones: "No se fía de ti" ...........251

Discursos: "Grupitos sociales exclusivos" .....251

VOCABULARIO Y PREGUNTAS CULTURALES . . 252

# Capítulo Seis: LA BELLEZA Y LA ESTÉTICA

## La arquitectura........................254

Lecturas: "Adobe para mujeres: Proyecto
2011"..................................254

Cápsula Cultural: "Regalos y sal"

Lecturas con Audio: "Una arquitecta para 1.000
millones de personas".....................255

Cápsula Cultural: "Niños en "La Mina",
uno de los mayores basureros de Guatemala"

Audios: "Luz verde para que Apple se establezca en
el edificio de Tío Pepe de Madrid"...........257

Cápsula Cultural: "La Noche Vieja"

Ensayo: "Obras maestras teñidas de polémica";
"Puente de mayo, destino Bilbao"...........258

Correos Electrónicos: "Trabajo de verano".....259

Conversaciones: "Un viaje a Guatemala".......260

Discursos: "La arquitectura moderna".........260

VOCABULARIO Y PREGUNTAS CULTURALES . . 261

## Las definiciones de la belleza..........262

Lecturas: "Mientras por competir con tu cabello"
—Luis de Góngora ......................262

Cápsula Cultural: "La moda del siglo XVI
en España"

Lecturas con Audio: "La actriz y modelo venezolana
Patricia Velásquez, saca una línea de productos
de belleza"; "Cien por ciento wayúu" .........263

Cápsula Cultural: "Afín a su naturaleza
—Las alpargatas"

Audios: "Consejos para elegir zapatos" ........265

Cápsula Cultural: "La industria del calzado
es muy importante en España"

Ensayo: "La moda y el ideal de belleza femenino,
¿delgadez extrema o curvas?"; "La evolución del
ideal de belleza femenino a lo largo de la historia
del arte" ...............................266

Correos Electrónicos: "Empleo como
fotógrafo"..............................267

Conversaciones: "Los ídolos" ..............267

Discursos: "Los lugares históricos y turísticos" . .267

VOCABULARIO Y PREGUNTAS CULTURALES . . 268

## Las definiciones de la creatividad ......269

Lecturas: "Instrumentistas mapuches
llegan a deslumbrar escena santiaguina";
"Instrumentos de los mapuches"............269

Cápsula Cultural: "Las tunas de España"

Ilustración con Audio: "La Alhambra de
Granada, España"........................271

Cápsula Cultural: "La presencia árabe en la lengua española"

Correos Electrónicos: "La creatividad" . . . . . . .272

Audios: "El arte de mi padre refleja su alegría de vivir" . . . . . . . . . . . . . . . . . . . . . . .273

Cápsula Cultural: "La belleza de lo voluminoso"

Ensayo: "Arte y significaciones perpetuadas en la piel"; "Reportaje artesanías del Ecuador" . .274

Conversaciones: "Las vitrinas" . . . . . . . . . . .275

Discursos: "La generación corriente y la creatividad" . . . . . . . . . . . . . . . . . . . . . . . .275

VOCABULARIO Y PREGUNTAS CULTURALES . .276

## La moda y el diseño . . . . . . . . . . . . . . . . . . . .277

Lecturas: "Una carta de solicitud" . . . . . . . . . .277

Cápsula Cultural: "La ropa habla"

Lecturas con Audio: "Paco Rabanne, poeta del metal"; "Paco Rabanne, el modista vasco" . . .278

Cápsula Cultural: "Los exiliados de la Guerra Civil Española (1936-1939)"

Audios: "Las vitrinas venezolanas al día" . . . . . . .280

Cápsula Cultural: "Las camas—Muebles para todos y para todos los gustos"

Ensayo: "El alto precio de la moda"; "Crónica: el alto precio de la moda" . . . . . . . . . . . . . . . . . . .281

Correos Electrónicos: "Visita a Valencia y sus alrededores" . . . . . . . . . . . . . . . . . . . . .282

Conversaciones: "La quinceañera" . . . . . . . . . .282

Discursos: "El gusto personal y los grupos sociales" . . . . . . . . . . . . . . . . . . . .282

VOCABULARIO Y PREGUNTAS CULTURALES . .283

## El lenguaje y la literatura . . . . . . . . . . . . .284

Lecturas: "Hay un país en el mundo" —Pedro Mir . . . . . . . . . . . . . . . . . . . . . . . . .284

Cápsula Cultural: "Walt Whitman (1819-1892), influencia poética en todas las Américas"

Ilustración con Audio: "Cómo está organizado el cerebro"; "Jorge Volpi: leer la mente" . . . . . . .285

Cápsula Cultural: "Los niños bilingües sacan partido de su conocimiento"

Audios: "Guía para analizar poemas" . . . . . . . .286

Cápsula Cultural: "¿Cuál es tu poema favorito? Vota."

Correos Electrónicos: "Donar tiempo" . . . . . . .287

Ensayo: "El lenguaje, concepto y definición"; "El silbo de la Gomera" . . . . . . . . . . . . . . . . .288

Conversaciones: "Una conversación con Borges" . . . . . . . . . . . . . . . . . . . . . . . . . . .289

Discursos: "La importancia de aprender otro idioma" . . . . . . . . . . . . . . . . . . . . . . . .289

VOCABULARIO Y PREGUNTAS CULTURALES . .290

## Las artes visuales y escénicas . . . . . . . . . .291

Lecturas: "El Museo del Prado"; "Plano de Madrid" . . . . . . . . . . . . . . . . . . . . . . . . . . .291

Cápsula Cultural: "Números y más números"

Ilustración con Audio: "María Martorell, artista de Salta"; "Agenda cultural" . . . . . . . . . . . . . .293

Cápsula Cultural: "Juan Carlos Dávalos, poeta salteño"

Audios: "Jorge Luis Borges, el de las milongas y Julio Cortázar, el del jazz" . . . . . . . . . . . . . . .294

Cápsula Cultural: "El corazón del tango"

Correos Electrónicos: "Aprendiz de verano" . . . .295

Ensayo: "Arte moderno, entre la experiencia interior y la revolución"; "¿Qué le da valor al arte?" . . . . . . . . . . . . . . . . . . . . . . . . . . .296

Conversaciones: "Trabajo local voluntario" . . . . .297

Discursos: "El arte callejero" . . . . . . . . . . . . .297

VOCABULARIO Y PREGUNTAS CULTURALES . .298

## CRÉDITOS . . . . . . . . . . . . . . . . . . . . . . . . .299

Afirmación de búsqueda . . . . . . . . . . . . . . . . .301

## IMÁGENES . . . . . . . . . . . . . . . . . . . . . . . .302

## GLOSARIOS

Español—Español . . . . . . . . . . . . . . . . . . . .303

Español—Inglés . . . . . . . . . . . . . . . . . . . . .312

Inglés—Español . . . . . . . . . . . . . . . . . . . . .318

## LOS AUTORES . . . . . . . . . . . . . . . . . . . . .324

# LOS DESAFÍOS MUNDIALES

RAÚL CASTRO: "CINTURÓN MÁS APRETADO Y CERO REFORMAS PARA EL AÑO VENIDERO"

## CUBA: LA ECONOMÍA SE HUNDE

PÁGINA 2

EL SIGLO XX SE HA CARACTERIZADO POR GRANDES CAMBIOS EN...

## AGRICULTURA ORGÁNICA Y MEDIO AMBIENTE

PÁGINA 11

MIGUEL DE UNAMUNO: "CREO CREER…"

## MI RELIGIÓN

PÁGINA 19

SU MENOR CIFRA EN MÁS DE CUATRO DÉCADAS

## Menos mexicanos indocumentados van por "sueño americano"

PÁGINA 28

SÚMATE A LA CAMPAÑA MUNDIAL

## ALZA LA VOZ CONTRA LA POBREZA

PÁGINA 35

JAVIER SICILIA, POETA: "ESTAMOS HASTA LA MADRE"

## CARTA ABIERTA LUEGO DEL ASESINATO DE SU HIJO

PÁGINA 42

## ÍNDICE ARGENTINO

**CÁPSULAS CULTURALES**
(PÁGINAS 4, 6, 7,12,14,15,19, 21, 22, 27, 29, 30, 35, 37, 38, 43, 45, 46)

**CLASIFICADOS CON VOCABULARIO Y PREGUNTAS CULTURALES**
(PÁGINAS 10, 18, 25, 34, 41, 50)

"¿Las Malvinas son argentinas?"

# Los temas económicos

## Lecturas

**FUENTE NÚMERO 1** Este artículo adaptado, "Cuba: la economía se hunde, las remesas crecen", que apareció el 30 de enero de 2010 en Pronósticos XXI, una revista de internet, trata de varios aspectos de la economía cubana. Fue escrito por Emilio Morales Dopico.

En días pasados circularon por el mundo las malas noticias que el general presidente Raúl Castro daba a los cubanos: cinturón más apretado y cero reformas para el año venidero. Como pudimos apreciar en su
5 discurso ante la Asamblea Nacional del Poder Popular (parlamento cubano), yo diría "lamento cubano", pues sólo se reúne dos veces al año para oír los lamentos, ahora en boca de Raúl, **las cifras** económicas son el reflejo de un sistema que agoniza y no endereza su rumbo en su
10 hora final. La culpa como siempre la tiene el imperialismo norteamericano.

Mientras tanto el nuevo ministro de economía Marino Alberto Murillo informaba del descalabro del níquel, el **decrecimiento** de las inversiones en un 16%, la
15 disminución de las importaciones en un 37.4% y la disminución de los ingresos por el turismo sin precisar **las cifras**. Como aspecto positivo mencionó el crecimiento del 4.5% en la agricultura, un 4.6% en el transporte, un 4% en los servicios y un 2% en
20 la industria.

¿Pero de que no hablaron Murillo y Raúl? No hablaron de los nuevos pilares de la economía cubana: emigración, telefonía celular, eliminación de las restricciones para los **envíos** de remesas y los viajes a
25 Cuba y del aumento descomunal que tuvo la remesa **a pesar de la** crisis. Tampoco hablaron de las proyecciones futuras de esas variables, es lógico: da vergüenza.

En realidad el gran **resultado** es que las remesas este año cerrarán en Cuba con un **incremento** de un
30 26.4% **a pesar de** la crisis, un verdadero bálsamo salvador. En los últimos 10 años han emigrado de Cuba entre 450,000 y 500,000 cubanos. Esta **cifra** anual de emigrantes representa un gasto en trámites migratorios anual que oscila entre 125 y 200 millones
35 de CUC (Peso Convertible Cubano ajustado al dólar estadounidense).

Por otra parte, la liberación del uso de la telefonía celular ha llegado a la asombrosa **cifra** ya de 730,000

celulares en la isla, en apenas un par de años. Eso se traduce este año 2009 que termina en una facturación
40 aproximada de 200 millones de CUC: *la diáspora cubana paga para comunicarse con sus familiares.*

El reciente anuncio del levantamiento de las restricciones de viajes a los ciudadanos cubano-americanos a viajar una vez al año y poder estar en la
45 isla el tiempo deseado, sin duda alguna ha sido uno de los factores claves en el aumento de **los envíos** de remesas a Cuba.

La liberación de **los envíos** de remesas a 5.000 como tope por transacción y sin límite de veces a enviar hizo
50 que Western Union bajara un 50% las tarifas de los costos de **los envíos**. Su efecto se tradujo en mayores **envíos**.

**Mientras tanto** el país sigue sin producir, los problemas sociales se siguen acumulando, la huelga de brazos
55 caídos continúa y el litro de leche que prometió el general-presidente no aparece. El 2010 promete ser un año de sorpresas ante esta inmovilidad del régimen, esperemos los acontecimientos.

**FUENTE NÚMERO 2** El gráfico y la tabla tratan de factores económicos hechos y proyectados entre los años 2005 y 2010. Fueron diseñados por Emilio Morales Dopico y vienen del artículo "Cuba: la economía se hunde, las remesas crecen", publicado en enero de 2010.

GRÁFICO: Proyección de los vuelos a Cuba. Período 2006-2010 proyectado.

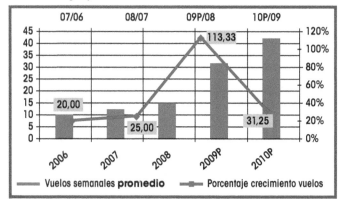

Fuente: Cuba: ¿Tránsito silencioso al capitalismo? Emilio Morales, 2009.

**Tabla: Evolución de las remesas a Cuba. Período 2005-2009P.**

| Envíos de Remesas | | | | |
|---|---|---|---|---|
| Año | Oficial | No Oficial | Total | % crecimiento |
| 2005 | 231.870.000 | 912.254.000 | 1.144.124.000 | |
| 2006 | 312.370.000 | 938.780.000 | 1.251.150.000 | 9,35 |
| 2007 | 377.970.000 | 984.740.000 | 1.362.710.000 | 8,92 |
| 2008 | 442.225.000 | 1.004.840.000 | 1.447.065.000 | 6,19 |
| 2009P | 590.946.231 | 1.239.211.692 | 1.830.157.923 | 26,47 |

Fuente: Datos tomados de "Cuba: ¿Tránsito silencioso al capitalismo?"
Emilio Morales, 2009.

1. ¿Qué tipo de artículo es este texto?
   (A) Reportaje objetivo
   (B) Monografía académica
   (C) Editorial
   (D) Noticiario

2. ¿Qué significa "cinturón más apretado" (línea 3)?
   (A) Que los cubanos necesitarán ajustarse los pantalones
   (B) Que los cubanos tendrán que autorizar más reformas económicas
   (C) Que la Asamblea Nacional debe reunirse más a menudo
   (D) Que los cubanos tendrán que hacer sacrificios financieros y personales

3. ¿Qué actitud tiene el autor hacia el gobierno cubano?
   (A) Apoya los esfuerzos económicos del gobierno.
   (B) Desconfía de sus pronunciamientos económicos.
   (C) Hubiera preferido otro pronóstico económico gubernamental.
   (D) Desmiente la validez de las cifras económicas del gobierno.

4. Según el gobierno cubano, ¿por qué Cuba sigue teniendo dificultades económicas?
   (A) Por la disminución de factores agrícolas
   (B) Por la continuación de la política dominante de los Estados Unidos
   (C) Por la continuación de emigración cubana a Norte América
   (D) Por el decrecimiento de las importaciones internacionales

5. Según el artículo, ¿cuál ha sido el factor que más ha aportado a la economía cubana?
   (A) El incremento de remesas migratorias
   (B) El aumento del uso del celular en la isla
   (C) El crecimiento de emigraciones de Cuba
   (D) El aumento de los vuelos a Cuba

6. Según el artículo, ¿cuál ha sido el factor más importante en el aumento de dinero enviado a la isla?
   (A) El levantamiento de restricciones en telefonía celular
   (B) Cambios políticos sobre viajes y estadías de cubanos a su país de origen
   (C) La continuación de la diáspora cubana
   (D) El aumento de gastos en negocios inmigrantes en los Estados Unidos

7. ¿Qué representa la cifra "5.000" (línea 49)?
   (A) El máximo de envíos que cada cubanoamericano puede enviar en un año
   (B) El máximo de envíos permitidos por Western Union por persona
   (C) El máximo de costos que cobra Western Union por envío
   (D) El máximo de pesos cubanos que se puede enviar en cada envío

8. Según el gráfico, ¿qué representa la cifra 31.25?
   (A) El porcentaje de incremento de vuelos anuales entre 2009 y 2010
   (B) El porcentaje semanal de número de vuelos entre 2009 y 2010
   (C) El porcentaje de decrecimiento en promedio de vuelos semanales entre 2009 y 2010
   (D) El porcentaje del incremento en promedio de vuelos semanales entre 2009 y 2010

9. Al estudiar el gráfico y la tabla, ¿qué se concluye?
   (A) Que el número de vuelos produjo un correspondiente aumento de remesas
   (B) Que el porcentaje del incremento de remesas permitió más vuelos
   (C) Que el crecimiento económico más significativo en Cuba ocurrió en el año 2009
   (D) Que el año 2010 fue el más productivo económicamente en Cuba

10. En la tabla, ¿qué ilustra la columna indicada por "No Oficial"?
    (A) El valor de las remesas en millones de dólares
    (B) Los envíos no incluidos oficialmente
    (C) El número total de envíos oficiales y no oficiales
    (D) El número de remesas verificadas

11. ¿Qué afirmación del artículo apoyan la tabla y el gráfico?
    (A) Que hubo un crecimiento de actividad extranjera con Cuba entre 2006 y 2010
    (B) Que Cuba dio una gran bienvenida a turistas en el 2009
    (C) Que los cubanos disfrutaron un boom económico en el 2009
    (D) Que la economía cubana mejorará en el futuro

## CÁPSULA CULTURAL: BREVE HISTORIA DE INMIGRACIÓN Y EMIGRACIÓN EN CUBA

La isla fue colonizada por los españoles a partir de 1511. En el siglo XVIII llegaron los ingleses y se apoderaron por poco tiempo de La Habana; posteriormente fueron expulsados por los españoles. Los españoles establecieron la industria de la caña e importaron africanos como mano de obra para trabajar como esclavos en la nueva industria. Cuando los cubanos iniciaron su movimiento hacia la independencia de los españoles en 1895, muchos, incluyendo el héroe nacional José Martí, se exiliaron en el extranjero. Pero no fue hasta 1959 y la victoria de Fidel Castro que grandes oleadas de emigrantes salieron de Cuba. Primero, salieron partidarios del dictador derrocado Fulgencio Batista. Luego, casi 300.000 cubanos que se oponían a Castro salieron entre 1965 y 1973. En 1980 cuando Castro permitió el Éxodo del Mariel, unos 125.000 cubanos se fueron a EE.UU. Hoy en día hay alrededor de un millón de cubanos radicados en ese país.

—Juan Molinero, *Diario Viaslado*, 2011

**COMPARACIONES:** **¿Qué rol juegan los inmigrantes en tu comunidad y en los países de habla española?**

## Correos Electrónicos

Has recibido este mensaje porque acabas de crear una cuenta corriente en tu banco local Bancorazón. El presidente, el Sr. López Estrada te deja el siguiente mensaje electrónico.

| **De:** | Bancorazón tu banco local |
|---|---|
| **Asunto:** | Se está haciendo tarde para invertir en tu futuro |

TUS ÓRDENES

Querido/a Cliente,

Recibes este mensaje porque eres joven y tienes un largo futuro por delante. Ahora mismo es el momento más oportuno para invertir en una cuenta de ahorros. ¡No tardes en confiarnos tus ahorros! Crea una cuenta inmediatamente. ¿Eres el tipo de persona que siempre llegas cuando la fiesta está por acabar? Si eres una persona que se preocupa por la seguridad de tu futuro, invierte. No hay excusa. Para ganar el porcentaje de interés más favorable, contéstanos estas preguntas. ¿Por qué eres una persona que prefiere llegar a la fiesta antes que nadie? ¿Por qué prefieres aprovechar nuestra inusual oferta? ¿Para qué ahorrarías tu plata? ¿Qué estarás haciendo en 20 años? ¿Buscas una vida de comodidad y diversión o preferirías estar trabajando hasta la edad de 70? Somos tu banco. Somos de corazón.
Estoy a la espera de tu respuesta. Quedo atento a tus órdenes.

José López Estrada
Presidente, Bancorazón

## Lecturas con Audio

**FUENTE NÚMERO 1** Este texto adaptado, "Carta abierta a Carlos Slim", trata de la política empresarial de Carlos Slim, el hombre más rico del mundo, y su efecto en la vida económica de México. Esta carta abierta fue escrita por Denise Dresser el 15 de febrero de 2009.

Estimado Ingeniero: Le escribo este texto como ciudadana. Como consumidora. Como mexicana preocupada por el destino de mi país y por **el papel** que usted juega en su presente y en su futuro. He leído

5 con detenimiento las palabras que pronunció en el Foro "Qué hacer para crecer" y he reflexionado sobre sus implicaciones.

Su postura en torno a diversos temas me recordó aquella famosa frase atribuida al presidente de la

10 compañía automotriz General Motors, quien dijo: "lo que es bueno para General Motors es bueno para Estados Unidos". Y creo que usted piensa algo similar: lo que es bueno para Carlos Slim, para Telmex, para Telcel, para el Grupo Carso es bueno para México.

15 Pero no es así. Usted se percibe como solución cuando se ha vuelto parte del problema; usted se percibe como estadista con la capacidad de diagnosticar los males del país cuando ha contribuido a producirlos; usted se ve como salvador indispensable cuando se ha convertido

20 en bloqueador criticable. De allí las contradicciones, las lagunas y las distorsiones que plagaron su discurso y menciono las más notables.

Usted dice que es necesario pasar de una sociedad urbana e industrial a una sociedad terciaria, de

25 servicios, tecnológica, de conocimiento. Es cierto. Pero en México ese tránsito se vuelve difícil **en la medida en la cual** los costos de telecomunicaciones son tan altos, la telefonía es tan cara, la penetración de internet de banda ancha es tan baja. Eso es el resultado del

30 predominio que usted y sus empresas tienen en el mercado. En pocas palabras, ¿en el discurso propone algo que en la práctica se dedica a obstaculizar? Usted subraya el imperativo de fomentar la productividad y la competencia, pero a lo largo de los años **se ha**

35 **amparado** en los tribunales ante esfuerzos regulatorios que buscan precisamente eso.

Desde su punto de vista el modelo está mal, pero no hay que cambiarlo **en cuanto a** su forma particular de acumular riqueza. La revisión puntual de sus palabras

40 y de su actuación durante más de una década revela entonces un serio problema: hay **una brecha** entre la percepción que usted tiene de sí mismo y el impacto nocivo de su actuación; hay una contradicción entre lo que propone y cómo actúa; padece una miopía que lo

45 lleva a ver la paja en el ojo ajeno e ignorar la viga en el propio. Usted se ve como un gran hombre con grandes ideas que merecen ser escuchadas.

Escribo con tristeza, con frustración, con la desilusión que produce presenciar la conducta de alguien que podría ser mejor. Que podría dedicarse a innovar en

50 vez de bloquear. Que podría competir exitosamente pero prefiere ampararse constantemente. Que podría darle mucho de vuelta al país pero opta por seguirlo **ordeñando.**

México, Distrito Federal                                          55

**FUENTE NÚMERO 2** Esta grabación adaptada "Carlos Slim encabeza la lista de los más ricos" es de una entrevista a Carlos Slim hecha por la periodista María Celeste Arrarás, del programa televisivo Al Rojo Vivo de Telemundo, en 2007. Hablaron de los negocios, la familia de Slim y México. La grabación dura aproximadamente tres minutos.

1. ¿Cuál es el propósito de esta carta abierta?
   - (A) Protestar de los altos costos al consumidor telefónico
   - (B) Hacerle ver a Slim los efectos de sus acciones en la vida diaria de México
   - (C) Destruir la legitimidad empresarial de Slim
   - (D) Criticar el éxito financiero de Slim

2. Según la carta, ¿por qué cita Dresser al presidente de General Motors (líneas 11 y 12)?
   - (A) Para llamar la atención a Slim por su arrogancia
   - (B) Para llamar la atención a Slim de que debe copiar a los empresarios estadounidenses
   - (C) Para demostrar a Slim que sus empresas no son tan exitosas como General Motors
   - (D) Para demostrar a Slim que él puede ser parte de la solución económica de México

3. Según Dresser, ¿qué hace Slim para impedir que México se convierta en un país de servicios y de conocimiento?
   - (A) Mantiene precios altos sobre todo en el sector de servicios sociales.
   - (B) Ampara la dependencia del público en las telecomunicaciones.
   - (C) Interfiere en la promulgación de leyes que protegen al consumidor.
   - (D) Promueve leyes regulatorias en las industrias esenciales del país.

4. Según Dresser, ¿en qué consiste la hipocresía de Slim?

   (A) En no reconocer la importancia de sus intereses comerciales
   (B) En no aliviar el sufrimiento del pueblo mexicano
   (C) En no entender que es culpable de lo que acusa a otros
   (D) En no llevar a cabo lo que propone para México

5. Según la fuente auditiva, ¿por qué fue poco usual esta entrevista?

   (A) Porque tuvo lugar en la casa privada de Slim
   (B) Porque Slim, un mexicano, era el hombre más rico del mundo
   (C) Porque Slim habló de su familia por primera vez
   (D) Porque María Celeste Arrarás conocía bien a Slim

6. Según la fuente auditiva, ¿qué actitud expresó Carlos Slim hacia el dinero?

   (A) A Slim le importa más el dinero que el negocio
   (B) Slim tiene mucho respeto por las posibilidades que brinda el dinero
   (C) A Slim le asustaba la posibilidad de perder el dinero
   (D) Slim tiene un gran afán por el poder que le da el dinero

7. En la fuente auditiva, ¿qué diferencia notó Slim entre el dinero y los negocios?

   (A) Slim dijo que el dinero trae la felicidad.
   (B) Slim explicó que los negocios traen la felicidad.
   (C) Slim señaló que no es nada el dinero sin los negocios.
   (D) Slim comentó que el dinero compite con los negocios.

8. En la fuente auditiva, ¿qué dijo Carlos Slim de su madre?

   (A) Que fue una mujer muy bien instruida en las finanzas
   (B) Que fue una mujer de un profundo conocimiento académico
   (C) Que fue una mujer muy importante en las finanzas de Slim
   (D) Que fue una mujer de una sabiduría práctica

9. ¿Qué tienen en común las dos fuentes?

   (A) El impacto dañino de Slim en la economía mexicana
   (B) La humanidad personal de Slim
   (C) La exposición de los valores personales de Slim
   (D) La pasión empresarial de Slim

10. ¿Qué se puede concluir en las dos fuentes acerca de quién es Carlos Slim?

    (A) Que es un personaje controvertido
    (B) Que es un buen empresario financiero
    (C) Que es un hombre muy intuitivo con respecto a las finanzas
    (D) Que es un hombre a quien le importa más la familia que los negocios

Ana Patricia Botín                    Laura Chinchilla
Cristina Fernández de Kirchner

## CÁPSULA CULTURAL: LAS HISPANAS MÁS PODEROSAS DEL MUNDO

Según la revista Forbes de 2011, aunque la mayoría de las hispanas más ricas y poderosas son mediáticas, actrices o cantantes, las tres que encabezan el ranking no aparecen en la lista de millonarios. Sólo los hispanos más poderosos incluyendo Carlos Slim y Sebastián Piñera, presidente de Chile, aparecen en las dos listas.

Estas tres mujeres—Ana Patricia Botín-Sanz de España, Cristina Fernández de Argentina y Laura Chinchilla de Costa Rica—ocupan un lugar muy prestigioso en el mundo. La primera es Presidenta del Banco Santander y reconocida en toda Europa por su perspicacia financiera. Las otras dos son presidentas de su país. A este ranking hay que sumar a Rosalía Mera Goyenchea, la más adinerada de España. Es co-fundadora de Inditex, una empresa que incluye Zara la conocida tienda internacional de moda. Es también filántropa que dona millones a causas que favorecen la integración social de personas discapacitadas.

—Juan Molinero, Viaslado

**COMPARACIONES:** ¿Son tan conocidas las mujeres poderosas como los hombres poderosos en tu comunidad? ¿Por qué? ¿Es lo mismo en el mundo de habla española? Explica.

## Audios

🔊 **FUENTE** Esta grabación es una reseña de un libro <u>La crisis ninja y otros misterios de la economía actual</u> escrito por Leopoldo Abadía. La locutora Laura Espiau da este informe auspiciado por Videosformacion.com en 2009. La grabación dura aproximadamente tres minutos.

1. ¿Cuál es el propósito de esta presentación?
   (A) Criticar el punto de vista económico de un libro
   (B) Explicar el contenido de un libro
   (C) Presentar las ideas excéntricas de un economista
   (D) Revelar los secretos financieros de un economista

2. ¿Qué opina la crítica Laura Espiau del libro?
   (A) Lo recomendaría para todos.
   (B) No lo recomendaría para lectores comunes.
   (C) Lo recomendaría sin reserva.
   (D) No lo recomendaría para todos.

3. Según la reseña, ¿cuál es la originalidad del libro de Leopoldo Abadía?
   (A) Es histórico y global.
   (B) Es técnico y profundo.
   (C) Es enredado pero erudito.
   (D) Es sencillo pero práctico.

4. ¿Cuál es el propósito principal del libro de Leopoldo Abadía?
   (A) Dar ejemplos de los lazos económicos a nivel global
   (B) Explorar la relación entre la macroeconomía y las finanzas personales
   (C) Explicar lo que es un empresario ninja
   (D) Interpretar términos económicos

5. ¿Quiénes son los ninjas de la actual crisis económica?
   (A) Los que han superado la crisis
   (B) Los dueños cuya hipoteca debe más que el valor de la casa
   (C) Los que no tienen ni trabajo ni propiedad
   (D) Los dueños de casa sin hipotecas vigentes

6. ¿Para quiénes escribió su libro Leopoldo Abadía?
   (A) Para economistas especialistas en hipotecas subprime
   (B) Para víctimas de la crisis financiera mundial
   (C) Para banqueros implicados en el escándalo financiero
   (D) Para la gente común que entiende poco de la economía

7. ¿Qué escribía el autor en servilletas de papel?
   (A) Comentarios sobre problemáticas universales
   (B) Comentarios sobre cenas con amigos
   (C) Comentarios sobre teorías sociales
   (D) Comentarios sobre términos financieros

8. Según el libro, ¿qué les hace falta tanto al individuo como al mundo?
   (A) Un modelo económico que muestre cómo todo se conecta
   (B) Un modelo económico que equilibre la riqueza entre clases sociales
   (C) Un modelo económico que prevenga cualquier crisis financiera
   (D) Un modelo económico que mejore las finanzas de Texas y San Quirico

## CÁPSULA CULTURAL: LA FERIA INTERNACIONAL DEL LIBRO

Se realiza La Feria del Libro en ciudades y pueblos de todo el mundo. En el mundo hispanohablante las ferias de más renombre son las de Guadalajara, Buenos Aires, Lima, Sevilla y Santo Domingo entre otras. Suelen durar varias semanas durante los meses de abril y mayo. El 23 de abril es una fecha importantísima porque se dice que indica la muerte de Miguel de Cervantes y, por casualidad, el nacimiento de William Shakespeare. Se venden libros en mercados al aire libre y montan talleres y concursos sobre la lectura de libros.

**COMPARACIONES: En la actualidad, ¿qué importancia tienen los libros para tu comunidad y para las comunidades de habla hispana? ¿Cómo ha cambiado esto con el uso más frecuente de tabletas y otros dispositivos electrónicos?**

## Ensayo

**Tema del ensayo:**

*¿Hay más ventajas o desventajas en los efectos de la globalización internacional para las economías latinoamericanas?*

**FUENTE NÚMERO 1** Este texto abreviado nos da una visión global y general de la globalización. El estudio original "La globalización: ¿Amenaza u oportunidad?" fue publicado en abril de 2000 por el personal del Fondo Monetario Internacional.

El término "globalización" ha adquirido una fuerte carga emotiva. Algunos consideran que la globalización es un proceso beneficioso, una clave para el desarrollo económico futuro en el mundo, a la vez que inevitable
5 e irreversible. Otros la ven con hostilidad, incluso temor, debido a que consideran que suscita una mayor desigualdad dentro de cada país y entre los distintos países, amenaza el empleo y las condiciones de vida y obstaculiza el progreso social.

10 La globalización ofrece grandes oportunidades de alcanzar un desarrollo verdaderamente mundial, pero no está avanzando de manera uniforme. Algunos países se están integrando a la economía mundial con mayor rapidez que otros. En los países que han logrado
15 integrarse, el crecimiento económico es más rápido y la pobreza disminuye.

En los años setenta y ochenta, muchos países de América Latina y África, a diferencia de los de Asia, aplicaron políticas orientadas hacia el sector interno
20 y su economía se estancó o deterioró, la pobreza se agravó y la alta inflación pasó a ser la norma. En muchos casos, sobre todo en África, los problemas se vieron agravados por factores externos adversos. No obstante, al modificarse las políticas en estas regiones,
25 el ingreso comenzó a aumentar. Actualmente se está produciendo una importante transformación.

Las crisis desencadenadas en los mercados emergentes en los años noventa han mostrado a las claras que las oportunidades que ofrece la globalización tienen
30 como contrapartida el riesgo de la volatilidad de los flujos de capital y el riesgo de deterioro de la situación social, económica y ambiental como consecuencia de la pobreza.

La "globalización" económica es un proceso histórico,
35 el resultado de la innovación humana y el progreso tecnológico. Se refiere a la creciente integración de las economías de todo el mundo, especialmente a través del

comercio y los flujos financieros. En algunos casos este término hace alusión al desplazamiento de personas (mano de obra) y la transferencia de conocimientos (tecnología) a través de las fronteras internacionales.
40 La globalización abarca además aspectos culturales, políticos y ambientales más amplios que no se analizan en esta nota.

**FUENTE NÚMERO 2** Este gráfico trata de las inversiones extranjeras en América Latina y las inversiones latinoamericanas en el extranjero. Son estadísticas de la Comisión Económica para América Latina y el Caribe (CEPAL), sobre la base de estimaciones y cifras oficiales al 15 de abril de 2011.

Gráfico I.1
**AMÉRICA LATINA Y EL CARIBE: CORRIENTES DE INVERSIÓN EXTRANJERA DIRECTA Y DE INVERSIÓN DIRECTA EN EL EXTERIOR, 1992–2010 (En miles de millones de dólares)**

— Ingresos netos de inversión extranjera directa
— Egresos netos de inversión directa en el exterior

Fuente: Comisión Económica para América Latina y el Caribe (CEPAL) sobre la base de estimaciones y cifras oficiales al 15 de abril de 2011.

Fuente: Comisión Económica para América Latina y el Caribe (CEPAL) sobre la base de estimaciones y cifras oficiales al 15 de abril de 2011.

**FUENTE NÚMERO 3** Esta grabación trata de los efectos de la globalización en América Latina. La entrevista, "Latinoamérica enfrenta la crisis económica global", fue publicada el 2 de diciembre de 2009 y es una producción del Fondo Monetario Internacional. Sergio Negrete Cárdenas del Boletín del Fondo Monetario Internacional entrevista al nuevo Director del Departamento del Hemisferio Occidental del Fondo Monetario Internacional (FMI), Nicolás Eyzaguirre. La grabación dura aproximadamente dos minutos y medio.

## Conversaciones

🔊 Ésta es una conversación con Fede, un amigo tuyo. Vas a participar en esta conversación porque Fede es tu amigo y nunca tiene bastante dinero.

| Fede | • Te saluda y te pide un consejo. |
|------|-----------------------------------|
| Tú | • Reacciona y recomiéndale algo. |
| Fede | • Te da una explicación. |
| Tú | • Responde afirmativamente y dale otra recomendación. |
| Fede | • Reacciona y continúa la conversación. |
| Tú | • Contéstale afirmativamente dando detalles. |
| Fede | • Te hace una pregunta. |
| Tú | • Reacciona afirmativamente dándole una explicación. |
| Fede | • Continúa la conversación. |
| Tú | • Proponle una alternativa y despídete. |

## Discursos

**Tema de la presentación:**

*¿Cuál es la actitud de la gente de tu comunidad con respecto a los productos extranjeros?*

*Compara tus observaciones acerca de las comunidades en las que has vivido con tus observaciones de una región del mundo hispanohablante que te sea familiar. En tu presentación, puedes referirte a lo que has estudiado, vivido, observado, etc.*

## CLASIFICADOS

### PÁGINA 02 Lecturas

**ESENCIAL: PARA UNA MEJOR COMPRENSIÓN**

**los envíos**—lo que se manda por correo

**la cifra**—signo gráfico de números

**el promedio**—por ejemplo: 3+2+1÷3=2

*IMPORTANTE: PARA UNA MEJOR DISCUSIÓN*

**el decrecimiento**—↓

**el incremento**—↑

**el resultado**—lo que sigue de alguna acción, su efecto o consecuencia

*ÚTIL: PARA UNA MEJOR EXPRESIÓN*

**a pesar de**—pese a

**mientras tanto**—mientras

**Producto:** ¿Cuál es el promedio de remesas que se envían a Cuba desde los EE.UU.?

**Práctica:** Describe el proceso de enviar remesas a Cuba.

**Perspectiva:** ¿Por qué creen los cubanos que es importante enviar remesas a Cuba?

### PÁGINA 05 Lecturas con Audio

ESENCIAL: PARA UNA MEJOR COMPRENSIÓN

**el papel**—el rol

**la brecha**—agujero, distancia entre dos polos, abertura

**logró (lograr)**—conseguir, obtener

**la sabiduría**—erudición, conocimiento por la experiencia

**IMPORTANTE: PARA UNA MEJOR DISCUSIÓN**

**se ha amparado (ampararse)**—apoyarse, protegerse

**padece (padecer)**—sufrir

**ordeñando (ordeñar)**—sacar el máximo provecho de algo; extraer leche

*ÚTIL: PARA UNA MEJOR EXPRESIÓN*

**en la medida en la cual**—en proporción con

**en cuanto a**—con respecto a

**Producto:** ¿Qué servicios ofrece la empresa mexicana Telmex?

**Práctica:** Compara los servicios de Telmex con los de sus rivales.

**Perspectiva:** ¿De qué critican a Telmex algunos mexicanos?

### PÁGINA 07 Audios

*ESENCIAL: PARA UNA MEJOR COMPRENSIÓN*

**las hipotecas subprime**—una carga sobre los bienes como una casa a cierto nivel de riesgo

**los ingresos**—cantidad de dinero que se gana

**actual**—en este momento

**las servilletas**—pedazo de papel para limpiar la boca

**IMPORTANTE: PARA UNA MEJOR DISCUSIÓN**

**los presupuestos**—cálculo de costos

**clave**—esencial, importante

**ÚTIL: PARA UNA MEJOR EXPRESIÓN**

**salir bien parado**—tener buena suerte

**sacarle partido**—aprovechar

**incluso**—también, además

**Producto:** ¿Cuáles son algunas ferias del libro en los países de habla española?

**Práctica:** Compara cómo se celebra la Feria del Libro en Madrid y Tegucigalpa.

**Perspectiva:** ¿Por qué ha aumentado la popularidad de las ferias de libro en los países de habla española?

# Los temas del medio ambiente

## Lecturas

**FUENTE NÚMERO 1** El artículo, "Agricultura orgánica y medio ambiente", apareció en <u>Ganadería Agroecológica,</u> realizado por Pedro O. Gómez, Dora Carmona, Hernán Echeverría y Olga R. Rosso de la Unidad Integrada EEA INTA Balcarce/Facultad Ciencias Agrarias Balcarce, Argentina del Instituto de Investigaciones de Pastos y Forrajes. Trata sobre el desarrollo de sistemas <u>agrícolas para conservar</u> y mejorar el medio ambiente y es de 2005.

El siglo XX se ha caracterizado por grandes cambios en el manejo de los agroecosistemas. De sistemas naturales de producción a principios de siglo, se pasó al uso abusivo de laboreo del **suelo** y de agroquímicos, con
5 graves consecuencias como <u>la pérdida de las propiedades físicas y químicas del **suelo**</u>, el desarrollo de resistencia a pesticidas con rápida multiplicación de organismo, plaga, graves pérdidas de la diversidad biológica y **contaminación** ambiental.

10 En años recientes la **creciente** preocupación de la población por temas relacionados con el medio ambiente, la salud humana y el bienestar de los animales ha contribuido al **creciente** y sostenido desarrollo de lo que hoy se conoce como agricultura
15 orgánica, que le garantiza a la sociedad la producción de fibras y alimentos minimizando los riesgos de impacto ambiental.

La Secretaría de Agricultura, Ganadería, Pesca y Alimentación (SAGPyA) de Argentina, define a la
20 agricultura orgánica, ecológica o biológica como un sistema de producción **sustentable** en el tiempo, que **mediante** el manejo racional de los recursos naturales, sin la utilización de productos de síntesis química, brinde **alimentos sanos** y abundantes,

mantenga o incremente la fertilidad del **suelo** y la 25 diversidad biológica y que asimismo, permita la identificación clara por parte de los consumidores, de las características señaladas **a través de** un sistema de certificación que las garantice.

La agricultura orgánica se basa en la optimización de 30 los procesos biológicos y la aplicación de tecnologías amigables con el medio ambiente, excluyendo la utilización de organismos genéticamente modificados. **Debido a** las características de este enfoque de producción, el cual se rige por normativas específicas, 35 se dice que <u>la agricultura orgánica es la sustentabilidad</u> puesta en práctica.

**FUENTE NÚMERO 2** El gráfico fue publicado por ECLAC en julio de 2011.

**Figura. 1. Los ciclos de la Agricultura Orgánica. Adaptado de: Frieder Thomas, Rudolf Vögel (1993).**

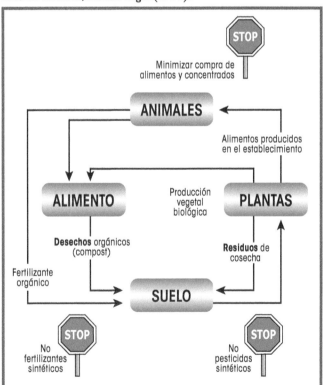

Fuente: Comisión Económica para América Latina y el Caribe (CEPAL)

1. ¿Por qué se escribió este informe?
   (A) Para explicar la insensatez de los pesticidas
   (B) Para apoyar a los ecologistas
   (C) Para describir cómo debe funcionar la agricultura sustentable
   (D) Para corregir los abusos de los agroecosistemas

**2.** ¿Cómo son el tono y la perspectiva del artículo?

(A) Son académicos.

(B) Son pedantes.

(C) Son activistas.

(D) Son filosóficos.

**3.** ¿Cuál es el sentido de "en el tiempo" (línea 21) según se usa en el artículo?

(A) Que la agricultura orgánica es sustentable

(B) Que la verdadera agricultura orgánica se sostiene a largo plazo

(C) Que la agricultura orgánica depende del clima local

(D) Que la agricultura orgánica requiere paciencia

**4.** Según el artículo, ¿qué caracterizaba el manejo agrícola en el siglo XX?

(A) El abuso laboral por parte de los agricultores

(B) La pérdida de recursos laborales

(C) Una disminución de la vitalidad de los sistemas naturales

(D) Una diversidad de plagas y contaminaciones ambientales

**5.** Según el artículo, ¿qué define la reciente actitud internacional hacia el medio ambiente?

(A) Un mejoramiento en la comprensión del proceso de producir productos químicos

(B) Una progresiva ansiedad por el bienestar del medio ambiente

(C) Una despreocupación por métodos naturales y sustentables

(D) Un tardío interés en la salud humana y animal

**6.** En el artículo, ¿cómo se caracteriza la agricultura orgánica?

(A) Como una meta ya puesta en marcha

(B) Como un ideal ya alcanzado

(C) Como una norma tradicional

(D) Como un obstáculo por superar

**7.** ¿Cuál es el propósito de la tabla?

(A) Mostrar lo que no se debe agregar al medio ambiente

(B) Ilustrar la interdependencia de varios elementos ambientales

(C) Mostrar lo que contamina los ámbitos locales

(D) Ilustrar los pasos hacia un ámbito limpio

**8.** ¿Cuál es el objetivo del eje de la tabla?

(A) Los desechos orgánicos

(B) La Agricultura Orgánica

(C) El alimento

(D) Las plantas

**9.** ¿Cómo ayuda la tabla a ilustrar el artículo?

(A) La tabla muestra cómo funciona un proceso sin productos sintéticos.

(B) La tabla destaca la importancia de la convivencia de plantas y animales.

(C) La tabla presenta un esquema natural para conservar el medio ambiente.

(D) La tabla ilustra cómo la agricultura orgánica es un proceso.

**10.** ¿Por qué es necesario tener esta tabla en conjunto con el artículo?

(A) Resalta la importancia de comprender la formación del medio ambiente

(B) Llama la atención a las señales de tráfico escritas en inglés

(C) Pone énfasis en cómo la ruptura del proceso natural puede dañar el medio ambiente

(D) Hace destacar la importancia de la producción vegetal biológica

## CÁPSULA CULTURAL: CULTIVOS ARGENTINOS

La República Argentina es un fenómeno agrícola a nivel global. Es el primer exportador mundial de aceite y harinas de girasol y soja. Ocupa el segundo puesto entre los exportadores de maíz. Es además el décimo productor de trigo en todo el mundo. La siguiente tabla ilustra su producción de varios cultivos.

| Avena | 500.000 toneladas |
|---|---|
| Cebada | 1.600.000 toneladas |
| Girasol | 3.230 toneladas |
| Maíz | 14.000.000 toneladas |
| Soja | 50.000.000 toneladas |
| Trigo | 8.000.000 toneladas |

Fuente: 2009/2010 en base a datos del USDA

**COMPARACIONES:** ¿Qué papel tiene la agricultura en tu comunidad? ¿Qué influencia ha tenido la cultura rural y campestre en los valores sociales y económicos de tu comunidad?

## Ilustraciones con Audio

**FUENTE NÚMERO 1** La selección, "Para plantar un árbol", trata de la mejor manera de plantar un árbol para asegurar su supervivencia. El artículo original fue publicado en "Plantemos para el planeta: La Campaña de los mil millones de árboles" del Programa de las Naciones Unidas para el Medio Ambiente, marzo de 2008.

**3** Colóquelo en su nuevo sitio. Sostenga siempre la planta por la cepa, no por el tronco. Esparza las raíces. Para evitar plantar a mucha profundidad, asegúrese de que la marca de tierra de **la postura** quede ligeramente por encima de la tierra que le rodea.

**1** Cave un **hoyo.** Éste debe tener al menos **el doble del ancho** de la cepa.

**2** Saque la planta de su envase. Saque con **cuidado** las raíces partidas y sacuda ligeramente para aflojar la cepa.

**4** Rellene el **hoyo.** Apisone la tierra **alrededor** de la cepa.

**5** **Riegue** abundantemente, pero despacio para fijar la tierra.

**6** Cuide su arbolito. Elimine las malas hierbas **de alrededor:** éstas tratan de robarles a las raíces la humedad y los nutrientes del suelo; también podrían alojar plagas y enfermedades. Proteja el árbol de animales de ser necesario.

🔊 **FUENTE NÚMERO 2** Este audio, "Cómo plantar un árbol", da instrucciones para elegir, cultivar, plantar y cuidar un árbol. Esta conversación viene de Radio Araucano del 27 de septiembre de 2011. El locutor, Juan Molinero, entrevista a Mercedes de Roble, arbolista para Árboles Adoptados, fundación ecologista. La grabación dura aproximadamente 3 minutos.

1. Según las fotos, ¿cuál es la emoción que más se asocia con el plantar de un árbol?
   (A) Un sentimiento de orgullo
   (B) Un sentimiento de ansiedad
   (C) Un sentimiento de profesionalismo
   (D) Un sentimiento de cansancio

2. Según las instrucciones, ¿cuál es la parte del arbolito que es más importante proteger?
   (A) La cepa
   (B) Las copas
   (C) El tronco
   (D) Las ramas

3. Según la foto número 3, ¿qué le preguntarías tú al señor para aprender algo más de cómo plantar un árbol?
   (A) ¿A qué profundidad plantó Ud. este árbol?
   (B) ¿Por qué lleva Ud. guantes en este momento?
   (C) ¿Por qué no ha apisonado la tierra al nivel de la postura?
   (D) ¿Por qué afloja Ud. la tierra con sólo una mano?

4. Según las instrucciones, ¿cuál es el elemento más importante en darle al arbolito la mejor posibilidad de sobrevivir?
   (A) La abundancia del riego
   (B) La acogida del clima
   (C) La fertilidad de la tierra
   (D) La templanza del sol

5. Según el audio, ¿por qué es importante consultar a un arbolista?
   (A) Para encontrar edificios que provean suficiente luz
   (B) Para aprender a regar con frecuencia
   (C) Para encontrar el mejor sitio donde esparcir las ramitas
   (D) Para asegurarse de las mejores condiciones de plantar y cuidar el árbol

6. Según la entrevista, ¿por qué es mejor plantar especies locales que las ajenas?
   (A) Las locales tienen corteza más gruesa para protegerlas del clima y los insectos.
   (B) Las locales tienen más probabilidad de sobrevivir.
   (C) Las locales tienen más posibilidad de esparcirse.
   (D) Las locales tienen el apoyo de arbolistas locales.

7. En zonas templadas, ¿cuándo es mejor plantar los arbolitos?
   (A) En otoño e invierno
   (B) En invierno y primavera
   (C) En primavera y otoño
   (D) En primavera y verano

8. ¿Cuáles son dos peligros que pueden dañar al arbolito?
   (A) El ganado y las mascotas
   (B) Los edificios y las autopistas
   (C) La sequía y los animales
   (D) El otoño y la primavera

9. ¿Qué recomendación se ve tanto en el gráfico como en la conversación?
   (A) Alejar a los insectos
   (B) Regar bien el arbolito
   (C) Cavar el hoyo el doble del ancho
   (D) Plantar especies locales

10. ¿Qué perspectiva sobre la plantación de árboles comparten las dos fuentes?
    (A) Lo divertido de plantar árboles
    (B) Lo bueno de bajar el estrés
    (C) Lo saludable de plantar árboles
    (D) Lo importante de planear antes de plantar

## CÁPSULA CULTURAL: LOS ÁRBOLES NACIONALES

El árbol nacional de Argentina, el Ceibo.

El árbol nacional de Panamá, el Panamá.

El árbol nacional de Nicaragua, el Madroño.

El árbol nacional de El Salvador, el Maquilíshuat.

**COMPARACIONES:** ¿Qué papel tienen las plantas como símbolos nacionales en tu comunidad? ¿Cómo han llegado a ser símbolos nacionales?

## Audios

🔊 **FUENTE** Esta grabación titulada "Los glaciares del sur argentino están desapareciendo" trata sobre los efectos del derretimiento de los glaciares en Ushuaia, Argentina, la ciudad más sureña del mundo. Estas noticias fueron transmitidas por AFP el 15 de mayo de 2009. El locutor habla con tres especialistas en glaciares: Jorge Rabassa, geólogo, Luis Turi, director de una compañía de guías, y Rodolfo Iturraspe, de la Dirección de Recursos Hídricos de Tierra del Fuego. La grabación dura aproximadamente 3 minutos.

1. ¿Dónde está ubicada la ciudad de Ushuaia?
   (A) En el continente de Antártida
   (B) En un glaciar que está despareciendo
   (C) En una postal del fin del mundo
   (D) En el sur del Hemisferio Occidental

2. En el audio, ¿qué usan los entrevistados para comprobar que los glaciares están retrocediendo?
   (A) El hecho de que el hielo de los glaciares se ha convertido en roca y tierra
   (B) La cantidad de rocas y pendientes que se ven en Ushuaia
   (C) El descenso de demanda por paquetes de caminatas por los glaciares
   (D) La comparación de unas fotos viejas con la vista actual de los glaciares

3. ¿Cuál es el propósito principal del informe auditivo?
   (A) Destacar los efectos turísticos en la desaparición de los glaciares
   (B) Señalar las consecuencias del retroceso de los glaciares
   (C) Llamar la atención sobre los efectos de los glaciares
   (D) Informar sobre la tradicional pérdida de reservas de agua dulce

4. Según la entrevista, ¿cuál es el efecto más preocupante del retroceso de los glaciares?
   (A) La pérdida de confianza en tener agua dulce suficiente en todo momento
   (B) La pérdida de seguridad de que haya bastantes glaciares para mantener la economía de la zona
   (C) La pérdida de senderos de hielo para sostener el turismo todo el año
   (D) La pérdida de fe en el retorno de suficiente frío durante todo el año

5. ¿Qué pregunta sería más apropiada para hacerles a los entrevistados al final de la entrevista?
   (A) Dadas estas circunstancias, ¿piensan mudarse a zonas más frías?
   (B) ¿Qué recomendarían que se hiciera para asegurar las reservas de agua?
   (C) ¿Qué está produciendo el derretimiento de los glaciares?
   (D) ¿Todavía recomiendan que los turistas visiten Ushuaia?

## CÁPSULA CULTURAL: LA TIERRA DEL FUEGO Y USHUAIA

Cuando llegaron los primeros europeos, esta zona era remota y hostil. Pasaron famosos nombres como Fernando de Magallanes (1520) y Sir Francis Drake (1578) por las aguas de lo que es hoy la Tierra del Fuego. Allí vivían varias tribus de aborígenes, los primeros fundadores del área. La primera colonia blanca fue una misión anglicana en 1869 y durante la década de 1880 llegaron en busca de oro inmigrantes de Croacia, Italia, Inglaterra y España. Ushuaia fue declarada una ciudad de Argentina en 1884 y el gobierno en Buenos Aires estableció allá una colonia penal a finales del Siglo XIX. Posteriormente han llegado otras olas de inmigrantes trabajadores y ahora tiene una población de más de 55.000 almas tenaces. Ushuaia es la capital de la provincia y atrae a más de 300.000 turistas cada año.

*Agencia de Viajes Viaslado, ¡Viaja y conócete!*

**COMPARACIONES:** ¿Cuáles son algunos sitios importantes habitados originalmente por extranjeros? ¿Qué influencias culturales han dejado los inmigrantes en estas comunidades?

## Correos Electrónicos

Este mensaje electrónico es de un colega de tu profesor/a de español, el Sr. Pedro Pablo. Has recibido este mensaje porque él cree que tienes interés en preservar el medio ambiente y porque cree que tienes talento como artista.

**De:** Profesor Pedro Pablo

**Asunto:** Su ayuda

Buenos días. Necesito su ayuda. El Concurso de Jóvenes Medioambientalistas de nuestro colegio va a ser a mediados de verano, en julio y me han encargado de toda la promoción del evento. Es muy importante el trabajo y sé que tiene Ud. interés en promover programas verdes. Estoy intentando crear un folleto sobre el manejo responsable de nuestro basurero local y me gustaría escuchar los consejos de varios estudiantes, sus ideas, sus recomendaciones. Por favor, descríbame alguna imagen que pueda estar en la tapa del folleto. También, ¿me podría sugerir algún texto que llamara la atención a los elementos más preocupantes del basurero? Además, ¿estaría disponible para ayudar con un cartel de promoción que los directores quieren que yo diseñe sobre otras amenazas a nuestro entorno? Le estaré muy agradecido si me ayuda con todo este proyecto. Profesor Pedro Pablo

## Ensayo

**Tema del ensayo:**

*¿Deben los países hacer énfasis en el reciclaje de los desechos electrónicos para proteger el medio ambiente?*

**FUENTE NÚMERO 1** Este texto, "Desechos electrónicos son reutilizables", trata del reciclaje de aparatos electrónicos. El artículo original fue publicado el 8 de febrero de 2011 por Daniela Castillo en El Periódico, diario digital de Guatemala.

Es posible ganar dinero y deshacerse de los dispositivos electrónicos en desuso.

5 Diez de diez universitarios entrevistados afirmaron tener guardado algún dispositivo electrónico porque están conscientes del daño al ambiente que causaría desecharlos y desconocen que estos pueden reciclarse, y además pueden ganar dinero con ellos.

En países en vías de desarrollo la vida promedio de las
10 computadoras es de tres años. Las desktops, las laptops, los monitores y las impresoras cuando son desechados indebidamente tienen el potencial de contaminar y hasta de provocar cáncer.

En la actualidad, en Guatemala hay una empresa llamada
15 "Recelca" cuyo propósito es reciclar, reducir y recuperar los dispositivos electrónicos obsoletos o en desuso.

La empresa recibe todo equipo electrónico: de consumo, seguridad informática, periféricos, equipo de laboratorio y/o hospitalario, equipo de telecomunicaciones, de red
20 y de oficina, y placas de circuito.

Toda la información es destruida de forma permanente, y los componentes de los aparatos se separan de los materiales peligrosos y se reutilizan.

"Los componentes que son separados se mandan a
25 una planta en el extranjero, allí hacen la extracción de la materia prima y se procesa para sacar metales y materiales, todo lo que se pueda recuperar del desecho", explica Angélica López, asistente de gerencia.

Además de reciclar, Recelca puede comprar su equipo
30 directamente o compartir los ingresos obtenidos por la venta. Para hacer una negociación puede llamar al número 2261-0349 o enviar un correo electrónico a la dirección info@recelca.com.

**FUENTE NÚMERO 2** Esta gráfica trata de los equipos electrónicos desde cuando están en un estado nuevo hasta cuando están en un estado de desuso. Fue publicada en "Estrategia sostenible de gestión de residuos electrónicos en El Salvador", un proyecto auspiciado por CWG y Asociación Centroamericana para la Economía, la Salud y el Ambiente y redactado por el Ing. Carlos Eduardo Meléndez Ávalos.

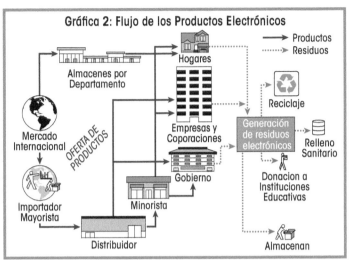

**Gráfica 2: Flujo de los Productos Electrónicos**

Fuente: PNUD-JICA-Consejo Nacional para el Desarrollo Sostenible, El Salvador
junio de 2008

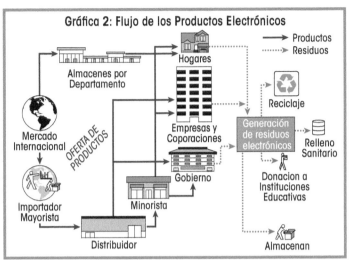 **FUENTE NÚMERO 3** Esta grabación, "Desechos electrónicos", trata de la contaminación que producen los productos electrónicos en desuso y los daños que causan a los seres humanos. Fue publicada por **Centro de Producciones Radiofónicas** (Buenos Aires, Argentina) en Radioteca en mayo de 2011. La grabación dura aproximadamente 3 minutos.

## Conversaciones

Esta es una conversación con Malena, una amiga tuya, quien quiere organizar un club del medio ambiente.

| Malena | • Te saluda y te pide algo. |
|--------|------------------------------|
| Tú | • Salúdala y responde negativamente. |
| Malena | • Te responde y te hace una pregunta. |
| Tú | • Responde apropiadamente sacándola de su error. |
| Malena | • Te hace varias preguntas. |
| Tú | • Responde dándole tus disculpas y proponle una alternativa. |
| Malena | • No está de acuerdo y te hace una pregunta. |
| Tú | • Reacciona y propón un acuerdo que les satisfaga a Uds. dos. |
| Malena | • Te responde y te hace una pregunta. |
| Tú | • Contesta negativamente justificando tu respuesta y despídete. |

## Discursos

***Tema de la presentación:***

*¿Cómo han impactado la calidad del medio ambiente varias iniciativas ambientalistas donde vives o donde está tu colegio?*

*Compara tus observaciones acerca de las comunidades en las que has vivido con tus observaciones de una región del mundo hispanohablante que te sea familiar. En tu presentación, puedes referirte a lo que has estudiado, vivido, observado, etc.*

**PÁGINA 11 Lecturas**

### ESENCIAL: PARA UNA MEJOR COMPRENSIÓN

**el suelo**—superficie de la tierra o un piso

**creciente**—que aumenta

**sustentable**—que perdura y se mantiene

**sano/a**—saludable, no enfermo

### IMPORTANTE: PARA UNA MEJOR DISCUSIÓN

**los alimentos**—comida

**los residuos**—restos, basura, desechos

**los desechos**—restos, basura, residuos

### ÚTIL: PARA UNA MEJOR EXPRESIÓN

**mediante**—por medio de, con la ayuda de

**a través de**—por, a lo largo de

**debido a**—a causa de

**Producto:** ¿Por qué es la soja el producto agrícola de mayor producción en la Argentina?

**Práctica:** ¿Por qué se cultiva la mayoría de la soja en las provincias de Santa Fé y Córdoba en la Argentina?

**Perspectiva:** ¿Por qué es la soja un cultivo relativamente nuevo en la historia de la Argentina?

**PÁGINA 13 Ilustraciones con Audio**

### ESENCIAL: PARA UNA MEJOR COMPRENSIÓN

**el hoyo**—agujero generalmente en la tierra

**riegue (regar)**—dar agua a una planta

**crecer**—madurar

**las semillas**—granos de los cuales crecen las plantas

### IMPORTANTE: PARA UNA MEJOR DISCUSIÓN

**el ganado**—animales domesticados del campo

**el abono**—fertilizante

**las posturas**—plantas muy inmaduras, hijuelos, retoños, rebrotes

### ÚTIL: PARA UNA MEJOR EXPRESIÓN

**con cuidado**—prestar atención, cuidar

**el doble del ancho**—dos veces de ancho

**de alrededor**—rodeando, en torno a

**Producto:** ¿Qué productos se fabrican de la ceiba en Guatemala?

**Práctica:** ¿Para qué se usan los productos de la ceiba?

**Perspectiva:** ¿Qué papel religioso ha jugado la ceiba entre las gentes precolombinas?

**PÁGINA 15 Audios**

### ESENCIAL: PARA UNA MEJOR COMPRENSIÓN

**el retroceso**—movimiento en sentido contrario, falta de avance

**la caminata**—paseo largo

**el derretimiento**—proceso del hielo al convertirse en líquido

### IMPORTANTE: PARA UNA MEJOR DISCUSIÓN

**la pendiente**—declive, cuesta

**preocupante**—alarmante

**la amenaza**—alarma, advertencia de peligro

**Producto:** Describe las varias zonas ambientales de la Patagonia en Chile y la Argentina.

**Práctica:** Explica cómo al llegar a Bariloche los turistas pueden contratar a guías para participar en las actividades recreativas que brinda la Patagonia.

**Perspectiva:** ¿Por qué hay tanta preocupación respecto a la desertificación en la Patagonia?

# El pensamiento filosófico y la religión

## Lecturas

**FUENTE** El siguiente texto, "Mi religión", forma parte de una colección de ensayos filosóficos, Mi religión y otros ensayos, escrita en 1910 por el gran pensador español Miguel de Unamuno. Este pasaje, escrito en 1909, explica que la religión del autor es activa y agonizante.

Me escribe un amigo desde Chile diciéndome que se ha encontrado allí con algunos que, refiriéndose a mis escritos, le han dicho: «Y bien, **en resumidas cuentas**, ¿cuál es la religión de este señor Unamuno. Y voy a ver

5 si consigo no contestarla, cosa que no pretendo, sino plantear algo mejor el sentido de la tal pregunta.

Y bien, se me dirá, «¿Cuál es tu religión?»Y yo responderé: mi religión es buscar la verdad en la vida y la vida en la verdad, **aun a sabiendas de** que no he de

10 encontrarlas mientras viva; mi religión es luchar incesante e incansablemente con el misterio; mi religión es luchar con Dios desde el romper del alba hasta el caer de la noche, como dicen que con Él luchó Jacob. Rechazo el eterno *ignorabimus*. Y en todo caso, quiero trepar a lo inaccesible.

15 Nadie ha logrado convencerme racionalmente de la existencia de Dios, pero tampoco de su no existencia; los razonamientos de **los ateos** me parecen de una superficialidad y futileza mayores **aún** que los de sus contradictores.Y si creo en Dios, o, **por lo menos**, creo creer en Él, es, ante todo, porque

20 quiero que Dios exista. Es cosa de corazón.

No espero nada de los que dicen: «¡No se debe pensar en eso!»; espero menos **aún** de los que creen en un cielo y un infierno como aquel en que creíamos de niños, y espero todavía menos de los que afirman con la gravedad del necio:

25 «Todo eso no son sino fábulas y mitos; al que se muere lo entierran, y se acabó». Sólo espero de los que **ignoran**, pero no **se resignan a ignorar;** de los que luchan sin descanso por la verdad y ponen su vida en la lucha misma más que en la victoria.

30 Y **lo más de** mi labor ha sido siempre inquietar a mis prójimos, removerles el poso del corazón, **angustiar**los, si puedo. Que busquen ellos, como yo busco; que luchen, como lucho yo, y entre todos algún pelo de secreto **arrancaremos** a Dios, y, **por lo menos**, esa lucha nos hará más hombres,

35 hombres de más espíritu.

Yo he buscado siempre agitar, y, a lo sumo, sugerir, más que instruir. Si yo vendo pan, no es pan, sino levadura o fermento.

Ya sabe, pues, mi buen amigo el chileno lo que tiene que contestar a quien le pregunte cuál es mi

40 religión. Ahora bien; si es uno de esos **mentecatos** que creen que guardo ojeriza a un pueblo o una patria cuando le he cantado las verdades a alguno de sus hijos irreflexivos, lo mejor que puede hacer es no contestarles.

45 Salamanca, 6 de noviembre de 1907.

1. En la línea 11, ¿a qué se refiere "el misterio"?
   - (A) A las preguntas sobre la existencia humana
   - (B) A lo que es la religión de Unamuno
   - (C) A por qué el chileno quiere saber de su religión
   - (D) A la cuestión de la existencia del cielo y del infierno

2. ¿Cuál de los siguientes fragmentos es un buen ejemplo de un juego intelectual?
   - (A) "Nadie ha logrado convencerme…"
   - (B) "…creo creer en Él."
   - (C) "Sólo espero de los que ignoran…"
   - (D) "…entre todos algún sello de secreto…"

3. Según Unamuno, ¿por qué es la existencia de Dios "cosa del corazón"?
   - (A) Porque es algo que no se puede saber por la razón
   - (B) Porque es algo que él quiere
   - (C) Porque Unamuno no sabe si cree
   - (D) Porque es cuestión de rezar a toda alma

4. ¿A Unamuno le gustaría saber cuál es su religión?
   - (A) Sí, porque cree creer en la religión.
   - (B) Sí, porque quiere querer saberlo.
   - (C) No, porque dejaría de luchar por saberlo.
   - (D) No, porque prefiere seguir sabiéndolo.

5. ¿Por qué a Unamuno le gusta perturbar a otros seres humanos?
   - (A) Porque le gusta ser una molestia religiosa
   - (B) Porque le gusta mirar sufrir a sus amigos
   - (C) Porque le gusta que todos piensen profundamente en las cuestiones de la existencia
   - (D) Porque le gusta burlarse de los mentecatos y los demás necios

6. ¿Por qué dice Unamuno en la línea 37 que él no vende "pan sino levadura"?
   - (A) Porque el proceso de saber cuál es su religión se demora mucho
   - (B) Porque dejar alzarse el pan es más importante que comerlo
   - (C) Porque la religión no es tan importante como la fe
   - (D) Porque los medios son más importantes que los fines

## CÁPSULA CULTURAL: EL TUTEO DE DIOS

Siempre se tutea a Dios porque define la íntima y confiable relación entre Él y el creyente. Además para mostrar mucho respeto se escribe con mayúscula la palabra Dios y los pronombres que se refieren a Él.

Oración: *"Padre Nuestro, que estás en el cielo. Santificado sea tu nombre…"*

**COMPARACIONES:** ¿Qué palabras usas para expresar confianza e intimidad en tu idioma? ¿Son las mismas palabras que usas para expresar amor o afecto?

## Lecturas con Audio

**FUENTE NÚMERO 1** Esta selección, "Camino de Santiago, la metáfora de la vida", trata de la experiencia de andar el Camino de Santiago. Fue escrita por Carmen Noel Barreda en Turismo Temático de Suite 101 el 22 de febrero de 2011.

Inmiscuirse en la naturaleza desde el amanecer y descubrir el tamaño real que ocupa el hombre en el universo es el tesoro secreto que aguarda al **peregrino**.

5 **Recorrer** el Camino de Santiago es mucho más que **recorrer** cerca de 800 kilómetros por un **paisaje** variado del norte de España y compartir lo vivido. Es mucho más que acercarse a la naturaleza y, encontrándola a ella, encontrarse a sí mismo. Es mucho más que, **degustando** platos y vinos variados, **degustar** amistad. Es mucho 10 más que un encuentro con la divinidad, sea cual sea la idea personal de divinidad de cada cual.

Es mucho más que ser y sentir como **un peregrino** durante un breve período de vida, porque, si todo esto ya de por sí fuera mucho, que lo es, el Camino de 15 Santiago, para todo aquel que lo vive y lo respira, es una experiencia personal espiritual que aglutina todo esto y lo **acrecienta**, y ya guardado en la memoria, se asoma al tiempo, creando una conexión perpetua individual con la divinidad eterna y universal.

20 Igual que Roma y Jerusalén, Compostela se convierte en una meta y un centro de **peregrinaje**, y se asocia la tumba del apóstol enterrado allí con el símbolo por excelencia de la Cristiandad. Nace el mito político tras el cual se esconden otras simbologías filosóficas y religiosas, y una 25 vez más nace el mito común, que como tal resurgirá y pervivirá, reinando a través de las almas y los siglos.

Para entender estas antiguas simbologías, se tendrá que rememorar la forma de pensamiento medieval. En esta época, los conceptos vitales y mentales gustaban de 30 asociarse a símbolos, ya que se gozaba de una cultura mucho menos visual que la actual.

En el camino a Santiago, lo importante no es la llegada, sino el camino en sí. Lo vivido, lo sentido, lo compartido, **acrecientan** y enriquecen por dentro al 35 viajero. Empezando por Roncesvalles, **el paisaje** verde **se asemeja al** comienzo de la vida. Llegando a Burgos, la aridez acompaña al caminante hasta el Bierzo, en un continuo sendero que **se asemeja a** la muerte. La llegada a Galicia, simbólicamente, es una auténtica 40 resurrección.

El Camino de Santiago se convierte así, en metáfora de vida universal.

**FUENTE NÚMERO 2** En esta selección auditiva, "La experiencia de Juan Andrés", Juan Andrés habla de cómo un verdadero peregrino debe emprender su viaje por el Camino de Santiago. Este video fue producido por xacobeo TV en 2010. La grabación dura 2:40.

1. ¿Cuál es el propósito del artículo?
   (A) Advertirle al peregrino de los peligros espirituales que va a enfrentar en el Camino de Santiago
   (B) Explicar el proceso de acrecentamiento espiritual del peregrino
   (C) Describir los beneficios espirituales de andar el Camino de Santiago
   (D) Convencer a los lectores que merece la pena hacer un recorrido por el Camino de Santiago

2. ¿Cómo entiende la autora del artículo el recorrido del Camino de Santiago?
   (A) Históricamente
   (B) Bíblicamente
   (C) Visualmente
   (D) Espiritualmente

3. Según el artículo, ¿qué se aprende de estar al aire libre por el Camino de Santiago?
   (A) Lo insignificante que es el hombre en su mundo
   (B) Lo bello que la naturaleza aporta a la humanidad
   (C) Lo amigable que es matar al tiempo en un café al aire libre
   (D) Lo simbólico que es el viaje de los peregrinos

4. En las líneas 17 y 18, ¿qué significa "se asoma al tiempo"?
   (A) A largo plazo
   (B) Poco a poco
   (C) De vez en cuando
   (D) Ya no

5. Según el artículo, ¿qué se encuentra al final del Camino de Santiago?
   (A) A otros peregrinos
   (B) La caridad espiritual
   (C) La muerte
   (D) La tumba del apóstol

6. ¿Quién es el locutor del audio?
   (A) Un hombre humilde y espiritual
   (B) Un apasionado de Santiago
   (C) Un turigrino novato
   (D) Un caminante veterano

7. Según el locutor del audio, ¿de qué deben darse cuenta los caminantes del camino de Santiago?

   (A) De que deben aceptar las condiciones al vivirlas
   (B) De que se ablandan las botas durante el camino
   (C) De que recorrerán muchos kilómetros antes de llegar al destino
   (D) De que les cobrarán tres euros en el camino

8. Según el audio, ¿cuáles son las mayores ventajas de andar por el camino?

   (A) Las oportunidades de crecer como persona
   (B) Los encuentros con otros peregrinos
   (C) Las oportunidades religiosas y deportivas
   (D) Las mejores condiciones naturales y espirituales

9. Según el locutor, ¿cómo se puede acrecentar la experiencia de andar por el camino?

   (A) Siempre siguiendo adelante
   (B) Comprándose unos buenos calcetines
   (C) Olvidándose de las buenas vacaciones
   (D) Dándose cuenta de lo poco necesario para vivir

10. ¿Qué tienen en común las dos fuentes?

    (A) Las dos resaltan la experiencia espiritual.
    (B) Las dos hacen mención de los peregrinos falsos.
    (C) Las dos hablan de la historia del Camino de Santiago.
    (D) Las dos destacan el hecho que el Camino de Santiago es una metáfora de la vida.

11. ¿Qué consejo dan las dos fuentes?

    (A) Que se debe prestar atención al uso de símbolos y metáforas a través del Camino de Santiago
    (B) Que se debe respetar las oportunidades de mejorarse espiritualmente
    (C) Que se debe dejar el camino como se lo ha encontrado
    (D) Que se debe mantener un equilibrio entre lo religioso y lo laico

## CÁPSULA CULTURAL: LA CATEDRAL DE SANTIAGO DE COMPOSTELA

Santiago de Compostela es la sede de uno de los lugares más sagrados de Europa. Allí se encuentra la famosa catedral dedicada a Santiago, uno de los doce apóstoles de Jesucristo. Santiago de Compostela ha sido un centro venerado por los católicos desde el Medioevo cuando los soldados cristianos venían a ser bendecidos antes de salir al Medio Oriente a combatir en las Cruzadas contra los musulmanes. Hoy día, Santiago es una ciudad turística además de ser un lugar a donde van los devotos a rezar. Es la última parada del bien conocido Camino de Santiago transitado por centenares de peregrinos cada año.

**COMPARACIONES:** ¿Son las iglesias de tu comunidad grandes destinos turísticos? ¿Cuáles son algunos destinos turísticos de tu comunidad?

La Catedral de Santiago de Compostela

Las Rutas de Santiago

## Audios

🔊 **FUENTE** Este audio, "José Gregorio Hernández el siervo de Dios", trata de la vida de José Gregorio Hernández conocido como el siervo de Dios en la ocasión de su beatificación. El programa fue emitido desde Venezuela por el programa FORMANDO CIUDADANÍA, un tipo de radio revista en noviembre de 2008. La grabación dura aproximadamente tres minutos y medio.

1. ¿Cuál es el propósito de esta narración?

   (A) Promocionar la canonización de José Gregorio

   (B) Destacar el singular conocimiento médico de José Gregorio

   (C) Recontar la vida y carrera de José Gregorio

   (D) Verificar los milagros hechos por José Gregorio

2. ¿En qué se distinguió José Gregorio?

   (A) En los campos de medicina y biología

   (B) En escribir varias obras científicas

   (C) En su vida humilde y recóndita

   (D) En desarrollar su conocimiento bacteriológico

3. Además de ser médico, José Gregorio era

   (A) automovilista.

   (B) cura.

   (C) pastor.

   (D) curandero.

4. ¿Qué hizo José Gregorio para ampliar su conocimiento científico?

   (A) Se hizo cargo de la dirección de varios laboratorios.

   (B) Se recluyó durante varios meses en un monasterio.

   (C) Hizo varios viajes a países europeos.

   (D) Se dedicó a ayudar a la gente de pocos recursos.

5. ¿Cómo murió José Gregorio Hernández?

   (A) En un accidente en el laboratorio

   (B) En un accidente bacteriológico

   (C) En un accidente automovilístico

   (D) En un accidente de viaje

6. Según el audio, ¿por qué se venera a José Gregorio en la creencia folclórica?

   (A) Porque practicaba una mezcla de ciencia y brujería

   (B) Porque se le atribuían unos milagros científicos

   (C) Porque practicaba su medicina en el Caribe

   (D) Porque algunos creen que poseía poderes únicos

7. ¿De qué ha sido gran modelo José Gregorio?

   (A) De los mejores valores de cumplimiento médico

   (B) De trabajo esmerado en la biología

   (C) De un sacerdote científico

   (D) De un hombre humilde y orgulloso

**José Gregorio Hernández
(1864-1919)**

## CÁPSULA CULTURAL: PARA LA IGLESIA CATÓLICA, ¿QUÉ ES UN SIERVO DE DIOS?

Ser siervo de Dios significa que uno está en la primera etapa de las cuatro de ser declarado santo. ¿Qué es un santo? Es alguien que ha sido canonizado por la iglesia católica por haber vivido una vida ejemplar dentro de las virtudes cristianas o una vida de martirio por causa de la fe. Algunos santos: Santa Teresa de Ávila, Santiago, San Pedro y Santa Catalina.

—Juan Molinero, Viaslado

**COMPARACIONES: ¿Qué papel tienen personas excepcionales en tu comunidad? ¿Cómo influyen los héroes religiosos en tu comunidad?**

## Correos Electrónicos

Este mensaje electrónico es de tu tío Junín, quien quiere avisarte de algo raro que ha visto.

**De:** Junín

**Asunto:** OVNI

Oye, acaba de mandarme esta foto Celina. Me dijo que la sacó su amigo Justino en las montañas de Monterrey. ¿Qué te parece? ¡Qué extraño! Pero, parece muy real. ¿Crees en la posibilidad de la vida en otro planeta? ¿Yo? ¡No sé! Pero me fascina la posibilidad y por esto me he inscrito en La Sociedad de INVO, un centro de estudios sobre los extraterrestres. ¿Te interesaría hacer un compromiso e involucrarte en estos estudios? Te voy a proponer para asociarte con nuestro grupo. ¿Qué debo indicarles acerca de tus intereses y cualificaciones? Espero me contestes dentro de 24 horas. ¿Sería posible? Los de INVO están ansiosos por saber de ti. ¿Qué te parece la foto? ¡Es fabulosa!

Besos, tu tío, Junín.

## Ensayo

**Tema del ensayo:**

*¿Se debe permitir vestir el velo musulmán en los colegios públicos?*

**FUENTE NÚMERO 1** Este artículo, "El hijab en las aulas", trata de la cuestión de los velos musulmanes en las clases. El artículo original fue publicado como Blog en WordPress.com en mayo de 2010 por usuariaunmillon.

El uso del hijab (velo islámico) en algún centro educativo de España y de otros países de Europa, ha despertado polémica hasta el punto de llegar a los tribunales de justicia. ¿Cuáles son los motivos de esta
5 polémica? Algunos centros de enseñanza, en su reglamento de régimen interno, contemplan la prohibición del uso de cualquier prenda sobre la cabeza; otros centros no, pero son centros laicos en los que no se practica ni potencia ninguna religión. Es cierto que se debe
10 respetar la libertad de expresión pero ¿hasta dónde llega la libertad de expresión y dónde empieza la imposición? ¿Qué debe prevalecer, la norma, que se supone que es la misma para todos o la creencia? ¿Es el velo una forma más de discriminación de la mujer o simplemente un símbolo
15 religioso? Un centro laico, ¿debería permitir que las alumnas llevaran el velo?

**FUENTE NÚMERO 2** Estas imágenes son de varios tipos de velos musulmanes que se encuentran no sólo en España sino también en otros países alrededor del mundo.

el niqab     el chador     el burqa     el hiyab

**FUENTE NÚMERO 3** Esta grabación trata de un incidente en Vitoria, España, cuando un médico se negó a atender a una mujer que se negó a quitarse el niqab al llegar al hospital. Aquí la mujer se deja entrevistar para comentar el suceso. El audio fue publicado originalmente con el título "No me voy a quitar el velo" en europapress.com 15/07/2010. La grabación dura 1:15.

## Conversaciones

🔊 Ésta es una conversación con Oswaldo Oleuba, director de Sondeos Alado, quien llama a tu casa para indagar un asunto de importancia filosófica.

| Oswaldo | • Te saluda y te hace una pregunta. |
|---|---|
| Tú | • Salúdalo, dale una respuesta negativa y explícale por qué. |
| Oswaldo | • Reacciona. |
| Tú | • Contesta y pregúntale sobre lo que acaba de decirte. |
| Oswaldo | • Te responde y te hace otra pregunta. |
| Tú | • Responde y pregúntale sobre el propósito de su llamada. |
| Oswaldo | • Reacciona y te hace otra pregunta. |
| Tú | • Contesta con detalle y dale unas excusas para terminar la llamada. |
| Oswaldo | • Responde y te da un dato más. |
| Tú | • Reacciona y despídete. |

## Discursos

***Tema de la presentación:***

*¿Cuál es el papel de la religión en tu comunidad?*

*Compara tus observaciones acerca de las comunidades en las que has vivido con tus observaciones de una región del mundo hispanohablante que te sea familiar. En tu presentación, puedes referirte a lo que has estudiado, vivido, observado, etc.*

# El pensamiento filosófico y la religión

## PÁGINA 19 Lecturas

### ESENCIAL: PARA UNA MEJOR COMPRENSIÓN

**ignoran (ignorar)**—no saber

**los ateos**—los que niegan la existencia de Dios

**se resignan (resignarse)**—someterse, conformarse

**angustiar**—afligir, estresar

### IMPORTANTE: PARA UNA MEJOR DISCUSIÓN

**aun**—hasta

**aún**—todavía

**arrancaremos (arrancar)**—sacar, extraer

**los mentecatos**—tontos, bobos

### ÚTIL: PARA UNA MEJOR EXPRESIÓN

**en resumidas cuentas**—en fin, en resumen

**a sabiendas de**—sabiendo

**lo más de**—la mayoría de

**por lo menos**—al menos, excepto

**Producto:** Describe el papel que tiene el catolicismo en la vida de los jóvenes actuales de España.

**Práctica:** En los últimos diez años, ¿cómo ha cambiado la práctica del catolicismo entre la juventud de España?

**Perspectiva:** Compara cómo han cambiado las actitudes de los jóvenes hacia la fe y la existencia de Dios en España y los Estados Unidos en los últimos diez años.

## PÁGINA 20 Lecturas con Audio

### ESENCIAL: PARA UNA MEJOR COMPRENSIÓN

**recorrer**—caminar, andar

**el paisaje**—panorama, vista

**el peregrino/a**—el que visita un lugar sagrado o especial

**exigir**—pedir

**engrandecer**—honrar, aumentar

### IMPORTANTE: PARA UNA MEJOR DISCUSIÓN

**degustando (degustar)**—probar, saborear

**acrecentar**—aumentar, mejorar

**el peregrinaje**—viaje que hace un peregrino

**asemejarse**—parecerse, ser similar

### ÚTIL: PARA UNA MEJOR EXPRESIÓN

**tener prisa**—ir rápidamente

**paso a paso**—poco a poco

**hacer falta**—faltar, necesitar

**Producto:** Explica el simbolismo de la concha del peregrinaje a Santiago de Compostela

**Práctica:** ¿Dónde y cómo se demuestra la concha del peregrinaje de Santiago de Compostela?

**Perspectiva:** Compara el significado de la concha para el peregrino religioso y para el "turigrino" del Camino de Compostela.

## PÁGINA 22 Audios

### ESENCIAL: PARA UNA MEJOR COMPRENSIÓN

**realizar**—hacer, efectuar

**destacarse**—distinguirse, enfatizarse

**el paradigma**—ejemplo, modelo

**los milagros**—cosas o sucesos maravillosos en un contexto religioso

### IMPORTANTE: PARA UNA MEJOR DISCUSIÓN

**venere (venerar)**—admirar, apreciar

**la orden**—mandamiento, instrucción, grupo religioso

**el cumplimiento**—lo que se realiza

### ÚTIL: PARA UNA MEJOR EXPRESIÓN

**a consecuencia de**—por, a causa de

**tomó (tomar) los hábitos**—hacerse cura, padre religioso

**Producto:** Cuenta la historia de la vida de Santiago, el de Compostela.

**Práctica:** ¿Por qué tiene Santiago el apodo de "matamoros"?

**Perspectiva:** Explica por qué el Día de Santiago, el 25 de julio, ha sido politizado en años recientes.

# La población y la demografía

## Lecturas

**FUENTE** Esta carta sobre la sobrepoblación de perros en México se encontró en Artemisa en Línea, un servicio mexicano de consulta al índice académico de los artículos publicados por 54 revistas biomédicas en texto completo. Fue escrita por Antonio Ortega-Pacheco en diciembre de 2001.

La sobrepoblación canina: un problema con repercusiones potenciales para la salud humana

Los perros son especies prolíficas que poseen características reproductivas muy particulares. Un trabajo realizado en la ciudad de Mérida, Yucatán, México muestra como éstos tienen la capacidad de reproducirse
5  todo el año, con ciertas tendencias hacia finales de primavera e inicio del verano. En 6 años una perra y sus **crías**, tienen la capacidad, a través de su descendencia, de producir 67.000 nuevos **cachorros**.

En Mérida, Yucatán cada año la perrera municipal
10  sacrifica más de 2.000 perros. Muy pocos de ellos son reclamados y éstos son posteriormente eliminados por ser considerados como fauna **nociva. Por otro lado**, el número de perros **atropellados** y muertos en el anillo periférico y carreteras son incontables. Todo esto
15  es originado por el problema de la sobrepoblación de esta especie, el cual no es provocado únicamente por el perro callejero sino que es un problema en el que todos nosotros estamos **involucrados**.

El problema de la sobrepoblación canina tiene un efecto
20  directo en la salud humana ya que existen más de 65 enfermedades zoonóticas como **la rabia**, leptospirosis, anquilostomiasis, larva migrans, erliquiasis, brucelosis, cestodiasis, salmonelosis, entre otras, que los perros pueden transmitir.

25  Esto tiene mayor impacto cuando los perros tienen acceso a la calle, **puesto que** los niños al jugar en jardines y parques públicos **están a mayor riesgo de** contagiarse con alguna de estas enfermedades. Este problema se origina por el crecimiento incontrolado
30  de la población canina, el cual puede en 10 años crecer

un 85% comparado con el 23,5% de crecimiento en la población humana. En ocasiones los perros son abandonados por sus propietarios al darse cuenta de que no es lo que esperaban por razones tales como tener que alimentarlos, bañarlos y educarlos.  35
Los problemas de **comportamiento** son una de las principales causas de abandono, los cuales en su mayoría son fácilmente controlables. Estos perros, al tener acceso a la calle se reproducen libremente incrementando así la población de los mismos.  40

Muchas veces la ignorancia de los propietarios **agudiza** más el problema **puesto que** "humanizamos" a nuestras mascotas y es de creencia popular tener que **cruzar**los para evitar posibles traumas psicológicos. Es aquí donde los médicos veterinarios juegan un  45
papel importante para educar a sus clientes sobre la reproducción de sus animales. Debe de evitarse en lo posible **cruzar** a sus animales y se debe esterilizarlos lo más prontamente posible ya que esto además de disminuir la sobrepoblación de perros disminuye la  50
probabilidad de que desarrollen tumores mamarios e infecciones uterinas. Existe una sobreoferta de perros, tanto de criadores profesionales como de criadores de "traspatio", siendo estos últimos aquellas personas con perros de cierta pureza racial que pensando en hacer  55
negocio con su mascota la **cruzan** sin ningún control de calidad genética.

Este es un problema complejo que involucra a las autoridades de cada municipio para realizar estrategias efectivas que reduzcan el nacimiento de  60
nuevos **cachorros.** No es suficiente una campaña de vacunación antirrábica si la población de esta especie no es controlada. **Por otro lado** las campañas de erradicación tampoco son efectivas. Esta última es una medida radical para un problema de educación y  65
concientización de la población.

1.  ¿Cuál es el objetivo de esta carta?
    (A) El control inmediato de los perros abandonados
    (B) Un conocimiento del carácter de los perros
    (C) Un mejor amaestramiento de las mascotas
    (D) Una solución para la creciente sobrepoblación de los perros

2.  ¿Qué recursos usa el autor para sostener su punto de vista?
    (A) El uso de notas al pie de la página y bibliografía
    (B) La cita de estadísticas e información médica
    (C) La expresión de opiniones de médicos y científicos
    (D) El relato de experiencias personales y anécdotas

3. ¿A quiénes les echa la culpa el autor por el problema que describe?

   (A) A los perros callejeros
   (B) A las perrerías
   (C) A los dueños de perros
   (D) A todos nosotros

4. Según el escritor de la carta, ¿qué grupo debe encargarse de informar al público del problema de los perros?

   (A) Los dueños de mascotas del Municipio de Mérida
   (B) Los cirujanos del Departamento de Medicina Interna y Cirugía
   (C) Los propietarios de tiendas de mascotas
   (D) Los médicos veterinarios

5. Según la carta, ¿por qué hay una sobrepoblación de perros en Mérida?

   (A) Porque hay una insuficiente campaña de vacunación para los perros
   (B) Porque las campañas de erradicación no son bastante eficientes
   (C) Porque no se controla la reproducción de los perros
   (D) Porque se permite un negocio que produce una sobreoferta de perros

6. ¿Qué significa "…fauna nociva" en la línea 12?

   (A) Que los perros se consideran animales salvajes y dañinos
   (B) Que los perros se consideran un problema para carros y otros vehículos
   (C) Que los perros se consideran animales sin utilidad
   (D) Que los perros se consideran mascotas molestosas

7. Si fueras a mandarle a un amigo un mensaje de texto que resumiera bien las metas de la carta, ¿qué le escribirías?

   (A) "Mi nueva mascota está tan linda pero debemos cruzarla con otra de raza pura."
   (B) "Acabamos de adoptar un perrito pero debemos esterilizarlo."
   (C) "No sé qué hacer. Creo que debemos regalar nuestro perro a otra familia."
   (D) "La carta cuenta que somos responsables por los baños, la comida y el comportamiento de nuestro perro."

## CÁPSULA CULTURAL: UNA MASCOTA NO ES UNA GANGA

Esta tabla establece los típicos gastos de un amo de perro de entre 10 y 15 años de edad en Bogotá, Colombia y en los Estados Unidos. Los datos se basan en información de la Secretaría de Salud de Bogotá en 2011 y de la APPMA en 2011-2012. Se calcula que había entonces 551.000 perros en la capital colombiana.

| GASTOS por mes | COLOMBIA<br>En pesos colombianos | ESTADOS UNIDOS<br>En pesos colombianos |
| --- | --- | --- |
| Alimentación | 250.000 | 445.799 |
| Servicio médico | 40.000 | 445.035 |
| Belleza | 30.000 | 130.998 |
| TOTAL | 320.000 | 1.021.832 |

De pronto, anualmente un amo concienzudo en Colombia gastaría 3.840.000 pesos. ¿Cuántos dólares americanos serían?

—Juan Molinero, Diario Viaslado

**COMPARACIONES:** Típicamente, ¿cómo se tratan a las varias razas de animales de tu comunidad? ¿Tienen algunos animales más importancia que otros? ¿Por qué?

## Lecturas con Audio

**FUENTE NÚMERO 1** Este artículo, "Menos mexicanos **indocumentados** van por 'sueño americano'", que apareció en Informador.mx.com, un periódico de Internet, trata de la cuestión de los mexicanos que entran sin documentos aprobados en Estados Unidos. Fue publicado el 9 de diciembre de 2011.

El número de **indocumentados** que cruzan **la frontera** de México hacia Estados Unidos se redujo este año de manera considerable, cayendo a su menor **cifra** en más de cuatro décadas, informó hoy The New York Times.

5 El diario señaló que, contrario a la retórica de campaña de los aspirantes a la Presidencia, las estadísticas muestran que **la cifra** de **indocumentados** que cruzan **la frontera** es un problema menor ahora de lo que ha sido durante cuatro décadas.

10 El artículo, realizado por un periodista del Texas Tribune, señaló que mientras los candidatos hablan de cómo proteger **la frontera**, los datos señalan que deberían concentrarse en lidiar en una forma positiva con los millones de inmigrantes **indocumentados** que 15 ya residen en suelo estadounidense.

Este mes The Washington Post informó que las detenciones de la Patrulla Fronteriza de Estados Unidos se encuentran en su nivel más bajo desde la época del gobierno de Richard Nixon (1969-1973 y 1973-1974).

20 El artículo atribuye este descenso a una economía en dificultades, al aumento de la vigilancia de la Patrulla Fronteriza y a un alza en las tarifas que cobran los '**coyotes**' por el cruce.

En 2010, la Patrulla Fronteriza capturó a alrededor de 25 448 mil inmigrantes indocumentados en **la frontera** suroeste, casi 93 mil menos que en 2009.

Este año, las detenciones de las autoridades han disminuido en más del 25%, a 327 mil 500.

En Estados Unidos hay 10 millones 200 mil 30 inmigrantes **indocumentados** y otro millón de niños en las mismas condiciones, según datos revelados este mes por el Centro Hispanic Pew.

El centro estima que el 35% de estos adultos han estado en el país por 15 años o más, comparado con un 16 35 por ciento en 2000.

**Por el contrario**, sólo el 15% ha estado en el país por cinco años o menos, en comparación con el 32% registrado en 2000.

En **una encuesta** revelada este año, el Centro Pew de Investigación para la Comunidad y la Prensa reveló que 40 el 58 por ciento de los llamados 'republicanos comunes' apoyó un camino a la legalización, mientras que el 39 por ciento se opone.

En **una encuesta** realizada por la Alianza para una Nueva Economía Americana, un grupo bipartidista de alcaldes y 45 líderes empresariales, encontró que sólo el 16 por ciento de los posibles asistentes a la asamblea republicana en Iowa se opuso a ampliar la inmigración legal.

El diario agregó que además **a lo largo de** algunas partes de **la frontera** de Texas con México la violencia 50 también disminuyó.

**◀)) FUENTE NÚMERO 2** Esta grabación, "Un día sin inmigrantes", trata de los inmigrantes. El reportaje fue publicado por Radialistas Apasionadas y Apasionados el 24 de abril de 2006 y presenta cómo es ser inmigrante en un país de habla inglesa. Esta grabación dura aproximadamente tres minutos.

1. **¿Cuál es el significado principal de las cifras citadas en el artículo?**
   (A) Que hay menos indocumentados que están viviendo en EE.UU. que antes.
   (B) Que la política contra la inmigración ilegal ha logrado éxitos impresionantes
   (C) Que la política anti-inmigrante recibe apoyo mayoritario de la población norteamericana
   (D) Que ha habido una baja de indocumentados que cruzan la frontera entre México y EE.UU.

2. **¿Cuál parece ser el propósito político del artículo?**
   (A) Refutar la retórica de ciertos candidatos a la Presidencia
   (B) Apoyar las opiniones de ciertos candidatos a la Presidencia
   (C) Denunciar la entrada ilegal de inmigrantes a los Estados Unidos
   (D) Utilizar unas estadísticas para confundir la cuestión de la inmigración mexicana a EE.UU.

3. ¿A qué se debe la diferencia en las estadísticas de inmigrantes durante las últimas cuatro décadas?

 (A) A una falta de interés en el "sueño americano"
 (B) A varios factores económicos y policiales
 (C) A una mejora de la economía mexicana
 (D) A corrientes que dejan a los mexicanos a la deriva

4. ¿Cuál de las siguientes afirmaciones mejor respalda la opinión de que ahora los candidatos a la Presidencia deberían dirigir su atención a los indocumentados que residen en EE. UU. (líneas 13 y 14)?

 (A) "Según los datos del artículo, hay más votantes en contra de la legalización de inmigrantes ilegales."
 (B) "Según los datos del artículo, hay más inmigrantes registrados para votar que nunca."
 (C) "Según los datos del artículo, hay millones de inmigrantes ilegales que viven en EE.UU."
 (D) "Según los datos del artículo, hay menos inmigrantes ilegales en EE.UU. que nunca."

5. ¿Cómo clasificarías la fuente auditiva?

 (A) Entrevista
 (B) Conferencia
 (C) Mini-drama
 (D) En vivo

6. Según el audio, ¿cuál fue el motivo de las protestas en las calles de Nueva York y Los Ángeles?

 (A) La detención de varios inmigrantes durante unos incidentes fronterizos
 (B) La aprobación de una ley perjudicial para los indocumentados
 (C) La imposibilidad de conseguir una "Green Card"
 (D) La posibilidad de derrocar el gobierno local

7. En el audio, ¿qué querían los manifestantes?

 (A) Una ley que legalizara a los residentes indocumentados
 (B) Una ley que permitiera la construcción de un muro fronterizo
 (C) Una ley que diera "Green Cards" a cualquier hispanohablante
 (D) Una ley que garantizara inmigración abierta y gratuita

8. ¿Qué implica la pregunta, "¿Qué pasaría si no hubiera inmigrantes en este país"?

 (A) Una esperanza de que haya mejores condiciones de trabajo
 (B) Una recomendación de que los inmigrantes no se vayan del país
 (C) Una advertencia de que el sector de servicios básicos va a sufrir
 (D) Un deseo de que la legislación anti-indocumentados sea anulada

9. ¿Qué se puede afirmar de las dos fuentes?

 (A) La estadística de la fuente impresa apoya las opiniones expresadas en la fuente auditiva.
 (B) La fuente auditiva lamenta el descenso en inmigrantes ilegales citado en la fuente impresa.
 (C) La fuente auditiva presenta un punto de vista no compartido por la fuente escrita.
 (D) Aunque hay menos indocumentados que entran en EE.UU., todavía hay mucha demanda de trabajadores en empleos básicos.

10. ¿Qué idea expresada en la fuente escrita contradice un punto de vista del audio?

 (A) Que los candidatos a la Presidencia apoyan más a los inmigrantes de lo que creen los manifestantes del audio
 (B) Que el número de inmigrantes capaces de trabajar se ha reducido más de lo que dicen los manifestantes del audio
 (C) Que hay más aprobación de los inmigrantes ilegales de lo que se dan cuenta los manifestantes del audio
 (D) Que hay más trabajo disponible del que admiten los manifestantes del audio

## CÁPSULA CULTURAL: POBLACIONES DE ADULTOS Y JÓVENES HISPANOS EN LOS ESTADOS UNIDOS

Isla Ellis en el puerto de Nueva York

| Población Hispana (miles) | Total | Niños (menor de 18 años) | Adultos |
|---|---|---|---|
| 2010 | 50.478.000 | 17.132.000 | 33.346.000 |
| 2000 | 35.306.000 | 12.342.000 | 22.964.000 |
| Crecimiento de la Población Hispana 2000-2010 | | | |
| | 15.172.000 | 4.790.000 | 10.382.000 |
| | 43,0% | 38,8% | 45,2% |

Fuente: Pew Centro Hispano y calculaciones del Censo de Estados Unidos

**COMPARACIONES: ¿Por qué toman los inmigrantes el riesgo de ir a vivir a un país extranjero?**

## Audios

🔊 **FUENTE** Este audio titulado "Árboles sin raíces" trata de los retos que los migrantes tienen que enfrentar al mudarse al extranjero. El audio es una producción de la Asociación Radialistas Apasionadas y Apasionados de Quito, Ecuador y fue emitido el 10 de junio de 2010. La grabación dura aproximadamente tres minutos.

1. ¿Cuál es el propósito de este audio?

   (A) Ser persuasivo
   (B) Ser narrativo
   (C) Ser controvertido
   (D) Ser didáctico

2. Al llegar al país de destino, ¿cuál es la dificultad más dura de superar?

   (A) El idioma
   (B) El prejuicio
   (C) El empleo
   (D) La asimilación

3. En el audio, ¿por qué se refiere el locutor a un país sin bandera ni geografía?

   (A) Porque es un país no reconocido por la Organización Internacional de Migrantes
   (B) Porque la migración no requiere fidelidad a ninguna entidad política
   (C) Porque es un país imaginario
   (D) Porque la migración no tiene ni fronteras ni etnias

4. ¿Quién es el protagonista de este audio?

   (A) El migrante legal
   (B) El migrante ilegal
   (C) El migrante político
   (D) El migrante sin hogar

5. ¿Por qué abrazaba los árboles de su huerto el abuelo de José Saramago?

   (A) Porque quería recordarlos
   (B) Porque quería sentir su afecto por él
   (C) Porque los iba a extrañar
   (D) Porque quería medirlos

## CÁPSULA CULTURAL: PELÍCULAS SOBRE LA MIGRACIÓN

**El Norte** (1983) es una de las películas más famosas acerca de las peripecias de los migrantes. Unos hermanos guatemaltecos, huyendo de la persecución política contra la clase obrera de su país, sueñan con una nueva vida en Estados Unidos. La película aprovecha paisajes lindos de México para trazar su viaje de coraje y esperanza a los Ángeles, donde aprenden que su sueño no era nada más que una quimera. Se enteran de la ironía de haber escapado de la violencia política contra el movimiento sindical de su país al enfrentarse a la hipocresía y prejuicio contra los labradores ilegales, por un lado, y la necesidad de mano de obra barata, por otra. Se puede encontrar una larga lista de películas sobre la migración en http://www.murthy.com/films.html y http://www.uhu.es/cine.educacion/cineyeducacion/emigracion.htm

—Juan Molinero, *Diario Viaslado*

**COMPARACIONES:** ¿Cuáles son algunos de los obstáculos que has experimentado al buscar una mejor vida llena de seguridad y felicidad? Describe los esfuerzos que has tenido que hacer para superarlos.

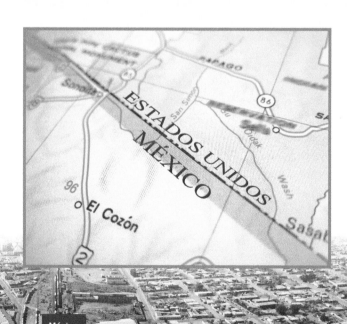

México

Estados Unidos

## Correos Electrónicos

Has recibido este mensaje porque alguna vez contactaste con la Fundación Catracha de Honduras. Te interesa ayudar a cambiar la tendencia hacia la pobreza en los países latinoamericanos.

**De:** Fundación Catracha

**Asunto:** Tendencias desagradables

Querido/a estudiante de español,

La Fundación Catracha le manda este mensaje porque ha expresado un interés en nuestra misión y necesitamos su bondadosa participación. En esta gráfica se ve la creciente subida de la pobreza en nuestro país.

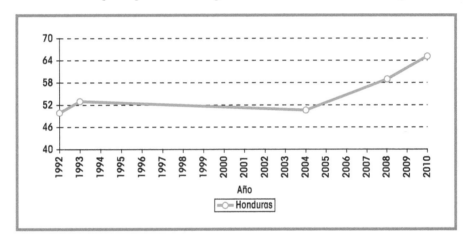

Buscamos alumnos como Ud. que tengan interés en Centroamérica y su gente. Honduras es uno de los países más pobres de Latinoamérica y esperamos que nos dé su apoyo personal y económico.

**Personal:** Durante el verano necesitamos mano de obra para construir viviendas y escuelas. ¿Tiene Ud. las ganas y la capacidad?

**Económico:** Durante todo el año necesitamos recaudar fondos para garantizar la alimentación de las miles de familias que no pueden comer más de una vez al día. ¿Podría Ud. involucrarse para respaldar nuestra importante misión?

Esperamos su generosa respuesta y esperamos que tenga un gran corazón.

Fundación Catracha

## Ensayo

**Tema del ensayo:**

*¿Qué medidas se deben tomar para asegurar una exitosa política migratoria?*

**FUENTE NÚMERO 1** Este texto trata de varios puntos de vista sobre la política de la inmigración. El artículo original fue publicado el 17 de febrero de 2012 en el Diario Viaslado.

Hay mucha pobreza en el mundo que motiva y justifica los movimientos migratorios. Los "sin" aspiran a juntarse a los "con". Por muy pequeñas que sean estas búsquedas de una vida mejor, no se van a detener.
5   Este flujo de inmigrantes es síntoma de la desigualdad entre el primer y el tercer mundo. El éxito de esta diáspora mundial depende de cómo la ciudadanía los trata. ¿Los quiere aceptar y asimilar para aprovechar los talentos de diversidad o quiere condenarlos como criminales y
10   delincuentes y así marginarlos a ellos y a su potencial? La diversidad enriquece, la xenofobia empobrece.

Jorge M., Colombia

Si los inmigrantes inmigran y aceptan y aplican nuestras
15   leyes, está bien. Si mantienen un comportamiento respetable de nuestras costumbres, está bien. Pero si no, deben ser expulsados inmediatamente. Hay que vigilar a cualquier grupo nuevo, a cualquier recién llegado, porque siempre está al acecho para aprovecharse de la
20   generosidad del país anfitrión. Por esto, aunque sean aceptados los inmigrantes deben mantener su estatus subordinado hasta que se integren en la cultura y ya no la intenten cambiar. Cuando obedezcan las normas culturales, entonces debemos otorgarles la ciudadanía.

25                                        Beatriz G., México

Si aceptamos la realidad de que los extranjeros van a entrar a nuestro país y agudizar la crisis económica al hacer bajar los salarios, entonces para frenar esta realidad tenemos que aprobar medidas legales que
30   nieguen posibilidades de trabajo, educación y acceso a recursos económicos y bancarios a fin de priorizar a los nacionales y desarrollar un plan de retorno de los forasteros indocumentados.

B.H., España

**FUENTE NÚMERO 2** Este texto trata de varias opiniones sobre la migración. Son estadísticas del Pew Hispanic Center y el Centro de Estudios Sociales y de Opinión Pública sobre opiniones en los Estados Unidos y México acerca de la inmigración indocumentada.

En México

La llegada de inmigrantes ilegales de Centro y Sudamérica a México es un problema...

| SONDEO EN MÉXICO |
|---|
| En su opinión, ¿qué grave es la llegada de inmigrantes ilegales de Centro y Sudamérica a México? |
| Nada grave: 5% |
| Poco grave: 26% |
| Algo grave: 35% |
| Muy grave: 29% |
| Ns/Nc: 5% |
| En su opinión, ¿estaría Ud. a favor de una iniciativa de ley que permitiera a los indocumentados legalizar su permanencia en México? |
| En contra: 38% |
| A favor: 55% |

| SONDEO EN EE.UU. |
|---|
| En su opinión, ¿cómo es la magnitud del problema de la inmigración en su comunidad? |
| No es un problema: 32% de acuerdo |
| Es un problema pequeño: 22% de acuerdo |
| Es un problema moderadamente grande: 21% de acuerdo |
| Es un problema muy grande: 21% de acuerdo |
| No sabe: 4% |
| En su opinión, ¿fortalecen los inmigrantes a los Estados Unidos con su trabajo y talento: 41% de acuerdo |
| En su opinión, ¿son los inmigrantes una carga porque ellos toman trabajos y vivienda?: 52% de acuerdo |
| En su opinión, ¿qué se les debe hacer a los inmigrantes ilegales? |
| Permitir permanecer en Estados Unidos: 40% de acuerdo |
| Requerir volver a casa: 53% de acuerdo |
| En su opinión, ¿deben recibir servicios sociales los indocumentados? |
| Sí: 29% |
| No: 67 |
| En su opinión, ¿se les debe permitir asistir a escuelas públicas a los niños de indocumentados? |
| Sí: 71% |
| No: 26% |
| En su opinión, ¿cuál es la mejor forma de reducir la inmigración ilegal de México? |
| Construir más muros: 9% de acuerdo |
| Incrementar el apoyo a la vigilancia fronteriza: 33% de acuerdo |
| Penalizar a los empleadores: 40% de acuerdo |
| No sabe: 9% |

Fuente: Pew Hispanic Center y el Centro de Estudios Sociales y de Opinión Pública de México

🔊 FUENTE NÚMERO 3 Esta grabación trata de las varias razones por las que se inmigra a otro país. La entrevista, "El quinto país del planeta", fue publicada el 25 de diciembre de 2004 y es una producción de RADIALISTAS APASIONADAS Y APASIONADOS /www.radialistas.net. La grabación dura aproximadamente tres minutos.

## Conversaciones

🔊 Esta es una conversación con Jorge Raimundo, un representante de una agencia de encuestas. Vas a participar en esta conversación porque sabes mucho de la población estudiantil de tu colegio.

| Jorge | • Se presenta y te hace unas preguntas. |
|-------|------------------------------------------|
| Tú | • Salúdalo, contesta afirmativamente y hazle una pregunta. |
| Jorge | • Responde y te pide algo. |
| Tú | • Responde con detalles. |
| Jorge | • Te hace otra pregunta. |
| Tú | • Responde con detalles y una anécdota. |
| Jorge | • Te hace otra pregunta. |
| Tú | • Responde con detalles y unos ejemplos. |
| Jorge | • Te hace una pregunta. |
| Tú | • Contesta con unos ejemplos y despídete. |

## Discursos

### *Tema de la presentación:*

*Describe las actitudes de varios grupos de personas de tu comunidad acerca de los inmigrantes indocumentados. Compara tus observaciones acerca de las comunidades en las que has vivido con tus observaciones de una región del mundo hispanohablante que te sea familiar. En tu presentación, puedes referirte a lo que has estudiado, vivido, observado, etc.*

## CLASIFICADOS

### ESENCIAL: PARA UNA MEJOR COMPRENSIÓN

**los cachorros**—crías de perros, gatos, etc.

**las crías**—bebés de animales

**atropellado/a**—ser pasado por encima/embestido por un vehículo

**el comportamiento**—conducta

**agudizar**—empeorar, agravar

### IMPORTANTE: UNA MEJOR DISCUSIÓN

**la rabia**—enfermedad grave de animales

**cruzar** (los perros)—juntar una raza con otra

**involucrado/a**—incluido/a

**nocivo/a**—dañino/a, maligno/a

### ÚTIL: PARA UNA MEJOR EXPRESIÓN

**por otro lado**—en cambio

**estar a riesgo de**—estar expuesto a un peligro o daño

**puesto que**—ya que, pues, porque

**Producto:** Describe la vida de un perro abandonado en América Latina.

**Práctica:** ¿Cuáles son las razones para el abandono de miles de perros y gatos en América Latina?

**Perspectiva:** ¿Cómo se promueve la adopción de los perros abandonados en América Latina?

### ESENCIAL: PARA UNA MEJOR COMPRENSIÓN

**los indocumentados**—los que no tienen documentos legales de inmigración

**la frontera**—límite entre países

**la cifra**—signo que representa un número

**los coyotes**—los que participan en el contrabando de inmigrantes

### IMPORTANTE: PARA UNA MEJOR DISCUSIÓN

**una encuesta**—cuestionario público

**un Green Card**—documento legal que permite que un extranjero resida y trabaje en EE.UU.

### ÚTIL: PARA UNA MEJOR EXPRESIÓN

**por el contrario**—a diferencia de

**a lo largo de**—por, a través de

**a fines de**—con el propósito o con el motivo de

**Producto:** ¿Qué es el "Dream Act" de los Estados Unidos?

**Práctica:** Explica cómo beneficiaría el "Dream Act" a muchos jóvenes hispanos en los EE.UU.

**Perspectiva:** ¿Cuáles son algunos obstáculos para la implementación del "Dream Act"?

### ESENCIAL: PARA UNA MEJOR COMPRENSIÓN

**desterrados/as**—expulsados/as de su país

**la mano de obra**—trabajadores

**las remesas**—envíos de bienes a otro país

### IMPORTANTE: PARA UNA MEJOR DISCUSIÓN

**despidiéndose (despedirse) de**—decir adiós, apartarse o alegarse de alguien o algo

**los limosneros**—los que piden comida o dinero en la calle

### ÚTIL: PARA UNA MEJOR EXPRESIÓN

**a pie**—caminando

**a pesar de**—pese a, al contrario de

**Producto:** ¿Cuál es el mensaje de la canción "Sólo le pido a Dios"?

**Práctica:** ¿Cómo se difundió a lo largo de las Américas la versión de "Sólo le pido a Dios" de Mercedes Sosa?

**Perspectiva:** ¿Cómo reflejaba el mensaje de "Sólo le pido a Dios" la situación política de su época?

## Lecturas

**FUENTE** Este cartel es de las Naciones Unidas en la Argentina. Fue publicado en 2007.

Sumate a la campaña mundial, recordale a los gobiernos que cumplan las promesas hechas de erradicar la pobreza para el 2015

Organizá o participá de un evento en **Argentina**, desde las 18.00 horas del 16 de octubre hasta las 18.00 horas del 17 de octubre 2007

Informate:

www.onu.org.ar    levantate@unic.org.ar

Convocan:

Naciones Unidas en Argentina
Consejo Consultivo de la Sociedad Civil
Cancillería Argentina
CAMPAÑA DEL MILENIO
VOCÉS CONTRA LA POBREZA

1. ¿Cuál es el propósito de este cartel?
   - (A) Reclutar a miembros de un partido político
   - (B) Avisar de un taller con fines protestantes
   - (C) Invitar al público argentino a unirse en un evento internacional
   - (D) Organizar una protesta contra la pobreza

2. ¿Quiénes patrocinan este evento?
   - (A) Las Naciones Unidas desde Nueva York
   - (B) El Estado Argentino desde Buenos Aires
   - (C) Un consorcio de grupos locales argentinos
   - (D) Varios partidos sociales y políticos internacionales

3. ¿Qué pide esta publicidad?
   - (A) Que los gobiernos hagan promesas de no olvidar a los pobres
   - (B) Que los gobiernos cumplan con lo prometido
   - (C) Que los gobiernos confirmen la realidad de la pobreza
   - (D) Que los gobiernos hagan caso del evento

4. ¿Qué representan las figuras humanas en la parte gráfica de esta publicidad?
   - (A) Las familias argentinas
   - (B) El público internacional
   - (C) Bailadores y cantantes
   - (D) Más hombres que mujeres

5. ¿Cuál es el motivo de la campaña?
   - (A) El miedo a que los gobiernos no cumplan su palabra
   - (B) El deseo de no repetir el pasado
   - (C) La posibilidad de que no venga nadie al evento
   - (D) La realización de unas promesas filantrópicas

6. ¿Cuánto tiempo durará el evento?
   - (A) Hasta 2015
   - (B) Un día
   - (C) Una semana
   - (D) La primavera

## CÁPSULA CULTURAL: LA CASA ROSADA, RESIDENCIA DE LOS PRESIDENTES ARGENTINOS

La Casa Rosada es la sede del poder ejecutivo de la República Argentina. Aquí tenemos el despacho del presidente del país. Está ubicada frente a la famosa Plaza de Mayo, sitio de protestas políticas y sociales a lo largo de la historia argentina.

—Juan Molinero, *Diario Viaslado*

**COMPARACIONES:** ¿Qué representa la casa del presidente dentro del alma patriótica de tu país?

## Ilustración con Audio

**FUENTE NÚMERO 1** Este gráfico trata del futuro estado del agua en el mundo. En la parte de arriba la información se basa en la población y el reparto del agua entre los años 2000 y 2050. En el mapa de abajo los países a colores se encuentran o se encontrarán sin condiciones adecuadas de acceso al agua entre 1975 y 2025. La tabla fue publicada en el sitio web de expeditionen.de en 2008.

**FUENTE NÚMERO 2** En este audio un locutor presenta a la especialista en hidrología Garufa Solteroamor, quien charla con Juan Molinero, profesor de Estudios Ambientales de la Universidad de Viaslado, sobre la falta y la escasez de agua en el mundo en la actualidad y en el futuro. El audio está basado en el blog "El Mentidero de Mielost" y fue emitido en Radio Araucano en mayo de 2008.

1. Según el gráfico, ¿dónde se encuentra la mayoría de los países sin acceso adecuado al agua?

   (A) En países de América del Sur
   (B) En países de África
   (C) En países de Asia
   (D) En países de Europa

2. Según el gráfico, en 2050 una tercera parte del mundo padecerá...

   (A) de disponibilidad suficiente de agua.
   (B) de la escasez de agua.
   (C) de la falta de agua.
   (D) de población.

3. Según el gráfico, ¿cuál es la relación entre la cantidad de agua y la población?

   (A) Cuanta más gente, menos agua suficiente
   (B) Cuanta más gente, más contaminación de agua
   (C) Cuanta menos gente, menos disponibilidad de agua
   (D) Cuanta menos gente, más países con falta de agua

4. Según la conversación, ¿cuáles son los problemas más preocupantes con respecto al agua?

   (A) La contaminación y la escasez del agua
   (B) Las enfermedades y el crecimiento de la población mundial
   (C) El suministro y la infraestructura comercial del agua
   (D) El acceso y el costo del agua

5. En la conversación, ¿qué se dice del acceso al agua en el futuro?

   (A) Hay poca posibilidad de mejoras tecnológicas.
   (B) Hay posibilidad de mejoras sociales.
   (C) Hay poca esperanza por la falta de interés público.
   (D) Hay esperanza en el sector empresarial.

6. En la conversación, ¿qué significa "una red de suministro de agua"?

   (A) Un sistema de distribución del agua
   (B) Un sistema de recolección del agua
   (C) Un sistema de purificación del agua
   (D) Un sistema de investigación del agua

7. Al final de la conversación, ¿cuál sería la mejor despedida del profesor Juan Molinero?

   (A) "¿Qué más podríamos decir de esta cuestión tan provocadora?"
   (B) "Sí, buena idea. Me gustaría hablar más a fondo de este asunto tan importante."
   (C) "Estoy de acuerdo. Hay poca esperanza de proveer agua a todos por igual."
   (D) "Igualmente. Gracias por haberme entrevistado para este programa."

## CÁPSULA CULTURAL: EL LAGO TITICACA

El bello e histórico Lago Titicaca no es sólo el lago más extenso de América Latina, es asimismo el lago navegable más alto del mundo. De aguas cristalinas y límpidas está ubicado en los Andes atravesando la frontera entre Perú y Bolivia. El lago tuvo gran importancia religiosa en la época del Imperio Inca. Todavía maravillan las islas flotantes cuyos orígenes se encuentran en las leyendas de los antiguos habitantes. Los descendientes de éstos son de etnias aimarás, quechuas y urus. Al igual que los productos textiles locales, llaman la atención las ingeniosas barcas de junco utilizadas por los que viven en las orillas.

—Juan Molinero, Diario Viaslado

**COMPARACIONES: Describe el papel cultural que tienen los cuentos, las leyendas y las supersticiones acerca de cuerpos de agua donde vives.**

## Audios

🔊 **FUENTE** Esta grabación titulada "La pobreza en América Latina" trata de la pobreza sobre todo en el Ecuador. Estas noticias fueron transmitidas por ECUAVISA TV el 15 de diciembre de 2010. Pedro Jiménez, locutor, presenta el tema y habla con Byron Medina, un habitante de un asentamiento pobre de Guayaquil, Ecuador La grabación dura aproximadamente tres minutos.

1. ¿Cuál es el propósito principal de esta selección auditiva?
   - (A) Informar sobre la pobreza en toda América Latina
   - (B) Informar sobre la pobreza sobre todo en el Ecuador
   - (C) Informar por qué ha habido progreso contra la pobreza en el Ecuador
   - (D) Informar por qué hay mucha pobreza en el Ecuador

2. Según el audio, ¿cuál es la responsabilidad principal de la CEPAL?
   - (A) Producir estadísticas sobre tendencias económicas en varias partes del mundo
   - (B) Ayudar al desarrollo económico en América Latina
   - (C) Interpretar estadísticas sobre problemas económicos en Latinoamérica
   - (D) Impulsar a gobiernos latinoamericanos a cambiar su política social

3. ¿Cuál es la fuente de la información sobre la pobreza de la que habla Byron Medina?
   - (A) Es de su propia experiencia.
   - (B) Es de un noticiero que vio en la televisión.
   - (C) Es de los datos estadísticos de la CEPAL.
   - (D) Es de un representante de las Naciones Unidas.

4. ¿Qué opina Byron Medina del estado de los pobres?
   - (A) Dice que hay algunos que viven en la marginalidad extrema.
   - (B) Dice que los más pobres viven en las ciudades.
   - (C) Dice que los pobres no reciben asistencia del gobierno.
   - (D) Dice que algunos comen más a la semana que otros.

5. En cuanto a la pobreza ecuatoriana, ¿qué tuvo que aclarar la CEPAL?
   - (A) Las estadísticas sobre la pobreza en el Ecuador
   - (B) La comparación de la pobreza entre toda América Latina y el Ecuador
   - (C) El aumento inesperado del nivel de la pobreza en el Ecuador
   - (D) Las predicciones sobre la pobreza en el Ecuador

## CÁPSULA CULTURAL: EL ECUADOR: PAÍS DE UNA DIVERSA DIVERSIDAD

A pesar del renombre de las Islas Galápagos y su más famoso visitante, Charles Darwin, Ecuador es reconocido también por otros fenómenos naturales. Es el país con la mayor concentración de ríos en el mundo. Además, tiene una zona de setenta volcanes en la Cordillera Andina. Entre las muchas bellezas del país se encuentra la biodiversidad más densa del mundo brindando impresionante flora y fauna. Debido a sus extensos bananales, el Ecuador exporta más bananas que ningún otro país del mundo. Si vas al Ecuador, debes saber que su nombre deriva de la línea ecuatorial que pasa por su norte.

—*Agencia de Viajes Viaslado ¡Viaja y conócete!*

**COMPARACIONES: ¿Cómo impactan el renombre de tu comunidad los varios recursos naturales y las obras hechas por el hombre?**

**Tortuga gigante**

**Volcán El Chimborazo**

**Banano ecuatoriano**

# Correos Electrónicos

Has recibido este mensaje de la directora de tu colegio porque has avisado que tienes interés en escribir una Declaración de Derechos y Responsabilidades para los alumnos.

| | |
|---|---|
| **De:** | Sra. Catalina Peligriesgo |
| **Asunto:** | Comité Derechos y Responsabilidades |

Querido/a líder de nuestro colegio,

Le escribo porque ha mostrado interés en el bienestar de sus compañeros de colegio. Estamos formando un comité para explorar la relación entre los derechos y las responsabilidades de los alumnos de nuestro querido colegio. ¿Le gustaría participar? Por favor, explique por qué le interesaría ayudar a escribir una declaración sobre los derechos a una vida digna que todo colegio debe garantizar. Incluya además las responsabilidades personales que todo alumno debe ejercer.
Gracias por su colaboración,

Sra. Catalina Peligriesgo
Directora

## Ensayo

***Tema del ensayo:***

*¿Se debe medir el bienestar social de un país sólo por datos económicos?*

**FUENTE NÚMERO 1** Este texto abreviado hace una pregunta importante sobre la medición del bienestar social y trata de varios modos de medirlo. El artículo original fue publicado el 10 de mayo de 2011 en Consultoría en Prensa y Comunicación de México.

**¿Se puede medir el bienestar social?**

Hasta hace unos años hablar de bienestar para una nación se refería a términos numéricos, como kilómetros asfaltados, hospitales, alumbrado y acceso a teléfono, entre otros. También se abordaba del tema del
5    progreso económico, a partir del Producto Interno Bruto (el PIB que mide el valor de bienes y servicios de un país). Entonces, la apreciación se basaba más en referencias económicas que sociales, de manera que buena parte de la población no reconocía esos bienes como propios y sus
10    necesidades eran rezagadas.

En nuestros días es de interés mundial el estudio del bienestar poblacional, si éste se entiende como referente esencial del progreso social de cualquier nación. Una entidad que toma el tema como su motivo
15    de existencia es la Organización para la Cooperación y el Desarrollo Económico (OCDE), la cual cumple con el objetivo de estimular la producción de datos e indicadores estadísticos nacionales e internacionales, a fin de lograr que sea utilizada en el diseño y la
20    planificación de políticas públicas capaces de impactar más profundamente a la sociedad en términos de bienestar.

El doctor Juan Pedro Laclette, coordinador general del Foro Consultivo Científico y Tecnológico, comenta que en el mundo dominado por los anglosajones se    25 ha impuesto el concepto de que todo es consumo y dinero, pero en Latinoamérica se ven las cosas de forma diferente; "si a la gente se le pregunta qué tan bien se siente con su nivel de bienestar, el resultado será anormalmente alto, conforme a otras regiones    30 desarrolladas y por características que van más allá de los ingresos económicos. Por supuesto que influye el factor dinero, pero también son muy importantes los que se vinculan con otros valores de familia y unidad social. Esta es una contribución que queremos darle al    35 mundo: en América Latina vemos el bienestar más allá del dinero".

Añade que la OCDE plantea una nueva manera de analizar y sintetizar información sobre tres dimensiones fundamentales del bienestar: la calidad de vida, que se    40 refiere al tiempo libre para ocuparse de la familia y a las relaciones de amistad, el sentimiento de seguridad y todo aquel conjunto de informaciones sobre bienestar subjetivo de la gente; las condiciones materiales, relacionadas a la riqueza e ingreso de la población,    45 salarios, condiciones de vivienda, servicios básicos, así como a los datos sobre educación, salud, vivienda y alimentación; y la sustentabilidad de bienestar, que significa la manera como las actividades de producción, de consumo y de distracción respetan o destruyen el    50 capital natural y refuerzan o debilitan el capital humano y social.

Finalmente, el maestro Suárez de Miguel indica que medir y analizar el bienestar de las poblaciones debe permitir desarticular bombas de tiempo (problemáticas    55 sociales), y contribuir a desarrollar políticas públicas con base en un amplio consenso social respecto a las auténticas necesidades y expectativas de la gente.

**FUENTE NÚMERO 2** Este texto trata de varias opciones para considerar la calidad de vida. Son características sugeridas por la Fundación de Estadísticas Nacionales patrocinada por Viaslado 2012.

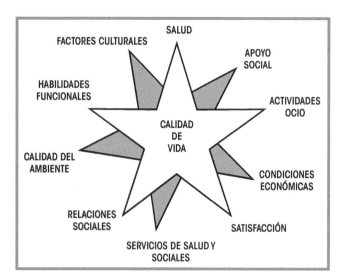

**FUENTE NÚMERO 3** Esta grabación trata de la Felicidad Interna Bruta como medición de bienestar social. Roberto Rodríguez-Marchena entrevista al diputado Gedeón Santos Parlacen sobre "La felicidad interna bruta", en el programa "Ojalá" en Santo Domingo el 24 de noviembre de 2009 y es una producción de Tele Radio América. La grabación es aproximadamente de tres minutos.

## Conversaciones

Esta es una conversación con tu abuela. Vas a participar en esta conversación porque eres el nieto o la nieta y tu abuela busca tu comprensión y consejos.

| Abuela | • Te saluda y te pide algo. |
|---|---|
| Tú | • Salúdala y hazle una pregunta. |
| Abuela | • Continúa la conversación. |
| Tú | • Cortésmente contradice lo que te ha dicho y explícate. |
| Abuela | • Continúa la conversación. |
| Tú | • Reacciona y dale tu opinión al respecto. |
| Abuela | • Continúa la conversación. |
| Tú | • Reacciona y dale una alternativa para su futuro. |
| Abuela | • Responde y te pide tu opinión. |
| Tú | • Apoya su idea y despídete afectuosamente. |
| Abuela | • Reacciona. |

## Discursos

**Tema de la presentación:**

*¿Debemos preocuparnos por la pérdida del derecho a la privacidad a consecuencia de toda la información y los datos personales que demandan los avances tecnológicos, sobre todo en las redes sociales y sitios de compras?*

*Compara tus observaciones acerca de las comunidades en las que has vivido con tus observaciones de una región del mundo hispanohablante que te sea familiar. En tu presentación, puedes referirte a lo que has estudiado, vivido, observado, etc.*

## CLASIFICADOS

### PÁGINA 35 Lecturas

**ESENCIAL: PARA UNA MEJOR COMPRENSIÓN**

**la campaña**—actividades para lograr una meta

**cumplir**—realizar una obligación

**la pobreza**—falta de bienes materiales esenciales para vivir

*IMPORTANTE: PARA UNA MEJOR DISCUSIÓN*

**sumarse**—juntarse, unirse

**convocar**—llamar para reunir

**ÚTIL: PARA UNA MEJOR EXPRESIÓN**

**desde…hasta**—de…a

**alzar la voz**—expresar, llamar la atención

**Producto:** ¿Qué derechos de libre expresión tienen algunos países latinoamericanos?

**Práctica:** ¿Qué movimientos históricos han intentado restringir la libre expresión de pensamiento en España y Latinoamérica?

**Perspectiva:** ¿Cuál ha sido la lucha por la libre expresión de pensamiento de las mujeres en Argentina y Chile?

### PÁGINA 36 Ilustración con Audio

ESENCIAL: PARA UNA MEJOR COMPRENSIÓN

**depurado/a**—perfecto, limpio

**potable**—que se puede beber porque es saludable

**saneado/a**—purificado/a

**IMPORTANTE: PARA UNA MEJOR DISCUSIÓN**

**la disponibilidad**—capacidad de ser utilizado

**actual**—del momento, moderno

**una red**—tejido para atrapar algo, conexiones

**la escasez**—falta

*ÚTIL: PARA UNA MEJOR EXPRESIÓN*

**a las claras**—claramente

**pese a**—a pesar de, al contrario de

**Producto:** Indica en un mapa de la América Latina las zonas que tienen los niveles más altos de potabilidad de agua.

**Práctica:** ¿Qué otros usos, además de bebidas, riego y lavado, tiene el agua en Latinoamérica y el Caribe?

**Perspectiva:** ¿Cómo ha sido venerada y mistificada el agua a través de la historia de América Latina y el Caribe?

### PÁGINA 37 Audios

*ESENCIAL: PARA UNA MEJOR COMPRENSIÓN*

**los avances**—progreso, mejora

**un informe**—noticia, comunicación

**el desarrollo**—aumento, crecimiento

**las cifras**—signo que representa un número

**IMPORTANTE: PARA UNA MEJOR DISCUSIÓN**

**señalaron (señalar)**—indicar

**un asentamiento**—lugar en que se establece un pueblo

**la marginalidad**—estado de no estar integrado

**las aclaraciones**—clarificaciones

**ÚTIL: PARA UNA MEJOR EXPRESIÓN**

**si bien**—aunque

**apenas**—casi no

**sin embargo**—pero, no obstante

**Producto:** Describe lo que es "Familias en Acción" de Colombia.

**Práctica:** ¿Cuáles son las iniciativas sociales de "Familias en Acción"?

**Perspectiva:** ¿Por qué ha tenido tanto éxito "Familias en Acción"?

# La conciencia social

JUSTICIA
POR TI MI LA PAZ

**FUENTE** Este texto abreviado es de "Estamos hasta la madre…", carta abierta del poeta Javier Sicilia publicada en la Revista Proceso de domingo 3 de abril de 2011, con motivo del asesinato de su hijo de 20 años Juan Francisco, ocurrido en Temixco, Morelos, México el pasado 28 de marzo.

El brutal asesinato de mi hijo Juan Francisco…se suma a los de tantos otros muchachos y muchachas que han sido igualmente asesinados **a lo largo y ancho** del país **a causa no sólo de** la guerra desatada por el gobierno
5  de Calderón contra el crimen organizado, sino del pudrimiento del corazón que se ha apoderado de la mal llamada clase política y de la clase criminal, que ha roto sus códigos de honor.

…Lo que hoy quiero decirles desde esas vidas
10  mutiladas, desde ese dolor que **carece de** nombre porque es fruto de lo que no pertenece a la naturaleza, …es simplemente que estamos hasta la madre.

Estamos hasta la madre de ustedes, políticos, …porque en medio de esta guerra mal …hecha, mal dirigida,
15  …han sido **incapaces** …de crear los consensos que la nación necesita para encontrar la unidad sin la cual este país no tendrá salida; estamos hasta la madre, porque la corrupción de las instituciones judiciales genera la complicidad con el crimen y **la impunidad**
20  para cometerlo; …estamos hasta la madre porque sólo tienen imaginación para la violencia, …y, con ello,

un profundo **desprecio** por la educación, la cultura y las oportunidades de trabajo honrado y bueno; … estamos hasta la madre porque esa corta imaginación está permitiendo que nuestros muchachos …no sólo   25
sean asesinados sino, después, criminalizados, vueltos falsamente culpables para satisfacer el ánimo de esa imaginación; estamos hasta la madre porque otra parte de nuestros muchachos…no tienen oportunidades para educarse, para encontrar un trabajo **digno** y,   30
arrojados a las periferias, son posibles reclutas para el crimen organizado y la violencia; estamos hasta la madre porque **a causa de** todo ello **la ciudadanía** ha perdido confianza en sus gobernantes…y tiene miedo y dolor; estamos hasta la madre porque lo único que les   35
importa, **además de** un poder impotente que sólo sirve para administrar la desgracia, es el dinero…

De ustedes, criminales, estamos hasta la madre, de su violencia, de su pérdida de honorabilidad, de su crueldad, de su sinsentido.   40

Antiguamente ustedes tenían códigos de honor. No eran tan crueles en sus ajustes de cuentas y no tocaban ni a los ciudadanos ni a sus familias. Su violencia ya no puede ser nombrada porque ni siquiera…tiene un nombre y **un sentido**. …Se han vuelto cobardes   45
como los…nazis que asesinaban sin ningún **sentido** de lo humano… Estamos hasta la madre porque su violencia se ha vuelto infrahumana, no animal…sino subhumana, demoniaca, imbécil…

Ustedes, "señores" políticos, y ustedes, "señores"   50
criminales –lo entrecomillo porque ese epíteto se otorga sólo a la gente honorable–, están con sus omisiones, sus **pleitos** y sus actos **envileciendo** a la nación. …Esa indignación vuelve de nuevo a poner ante nuestros oídos esa acertadísima frase que Martí dirigió   55
a los gobernantes: "Si no pueden, renuncien". …esa frase debe ir acompañada de grandes **movilizaciones** ciudadanas que los obliguen a unirse para crear una agenda que unifique a la nación y cree un estado de gobernabilidad real. …Si los ciudadanos no nos unimos   60
a ella…si no somos capaces de…obligarlos a ustedes, "señores" políticos, a gobernar con justicia y dignidad, y a ustedes, "señores" criminales, a retornar a sus códigos de honor y a limitar su salvajismo, la espiral de violencia que han generado nos llevará a un camino de   65
horror sin retorno.

Recuerdo, en este sentido, unos versos de Bertolt Brecht cuando el horror del nazismo, es decir, el horror de la instalación del crimen en la vida cotidiana de una nación, se anunciaba: "Un día vinieron por los negros   70
y no dije nada; otro día vinieron por los judíos y no

dije nada; un día llegaron por mí…y no tuve nada que decir". Hoy, después de tantos crímenes soportados, cuando el cuerpo destrozado de mi hijo y de sus
75 amigos ha hecho movilizarse de nuevo a la **ciudadanía** y a los medios, debemos hablar con nuestros cuerpos, con nuestro caminar, con nuestro grito de indignación para que los versos de Brecht no se hagan una realidad en nuestro país.

80 Además opino que hay que devolverle la dignidad a esta nación.

1. ¿A quiénes les dirige esta carta Javier Sicilia?
   (A) A su hijo y sus amigos muertos
   (B) A la prensa y los policías de su país
   (C) A los ciudadanos honorables de México
   (D) A los criminales y políticos corruptos

2. ¿Qué significa "Estamos hasta la madre" (línea 12)?
   (A) Estamos afligidos.
   (B) Estamos hartos.
   (C) Estamos humillados.
   (D) Estamos preocupados.

3. ¿De qué culpa el poeta al gobierno?
   (A) De promocionar más violencia aún
   (B) De desconocer la violencia criminal
   (C) De no promocionar la educación y el trabajo
   (D) De impedir procesar a los elementos criminales

4. ¿De qué echa la culpa a los criminales?
   (A) De haber fomentado mucha violencia
   (B) De haber perdido su sentido del patriotismo
   (C) De haber profanado a su hijo
   (D) De haber perdido su sentido de humanidad

5. ¿Cuál de las siguientes oraciones resume la anécdota acerca de Bertolt Brecht (líneas 70-73)?
   (A) La violencia no condenada produce más violencia.
   (B) Hay que oponerse a la violencia a todo costo.
   (C) El que no denuncia el mal, será consumido por él.
   (D) La violencia soportada es la violencia apoyada.

6. Si escribieras una carta a un amigo sobre esta carta de Javier Sicilia, ¿cuál oración sería la más apropiada?
   (A) "Te busco en la protesta contra el gobierno."
   (B) "Acabo de leer una carta muy conmovedora."
   (C) "¿Podrías confirmar la verdad de lo que dice esta carta?"
   (D) "Tengo una idea de cómo parar la violencia en México."

7. ¿Cuál es el propósito principal de esta carta?
   (A) Regañar a los criminales y políticos
   (B) Animar a sus compatriotas a unirse por la dignidad nacional
   (C) Brindarle un elogio a su hijo asesinado
   (D) Rogarle la justicia y la paz al gobierno

## CÁPSULA CULTURAL: LA GUERRA CONTRA EL NARCOTRÁFICO EN MÉXICO

Esta carta empezó una campaña popular, el Movimiento por la Paz con Justicia y Dignidad, en contra de la violencia, tanto por parte la de grupos criminales como por parte de los cuerpos de seguridad del estado mexicano. Desde el comienzo de esa oleada de violencia en diciembre de 2006 han muerto más de 35.000 personas. El autor de la carta, poeta, ensayista y periodista, Javier Sicilia, se encontró al centro y como portavoz de las protestas contra la aceleración de la violencia. La guerra contra el narcotráfico ha involucrado a los Estados Unidos.

—Juan Molinero, *Diario Viaslado*

**COMPARACIONES: Describe el impacto que ha podido tener la ciudadanía de tu comunidad en causas contra las amenazas al bienestar público.**

## Ilustración con Audio

**FUENTE NÚMERO 1** Este texto, "Principios que nos rigen", trata de los objetivos de la Fundación Conciencia Social de Colombia.

🔊 **FUENTE NÚMERO 2** Esta grabación trata de la participación de alumnos universitarios en un programa social en Colombia. El reportaje fue publicado por la Universidad Javeriana de Bogotá, Colombia. Los entrevistados son varios alumnos de Colombia y Estados Unidos que participaron en el programa. La grabación dura aproximadamente tres minutos.

**Fundacion Conciencia Social**
*"En nuestras manos está que el futuro nos sonría"*

Contáctenos
Cra 42 # 87-17
Tel: 3785093 - 3736176
Email: contactenos@fucoso.c

Inicio   Quienes Somos   Salve un corazoncito ñero   ¿Cómo Ayudar?   Acerca del Corazón   Otros programas

Estás aquí   Home   Quienes Somos   Principios

### Principios que nos Rigen

**Compromiso:** con una atención humana y cálida que exprese un alto respeto por las necesidades, debilidades y fortalezas de la comunidad.

**Calidad:** trabajar por el mejoramiento de la calidad de vida de la comunidad, brindando servicios completos, integrales y eficaces.

**Efectividad:** brindar el mejor servicios en el momento oportuno.

1. ¿Cuál es el propósito principal de la página de inicio para la Fundación Conciencia Social?
   - (A) Presentarse al mundo
   - (B) Infundir simpatía por los niños
   - (C) Ampliar su misión
   - (D) Defender la rectitud de su misión

2. Según la página de inicio, ¿cuál es el enfoque principal de la aportación de la Fundación?
   - (A) Cualquier niño
   - (B) El aumento de la conciencia social
   - (C) La salud cardíaca
   - (D) La comunidad

3. En el título de encabezamiento, ¿qué significa la palabra "Rigen"?
   - (A) Animan
   - (B) Gobiernan
   - (C) Valoran
   - (D) Nutren

4. ¿Con cuál de los principios se enlaza mejor la imagen de las cuatro manos?
   - (A) Con el Compromiso
   - (B) Con la Calidad
   - (C) Con la Efectividad
   - (D) Con ninguno

5. Según la conversación, ¿por qué cambian los estudiantes universitarios sus vacaciones por el servicio social?
   - (A) Porque es un requisito del curso
   - (B) Porque les gusta trabajar con niños
   - (C) Porque les interesa no pensar siempre en sí mismos
   - (D) Porque les importa ayudar a los niños

6. ¿Quiénes son los jóvenes universitarios que vienen a Suba a ayudar a los niños?
   - (A) Son un conjunto de estudiantes de Colombia y Estados Unidos.
   - (B) Son estudiantes inscritos en clases ofrecidas por la Universidad Javeriana.
   - (C) Son estudiantes que se preparan en programas sociales.
   - (D) Son un conjunto de estudiantes que se especializan en el español y el servicio social.

7. ¿Con qué tipo de alumnos trabajan los jóvenes universitarios?
   - (A) Con muchachos de familias extendidas
   - (B) Con muchachos de varias partes de Colombia
   - (C) Con muchachos de programas educativos especiales
   - (D) Con muchachos de circunstancias difíciles

8. Según se infiere de las declaraciones de las dos muchachas, ¿qué es lo que más aprecian del programa?
   - (A) El inglés que aprenden
   - (B) Un ambiente seguro
   - (C) Sus relaciones con los estudiantes universitarios
   - (D) El entrenamiento intelectual

9. ¿Qué principios cumple el programa de cooperación entre estudiantes javerianos y estadounidenses?
   - (A) El del Compromiso
   - (B) El de la Calidad
   - (C) El de la Efectividad
   - (D) Todos

## CÁPSULA CULTURAL:

### Pontificia Universidad Javeriana

Sede principal: Bogotá de Colombia

Tipo: Privada

Fundación: 1623 por la Compañía de Jesús

Población estudiantil (2010): Pregrado—19.955; Postgrado—4.307

Facultades (18): Arquitectura y Diseño, Ciencia, Ciencia Social, Ciencia Jurídica, Educación, Psicología, Teología, etc.

### Universidad de Santiago de Chile

Sede principal: Santiago de Chile

Tipo: Pública

Fundación: 1849 por el gobierno de Chile

Población estudiantil: Pregrado—18.155; Postgrado—714; Doctorado—217

Facultades (9): Administración y Economía, Ciencia, Ciencia Médica, Humanidades, Química y Biología, etc.

**COMPARACIONES: ¿Cómo son patrocinadas algunas de las mejores universidades de tu país? ¿Hay diferencias de facultades y programas de estudios entre ellas?**

## Audios

**FUENTE** Este audio fue auspiciado por la Décima Conferencia Endeavor Emprender con Conciencia Social el 30 agosto de 2008. El conferenciante es Francisco MacKinlay, presidente de CongelArg, una empresa especializada en la logística y transporte de mercaderías refrigeradas y congeladas. La conferencia trata de la conciencia social en el sector emprendedor. La grabación dura aproximadamente tres minutos.

1. ¿Cuál es el propósito de este discurso?
   (A) Animar a otros a que contraten la empresa
   (B) Animar a otros a que inviertan en empresas de transporte
   (C) Animar a otros a que cuiden a sus empleados y sus familias
   (D) Animar a otros a que instruyan a las mujeres a administrar su casa

2. Según el conferenciante, ¿de qué trata la responsabilidad social empresaria?
   (A) De arrancar un proceso de transmitir valores de trabajo de generación en generación
   (B) De comenzar una conciencia de la falta de buena formación de los choferes
   (C) De poner en marcha ciertos cambios políticos en el país
   (D) De encabezar un programa para salvar la vigencia de la familia argentina

3. Según Federico MacKinlay, ¿qué debe incluir un buen plan de negocios?
   (A) Algo que te traiga una ganancia a corto plazo
   (B) Algo que te vaya a dar más dinero al final del año
   (C) Algo que ayude a otros
   (D) Algo que no se vaya a encontrar en el cuaderno de resultados

**4.** ¿Qué programa experimental ha armado MacKinlay y su empresa?

(A) Un programa de capacitación de las esposas de los choferes

(B) Un programa de cuidado de los niños de los choferes

(C) Un programa para enseñar a los choferes a manejar bien

(D) Un programa para asegurar un cafecito para las esposas y sus amigas

**5.** Si fueras un participante en la conferencia, ¿qué pregunta sería la más apropiada para hacerle a Francisco MacKinlay?

(A) "¿Qué son PYMES?"

(B) "¿Han decidido los sindicatos apoyar el proyecto social de su empresa?

(C) "¿Dónde venden su tejido las esposas de los choferes?"

(D) "¿Por qué esperan Uds. obtener un retorno rentable?"

## CÁPSULA CULTURAL: LA IMPORTANCIA DE LAS SEÑALES DE TRÁNSITO RESTRICTIVAS EN LA ARGENTINA

Es importante tenerlas en cuenta y obedecer la orden que demandan estas señales, ya que si están ahí es porque realmente deben cumplirse. El NO cumplimiento podría comprometer la vida de alguien y es por eso que las multas para quienes hacen caso omiso de estas señales son las más caras.

**COMPARACIONES: Examina críticamente la verdad de algunos de los estereotipos creados en tu comunidad acerca de los choferes de autos de otras comunidades y países.**

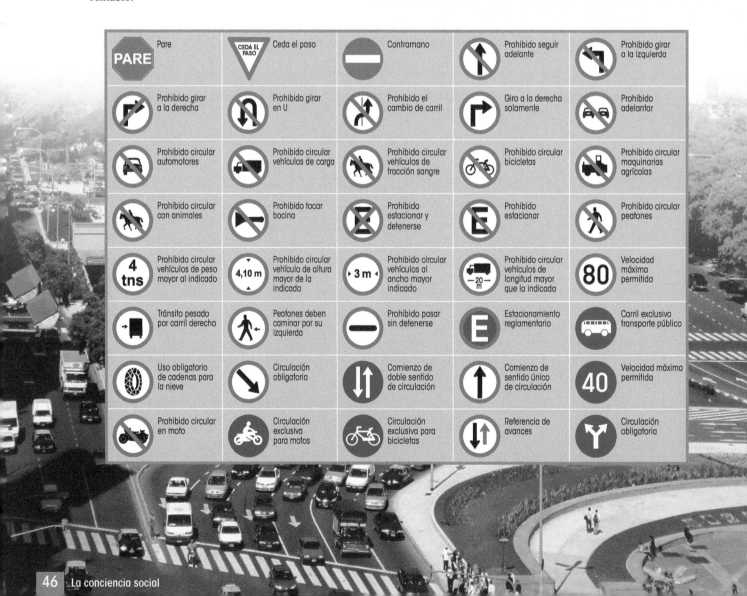

## Correos Electrónicos

Has recibido este mensaje porque te has sumado a un grupo en tu comunidad, Soluciones Sociales, que fomenta el activismo social para problemáticas locales.

**De:** Programa Soluciones Sociales

**Asunto:** Oferta de dos programas de verano

Querido/a alumno/a de su colegio,

Es Ud. recipiente de este mensaje de conciencia social porque ha mostrado una motivación por el activismo social. Nuestro programa Soluciones Sociales le envía esta invitación.

Este verano estamos ofreciendo dos programas. ¿Le interesan? ¡¡Estupendo!!, ¿no?

Los dos programas son Viviendas Vitales y Cocina Casera. El primero se destaca por el gran número de casas que hemos renovado y vendido a familias de escasos recursos en esta comunidad. El segundo tiene como meta proveer comida a los sin casa. ¿En cuál programa prefiere participar?

Ambas son posibilidades dignas de su interés en amparar a otros. Déjenos saber si le interesa que pongamos a Ud. en nuestra lista de espera. No se olvide de informarnos por qué cree que está capacitado para el trabajo de carpintero o cocinero.

Debido a las muchas solicitudes que recibimos, le pedimos que nos envíe sus credenciales a la mayor brevedad posible. Una vez recibamos su solicitud, le enviaremos nuestra respuesta en dos semanas. Muchas gracias por su interés.

Atentamente,
Soluciones Sociales

## Ensayo

### Tema del ensayo:

*Entre las problemáticas presentadas en las tres fuentes, ¿cuál enardece más tu sentido de conciencia social y cómo se puede erradicar dicha proplemática?*

**FUENTE NÚMERO 1** Este texto adaptado trata de un estudio sobre cómo nuestro cerebro reacciona de forma inconsciente para reconocer el rostro de los que no pertenecen a nuestro grupo racial y étnico. Fue publicado en Cienciacognitiva.com en junio de 2011. Fue escrito por María Luz González, Ramiro González y Agustín Ibáñez. Dinámica cerebral inconsciente del prejuicio hacia minorías:

E
l cerebro, en el mismo momento que percibe un rostro, percibe además la raza del mismo y, además, su asociación con contenidos afectivos positivos o negativos.

Este estudio constituye la primera evidencia cerebral directa del prejuicio racial implícito medida con el Test de Asociación Implícita (IAT), y muestra que el prejuicio tiene sus bases en procesos muy automáticos y tempranos. Esto puede explicar en parte por qué estos fenómenos a menudo ocurren de forma no controlada e irracional. Finalmente, este estudio evidencia que la cultura tiene efectos directos y muy acentuados en la dinámica cerebral asociada a aspectos muy básicos, tales como la percepción de rostros. Al parecer, la cultura y la dinámica cerebral están menos distanciadas que nuestros departamentos universitarios de humanistas y científicos.

El sentido de pertenencia grupal a una nación, una raza o una religión ha sido motivo de actitudes de nacionalismo, seguridad y familiaridad a lo largo de la historia de la humanidad, al mismo tiempo que de fuertes discriminaciones raciales, guerras religiosas y genocidios. El rechazo hacia minorías étnicas y en

5

10

15

20

particular hacia aborígenes es un fenómeno frecuente en muchos países de América Latina y se expresa como un prejuicio o actitud negativa injustificada hacia
25 individuos que poseen rasgos culturales aborígenes, ya sea por su color de piel, rasgos faciales, lenguaje o valores culturales. Uno de estos casos es el de los mapuches, un grupo étnico de Chile que posee una larga historia de privación y opresión social asociada a
30 prejuicios negativos por parte de la sociedad chilena no aborigen, para quienes los mapuches son estereotipados como violentos, rudos, perezosos y poco inteligentes (Saiz y Williams, 1991).

Esta investigación contribuye a comprender el prejuicio racial como un fenómeno que, además de 35 ser explícito y consciente, está también influido por actitudes inconscientes o implícitas que afectan de manera temprana y automática a la actividad cerebral. Esto puede ayudar a entender la irracionalidad de este fenómeno y su resistencia al cambio. Por último, este 40 estudio evidencia los profundos efectos que ejerce la cultura en la dinámica cerebral y apunta hacia la necesidad de abrir un nuevo diálogo entre disciplinas como Sociología, Psicología y Neurociencia Cognitiva.

**FUENTE NÚMERO 2** Este gráfico trata del trabajo infantil. Los datos vienen del informe Dinámica del trabajo infantil en la República Dominicana 2009-2010 preparado para la Organización de Trabajo Internacional y UNICEF.

**FUENTE NÚMERO 3** Esta grabación "Hazle Frente al cíber-acoso" fue preparada para el Federal Trade Commission. Se puede encontrar en Alerta en Línea. Es de aproximadamente un minuto y medio.

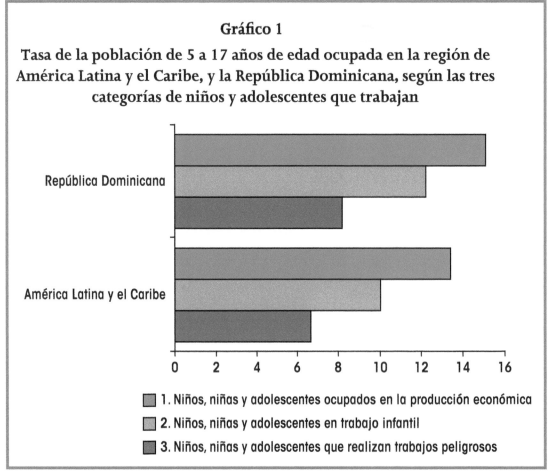

**Gráfico 1**

**Tasa de la población de 5 a 17 años de edad ocupada en la región de América Latina y el Caribe, y la República Dominicana, según las tres categorías de niños y adolescentes que trabajan**

Fuente: Organización de Trabajo Internacional y el UNICEF 2010

## Conversaciones

Esta es una conversación con Camilo, un compañero de clase. Vas a participar en esta conversación porque son muy buenos amigos y Camilo quiere que le acompañes al Concurso del Modelo de las Naciones Unidas, un programa en el cual los alumnos debaten como si fueran representantes de los países miembros de las Naciones Unidas.

| Camilo | • Te saluda y te hace una pregunta. |
|--------|-------------------------------------|
| Tú | • Salúdalo y contesta. |
| Camilo | • Continúa la conversación. |
| Tú | • Contesta dándole detalles de lo que sabes. |
| Camilo | • Continúa la conversación. |
| Tú | • Reacciona negativamente. |
| Camilo | • Continúa la conversación. |
| Tú | • Proponle otra opción. |
| Camilo | • Continúa la conversación. |
| Tú | • Dale tus disculpas y despídete. |

## Discursos

### Tema de la presentación:

*¿Qué impacto tienen la familia y los colegios en desarrollar un sentido de conciencia social?*

*Compara tus observaciones acerca de las comunidades en las que has vivido con tus observaciones de una región del mundo hispanohablante que te sea familiar. En tu presentación, puedes referirte a lo que has estudiado, vivido, observado, etc.*

## CLASIFICADOS

### ESENCIAL: PARA UNA MEJOR COMPRENSIÓN

**carece (carecer) de**—no tener
**incapaces (incapaz)**—inepto, ineficaz
**la impunidad**—sin castigo, fuera de ser responsabilizado
**el desprecio**—falta de respeto
**los pleitos**—disputas

### IMPORTANTE: PARA UNA MEJOR DISCUSIÓN

**digno/a**—honorable, merecedor
**un sentido**—sentimiento; significado
**envileciendo (envilecer)** —pervertir, dañar
**las movilizaciones**—puesta en acción
**la ciudadanía**—grupo de habitantes de un país o localidad

### ÚTIL: PARA UNA MEJOR EXPRESIÓN

**a lo largo y ancho de**—extenso, por todos lados, de comienzo a fin
**a causa de**—por
**además de**—también

**Producto:** ¿Qué relación tiene el narcocorrido con el narcotráfico?

**Práctica:** ¿Cuál ha sido el impacto del narcotráfico en ciudades fronterizas como Ciudad Juárez?

**Perspectiva:** ¿Por qué no ha sido exitoso el gobierno mexicano en su guerra contra el narcotráfico?

### ESENCIAL: PARA UNA MEJOR COMPRENSIÓN

**rigen (regir)**—gobernar
**las problemáticas**—problemas
**peleando (pelear)**—luchar, reñir

### IMPORTANTE: PARA UNA MEJOR DISCUSIÓN

**una maqueta**—reproducción arquitectónica a escala disminuida
**brindando (brindar)**—ofrecer

### ÚTIL: PARA UNA MEJOR EXPRESIÓN

**de repente**—de golpe, sin esperar
**en conjunto con**—en compañía de
**además de**—también
**chéveres**—excelente, estupendo

**Producto:** ¿Qué es la Compañía de Jesús?

**Práctica:** ¿Históricamente a qué se deben los conflictos entre los jesuitas y la corona española?

**Perspectiva:** Explica la misión de las universidades jesuitas hoy en día.

### ESENCIAL: PARA UNA MEJOR COMPRENSIÓN

**animar**—dar energía y entusiasmo
**la formación**—educación, enseñanza
**los talleres**—lugar en el que se hacen reparaciones
**armando (armar)**—hacer preparativos

### IMPORTANTE: PARA UNA MEJOR DISCUSIÓN

**un retorno**—ganancia de dinero
**averiguando (averiguar)**—descubrir la verdad de algo
**el sindicato**—grupo formal de trabajadores
**los aportes**—contribuciones

### ÚTIL: PARA UNA MEJOR EXPRESIÓN

**en gran parte**—extensamente, por la mayor parte
**en el corto plazo**— a un período de poco tiempo

**Producto:** ¿Qué es un colectivo en Suramérica?

**Práctica:** Explica la tradición del colectivo en la Argentina.

**Perspectiva:** ¿Por qué iniciaron los camioneros un paro nacional en la Argentina en 2012?

# LA CIENCIA Y LA TECNOLOGÍA

acceso a la tecnología | efectos de la tecnología | salud y medicina | innovaciones tecnológicas | fenómenos naturales | ciencia y ética

## ¿ES ESPAÑA UN PAÍS INNOVADOR?

# LA INNOVACIÓN ES LA SOLUCIÓN

PÁGINA **60**

## MAESTRO CARLOS SOLA LUQUE: EN LA CASA HAY UNA GEOGRAFÍA DE...

# MEDICINA MEXICANA TRADICIONAL

PÁGINA **71**

## PABLO NERUDA: "CADA MÁQUINA TIENE UNA PUPILA ABIERTA..."

# MAESTRANZAS DE LA NOCHE

PÁGINA **52**

## LA IDEA ES SIMPLE PERO EFECTIVA

# El dispositivo que asusta a los carteristas

PÁGINA **76**

## EL CIENTÍFICO NO ESCUCHA EL CONSEJO DE LAS ESTRELLAS Y PIERDE...

# LA CIENCIA ESTÁ CUESTIONADA

PÁGINA **92**

## RAMÓN SAMPEDRO SUFRIÓ UN ACCIDENTE Y QUEDÓ INMOVILIZADO

# UNA CONFESIÓN REAL

PÁGINA **94**

## ÍNDICE MEXICANO

**CÁPSULAS CULTURALES**
(PÁGINAS 53, 54, 56, 62, 63, 64, 69, 71, 72, 77, 79, 80, 85, 87, 88, 93, 95, 96)

**CLASIFICADOS CON VOCABULARIO Y PREGUNTAS CULTURALES**
(PÁGINAS 59, 67, 75, 83, 91, 100)

¿DEMASIADO CERCA O DEMASIADO LEJOS?

# El acceso a la tecnología

## Lecturas

**FUENTE**  Este texto, "Maestranzas de noche", trata de las ideas del poeta chileno Pablo Neruda sobre el trabajo en talleres metalúrgicos donde se construyen y reparan piezas de artillería del ejército y de los buques de guerra. El poema salió por primera vez en <u>Crepusculario</u> en 1923 y ahora aparece en muchas antologías. Ha sido publicado aquí con el permiso de Agencia Literaria Carmen Balcells de Barcelona, España.

**H**ierro negro que duerme, fierro negro que **gime**
por cada poro un grito de desconsolación.

Las cenizas ardidas sobre la tierra triste,
los caldos en que **el bronce** derritió su dolor.

5  ¿Aves de qué lejano país desventurado
graznaron en la noche dolorosa y sin fin?

Y el grito se me **crispa** como un nervio enroscado
o como la cuerda rota de un violín.

Cada máquina tiene una pupila abierta
10  para mirarme a mí.

En las paredes **cuelgan** las interrogaciones,
florece en las bigornias el alma de los bronces
y hay un temblor de pasos en los cuartos desiertos.

Y entre la noche negra -desesperadas- corren
15  y **sollozan** las almas de los obreros muertos.

1.  ¿Por qué estaría triste la tierra (verso 3)?
    (A) Por la contaminación del aire
    (B) Por el dolor de los obreros
    (C) Por los sonidos desafinados
    (D) Por la noche tan oscura

2.  ¿Dónde tendría lugar esta escena?
    (A) En una cantera
    (B) En una fundidora de fierro
    (C) En una fundidora de bronce
    (D) En una excavación

3.  ¿Qué serían las "aves" del verso 5?
    (A) Los armamentos
    (B) Los muertos
    (C) Las calderas
    (D) Los obreros

4.  ¿Qué emoción expondría mejor el símil del verso 8?
    (A) Tristeza
    (B) Enfado
    (C) Soledad
    (D) Turbación

5.  ¿Cómo participaría el poeta en esta escena?
    (A) Es un alma.
    (B) Es un observador.
    (C) Es un periodista.
    (D) Es un jefe.

6.  De las siguientes herramientas, ¿cuál tiene forma de "las interrogaciones" del verso 11?
    (A) Martillos
    (B) Ganchos
    (C) Cadenas
    (D) Palas

7.  ¿Qué pensaría el poeta de la tecnología industrial?
    (A) Le desespera.
    (B) Le da asco.
    (C) Le asusta.
    (D) Le distrae.

El Portaaviones L-61
Juan Carlos I en
Cádiz, España

## CÁPSULA CULTURAL: EL COBRE, EL BRONCE, LOS MINEROS Y PABLO NERUDA

El dichoso y espectacular rescate de los 33 mineros chilenos mantuvo la atención de más de 1000 millones de telespectadores durante varios meses en 2010 e hizo que se expusieran nuevamente los peligros de trabajar en minas de cobre y oro como la Mina de San José al norte de Chile. La minería chilena tiene una larga historia y ha sido el eje de la fortuna económica del país. Una combinación de cobre y estaño produce el bronce, metal importante en la manufactura de distintos productos domésticos y militares. Chile es el productor número 1 de cobre en el mundo. Durante los años 20 del Siglo XX cuando Pablo Neruda escribió el poema "Maestranzas de la noche", el poeta protestaba por lo que él designaba como la explotación de los obreros por la industria y sus empresarios. A medida que los 33 mineros iban siendo rescatados con vida, se pusieron en marcha extensas investigaciones sobre la seguridad de las minas de cobre de Chile.

**COMPARACIONES:** ¿Cuáles son algunos ejemplos del estudio periodístico o literario sobre la explotación social y económica de tu país? Explica las consecuencias, tanto negativas como positivas, de la explotación, así como la persistencia del espíritu humano.

## Ilustración con Audio

**FUENTE NÚMERO 1** El gráfico, "**Las brechas** de acceso TIC en América Latina: un blanco móvil", trata de la brecha de acceso en América Latina a varios medios de comunicación e información digitales entre los países de América Latina y los países de la Organización para la Cooperación y el Desarrollo Económicos (OCDE) incluyendo EE.UU., países europeos, Japón, Chile y México entre otros. El gráfico es de un informe de la CEPAL, una división de las Naciones Unidas para estudios estadísticos de América Latina, y fue publicado en mayo de 2011.

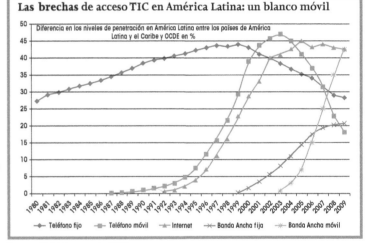

**Las brechas de acceso TIC en América Latina: un blanco móvil**

Fuente: ECLAC, mayo de 2011.

**◀))  FUENTE NÚMERO 2** Esta grabación, "Computadoras y teléfonos, herramientas del desarrollo", trata del uso de tecnologías como computadoras y teléfonos de países en desarrollo. El reportaje fue publicado en 2011 por Radio Naciones Unidas. Carlos Martín entrevista a Marta Pérez Cusó, economista de las Naciones Unidas, en la Conferencia sobre Comercio y Desarrollo. La grabación dura aproximadamente tres minutos.

1. ¿Qué mide este gráfico?
   (A) El número de usuarios de medios de comunicación en América Latina
   (B) El progreso en el uso de medios de comunicación en América Latina
   (C) Las áreas de más atraso en el desarrollo comunicativo en América Latina
   (D) Los medios de comunicación e información de más uso en América Latina

2. Según el gráfico, ¿qué medio de comunicación sigue siendo el de más acceso en 2009?
   (A) La internet
   (B) El teléfono móvil
   (C) La banda ancha móvil
   (D) La banda ancha fija

3. Según el gráfico, ¿cuál, de los medios de comunicación ha mostrado menos progreso de acceso entre 1992 y 2009?
   (A) El teléfono móvil
   (B) La internet
   (C) La banda ancha fija
   (D) La banda ancha móvil

**4.** ¿Cuál es el propósito de la conversación en el informe auditivo?

(A) Resaltar la brecha entre el uso de las TIC y su capacidad de desarrollar pequeñas empresas

(B) Proponer unos cambios en las estructuras de empresas de países en desarrollo

(C) Promocionar el desarrollo de empresas pequeñas y medianas

(D) Explicar por qué ciertos países están todavía en desarrollo tecnológico

**5.** Según el informe auditivo, ¿por qué pueden las mujeres aprovechar el uso de tecnologías de comunicación e información?

(A) Les ofrece mayor flexibilidad en el acceso a información financiera.

(B) Les ofrece más tiempo para acceder a redes de empresarios.

(C) Les proporciona la posibilidad de pasar más tiempo en casa con los hijos.

(D) Les da la oportunidad de trabajar a domicilio.

**6.** Según el informe auditivo, ¿qué deben hacer los gobiernos para desarrollar las tecnologías de comunicación digital?

(A) Deben invertir dinero en el desarrollo de telefonía rural.

(B) Deben apoyar la libre comunicación por computadora y teléfono.

(C) Deben ampliar la banda ancha fija y móvil.

(D) Deben impulsar leyes que faciliten mejor acceso a la banca.

**7.** ¿Qué punto de vista se refuerza en el gráfico con respecto al informe auditivo?

(A) Que los países latinoamericanos necesitan aportar más acceso directo a los servicios digitales de comunicación

(B) Que los países latinoamericanos necesitan aumentar el acceso a Internet para mejor desarrollo de su economía

(C) Que los países latinoamericanos están atrasados en el uso de los medios de comunicación digital

(D) Que los países latinoamericanos no van a alcanzar el nivel de acceso TIC de los países más avanzados

Teclado latinoamericano (común en Centro América)

Teclado español (común en España y Sudamérica)

## CÁPSULA CULTURAL: EL TECLADO EN ESPAÑOL

Yo uso la configuración de teclados de Windows. Este método es bueno si usas una computadora fija durante mucho tiempo, como en tu casa, en la oficina, etc. No es que no funcione en cibercafés, pero puede pasar que no tengas acceso a configurarlo.

Los pasos son estos:

1. Ir al panel de control de Windows (2000, 7, etc.).

2. Buscar "Regional and language options" (en el idioma que esté).

3. Ir a la pestaña de Lenguajes/Idiomas.

4. Clic en Detalles.

5. Clic en Añadir.

6. Seleccionar Spanish Traditional/International (los dos valen).

7. ¡Y ya está!

Lo mejor de todo es que puedes tener ambos, inglés y español a la vez (y todos los que tú quieras) y cambiar el idioma del teclado haciendo clic en Alt+Shift.

Yo, por ejemplo, cada vez que escribo en español pongo el teclado en español, pero para trabajar lo uso en inglés. Con un clic de teclado (Alt+Shift) cambias ¡y ya!

—Juan Molinero en su blog, Diario Viaslado

**COMPARACIONES:** ¿Qué palabras cambian su significado al poner o quitar una tilde o acento gráfico en español? ¿Qué ventaja hay con un signo de interrogación o exclamación antes de la oración? ¿Qué relación hay entre la ortografía gráfica y la musicalidad de la palabra?

## Audios

🔊 **FUENTE** Esta grabación, "Una computadora por niño", trata de un proyecto para proveer una computadora a cada niño. Fue publicada en el Paraguay por la organización no gubernamental Paraguay Educa el 9 de septiembre de 2009. En la presentación participa un locutor. La grabación dura dos minutos y pico.

**1.** ¿Cuál es el propósito de esta presentación?

(A) Justificar el uso de computadoras por niños pequeños

(B) Incentivar la inversión en tecnología contemporánea

(C) Describir la misión de una empresa sin fines de lucro

(D) Anunciar la producción de una computadora avanzada

**2.** ¿Qué explica esta presentación del proyecto "Una computadora por niño"?

(A) Que su meta es proveer una computadora eficiente y de poco costo

(B) Que la computadora XO se encuentra en cualquier lugar del mundo

(C) Que la computadora XO representa el futuro de la educación primaria

(D) Que la meta del proyecto es satisfacer la curiosidad del niño en la era de la informática

**3.** Según la presentación, ¿qué puede hacer el niño con la computadora XO?

(A) Aprender cualquier idioma

(B) Aprender en cualquier idioma

(C) Aprender a competir a nivel mundial

(D) Aprender a ayudar a otros niños

**4.** Según la presentación, ¿qué guía la misión del proyecto?

(A) Un deseo de competir con las empresas tecnológicas más conocidas

(B) Varios principios que comprueban que su misión son los niños y no el mercado comercial

(C) Unos célebres educadores de todas partes del mundo

(D) Unos productores de software diseñado especialmente para niños

**5.** Según la presentación, ¿cuál es el objetivo principal en el uso de la computadora XO?

(A) Que los niños la usen para encontrar cosas interesantes para divertirse

(B) Que los niños la usen con quien ellos quieran

(C) Que los niños la usen para recibir una educación básica

(D) Que los niños la usen cuando quieran

**6.** Según la presentación, ¿cómo van a asegurarse de que ningún niño quede sin computadora?

(A) Van a proveer computadoras a todo el mundo a la vez.

(B) Van a dejar que cada niño descargue aplicaciones de Internet.

(C) Van a servir a colegios enteros en lugar de a cada niño individualmente.

(D) Van a convencer a los profesores a que ayuden a los niños a conseguir una computadora.

**7.** Según la presentación, ¿qué dice el locutor del software?

(A) Que debe ser extensivo y sofisticado

(B) Que debe ser especializado y sencillo

(C) Que debe ser compatible con otros sistemas operativos

(D) Que debe ser asequible y gratis

**8.** ¿A qué se refiere el locutor cuando dice que están todos "en una cáscara de nuez"?

(A) Que todos en la organización siempre están de acuerdo en todo

(B) Que todos en la organización sirven a una misma misión

(C) Que todos en la organización trabajan juntos

(D) Que todos en la organización saben producir computadoras para niños

## CÁPSULA CULTURAL: LA COMPUTADORA EN LOS COLEGIOS: A FAVOR Y EN CONTRA

Por lo general la reacción al programa de utilizar computadoras en los colegios primarios y secundarios en América Latina ha sido favorable aunque el proyecto ha sufrido de reveses financieros.

Los que están a favor han enfatizado la importancia de estimular el interés y la curiosidad del niño de primaria para motivarle a seguir sus estudios y a aplicarse. Hay muchos temas que pueden involucrar el intelecto del niño y siempre es mejor empezar temprano en su carrera académica.

Hay otros, sin embargo, que señalan que las computadoras interrumpen el currículo tradicional y que los niños pierden su enfoque. Además, dicen que las máquinas baratas tienen muchos límites. Por ejemplo, tienen poca durabilidad y capacidad de almacenar datos. También les atrae más el acceso a redes sociales que a investigaciones intelectuales.

Parece que, como las computadoras son ubicuas en nuestra época, es imprescindible no discutir si se las permiten, sino descubrir cómo sacar mejor provecho de su tecnología.

—Juan Molinero, Diario Viaslado

**COMPARACIONES: ¿Cómo sería tu vida sin dispositivos electrónicos? ¿Qué cambiaría si no tuvieras acceso a Internet? ¿De qué forma sería diferente la vida de los jóvenes que viven en tierras remotas de América Latina si tuvieran acceso a la WWW?**

## Correos Electrónicos

Has recibido este mensaje porque tienes cuentas en varios sitios sociales. Se te pide tu opinión sobre el uso de redes sociales en Internet.

**De:** Sondeos Teqüestas: De todo un poco en el mundo digital

**Asunto:** Tu opinión cuenta

Querido/a estudiante de español:

Para conocerle a Ud. mejor, le mandamos este mensaje digital. Nos hemos dado cuenta que Ud. tiene una cuenta en MySpace, FaceBook, Orkut y Badoo. Por eso, le contactamos para hacerle unas preguntas sobre su opinión acerca del uso de las redes sociales. Explíquenos, por favor, las características de su uso de esas redes. Nos importan más sus opiniones sobre quiénes deben usarlas, a qué edad y cómo. Por ejemplo, ¿le parece bien que todos deban aceptar a todos en su círculo de amigos? Explíquenos por qué sí o por qué no. Por favor, explíquenoslo de la forma más amplia posible. Gracias por su respuesta. Su opinión es muy importante para nosotros.

## Ensayo

### Tema del ensayo:
*¿Se debe poner en práctica un plan mundial para impedir el mercado de armas de fuego?*

**FUENTE NÚMERO 1** Este texto trata de la disponibilidad de armas de fuego en Centro América. Este pasaje extraído de "Crimen y violencia en Centro América: Un Desafío para el Desarrollo" fue publicado por los Departamentos de Desarrollo Sostenible y Reducción de la Pobreza y Gestión Económica de la Región de América Latina y el Caribe del Banco Mundial en 2011.

#### III.3 Historia de conflicto armado y disponibilidad de armas de fuego

U na explicación frecuente de los niveles extraordinarios de violencia en Centroamérica tiene que ver con la historia de conflicto armado en la
5 región. Aunque el análisis empírico que se presenta en la sección siguiente no muestra evidencia específica de este argumento, es posible que las guerras (junto con otros factores tales como el narcotráfico) hayan jugado un papel importante en la extendida disponibilidad de armas de
10 fuego, que es un factor de riesgo reconocido del crimen y la violencia.

**Figura 11. Intensidad del conflicto armado en Centroamérica**

Fuente: Cuevas y Demombynes (2009)

Es evidente que el conflicto armado no es el origen de todas las armas de fuego en circulación. Entre 2000 y 2006, muchos años después de la conclusión
15 de las últimas guerras civiles centroamericanas, las importaciones de armas aumentaron en los seis países centroamericanos. Se cree que el próspero comercio ilegal de armas de fuego relacionado al comercio de drogas estimuló al menos una parte de ese incremento.
20 Mientras que las drogas viajan hacia el norte, a México y los Estados Unidos, las armas viajan hacia el sur.

**Tabla: Armas de fuego en manos civiles. Centroamérica, 2007.**

| País | Registradas | Calculadas | Armas por cada 100 personas |
|---|---|---|---|
| Costa Rica | 43.241 | 115.000 | 2,8 |
| El Salvador | 198.000 | 450.000 | 7,0 |
| Guatemala | 147.581 | 1.950.000 | 15,8 |
| Honduras | 133.185 | 450.000 | 6,2 |
| Nicaragua | No aplica | 385.000 | 7,0 |
| Panamá | 96.600 | 525.600 | 5,4 |

Fuentes: Karp 2008, Fundación Arias 2005

Los recientes brotes de violencia en la región han estado acompañados de la aparición de armas de fuego más poderosas, lo que resulta en niveles de mortandad más altos. De hecho, las armas de fuego se utilizan en la mayoría de los asesinatos cometidos en Centroamérica.
25 La Figura 12 muestra el desglose por arma relacionada con un asesinato en Guatemala y El Salvador. Los patrones son notablemente similares: en ambos países, las armas de fuego se usaron para el 80 por ciento de los homicidios.
30

**Figura 12. Armas utilizadas para el homicidio**

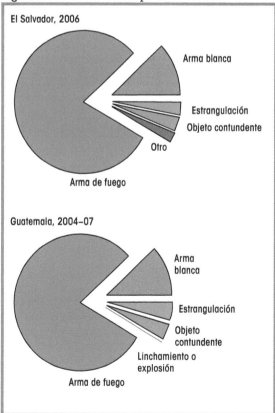

Fuente: Instituto de Medicina Legal de El Salvador y Policía Nacional de Guatemala.

**FUENTE NÚMERO 2** Estas imágenes tratan de varias actividades deportivas en las cuales se usan armas de fuego.

**FUENTE NÚMERO 3** Esta grabación trata de un punto de vista a favor del uso público de armas de fuego. La grabación, "Derecho a Poseer y Portar Amas NO es una Concesión del Estado", fue publicada el 20 de enero de 2012 por el Licenciado David Jiménez Ramírez y es una producción de la Cámara Nacional de Radio Costa Rica. La grabación dura aproximadamente tres minutos.

## Conversaciones

Esta es una conversación con Graciela, una amiga tuya. Vas a participar en esta conversación porque son muy buenos amigos y Graciela está estresada y necesita tu apoyo.

| Graciela | • Te saluda y te hace una pregunta. |
|---|---|
| Tú | • Salúdala, contesta y hazle una pregunta. |
| Graciela | • Te lo explica. |
| Tú | • Reacciona y hazle una pregunta según la situación. |
| Graciela | • Contesta. |
| Tú | • Dale un consejo y explícale por qué lo debe cumplir. |
| Graciela | • Reacciona y continúa la conversación. |
| Tú | • Contesta dando detalles y anímala. |
| Graciela | • Te responde. |
| Tú | • Dale un consejo específico y despídete cortésmente. |

## Discursos

**Tema de la presentación:**

*¿Cuál es la actitud de la gente de tu comunidad respecto a la colocación y la construcción de torres de señal para teléfonos celulares?*

*Compara tus observaciones acerca de las comunidades en las que has vivido con tus observaciones de una región del mundo hispanohablante que te sea familiar. En tu presentación, puedes referirte a lo que has estudiado, vivido, observado, etc.*

**CLASIFICADOS**

## PÁGINA **52** Lecturas

**ESENCIAL: PARA UNA MEJOR COMPRENSIÓN**

**el hierro**—metal duro

**el bronce**—metal mezcla de cobre y estaño

**crispa (crispar)**—irritar, enojar

*IMPORTANTE: PARA UNA MEJOR DISCUSIÓN*

**gime (gemir)**—sonido agudo que expresa dolor

**cuelgan (colgar)**—suspender

**sollozan (sollozar)**—llorar profundamente

**Producto:** ¿Qué es la empresa Anaconda y por qué se formó?

**Práctica:** ¿Cómo afectará a Anaconda el proyecto de ley de seguridad e institucionalidad minera de 2012?

**Perspectiva:** ¿Cuál era la actitud de Pablo Neruda hacia las empresas como Anaconda?

## PÁGINA **53** Ilustración con Audio

ESENCIAL: PARA UNA MEJOR COMPRENSIÓN

**las brechas**—espacio entre dos puntos, abertura

**la banda ancha**—amplia capacidad de comunicación por la Red Mundial

**la banca**—conjunto de bancos

**IMPORTANTE: PARA UNA MEJOR DISCUSIÓN**

**asequible**—cualidad de ser conseguido fácilmente

**actualmente**—por ahora, hoy

*ÚTIL: PARA UNA MEJOR EXPRESIÓN*

**a menudo**—con frecuencia

**a través de**—por entre, por medio de

**Producto:** ¿Cuáles son los planes comerciales de acceso a Internet más populares en Latinoamérica?

**Práctica:** ¿Cuáles son algunos obstáculos al acceso universal a Internet en Latinoamérica?

**Perspectiva:** ¿Por qué hay un incremento en ayuda gubernamental al acceso a Internet en Latinoamérica?

## PÁGINA **55** Audios

*ESENCIAL: PARA UNA MEJOR COMPRENSIÓN*

**el aprendizaje**—el acto de aprender

**las aulas**—las salas de clase

**gratuito/a**—gratis

**IMPORTANTE: PARA UNA MEJOR DISCUSIÓN**

**escaso/a**—insuficiente en cantidad

**diseñado/a (diseñar)**—creado, dibujado

**fabrica (fabricar)**—producir

*ÚTILES: PARA UNA MEJOR EXPRESIÓN*

**sin fines de lucro**—no tener motivo de ganar dinero, no comercial

**Producto:** Explica el concepto de la primera "isla digital" de Nicaragua planeada para Ometepe.

**Práctica:** ¿Para qué van a utilizar los estudiantes de Ometepe su conexión a la Internet?

**Perspectiva:** ¿Cómo va a impactar la "isla digital" la vida de los isleños de Ometepe?

# Los efectos de la tecnología en el individuo y en la sociedad

## Lecturas

**FUENTE NÚMERO 1** Este texto, "La innovación tecnológica, la solución para la crisis de España", trata de la crisis económica en España por el año 2010 y la importancia de la innovación. El artículo original fue publicado el 28 de febrero de 2011 por el periodista Manuel Blázquez Merino en www.suite101.net.

Los países industrializados potencian la innovación tecnológica y las nuevas ideas como eje del éxito ante la crisis económica.

¿Es España un país innovador? Antes de responder esta
5   pregunta es necesario interpretar qué se entiende por innovador. Innovación es todo cambio que, basado en el conocimiento, genera valor. Evidentemente, el sentido de innovador aplicable a un país sólo tiene una forma de **medir**se y es mediante cifras económicas exitosas. Y
10  esto no significa tener a todos los ciudadanos pensando todo el día cómo mejorar su vida. Eso ya lo hacen. El verdadero **reto** de la innovación es poner en práctica las ideas.

### La educación en tecnología en España

15  Cualquier innovación tiene como base la Educación. La Educación no solamente consiste en dotar a los estudiantes de un país de datos históricos, métodos matemáticos y dominio de su lengua. Esto, por supuesto es esencial para que una sociedad funcione en
20  el primer mundo.

Pero, la formación clásica no contribuye a generar innovación. El conocimiento de la tecnología de los procesos productivos, del entramado industrial existente, la comprensión de términos como
25  productividad y competitividad, capacidad de exportación, permiten asumir que para progresar se ha de trabajar pero también se ha de reservar parte del tiempo para pensar la mejor forma de hacer las cosas, más rápidamente, con menores **costes** y con mayor
30  calidad.

### El impulso institucional y del sector económico

Por otra parte, impulsar la innovación tecnológica no se consigue solamente en las aulas. Como todo proyecto, necesita apoyo institucional y económico.
35  Hace ya dos décadas, Su Majestad el Rey Juan Carlos I de España propuso a un grupo de empresarios crear una organización que contribuyese a promocionar la innovación, el espíritu **emprendedor** y a incrementar la sensibilidad social por la tecnología.
40  Ante tal **impulso**, se creó Cotec, que aunque de origen privado y **empresarial**, persigue como objetivo un fin común para los ciudadanos españoles. Su razón de ser es singular, ya que no existe precedente en este tipo de iniciativa.

**Los agentes interventores en una estrategia de innovación**   45

Una estrategia nacional de innovación requiere apoyo político capaz de provocar el crecimiento explosivo del sistema de innovación junto con **la adhesión** de
50  empresas nacionales que actúen como elementos impulsores tecnológicos. Desde estos dos **puntos de partida** se energiza la capacidad tecnológica de suministradores y clientes, presentando programas tecnológicos que impliquen al sistema público de
55  Investigación y Desarrollo.

### El apoyo a la PYME y al tejido **empresarial**

Uno de los motores de nuestra industria es la pequeña y mediana empresa (PYME). Las pymes, generalmente asociadas al trabajo autónomo, llevan asociado un
60  riesgo **tanto en su creación como en** su desarrollo. Por ello, se necesita colaboración entre ellas, como vía de modernización de su tecnología que se materialice en una oferta tecnológica adecuada para mejorar su competitividad.

La promoción de cualquier acción ha de **contar**   65
**con** educación, tecnología y capacidad de trabajo como motores para que la innovación y el espíritu **emprendedor** sean valores relevantes para la sociedad.

**FUENTE NÚMERO 2** Este gráfico trata de opiniones de expertos sobre la potencialidad del sistema de España hacia la innovación. Los datos han sido citados de la publicación "Informe COTEC 2011: Tecnología e Innovación en España" página 251. El gráfico es propiedad de Radio Araucano.

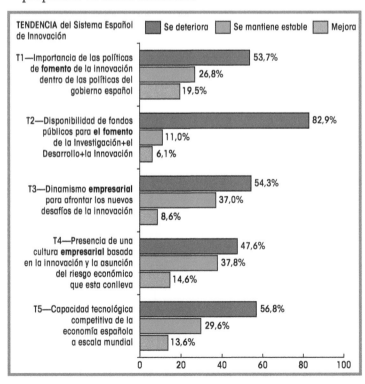

1. ¿Cuál es el propósito del artículo?

   (A) Convencernos de la importancia de la innovación para España

   (B) Indicar los criterios para desarrollar una cultura de innovación en España

   (C) Discutir si España es un país innovador

   (D) Comentar las potencialidades emprendedoras de España

2. Según el artículo, ¿qué significa innovador?

   (A) Es convertir ideas en productos y servicios.

   (B) Es hallar descubrimientos nuevos.

   (C) Es producir bienes económicos.

   (D) Es cambiar conocimientos tradicionales en ideas nuevas.

3. Según el artículo, ¿qué debe aportar la educación al espíritu empresarial de la innovación?

   (A) La capacidad de funcionar a nivel internacional

   (B) Un conocimiento de los procesos de productividad

   (C) Un deseo empresarial de trabajo

   (D) Una comprensión de una sociedad industrial

4. Según el artículo, ¿qué debe incluir un conocimiento innovador de la tecnología?

   (A) Un conocimiento de cómo promocionar los productos de un país

   (B) Una comprensión de los procesos industriales internacionales

   (C) Un entendimiento de los costes y la calidad de las cosas

   (D) Un conocimiento de los medios más eficaces de producción nacional

5. Según el artículo, ¿por qué se fundó la COTEC?

   (A) Fue un desafío nacional que dio a conocer el Rey de España.

   (B) Fue una respuesta de un grupo de empresarios a la crisis económica española.

   (C) Fue una propuesta del Rey de España a unos hombres de negocios.

   (D) Fue un resultado de un dictamen político del gobierno español.

6. En el artículo, ¿qué significa "su razón de ser es singular" (línea 42)?

   (A) Que la misión de la COTEC es única

   (B) Que la COTEC tiene un objetivo primordial

   (C) Que la COTEC no tiene rival

   (D) Que la COTEC existe sólo a favor del Rey de España

7. Según el artículo, ¿qué combinación de impulsos necesita una estrategia nacional de innovación?

   (A) El apoyo del sistema educativo y los mejores científicos del país

   (B) La cohesión de fuerzas políticas y empresariales del país

   (C) La combinación de una actitud empresarial y tecnológica del país

   (D) La solidaridad de planificación y acción de los políticos y los sindicatos

8. Según el artículo, ¿es España un país innovador?

   (A) Sí, pero la crisis económica impide un mayor progreso.

   (B) No se contesta la pregunta explícitamente.

   (C) No, pero tiene dispuestos los elementos necesarios en la educación y la política.

   (D) Sí, pero debe haber un gran progreso tecnológico.

9. ¿Qué información presenta el gráfico?

   (A) Las áreas que España necesita mejorar para contarse entre los países líderes en tecnología

   (B) Unas sugerencias de algunos expertos sobre varias tendencias económicas de España

   (C) Las opiniones de varios especialistas sobre la capacidad de España de desarrollar la innovación empresarial

   (D) Las opiniones de varios especialistas sobre la brecha en la innovación entre España y la comunidad internacional

10. Según el gráfico, ¿en qué áreas hay más pesimismo?

    (A) En la falta de dinero para avances en la innovación

    (B) En la falta de reconocimiento empresarial de la innovación

    (C) En la falta de la capacidad emprendedora de competir internacionalmente

    (D) En la falta de voluntad gubernamental para la innovación

11. ¿En qué idea coinciden el artículo y el gráfico?

    (A) Que España sufre de una crisis económica

    (B) Que España tiene la capacidad de innovar

    (C) Que España tiene mucho que hacer antes de ser innovadora

    (D) Que España últimamente ha impulsado mucho su cultura emprendedora

## CÁPSULA CULTURAL: SU MAJESTAD FELIPE VI DE BORBÓN, REY DE ESPAÑA Y GRECIA

Luego de la abdicación de su padre en 2014, el actual monarca de España fue nombrado rey Felipe VI por las Cortes Españolas poco después. Ocupa un sitio único en la vida social y política de España y ha ascendido al trono durante un tiempo de trastornos económicos para su país. El tercer hijo de Juan Carlos I de Borbón y Sofía de Grecia nació en 1968 y cursó sus estudios en España, Canadá y los Estados Unidos. Después de estudiar Derecho recibió un máster en Relaciones Internacionales. También recibió instrucción militar en las academias de los tres Ejércitos Españoles y al hacerse rey recibió el rango de Capitán general de las Fuerzas Armadas. Durante su formación no quiso trato especial y vivió como sus compañeros de clase. Felipe VI tiene una gran afición por los deportes de squash y esquí y participó en los Juegos Olímpicos de 1992 en Barcelona en el deporte de vela. El actual rey está casado con la ex periodista Letizia Ortiz, actualmente reina consorte, y tienen dos hijas, Leonor y Sofía.

—Juan Molinero, *Diario Viaslado*, 25 de junio de 2014

**COMPARACIONES:** ¿Por qué tienen ciertas figuras nacionales más renombre popular que otras? ¿Cuáles son las características de los personajes políticos que se valoran en tu comunidad?

## Ilustración con Audio

**FUENTE NÚMERO 1** Este gráfico trata de por qué la gente no compra en Internet. El gráfico original fue publicado en 2010 por tendenciasdigitales.com.

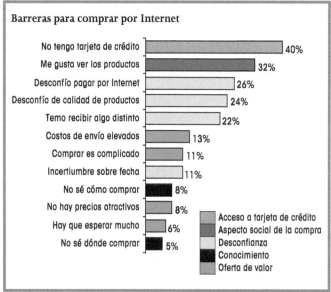

Fuente: Tendencias Digitales, 2010

**FUENTE NÚMERO 2** Esta grabación trata de cómo comprar en Internet. El reportaje fue publicado por isaweis.com. La grabación dura aproximadamente tres minutos.

1. Según este gráfico, ¿quiénes respondieron a la encuesta?
   (A) Sólo los que van de compras y tienen tarjeta de crédito
   (B) Sólo los que no quieren usar la tarjeta de crédito para compras por Internet
   (C) Sólo los que quieren comprar por Internet
   (D) Sólo los que tienen alguna reserva en comprar por Internet

2. Según el gráfico, ¿cuál es la única razón social indagada?
   (A) Se prefiere elegir entre todos los productos a la vez.
   (B) Se prefiere tener una imagen de productos en la pantalla.
   (C) Se prefiere ir a una tienda a probar los productos.
   (D) Se prefiere saber de los productos de antemano.

3. Según el gráfico, ¿cuál es la razón indicada implícitamente con más frecuencia para no comprar por Internet?
   (A) Desconfianza
   (B) Desconocimiento
   (C) Inaccesibilidad
   (D) Desgana

4. ¿Cuál es el propósito del audio?
   - (A) Alentar a los oyentes a comprar por Internet
   - (B) Promocionar PayPal
   - (C) Discutir la calidad de las compras que ha hecho la locutora
   - (D) Describir cómo se puede facilitar la devolución de productos

5. Según la locutora del audio, ¿cuál es una importante ventaja de comprar por Internet?
   - (A) No es necesario salir de casa para comprar de todo.
   - (B) No es necesario ir a una tienda a comprar alimentos.
   - (C) No es necesario preocuparse por su seguridad en Internet.
   - (D) No es necesario devolver productos defectuosos.

6. Según la locutora del audio, ¿en qué circunstancias brinda más seguridad una pasarela de pago como PayPal?
   - (A) Cuando no se conoce bien la tienda
   - (B) Cuando no se sabe quién es el vendedor
   - (C) Cuando uno no se fía del producto
   - (D) Cuando se quiere devolver un producto

7. ¿Qué tienen en común las dos selecciones?
   - (A) Que hay que tener confianza en comprar por Internet
   - (B) Que es importante saber cómo comprar por Internet con más seguridad
   - (C) Que hay muchas tiendas que quieren facilitar compras por Internet
   - (D) Que es importante confiar en los recursos digitales de Internet

## CÁPSULA CULTURAL: LOS GRANDES ALMACENES POR DEPARTAMENTOS

Con su sede en Madrid, El Corte Inglés fundado en 1940 es el líder europeo en ventas y el tercero del mundo tras Sears y Macy's. El Corte Inglés vende toda clase de productos desde grapas a computadoras. Tiene más de ochenta sucursales en España y es una de las tiendas favoritas de los turistas.

Siendo un holding chileno, Falabella se especializa en tiendas por departamentos. También tiene bancos, supermercados y tiendas especializadas en productos para el hogar. Hay sucursales en Chile, Colombia, Perú y Argentina y tienen planes de expansión. Es un holding manejado por tres familias chilenas y es la tienda de más venta en Chile. Es muy conocida por sus campañas de publicidad famosa en todo el país y el Cono Sur— Pascuas Feliz para Todos, 7 Días Fantásticos y Rebajas sobre Rebajas entre otras.

—Juan Molinero, *Diario Viaslado* 04 12 2012

**COMPARACIONES:** ¿Qué productos y servicios ofrecerían estas grandes tiendas a diferencia de las tiendas por departamentos de tu propio país y por qué?

## Correos Electrónicos

Has recibido este mensaje porque eres un cliente frecuente de esta tienda online.

| | |
|---|---|
| **De:** | Cómpratelo Todo Tu Club Estrella Dorada |
| **Asunto:** | Tu gran interés en las compras online |

¡Felicitaciones!

Ahora eres miembro de nuestro Club Estrella Dorada por haber comprado más piezas de equipos electrónicos que nadie en tu comunidad. Ahora eres ciudadano de Nuestra Comunidad Cómpratelo Todo. Para aprovechar esta oferta necesitas contestar algunas preguntas.

En primer lugar, ¿qué quieres hacer con todos los dispositivos y aplicaciones que has descargado? También nos gustaría saber si te podemos ayudar a conseguir más. Ofrecemos una línea completa de dispositivos electrónicos para que puedas gozar de la vida al máximo. ¡Diviértete mientras puedas! ¡Estamos a tu servicio!

## Audios

🔊 **FUENTE** Este texto "La ONU celebra el primer Día Mundial de la Radio" trata de la importancia de la radio en el mundo. El reportaje fue publicado por Radio Naciones Unidas en septiembre de 2011. Rocío Franco, locutora, entrevista a Irina Bokova de la UNESCO. La grabación dura aproximadamente un minuto y medio.

1. Según el audio, ¿cuáles han sido algunos de los aportes más importantes de la radio?
   - (A) Conectar a personas y comunidades
   - (B) Entretener a personas de diversas sociedades
   - (C) Promocionar la solidaridad mundial hacia países en desarrollo
   - (D) Transmitir programas de interés internacional

2. ¿Cuál es el propósito de esta entrevista?
   - (A) Conmemorar la primera transmisión de la radio en el siglo XIX
   - (B) Explicar el impacto de la radio en países en vías de desarrollo
   - (C) Anunciar la celebración del Primer Día Mundial de la Radio
   - (D) Elogiar los logros de la radio en todo el mundo

3. Según el audio, ¿qué debe hacer la radio para desarrollar sociedades saludables?
   - (A) Debe ser vital y flexible.
   - (B) Debe ser contemporánea y actualizada.
   - (C) Debe ser inclusiva e imparcial.
   - (D) Debe ser independiente y libre de lazos políticos.

4. Según el audio, ¿qué distingue a la radio de otros medios de comunicación?
   - (A) Ha tenido más influencia mundialmente.
   - (B) Ha tenido más alcance mundialmente.
   - (C) Ha tenido más longevidad que otros medios.
   - (D) Ha tenido más respeto y entendimiento que otros medios.

5. ¿Qué pregunta sería más apropiada para hacerle a Irina Bokova de la UNESCO al final de la entrevista?
   - (A) ¿Con qué objetivos se lanzó Radio Naciones Unidas?
   - (B) ¿Qué quiere la ONU que recordemos de esta celebración?
   - (C) ¿Qué más debe lograr Radio Naciones Unidas?
   - (D) ¿Cómo evolucionará Radio Naciones Unidas?

## CÁPSULA CULTURAL: LA ANTIGUA RADIO ETERNAMENTE JOVEN

La radio es el medio de telecomunicación popular más antiguo, más antiguo que la televisión y mucho más antiguo que la Internet. Sin embargo, todavía hay un interés en usar este "anticuado medio" entre los jóvenes de América Latina. Según Gaby Nallely Medina, una bloguera de Sinaloa, México, "En la época actual muchos jóvenes han optado por…un medio que nos permite imaginar los hechos, utilizar nuestra creatividad y sobre todo no ver las crudas imágenes que nos presentan día a día en los medios televisivos. Este antiguo invento…es el conocido como la radio." Elegante afirmación de una joven que busca algo más que diversión. "Al principio sólo fue utilizado por los jóvenes para escuchar música pero algunos datos revelan que muchas emisoras están dando campo abierto a foros, debates, mesas redondas en donde los adolescentes son los principales protagonistas", agrega. La radio brinda programas políticos, sociales y médicos, por ejemplo. Todos de interés para los jóvenes. Como el joven latinoamericano suele tener más interés activo en asuntos socio-políticos que su semejante norteamericano, la radio provee mucha estimulación intelectual. Así que en palabras de Gaby, "Definitivamente los jóvenes necesitan un espacio en donde sus ideas sean escuchadas y no pasadas por alto…" ¡Viva la radio!

—Juan Molinero, *Blogviaslado* 2012

**COMPARACIONES: ¿Has pensado en cómo tú y tus amigos consideran la radio? ¿Es como lo ha descrito Gaby Nallely Medina?**

## Ensayo

### Tema del ensayo:

*¿Se deben abandonar los libros de papel por los lectores electrónicos?*

**FUENTE NÚMERO 1** Este texto trata de las ventajas de utilizar lectores electrónicos. El artículo original fue publicado por Juan Molinero el 26 de mayo de 2012 en el Diario Viaslado.

El otro día leíamos en nuestro diario favorito sobre los e-Libros y los lectores electrónicos. ¡Qué futuro nos espera a nosotros los dedicados lectores de libros! ¡Con qué facilidad podemos acudir a cualquier página de
5  delicias literarias, golosinas periodísticas y exquisiteces pictóricas! Aquí tengo una receta de los mejores ingredientes de estas confecciones electrónicas. Pruébalo y disfruta.

▲ La pantalla ha sido diseñada para no cansar la vista.
10 ▲ Una cómoda portabilidad, ya que sólo pesan 200 gramos o menos
▲ La expansión del texto por enlaces automáticos
▲ La facilidad de escribir y almacenar apuntes personales
15 ▲ La facilidad de anotar palabras y oraciones importantes
▲ Un costo más barato por descargar libros y periódicos
▲ La conservación de nuestros bosques porque no
20 requiere papel
▲ El acceso fácil y rápido
▲ Un espacio muy reducido dedicado a centenares de libros enteros
▲ El acceso a una gran gama de lecturas dentro del
25 mismo marco

**FUENTE NÚMERO 2** Este texto trata de varias estadísticas sobre el uso de e-Lectores y e-Books en España durante el año 2010. Son cifras recopiladas en "The Global eBook Market: Current Conditions and Future Prospectives" por Rüdiger Wischenbart y "Hábitos de Lectura y Compras de Libros en España 2010" un informe preparado por CONECTA para La Federación de Gremiales de Editores de España.

**España 2010-2011**

| MEDIO | NÚMERO APROXIMADO DE UNIDADES | AÑO |
|---|---|---|
| Títulos de Libros de papel | 80.000 | 2010 |
| e-Libros | 10.000 | 2010 |
| e-Lectores | 80.000-100.000 | 2010 |
| Tablets/tabletas | 30.000 | 2010 |
| e-Lectores | 300.000 | 2011 |
| Tablets/tabletas | 150.000 | 2011 |

**España 2010**
**% de la población española que:**

| | |
|---|---|
| Usó un formato digital, ordenador y otros dispositivos | 47,8% |
| Leyó periódicos digitales | 30,7% |
| Leyó sitios webs, blogs, foros | 37,6% |
| Leyó libros digitales | 5,3% |
| Leyó revistas digitales | 6,2% |
| Usó e-Lectores | 1,0% |

**FUENTE NÚMERO 3** Esta grabación "BOOK, un producto revolucionario" trata sobre las ventajas de utilizar un libro. El audio fue publicado por Leer Está de Moda el 16 de marzo de 2010. La grabación dura dos minutos.

## Conversaciones

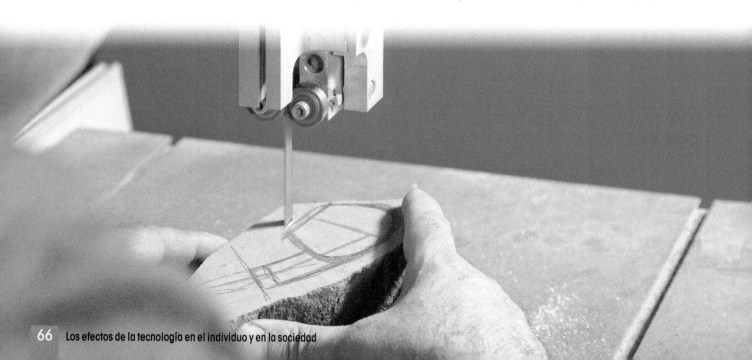 Esta es una conversación con Onaroha, una representante de una empresa de teléfonos celulares de segunda mano. Recibes esta llamada porque has expresado interés en comprar un nuevo celular.

| Onaroha | • Te saluda y te explica el propósito de la llamada. |
|---------|------------------------------------------------------|
| Tú | • Salúdala y dale una respuesta con detalles. |
| Onaroha | • Te hace una sugerencia. |
| Tú | • Contesta dando la razón de tu selección. Hazle una pregunta. |
| Onaroha | • Continúa la conversación. |
| Tú | • Dale una razón contraria. |
| Onaroha | • Continúa la conversación. |
| Tú | • Completa su frase y dile que por ahora no te interesa y por qué. |
| Onaroha | • Reacciona y te pide algo. |
| Tú | • Dale una explicación de por qué quieres terminar la conversación y despídete cortésmente. |

## Discursos

**Tema de la presentación:**

*¿Qué efecto ha tenido la tecnología en las artesanías locales y tradicionales de tu comunidad?*

*Compara tus observaciones acerca de las comunidades en las que has vivido con tus observaciones de una región del mundo hispanohablante que te sea familiar. En tu presentación, puedes referirte a lo que has estudiado, vivido, observado, etc.*

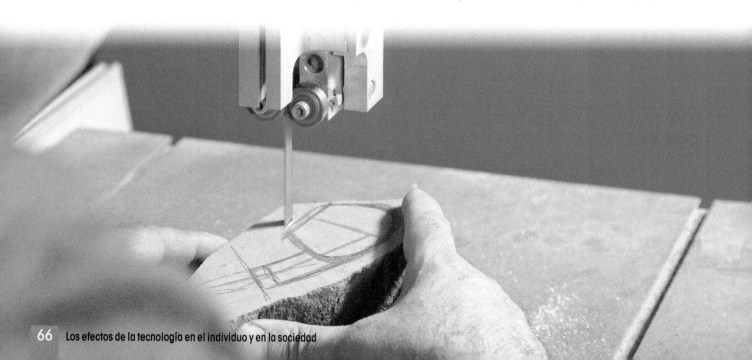

# Los efectos de la tecnología en el individuo y en la sociedad

**CLASIFICADOS**

**PÁGINA 60** Lecturas

### ESENCIAL: PARA UNA MEJOR COMPRENSIÓN

**medir**—averiguar las dimensiones de algo

**los costes**—cantidad que se paga

**emprendedor/a**—resuelto/a, enérgico/a, persistente

**empresarial**—relacionado/a al mundo comercial

### IMPORTANTE: PARA UNA MEJOR DISCUSIÓN

**el reto**—desafío, objetivo difícil de realizar

**el impulso**—motivo; empuje

**la adhesión**—adherencia a una causa o idea

**el fomento**—promoción

### ÚTIL: PARA UNA MEJOR EXPRESIÓN

**los puntos de partida**—sitio por donde se pone algo en marcha

**contar con**—fiarse de alguien o algo para algún fin

**tanto X como Y**—igualmente

**Producto:** ¿Cómo se llaman los actuales miembros de la Familia Real Española?

**Práctica:** Explica las responsabilidades públicas de la actual Familia Real Española.

**Perspectiva:** ¿Por qué es tan admirada la institución de la monarquía actual por los españoles?

**PÁGINA 62** Ilustración con Audio

### ESENCIAL: PARA UNA MEJOR COMPRENSIÓN

**las barreras**—obstáculos

**contra reembolso**—pagar la mercancía una vez recibida

**las pasarelas de pago**—sistema de gestión de software que controla e interconecta con el sistema bancario

### IMPORTANTE: PARA UNA MEJOR DISCUSIÓN

**las facilidades**—medios que facilitan conseguir algo

**la alimentación**—comida

**reclamamos (reclamar)**—presentar una queja por alguna injusticia

### ÚTIL: PARA UNA MEJOR EXPRESIÓN

**corremos (correr) algún peligro**—circunstancia en la que puede ocurrir algún mal.

**Producto:** Describe los viajes más vendidos por Internet en España.

**Práctica:** ¿Por qué es el típico internauta español un hombre andaluz con ingresos de 2500 euros al mes?

**Perspectiva:** ¿Por qué compran los españoles más viajes on-line que off-line?

**PÁGINA 64** Audios

### ESENCIAL: PARA UNA MEJOR COMPRENSIÓN

**promover**—promocionar, animar

**el alcance**—distancia dentro de la que se puede agarrar algo

### IMPORTANTE: PARA UNA MEJOR DISCUSIÓN

**conmemorar**—celebrar en nombre de alguien o algo

### ÚTIL: PARA UNA MEJOR EXPRESIÓN

**sacar provecho a**—ganarse un beneficio a costa de otro

**Producto:** Describe las características de los diferentes tipos de corridos mexicanos.

**Práctica:** Describe los instrumentos usados en los corridos.

**Perspectiva:** ¿Cuál es el motivo de los narcocorridos de México?

# El cuidado de la salud y la medicina

## Lecturas

**FUENTE** En el siguiente texto, una paciente de cáncer escribe sobre los doctores que la trataron mientras estuvo enferma. Fue escrito por Claudia Osuna al Dr. Lázaro Pérez en mayo de 2012.

Bogotá, 6 de Mayo de 2012

Señor doctor Lázaro Pérez
Director Instituto Nacional de Cancerología
Bogotá, Colombia

**Apreciado** doctor y colaboradores de tan prestigiosa
5   institución. Reciban un cordial saludo.

En condiciones normales, el ser humano nunca piensa
que la adversidad de una grave enfermedad le pueda
ocurrir.

No podemos desconocer que la palabra cáncer causa
10  por sí sola miedo y angustia, pero estas dos palabras
quedan cortas cuando queda la posibilidad de ser
diagnosticada con este mal.

El 8 de Septiembre de 2011, comenzó mi trasegar
por el INC, a donde fui enviada, después de una
15  mamografía de rutina por parte de mi EPS (Entidad
Prestadora de Salud) para **realizar** una biopsia, que
confirmara el primer diagnóstico.

Aquí viví un primer episodio, que es la razón de esta
carta. Bastaría con que el INC enviara los resultados a
20  la EPS pero para mi sorpresa, fui citada por la doctora
Lucía Rentería a su consultorio, donde **a pesar de** tener
los resultados encima de su escritorio, lo primero
que hizo fue darme un abrazo de solidaridad, el cual
por sí solo confirmaba la gravedad del diagnóstico,
25  como también de esta manera, me dejaba saber que
no estaba sola en este tortuoso camino, sino que podía
estar segura de que ellos a partir de ese instante no
ahorrarían **esfuerzos** para salvar mi vida.

Y exactamente eso fue lo que ocurrió. El Dr. Alberto
30  Cifuentes, antes de cada una de las tres **cirugías**, gastaba
algún tiempo en **darme palabras de aliento** que todo
estaría bien.

Ninguno de los miembros del INC fue inferior a sus
políticas de comprensión y consideraciones hacia los
35  enfermos; fue así como los radiólogos y radiólogas,
**encabezados por** la Dra. Marcela Herrera, me hicieron
sentir que había una luz al final del túnel, que era
cuestión de fe y esperanza.

Expongo todo lo anterior para ponerlo en contexto del
40  porqué de nuestro sentimiento de agradecimiento por
parte mía y de toda mi familia.

Sólo puedo decir gracias, porque no puedo encontrar
otra palabra apropiada y mi compromiso de luchar por
mi recuperación total y así poder ayudar a otras personas
que sufren del mismo mal, llevándoles el mensaje que       45
aprendí de Uds. Fe, esperanza y ganas de vivir.

Cordialmente,
Claudia Osuna

1.  **¿Qué se supone que es este instituto nacional?**
    (A) Una clínica que se especializa en medicina general
        pública
    (B) Un centro de investigación y asesoría oncológica
    (C) Un hospital que se especializa en cirugía
    (D) Un consultorio cuya especialización es la
        gerontología

2.  **¿Cuál es el significado de la palabra "cortas" (línea 11)?**
    (A) De poca duración
    (B) De pocas letras
    (C) De poca significación
    (D) De a poco

3.  **¿Qué tipo de cáncer padece la paciente?**
    (A) De hígado
    (B) De páncreas
    (C) De mama
    (D) De pulmón

4.  **Para la paciente, ¿qué comunicó el abrazo que le dio la
    Dra. Lucía Rentería:**
    (A) La sorpresa del diagnóstico y la empatía de la
        doctora
    (B) La gravedad del diagnóstico y el apoyo médico que
        recibiría
    (C) La compasión y sabiduría del consultorio
    (D) La importancia de la fe y la esperanza

5.  **Más que nada, ¿qué le dio el personal médico a la
    paciente?**
    (A) Mucha cirugía
    (B) Mucho tiempo para vivir
    (C) Muchos consejos
    (D) Mucha esperanza

6.  **¿Cuál es el propósito de esta carta?**
    (A) Contar la historia de su enfermedad
    (B) Darles las gracias a los médicos y sus asistentes
    (C) Explicar la razón de su fe en Dios
    (D) Alabar las instalaciones, el profesionalismo y el
        espíritu del Instituto Nacional

7.  **¿Qué ha aprendido de esta experiencia la paciente
    Claudia Osuna?**
    (A) La compasión por otros que tienen esta enfermedad
    (B) La solidaridad entre los médicos y sus socios
    (C) La importancia de la familia
    (D) La paciencia, la tenacidad y la humildad

## CÁPSULA CULTURAL: EL SISTEMA DE SALUD DE COLOMBIA Y EL INC

Colombia provee una buena cobertura básica de salud a su población. Los hospitales son del estado y las clínicas son privadas. Todos reciben los mismos servicios médicos gratuitamente. Los colombianos con más posibilidades económicas pueden mantener a través de las aseguradoras un servicio privado y a nivel de tecnología más avanzado.

Según dijo la Ministra de Salud, "Al inicio del Gobierno nos comprometimos a que en el 2013 habríamos unificado el Plan Obligatorio de Salud para todos los colombianos, sin importar su capacidad de pago. Esta unificación es clave para lograr un país más equitativo y con menos pobreza."

El Instituto Nacional de Cancerología es una organización auspiciada por el gobierno colombiano que administra todo aspecto del sistema médico perteneciente al cáncer. Incluye la investigación, los servicios y el personal e instalaciones de servicio.

**COMPARACIONES:** ¿Cómo funciona el sistema de salud al que se subscribe tu familia? Compara el sistema de tu país con el de Colombia.

## Lecturas con Audio

### FUENTE NÚMERO 1

Este texto, "La obesidad infantil", trata del aumento en la obesidad infantil. El artículo original fue publicado el 23 de febrero de 2006 por guiainfantil.com, una revista en Internet que trata de temas de educación y salud de los niños.

La obesidad infantil ha crecido un 16% entre niños de 6 a 12 años de edad

Según la Organización Mundial de la Salud (OMS), la obesidad y **el sobrepeso** han alcanzado caracteres de
5 epidemia a nivel mundial. Las cifras asustan. Más de mil millones de personas adultas tienen **sobrepeso** y, de ellas, al menos 300 millones son **obesas**.

El crecimiento de la obesidad infantil en España es espectacular y preocupante: si hace 15 años, el 5
10 por ciento de los niños españoles eran **obesos**, esta proporción es ahora del 16 por ciento. En la Unión Europea, sólo Gran Bretaña nos supera.

¿Qué es la obesidad infantil?

Obesidad infantil

15 Se trata de la acumulación excesiva de grasa corporal, especialmente en el tejido adiposo, y que se puede percibir por el aumento del peso corporal cuando alcanza 20 por ciento o más del peso ideal según la edad, **la talla**, y sexo del niño o niña en cuestión.

Niños con **sobrepeso**
20

Para muchas familias, el tener un hijo gordito, mofletudo, y lleno de pliegues es todo un logro, una señal de que el niño está bien, fuerte, y lleno de salud. Pero los expertos en nutrición infantil no piensan igual. Y van a más: dicen que estas familias
25 están muy equivocadas. Lo que importa no es que el niño esté gordo o delgado. Lo que interesa es que el niño esté **sano**. Y es ahí donde queríamos llegar. En la última Jornada Nacional sobre Obesidad y Factores de Riesgo Cardiovascular, realizada en Madrid, España, se
30 diagnosticó la obesidad infantil como una enfermedad emergente.

Tanto en Europa como en Estados Unidos, desde los años noventa hasta hoy, la incidencia de la obesidad infantil se ha duplicado. España se ha convertido en el
35 segundo país de la Unión Europea con mayor número de niños con problemas de **sobrepeso**, presentando un cuadro de obesidad en un 16,1 por ciento entre menores de 6 a 12 años de edad, superado apenas por los datos de Gran Bretaña. Un hecho alarmante en una
40 sociedad que lleva en su "currículo" una de las mejores dietas alimentarias del mundo: la dieta mediterránea, y el cual hace sólo quince años presentaba **apenas** un 5 por ciento de menores **obesos**.

🔊 **FUENTE NÚMERO 2** Esta grabación, "La obesidad en los niños", trata de la obesidad en los niños. El reportaje fue publicado por parapapas.com el 23 de febrero de 2006. Lupita y Geraldo, locutores, entrevistan a Paola Cervantes, especialista en nutrición, sobre los efectos y causas de la obesidad infantil. El audio dura aproximadamente tres minutos.

1. ¿Cuál es el propósito del artículo escrito?
   (A) Examinar las raíces de la tasa de obesidad en España
   (B) Llamar la atención a la extensión de la obesidad en la Unión Europea
   (C) Aclarar varios mitos públicos sobre la obesidad infantil
   (D) Dar una explicación de lo que comprende la obesidad infantil

2. Según el artículo escrito, ¿cuánto ha crecido la tasa de obesidad en niños de entre los 6 y 12 años durante los últimos 15 años?
   (A) Un 11,1%
   (B) Un 16,1%
   (C) Un 33%
   (D) Un 5%

3. Según el artículo escrito, ¿a qué se debe el incremento de la obesidad?
   (A) A nociones incorrectas sobre la relación entre el sexo del niño y su talla
   (B) A la ignorancia de dietas sanas para los niños
   (C) A más frecuentes estudios acerca del sobrepeso de los niños
   (D) A creencias erróneas de los padres sobre el estado corporal del niño

4. Según el artículo escrito, ¿por qué es tan sorprendente el crecimiento de la obesidad en España?
   (A) Porque España siempre ha resaltado por su dieta mediterránea
   (B) Porque España siempre ha consumido una dieta de carnes magras y frutas
   (C) Porque España nunca ha tenido problemas de salud como otros países
   (D) Porque España nunca ha tenido niños obesos

5. Según la fuente auditiva, ¿por qué es la obesidad un tema alarmante?
   (A) Porque hay cada vez más niños obesos
   (B) Porque hay menos parques para los niños
   (C) Porque hay menos actividades en las escuelas
   (D) Porque hay más atención médica para los niños obesos

6. Según la especialista Paola Cervantes, ¿a qué factores en especial se debe la obesidad?
   (A) A factores hereditarios
   (B) A factores biológicos
   (C) A factores médicos
   (D) A factores ambientales

7. Según el texto auditivo, ¿cuál de las siguientes afirmaciones resume mejor las causas de la obesidad?
   (A) La conducta heredada acerca de la televisión es clave.
   (B) La herencia genética permite control de la obesidad.
   (C) Las actitudes familiares acerca de los hábitos físicos son fundamentales.
   (D) Si los padres son obesos, los hijos van a ser obesos.

8. Según la fuente auditiva, ¿qué consecuencia tiene el hecho que más chicos pasen más tiempo solos en casa por la tarde?
   (A) Los niños tienen más estrés y comen más papitas.
   (B) Los niños ven más televisión y comen más golosinas.
   (C) Los niños están más sujetos a los comerciales que promocionan golosinas.
   (D) Les baja la autoestima y por esto comen más.

9. ¿Qué afirmación acerca de la obesidad ofrecen las dos fuentes?
   (A) Que la obesidad es una crisis social
   (B) Que la obesidad es una enfermedad de proporciones epidémicas
   (C) Que la obesidad es la culpa de los padres
   (D) Que la obesidad es algo que no se puede remediar

10. ¿Qué diferencia hay entre las dos fuentes?
   (A) La fuente auditiva explica las causas y la escrita habla de la ignorancia acerca de la obesidad.
   (B) La fuente auditiva desarrolla algunas conclusiones generales expresadas en la escrita.
   (C) La fuente escrita culpa a factores de los padres y la auditiva a factores culturales.
   (D) La fuente auditiva detalla los modos de mejorar la salud mencionados en la impresa.

## CÁPSULA CULTURAL: LA DIETA MEDITERRÁNEA

Esta dieta es un ideal que no existe en su forma pura porque muy pocos se adhieren a sus criterios. Consiste en productos como verduras, frutas y legumbres con aceite de oliva, cereales como el trigo y ciertos pescados y carnes. Esta dieta tiene una designación en el listado de Patrimonios Culturales Inmateriales de la Humanidad de la UNESCO.

—Juan Molinero, Diario Viaslado

**COMPARACIONES: ¿Qué productos locales o productos de tu origen étnico se incluyen en platos tradicionales donde vives? ¿Forman parte íntegra de tu dieta o se cocinan sólo durante días festivos?**

## Audios

🔊 **FUENTE** Esta grabación trata de una investigación sobre cómo la medicina tradicional mexicana puede complementar la medicina moderna. El audio ha sido adaptado de "Romero Epazote: Medicina Tradicional **Mexicana**" publicado por Radio de la Universidad Autónoma de México y patrocinado por Radioteca el 01 de agosto de 2012. Durante la entrevista los locutores hablan con el Maestro Carlos Sola Luque, especialista en medicina tradicional. El audio dura dos minutos y medio.

1. ¿Cuál es el propósito de este informe?
   - (A) Dar recetas de plantas como el romero
   - (B) Informar sobre la versatilidad de plantas de jardín
   - (C) Enseñar el uso médico de plantas de jardín
   - (D) Comprobar que los indígenas son especialistas en medicinas herbales

2. ¿Qué comprende la medicina tradicional?
   - (A) Tanto las plantas como un sistema de creencias
   - (B) Tanto las plantas como las enfermedades que curan
   - (C) Tanto las plantas como procesos desequilibrantes
   - (D) Tanto las plantas como las prácticas modernas

3. Según la locutora, ¿por qué ha cambiado tanto la medicina tradicional?
   - (A) Por razones de influencias industriales
   - (B) Por razones de cambios en las enfermedades
   - (C) Por razones de factores jurídicos
   - (D) Por razones de movimientos de las poblaciones

4. ¿Qué quiere decir el Maestro Sola Luque cuando dice que "en la casa hay una geografía de la salud"?
   - (A) Hay montones de medicinas en la casa.
   - (B) Hay muchos lugares de uso médico en la casa.
   - (C) Hay muchas recetas médicas en la casa.
   - (D) Hay muchas estrategias de uso médico en la casa.

5. Según el Maestro Sola Luque, ¿con qué dos criterios elige sus plantas una familia indígena?
   - (A) Un criterio moderno y otro tradicional
   - (B) Un criterio práctico y otro frívolo
   - (C) Un criterio experimental y otro comprobado
   - (D) Un criterio ornamental y otro utilitario

6. Según el Maestro Sola Luque, ¿qué tienen en común los usos del romero y del epazote?
   - (A) Se usan para sazonar comidas.
   - (B) Se usan para curar enfermedades respiratorias.
   - (C) Se usan para curar condiciones intestinales.
   - (D) Se usan para condiciones cosméticas.

7. Según el Maestro Sola Luque, además de lugares de medicina ortodoxa, ¿dónde más se encuentran sitios de salud?
   - (A) En las casas
   - (B) En las escuelas
   - (C) En los jardines
   - (D) En los restaurantes

8. ¿Cuál es la revista que probablemente tendrá más información sobre medicinas caseras?
   - (A) *Manual de Remedios Herbolarios*
   - (B) *Revista de Ciencias Forestales*
   - (C) *Ciencias Farmacéuticas*
   - (D) *Revista de Jardinería*

## CÁPSULA CULTURAL: EL CURANDERISMO

El curanderismo es una parte importante de la tradición latinoamericana de la curación folclórica que incorpora el uso de hierbas, masajes y rituales al igual que el espiritualismo y misticismo en sus prácticas.

Se cree que los curanderos tienen un don divino para curar, el don de Dios. La teoría motora detrás de esta práctica es que Dios puso en la tierra hierbas curativas y después seleccionó ciertas personas para canalizar su gracia curativa.

Los curanderos creen que la recuperación del paciente depende totalmente del deseo de Dios. Hay tres tipos de curanderos: el yerbatero (usa hierbas para curar), la partera (ayuda en los partos) y el sobador (usa ungüentos, aceites y cremas para hacer masajes en las zonas adoloridas.)

—Citado de Quisqueya Virtual

Romero

Epazote

**COMPARACIONES:** ¿Cuáles son algunos medicamentos alternativos que se utilizan en tu comunidad? ¿Cuál es su origen? Describe sus efectos.

## Correos Electrónicos

Has recibido este mensaje porque expresaste interés en ayudar a niños con cáncer internados en un hospital local. Te ha contactado la Srta. Esmeralda Fernández, asistenta de la Dra. Perla Suárez de la Carbona.

**De:** Esmeralda Fernández

**Asunto:** Visita

Querido/a estudiante:

Recién nos contactó porque tiene interés en visitar a los niños pacientes de cáncer en el Hospital Buenas Albricias. Estamos muy agradecidos y nos gustaría saber algo sobre Ud. Como durante las visitas estará en contacto con pacientes jóvenes, tenemos que asegurarnos que es Ud. alguien fiable. Por favor, responda a este correo dándonos información sobre su fiabilidad.

   ¿Qué tipo de experiencia ha tenido con personas que padecen de una enfermedad grave?

   ¿Cuáles serían sus mejores cualidades?

   ¿Cuáles serían sus puntos más débiles?

La entrevista será el próximo miércoles en nuestra oficina. Por favor, elija uno de los siguientes temas para la entrevista y explíqueme por qué lo escogió.

   Los hospitales y su ambiente de compasión

   Los niños pequeños y la pérdida del sentido de normalidad

Gracias por su interés. Estamos en espera de su respuesta.

Reciba un cordial saludo,
Esmeralda Fernández
Asistenta de la Dra. Perla Suárez de la Carbona

## Ensayo

**Tema del ensayo:**

*¿Debe el gobierno controlar la calidad de la comida en los colegios públicos?*

**FUENTE NÚMERO 1** Este texto adaptado, "¿Le deberían aplicar impuestos a la comida chatarra?", trata de razones por las que el gobierno no debe controlar la comida chatarra en los colegios. El artículo original fue publicado el 1 de diciembre de 2012 por El Instituto Cato por Yasenia Álvarez, *presidenta del Instituto político para la Libertad (Perú).*

El ministro de salud del Perú, Alberto Tejada, de la mano con fanáticos prohibicionistas, amenaza aplicar un impuesto a la "comida chatarra" con el objetivo de inhibir su consumo para promover hábitos saludables entre los
5   peruanos. Esta propuesta además de absurda e injusta, agrede la libertad que tenemos los individuos de elegir nuestra forma de vida.

En toda la aparición mediática que han tenido los defensores del injusto impuesto no han podido
10  responder preguntas simples como por ejemplo: ¿a qué tipo de comidas afectaría este impuesto? ¿Afectaría solo a las hamburguesas, o también el sándwich de chicharrón? ¿Y el suspiro a la limeña, los picarones o la natilla piurana? ¿Por qué no?

15  Todas estas preguntas no pueden conseguir nunca respuestas objetivas o justas porque reflejarán lógicamente las valoraciones y gustos de quienes quieren crear el gravamen. Resulta que para estos funcionarios es asunto del estado decidir lo que
20  debemos o no debemos comer, porque hay en el mercado sustancias peligrosas y no saludables que entre otros males nos pueden llevar a la obesidad.

¿De dónde viene la virtud de estos funcionarios para decidir por encima de nosotros mismos lo que
25  debemos o no debemos comer, y en consecuencia el peso que debemos tener? Por donde se le mire, en este fingido sublime deseo subyace la visión intervencionista y despótica de estos funcionarios de imponer su moral, de creerse iluminados
30  omnipotentes, dotados de la capacidad de orientar la vida de los demás además de la suya. No tienen en cuenta que ni los legisladores, ni los impuestos, ni la ley pueden hacer virtuosas a la personas, ni mucho menos pueden regir sus conciencias o sus voluntades.

35  ¿Tan incapaces somos los individuos frente a este Estado paternalista, que lo necesitamos para que mediante un impuesto juzgue lo que nos hace bien o mal? Los

individuos poseemos la facultad de pensar y juzgar por nosotros mismos. No se nos puede imponer ideas o gustos alimenticios valiéndose de la fuerza de la ley
40  y de los impuestos. La ley no puede ser usada para que el Estado tome decisiones que corresponden a los individuos. Siempre que no se afecte derechos de otros, debemos respetar que cada quien elija su forma de vida, sea sana o no, nos guste o no.
45

En este polémico debate, se está pasando de largo que son los individuos los responsables de elegir sus comidas, sus dietas, sus formas de vida. Cada persona es libre y responsable de sus actos.

No hay fundamento para que el Estado intervenga en
50  las decisiones que corresponden a los individuos. Cada quien asume la responsabilidad de su vida, no el Estado. Hay que recordarles a estos fingidos reformadores sociales que somos capaces de asumir nuestras propias valoraciones, riesgos y responsabilidades de nuestras
55  formas de vida; y que dejen nuestra dieta en el fuero íntimo, muy lejos del alcance del Estado.

**FUENTE NÚMERO 2** Este texto trata de varios tipos de comida chatarra y su popularidad. El gráfico original fue publicado el 15 de mayo de 2012 por viaslado.com y no tiene valor estadístico.

**Alumnos de entre 14 y 18 años de edad**

| | ME GUSTA | NO ME GUSTA | NO SÉ |
|---|---|---|---|
| | 86,6% | 13,0% | 0,4% |
| | 74,2% | 25,6% | 0,2% |
| | 91,4% | 8,6% | 0,0% |

Del Colegio Morroyo

**FUENTE NÚMERO 3** Esta grabación trata del rechazo de una ley que prohibía la venta de comida chatarra en los colegios. La entrevista original fue publicada por Telever en el programa Noticieros Televisa en México el 11 de marzo de 2010. La locutora entrevista a Juan Humberto Salas, Regidor de Educación del Ayuntamiento de Veracruz. La grabación dura aproximadamente un minuto.

## Conversaciones

🔊 Esta es una conversación con Eulalia, una amiga que no conoces muy bien. Te llama porque cree que puedes ayudarla con un problema que tiene.

| | |
|---|---|
| Eulalia | • Te llama y te explica algo. |
| Tú | • Salúdala, reacciona y hazle una pregunta. |
| Eulalia | • Te responde y continúa la conversación. |
| Tú | • Contéstale con detalles. |
| Eulalia | • Reacciona y te hace unas preguntas. |
| Tú | • Reacciona negativamente y proponle otra solución. |
| Eulalia | • Te hace una pregunta. |
| Tú | • Contesta con detalles. |
| Eulalia | • Continúa la conversación. |
| Tú | • Anímala y despídete. |

## Discursos

**Tema de la presentación:**

*¿Cuál es la influencia de los médicos en tu comunidad?*

*Compara tus observaciones acerca de las comunidades en las que has vivido con tus observaciones de una región del mundo hispanohablante que te sea familiar. En tu presentación, puedes referirte a lo que has estudiado, vivido, observado, etc.*

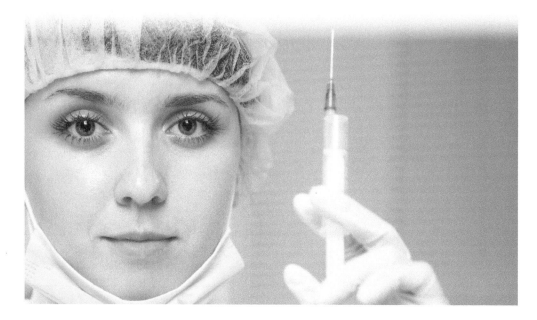

**CLASIFICADOS**

## PÁGINA **68** Lecturas

### ESENCIAL: PARA UNA MEJOR COMPRENSIÓN

**apreciado/a**—muy estimado/a (en la correspondencia)

**realizar**—ejecutar, llevar a cabo, hacer

**los esfuerzos**—uso de fuerzas intelectuales o físicas para realizar algo

### IMPORTANTE: PARA UNA MEJOR DISCUSIÓN

**encabezado/a por**—dirigido/a, liderado/a por

**las cirugías**—operaciones médicas sencillas

### ÚTIL: PARA UNA MEJOR EXPRESIÓN

**a pesar de**—pese a, contra la resistencia de algo previamente indicado

**dar palabras de aliento**—animar, estimular, impulsar a hacer algo

**Producto:** ¿Qué dice el Artículo 50 de la Constitución de Cuba para garantizar la salud universal?

**Práctica:** ¿Cómo es la calidad de los servicios médicos en Cuba?

**Perspectiva:** ¿Cuáles son algunas consecuencias inesperadas de la garantía de la salud universal en Cuba?

## PÁGINA **69** Lecturas con Audio

### ESENCIAL: PARA UNA MEJOR COMPRENSIÓN

**el sobrepeso**—exceso de peso, pesar demasiado

**obeso/a**—demasiado gordo/a

**sano/a**—de buena salud

### IMPORTANTE: PARA UNA MEJOR DISCUSIÓN

**la talla**—medida de altura o de ropa

**tiende (tender) a**—mostrar tendencia

### ÚTIL: PARA UNA MEJOR EXPRESIÓN

**apenas**—casi no

**en especial**—sobre todo

**estar frente a**—estar delante de

**Producto:** ¿En qué consiste un Happy Meal de McDonald's en España?

**Práctica:** ¿Por qué ha habido un incremento del porcentaje de españoles que visitan establecimientos de comida rápida en los últimos cinco años?

**Perspectiva:** ¿Por qué el gobierno español ha declarado la guerra contra la comida chatarra en los colegios?

## PÁGINA **71** Audios

### ESENCIAL: PARA UNA MEJOR COMPRENSIÓN

**se remonta (remontarse) a**—datar, originarse

**la índole**—categoría, tipo

**utilitario/a**—práctico, sencillo

### IMPORTANTE: PARA UNA MEJOR DISCUSIÓN

**los padecimientos**—sufrimientos

**cuyo/a**—indica posesión

**el quirófano**—sala de operaciones de cirugía

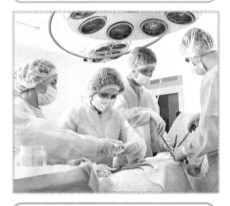

**Producto:** ¿En qué consiste la medicina tradicional en México?

**Práctica:** Describe el uso primario de la medicina tradicional en México.

**Perspectiva:** ¿Por qué apoya el gobierno de Chiapas, México a los proveedores de la medicina tradicional indígena?

# Las innovaciones tecnológicas

FUENTE  En esta selección, "El gadget que te avisa cuando te roban la cartera", se anuncia un dispositivo que avisa si roban. Fue publicada originalmente en Muy Interesante por Javier Flores el 10 de octubre de 2011.

Con este **dispositivo** será imposible que se te pierda o te roben la cartera. Gracias a una especie de tarjeta emisora conectada con tu smartphone, si tu cartera o tu ordenador portátil se separan de ti más de 30 metros emite
5 **una señal** acústica que te avisa de dónde se encuentra, recordándote que te has dejado el maletín en el bar o avisándote de que te están robando el bolso.

La idea es simple pero efectiva. Con el tamaño de una tarjeta de crédito y con 20 gramos de peso, SECU4Bags,
10 se convierte en un aliado perfecto contra **los despistes** y los ladrones. Introduciéndola en cualquier bolsillo emite **una señal** sonora estridente cuando la distancia al "punto de control" (nuestro smartphone) excede la marcada. ¿Cómo lo consigue?

15 **La descarga** gratuita de la aplicación secu4 para el smartphone del dueño y el sistema interno Bluetooth de la tarjeta SECU4Bags permiten conocer al aparato la distancia a la que se encuentra el sujeto de sus **pertenencias**. **De este modo**, si la distancia marcada
20 previamente por el usuario **se supera** por cualquier motivo, el aparato comienza a emitir un sonido estridente de alarma. El aparato se puede configurar tanto en volumen como en distancia llegando en el primer caso hasta los 100 decibelios y en el segundo
25 hasta los 30 metros.

**Batería, disponibilidad y precio**

**El dispositivo** tiene una batería de polímeros de litio que se recarga a través del usb y cuya duración ronda las 120 horas de funcionamiento. Su tamaño exacto es de 78 X 48 X 5,2 milímetros, aproximadamente como   30 una tarjeta de crédito.

SECU4Bags ya **está disponible** en tiendas de telefonía y electrónica **además de** grandes superficies y su precio recomendado de venta al público es de 69 euros.

1. **¿Cuál es el propósito de este texto?**
   (A) Explicar la función de un dispositivo único
   (B) Anunciar las maravillas de una billetera electrónica
   (C) Resaltar la programación de un nuevo dispositivo
   (D) Promover un dispositivo de seguridad

2. **¿Con qué otro dispositivo se coordina el SECU4Bags?**
   (A) Una cartera
   (B) Un bolsillo
   (C) Un smartphone
   (D) Un Bluetooth

3. **¿Cuál de las siguientes frases se pueden agregar después de "…hasta los 30 metros" (línea 25)?**
   (A) "El volumen de este sonido puede detener a cualquier ladrón."
   (B) "Por ejemplo, una sierra mecánica emite sonidos de entre 85 y 100 dB."
   (C) "A esta distancia aún se puede ensordecer a cualquier carterista."
   (D) "No hay ninguna tarjeta de crédito que chille con más volumen."

4. **¿Qué ofrece el SECU4Bags para la conveniencia del cliente?**
   (A) La posibilidad de cambiar el volumen y la distancia
   (B) La flexibilidad del grosor de una tarjeta de crédito
   (C) La seguridad de impedir asaltos en la calle
   (D) La facilidad de proteger cualquier pertenencia personal

5. **Como el precio del dispositivo es de 69 euros, ¿en qué país se vende?**
   (A) En Chile
   (B) En España
   (C) En la Argentina
   (D) En México

## CÁPSULA CULTURAL: EL ARGOT DE LOS CARTERISTAS

¿Conoces a algún carterista? Yo no, pero sí escuché esto en la calle el otro día. "Mira. Aquel primo tiene el limo en la culata. Ponle en banda." "¿Qué dijo?", me preguntas. No sé pero has tocado uno de mis temas predilectos. El de la jerga o el argot, o sea, ese lenguaje "secreto" de un grupo que lo distingue. Músicos, profesionistas, familias…, todos tenemos un lenguaje que nos separa de otros. Según varios lingüistas, una jerga permite una identidad única a un grupo y da "permiso" para legitimar la disociación de otros y justificar un sentido de superioridad. Siempre que los adolescentes adoptan este nuevo lenguaje, se extiende, pierde la fuerza de su originalidad y se convierte en algo legítimo cambiando así la lengua materna.

—Juan Molinero para el Diario Viaslado

**COMPARACIONES:  ¿Qué efecto tiene el argot en tu comunidad? Describe algunas de las palabras "secretas" que has escuchado.**

## Lecturas con Audio

**FUENTE NÚMERO 1** Este texto "NAO el robot más famoso llega a México" trata de un robot que puede ser utilizado para ayudar a niños con autismo. El artículo original se publicó en adictware.com.mx y fue escrito por Daniel Diosdado Rivera el 27 de octubre de 2011.

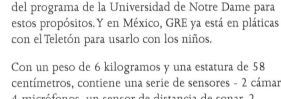

La GRE presentó en México el robot NAO, el cual fue desarrollado por la compañía francesa Aldebaran; el robot
5 permite la interacción con el ser humano, gracias a las características técnicas con las que cuenta, puede jugar fútbol, bailar y se levanta solo cuando se
10 cae, entre otras características.

Actualmente, más de 2,000 NAOs son utilizados por laboratorios y universidades en todo el mundo para la
15 investigación y educación en los **campos** de la robótica, informática, ciencias cognitivas, matemáticas, óptica y visión, así como detección de movimiento, entre otros. En México, ya son 20 robots los que se encuentran en algunas de las instituciones
20 educativas o de investigación como UNAM, ITAM, ITESM e INAOE.

El robot, al estar dirigido al mundo de la investigación, también se utiliza para mejorar las condiciones de niños con autismo. En Estados Unidos, el robot ya está dentro

del programa de la Universidad de Notre Dame para
25 estos propósitos. Y en México, GRE ya está en pláticas con el Teletón para usarlo con los niños.

Con un peso de 6 kilogramos y una estatura de 58 centímetros, contiene una serie de sensores - 2 cámaras, 4 micrófonos, un sensor de distancia de sonar, 2
30 emisores/receptores de IR, 1 junta inercial, 9 sensores táctiles, 8 sensores de presión; distintos **dispositivos** para expresarse - sintetizador de voz, luces LED, 2 bocinas de alta calidad y un CPU (situado en la cabeza) que ejecuta un kernel de Linux y soporta software
35 propietario de ALDEBARÁN (NAOqi), además de un segundo CPU (ubicado en el torso).

El robot se puede encontrar en las siguientes versiones:

Nao T2 tiene torso y cabeza.

Nao T14, incluye brazos.
40

Nao H21 cuenta con torso, brazos y cabeza, pero no mueve los dedos de las manos y no posee sensores en los pies.

Nao H25 es el más avanzado ya que reúne todas
45 las **capacidades**, incluyendo manos aprehensibles y sensores en los pies.

🔊 **FUENTE NÚMERO 2** Esta grabación adaptada del video "NAO el robot humanoide" es de CadenaTres Noticias México con Pedro Ferriz. Abraham Nava, reportero, entrevista a Miguel Ángel Ramírez, director de Tecnología GRE, sobre el robot NAO. El robot NAO también habla. Este audio fue emitido el 8 de noviembre de 2011. La grabación dura aproximadamente tres minutos.

1. ¿Cuál es el propósito de este artículo?

   (A) Informar de los varios modelos de robots que se utilizan en rubros educativos
   (B) Explicar las capacidades de los robots más avanzados
   (C) Promocionar la venta de varios tipos de robots
   (D) Anunciar la llegada de un robot francés a México

2. En el artículo, ¿qué será la GRE (línea 1)?

   (A) Una institución educativa
   (B) Una entidad del gobierno mexicano
   (C) No se dice en el artículo.
   (D) Una tienda de juguetes para niños

3. Según el artículo, ¿cómo se caracteriza la utilización del robot NAO?

   (A) Es un compañero íntimo para los niños.
   (B) Tiene una gama extensa de posibilidades.
   (C) Es un trabajo en progreso.
   (D) Tiene la capacidad de entretener en la televisión.

4. En el artículo, ¿con qué propósito se mencionan las distintas versiones del robot Nao?

   (A) Implica que el costo depende del número de elementos robóticos.
   (B) Indica que no es necesario comprar un robot completo para toda área de investigación.
   (C) Sugiere que el robot está construido de los pies a la cabeza.
   (D) Resalta la flexibilidad del robot en su construcción.

5. Según la fuente auditiva, ¿cuál de las siguientes afirmaciones representa mejor la reacción de los locutores hacia el robot NAO?

   (A) El robot es un sueño hecho realidad.
   (B) Del dicho al hecho hay mucho trecho.
   (C) Los hechos no sostienen las promesas del producto.
   (D) Se ha hecho una amenaza a la humanidad.

6. En la fuente auditiva, ¿cuáles de los cinco sentidos humanos no tiene el robot NAO?

   (A) El gusto, el oído, el olfato
   (B) La vista, el tacto, el gusto
   (C) El gusto, el tacto, el olfato
   (D) La vista, el oído, el tacto

7. En la fuente auditiva, ¿por qué se afirma que los robots no son sólo de entretenimiento y escuela?

   (A) Porque pueden interaccionar con seres humanos
   (B) Porque pueden hacer más que caminar y hablar
   (C) Porque tienen una personalidad única
   (D) Porque hay muchos de ellos

8. Según la fuente auditiva, ¿hasta qué punto ha llegado la comercialización de los robots?

   (A) Se pueden comprar sólo en las universidades.
   (B) Se pueden comprar sólo para entidades de investigación tecnológica.
   (C) Se pueden comprar para familias adineradas solamente.
   (D) Se pueden comprar para uso gubernamental exclusivamente.

9. ¿Qué ideas en común avanzan las dos fuentes?

   (A) Que los robots van incrementándose en número
   (B) Que los robots representan más posibilidades de mejorar nuestra vida
   (C) Que los robots muestran avances hacia las características humanas
   (D) Que los robots nos estimulan la imaginación

10. ¿Cómo se podría caracterizar la diferencia en tono entre las dos fuentes?

    (A) La fuente auditiva es la más seria.
    (B) La fuente impresa es la más conmovedora.
    (C) La fuente auditiva es la más ligera.
    (D) La fuente impresa es la más cómica.

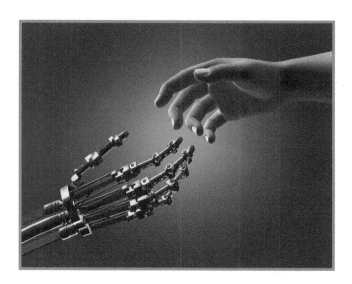

## CÁPSULA CULTURAL: INVENTOS MEXICANOS QUE HAN INFLUIDO EL MUNDO

El chocolate: Desde tiempos prehistóricos se ha usado el chocolate para endulzar bebidas y comida. El mole poblano es un sabroso plato mexicano. Es una combinación de chocolate, especias y cacahuates.

El hierro esponjoso: Es un hierro ligero al estar inyectado de oxígeno pero que mantiene su fuerza. Inventado por Juan Celada Salmón, quien trabajaba para la compañía Hojalatas y Lámina de Monterrey en 1957.

Un súper maíz: Evangelina Villegas lideraba el desarrollo de un maíz con el doble de calidad proteínica y con 10% más de grano que lucha contra el hambre mundial.

La tinta indeleble: Para poder identificar a quién ya había emitido su sufragio en los comicios, Filiberto Vásquez inventó una tinta indeleble en 1993.

**COMPARACIONES: ¿Qué se ha inventado en tu país o comunidad para mejorar una necesidad local, parecido a estas invenciones mexicanas? ¿Es la necesidad la madre de la invención en cualquier país?**

Chocolate

Tinta indeleble

Maíz

Hierro esponjoso

## Audios

🔊 FUENTE Esta grabación trata de la importancia de innovar. Este spot original titulado "La importancia de los prototipos en el proceso de innovación" fue publicado por la Catedral de las Nuevas Tecnologías del Ayuntamiento de Madrid. La grabación dura casi tres minutos.

1. ¿Cuál es el propósito de este spot?

   (A) Explicar la importancia de anticipar las consecuencias en la planificación tecnológica
   (B) Promocionar la importancia de la innovación tecnológica y científica
   (C) Animar a las empresas a buscar nuevos modos de producción
   (D) Resaltar las funciones y diseños tecnológicos más nuevos

2. Según el audio, ¿cuál es una consecuencia de desarrollar prototipos para la industria?

   (A) Ahorrar tiempo y dinero
   (B) Recibir premios y fama
   (C) Desarrollar el mejor funcionamiento de sus productos
   (D) Darle al consumidor el mejor valor por su dinero

3. Según el audio, ¿cuál debe ser el lema de las empresas innovadoras?

   (A) "Enseñar antes de crear"
   (B) "Comprobar antes de producir"
   (C) "Visitar MIT antes de morirse"
   (D) "Diseñar antes de construir"

4. Según el audio, ¿por qué liman asperezas los prototipos entre distintos equipos tecnológicos?

   (A) Porque estimulan competencia entre los equipos
   (B) Porque requieren la cooperación entre los equipos
   (C) Porque retan la capacidad tecnológica de los equipos
   (D) Porque exponen las debilidades de los equipos

5. ¿Cuál sería la mejor moraleja para este spot?

   (A) "Mejor tarde que nunca"
   (B) "Más vale pájaro en mano que ciento volando"
   (C) "Más vale prevenir que lamentar"
   (D) "Del dicho al hecho hay mucho trecho"

## CÁPSULA CULTURAL: LA UNIVERSIDAD POLITÉCNICA DE CATALUÑA

Fundada en 1971 la UPC está ubicada en el noreste de España. Se considera la mejor universidad especializada en ingeniería, arquitectura y ciencias del país. Con más de 30.000 alumnos universitarios, posgraduados y graduados, es la universidad más codiciada por los estudiantes españoles. Además, tiene una reputación internacional siendo la universidad con más doctorados extranjeros de España. Los más de 2.500 docentes e investigadores producen un impresionante número de patentes y artículos científicos cada año. La universidad está orgullosa de sus relaciones de cooperación con otras grandes universidades europeas.

**COMPARACIONES:** **¿Qué actitud tiene la gente de tu comunidad respecto a la importancia de estudiar ciencias y matemáticas? ¿Será diferente en zonas rurales de países hispanohablantes? Explica.**

La Universidad Campus Norte

## Correos Electrónicos

Has recibido este mensaje porque alguien (no sabes quién) contactó con la empresa Laboratorios Innovadores en tu nombre. Inventaste un abrelatas especial e innovador que funciona con un chip que le da características especiales que otros abrelatas no ofrecen.

**De:** Laboratorios Innovadores

**Asunto:** Inventores e invenciones

Querido inventor:

Recibimos una carta (medio de comunicación anticuado) de una admiradora suya que nos informó de su trabajo innovador así como de la inteligencia y la imaginación que le han llevado a inventar un abrelatas completamente rediseñado. Tenemos mucho interés en investigar, desarrollar y elaborar productos que están en la vanguardia de la innovación tecnológica. El futuro venidero ha llegado; está aquí, ahora y nos gustaría contar con Ud. y su invención.

En un correo electrónico de respuesta, por favor escríbanos un resumen de las especificaciones de diseño de su abrelatas, cómo funciona, y para qué será útil. Estoy seguro que podremos producir esta invención y darle la oportunidad de ser millonario.

Gracias por habernos contactado.
Esteban Moscoso Quilombero
Laboratorios Innovadores

P.D. ¿Tiene lema ya? ¿El abrelatas? ¿Qué le parece: "Si te dan la lata, ábrela con Rapilatas"?

## Ensayo

***Tema del ensayo:***
*¿Se deben usar cámaras de vigilancia para garantizar la seguridad en las escuelas?*

**FUENTE NÚMERO 1** Este texto, "Las cámaras de vigilancia en las escuelas", trata de las cámaras vigilantes en las escuelas. El artículo original fue publicado como blog en auladefilosofia.net por Eugenio Sánchez Bravo de España el 21 de abril de 2009.

He encontrado en la Papelera de reciclaje de www.publico.es una llamada de atención sobre las cámaras de vigilancia en las escuelas:

5　La instalación de cámaras de vídeo para vigilar en las escuelas ha aumentado un 270% y nos sorprende que no cunda la alarma. Algo parecido comienza a suceder en lugares de trabajo, bares y, por supuesto, aeropuertos, en el metro o en las estaciones de tren. Como de costumbre, todo lo hacen por nuestro bien,
10　por nuestra seguridad y patatín patatán. La reacción del escritor Luis Leante, que arrancó las cámaras que grababan sus clases en un instituto, quizá sea exagerada. Sin embargo, ¿no vamos a hacer nada? Luego será tarde.

Luis Leante es el profesor de latín que arrancó tres
15　cámaras de su instituto y fue detenido por la policía mientras daba clase. En estos enlaces tienes la versión completa: publico.es y elpais.es

Piensa que los centros educativos se parecen cada vez más a centros de detención con sus rejas, su hilo
20　musical, sus cámaras de seguridad… y que entre las funciones del profesor ya se incluyen algunas de las del funcionario de prisiones. Educar en valores significa educar desde la libertad y la responsabilidad. Si tú no cometes un delito porque tienes miedo a ser pillado por
25　la cámara ocurren tres cosas: primera, que ya buscarás la manera de saltarte la norma sin que te vean, segunda, que terminarán poniendo cámaras hasta en el baño y, tercera, que tu educación moral se ve seriamente resentida, pues no actúas por ti mismo sino por miedo
30　a ser descubierto. Si queremos educar ciudadanos autónomos y críticos, las cámaras de seguridad son un verdadero obstáculo dentro de un centro educativo. Ahora bien, si el objetivo es producir autómatas y necios las cámaras van estupendamente.

35　Otro ejemplo: si permaneces en el instituto porque las rejas te impiden salir puede que aprendas algunos números y algunas letras pero moralmente no estarás

por encima de un borrego. Sin las puertas abiertas es imposible el verdadero progreso en la formación del alumno.　40

Para aquellos que piensen que las videocámaras de vigilancia son una garantía de seguridad les recomiendo que vuelvan a ver las imágenes del Instituto Columbine. Si la educación falla, las cámaras son inútiles. Invirtamos, pues, en educación, no en cámaras.　45 Las cámaras sólo crean una ilusión de seguridad, del mismo modo que el humillante ritual de los controles en los aeropuertos. No es más que una mascarada, un vergonzoso teatro cuya única función es ejercer una vigilancia extrema sobre la población.　50

**FUENTE NÚMERO 2** Esta encuesta se hizo en mayo de 2012 en el Colegio San Bernardino. Fue una publicación estadística de Radio Araucano.

**¿Qué opinas de instalar cámaras de seguridad en las aulas y pasadizos del cole?**
**En porcentaje**

| GRUPO | SÍ | NO | NO SÉ |
|---|---|---|---|
| 9° Grado | 74,3 | 15,2 | 10,5 |
| 10° Grado | 61,5 | 19,9 | 18,6 |
| 11° Grado | 48,3 | 36,7 | 15,0 |
| 12° Grado | 24,7 | 62,1 | 13,2 |
| Padres | 85,4 | 09,3 | 05,3 |
| Profesores | 88.6 | 05,8 | 05,6 |

Fuente: Colegio San Bernardino, mayo de 2012

Esta encuesta no es científica; los resultados se obtienen con las respuestas voluntarias de los participantes que desean expresar su opinión.

**FUENTE NÚMERO 3** Esta grabación, "Cámaras de seguridad en los colegios", trata de las varias razones por las que se usan. Una locutora entrevista a Sonia Forero, Rectora Colegio Delia Zapata Olivella, a un estudiante y a Fredy Hilarión, el padre del estudiante. Fue publicada el 10 de febrero de 2011 por Caracoltv de Colombia. La grabación dura aproximadamente dos minutos.

## Conversaciones

 Recibes esta llamada de tu amiga Clara. Te llama porque tiene miedo de no poder controlar su constante uso de la computadora.

| Clara | • Te saluda y te hace una pregunta. |
|-------|-------------------------------------|
| Tú | • Salúdala, contestando con detalles. |
| Clara | • Te hace unas preguntas. |
| Tú | • Continúa la conversación y hazle varias preguntas sobre su problema. |
| Clara | • Reacciona. |
| Tú | • Dale unos consejos apropiados. |
| Clara | • Reacciona y te contesta. |
| Tú | • Dale una alternativa. |
| Clara | • Reacciona. |
| Tú | • Despídete dándole unos deseos para el futuro. |

## Discursos

### Tema de la presentación:

*¿Qué papel tiene la presión de poseer lo más nuevo, lo más moderno, lo más "al día" en la tecnología en tu comunidad?*

*Compara tus observaciones acerca de las comunidades en las que has vivido con tus observaciones de una región del mundo hispanohablante que te sea familiar. En tu presentación, puedes referirte a lo que has estudiado, vivido, observado, etc.*

**CLASIFICADOS**

PÁGINA **76** Lecturas

PÁGINA **77** Lecturas con Audio

PÁGINA **79** Audios

## ESENCIAL: PARA UNA MEJOR COMPRENSIÓN

**el dispositivo**—mecanismo, aparato

**una señal**—indicación, sonido de alerta

**las pertenencias**—bienes, cosas de alguien

## IMPORTANTE: PARA UNA MEJOR DISCUSIÓN

**los despistes**—distracciones, momentos de no prestar atención

**la descarga**—transferencia de información (en un dispositivo electrónico)

**se supera (superarse)**—sobrepasar un límite, ir más allá

## ÚTIL: PARA UNA MEJOR EXPRESIÓN

**de este modo**—así

**además de**—también

**Producto:** Describe lo que es la marroquinería.

**Práctica:** ¿Cuáles son los usos del cuero en la indumentaria?

**Perspectiva:** ¿Por qué es la marroquinería una industria importante en España y Latinoamérica?

## ESENCIAL: PARA UNA MEJOR COMPRENSIÓN

**los campos**—área de estudio o información

**las capacidades (la capacidad)**--aptitud

**brindar**—ofrecer

## IMPORTANTE: PARA UNA MEJOR DISCUSIÓN

**logró (lograr)**—realizar, poder

## ÚTIL: PARA UNA MEJOR EXPRESIÓN

**está disponible**—está libre para hacer algo

**Producto:** Describe las capacidades de la última versión de NAO.

**Práctica:** En la actualidad, ¿cómo se utilizan los robots NAO en la América Latina?

**Perspectiva:** ¿Por qué se espera que el robot NAO pueda ser útil para los niños autistas?

## ESENCIAL: PARA UNA MEJOR COMPRENSIÓN

**el desarrollo**—elaboración, ampliación

**aportar**—dar, regalar

**el reto**—desafío, oposición

## IMPORTANTE: PARA UNA MEJOR DISCUSIÓN

**las propuestas**—oferta, proposición

**las herramientas**—utensilio, instrumento

**un boceto**—esquema o plan gráfico

## ÚTIL: PARA UNA MEJOR EXPRESIÓN

**lima (limar) asperezas**—suavizar o calmar desacuerdos y oposiciones

**Producto:** Describe el Solar Decathlon Europe que nació de un acuerdo entre España y EE.UU.

**Práctica:** ¿Qué elementos tenía la casa solar que produjeron estudiantes de Universitat Politècnica de Catalunya en 2012?

**Perspectiva:** ¿Por qué es importante para España que haya este tipo de competencia?

# Los fenómenos naturales

## Lecturas

**FUENTE NÚMERO 1** Este texto trata de un eclipse que ocurrió en 2011. El artículo original, "La noche más corta" fue publicado el 4 de septiembre de 2011 por Arturo Pardo en La Nación.

El viernes 11 de julio, los ticos tuvieron el privilegio de presenciar un fenómeno irrepetible.

Para algunos, el júbilo llegó antes de julio. La venta de filtros solares para ver el eclipse resultó un excelente
5 negocio que comenzó **con mucha antelación**. Se iban como pan caliente, pese a sus precios de entre ¢220 y ¢350.

El fenómeno se extendió de las 2:01 p.m. a las 2:08 p.m.

Nadie dudaba de que valía la pena la inversión, pues
10 desde 1908 no se daba en Costa Rica un fenómeno similar, y se sabía que nada igual se repetiría en la región antes del año 2233. *very rare*

Para el viernes, los pronósticos meteorológicos interponían nubarrones y lluvias fuertes entre la yunta
15 del sol con la luna y la visibilidad de los mortales.

Pero la suerte estuvo de nuestro lado y el espectáculo se dejó ver en toda su magnitud. El cielo estaba despejado y la venia para ausentarse del trabajo también. Muchas oficinas estatales y privadas declararon **asueto** desde el
20 mediodía.

Eran apenas las 2:01 p. m., cuando la **tiniebla** se apoderó del país completo. Allá a lo alto, en las cornisas del Teatro Nacional, las palomas se acurrucaban para darle la bienvenida a una "noche" que duraría un
25 tiempo récord de 6 minutos y 53 segundos.

Abajo, en la Plaza de la Cultura, un joven alquilaba filtros solares a ¢20 para usarlos durante diez segundos. *special sunglasses*

Las lámparas en los postes de luz se encendieron, los animales se cobijaron en sus escondrijos y las calles se
30 llenaron de curiosos peatones. Unos minutos antes, un **temblor** de 3,2 grados en la escala de Ritcher amenazó con quitarle la calma a los transeúntes mientras disfrutaban del increíble fenómeno natural, mas el meneo no **mermó** la audiencia.

35 "Fue un evento único en la vida. Fue algo especial **el hecho de que** se extendiera tanto, generalmente un eclipse dura entre uno y dos minutos", recuerda Víctor Fung, miembro de la Asociación Costarricense de Astronomía.

Hay eclipses solares parciales y anulares, pero aquel
40 viernes la luna se interpuso en línea **recta** entre la Tierra y el Sol, provocando una sombra total. El fenómeno incidió primero sobre Hawai, pasó por México, Centroamérica, Colombia, y terminó en Brasil.

En Costa Rica, la expectativa por ver el evento era tal
45 que el país reportó un notable crecimiento en el ingreso de turistas.

Lo otro que se incrementó fue el **temor** popular. Fueron muchos los especuladores que le pusieron fecha al fin del mundo cuando se anunció el eclipse.
50

Durante los minutos de oscuridad, se reportaron únicamente dos incidentes: un baquiano que se cayó del techo de su casa mientras observaba y un motociclista que chocó con un vehículo.

**FUENTE NÚMERO 2** Estos dos textos tratan de cómo funciona un eclipse. Las ilustraciones fueron publicadas en Los eclipses de Sol: Explicación y fenómenos asociados, un artículo de astrosafor.net por Palmira Marugán Macimartin, Josep Julia Gómez Donet y Marcelino Álvarez.

A.
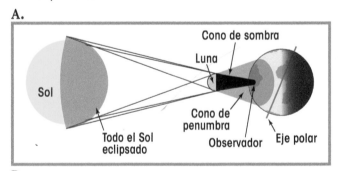

B.
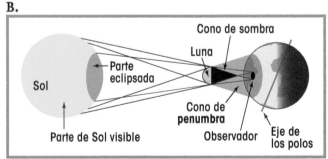

Fuente: Astrosafor.net

1. ¿Cuál es el propósito del artículo?

   (A) Describir unas ventas provechosas
   (B) Contar una historia espectacular
   (C) Informar de un suceso astronómico
   (D) Verificar la ocurrencia de un suceso conmovedor

2. Según el artículo, ¿qué actividad anticipaba el eclipse en Costa Rica?

   (A) La exitosa venta de filtros solares
   (B) La triste desilusión causada por un grave pronóstico del tiempo
   (C) El runruneo de rumores acerca del eclipse
   (D) Las réplicas de un temblor ocurrido antes del eclipse

3. ¿Qué significa "se iban como pan caliente" (líneas 5 y 6)?

   (A) Que se comía mucho pan antes del eclipse
   (B) Que se vendían muchos filtros solares antes del eclipse
   (C) Que los ticos se paseaban lentamente antes del eclipse
   (D) Que hacía mucho calor antes del eclipse

4. Según el artículo, ¿por qué era importante presenciar este eclipse en particular?

   (A) Porque ocurriría sólo al mediodía
   (B) Porque señalaba el fin del mundo
   (C) Porque no iba a repetirse en más de doscientos años
   (D) Porque las empresas declararon asueto

5. ¿Qué tipo de lenguaje es "las palomas se acurrucaban para darle la bienvenida…" (líneas 23 y 24)?

   (A) Músico
   (B) Filosófico
   (C) Prosaico
   (D) Poético

6. Según el artículo, ¿qué indicaba el incendio de las lámparas en los postes?

   (A) Que una sombra total había envuelto el país
   (B) Que había llegado el anochecer
   (C) Que los ticos no podían ver nada
   (D) Que se hacía tarde en el día

7. Según el artículo, ¿por qué fue un eclipse único?

   (A) Fue total.
   (B) Duró casi siete minutos.
   (C) Hubo un terremoto un rato antes.
   (D) Llegaron muchos turistas para verlo.

8. Según el artículo, ¿qué se acrecentó antes del eclipse?

   (A) La inversión de los turistas
   (B) La oscuridad del cielo
   (C) La frecuencia de erupciones solares
   (D) El miedo al fin del mundo

9. Según los dos gráficos, ¿qué representan las líneas grises que pasan desde el sol hacia la tierra por la luna?

   (A) Límites de sombras de la luna
   (B) Rayos de luz del sol
   (C) Ejes de movimiento de la tierra respecto al sol
   (D) Líneas de visión del observador

10. ¿Qué diferencia se nota entre los dos gráficos?

    (A) En el gráfico B el observador está en línea recta con el sol.
    (B) En el gráfico B el sol se ha movido más en sentido contrario a las agujas del reloj.
    (C) En el gráfico A la luna está más cerca a la tierra.
    (D) En el gráfico A la tierra ha rotado más en sentido contrario a las agujas del reloj.

11. Si quisieras buscar más información sobre los eclipses, ¿dónde la buscarías?

    (A) En un libro sobre la teoría de la luz
    (B) En un libro sobre los planetas
    (C) En un libro sobre la astrología
    (D) En un libro sobre la astronomía

## CÁPSULA CULTURAL: LOS MAYAS SE PREOCUPABAN POR LOS ECLIPSES

Para los mayas los eclipses, conocidos como chi'ibal kin, o comer el sol, eran de suma importancia para su mera existencia. Los mayas creían que el sol era un ser vivo cuya existencia mantenía el equilibrio del universo. Asimismo, la regularidad de la interacción entre el sol, la luna y la tierra era absolutamente necesaria para la tranquilidad y el orden de todos los ciclos de la vida. Por esto, los sacerdotes cuyo trabajo incluía un profundo conocimiento de los astros estudiaban cuidadosa y nítidamente el movimiento de las estrellas y los planetas. Los mayas en su cosmografía enlazaban íntimamente las ciencias astrológicas con la naturaleza y la vida humana. Entender cuándo habría un eclipse, por ende, era imprescindible para predecir cuándo el orden natural sería interrumpido. El Códice de Dresden, en particular, demuestra las predicciones mayas de los eclipses en tierra maya e, increíblemente, en otras partes del mundo. Es impresionante notar que los errores en su cálculo no superaban un día completo.

—Juan Molinero, Diario Viaslado

COMPARACIONES: Describe algunos de los mitos e ideas de tu comunidad sobre los poderes de los cuerpos celestes que hayas escuchado o estudiado.

## Ilustración con Audio

**FUENTE NÚMERO 1** Este mapa trata de las migraciones de la <u>mariposa monarca</u> entre México y Canadá. El gráfico se basa en investigaciones biológicas y fue publicado en 2012.

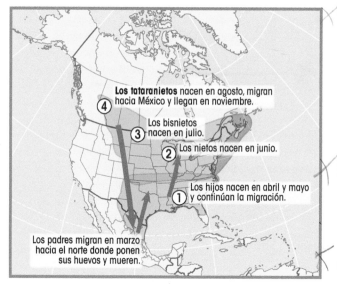

Los tataranietos nacen en agosto, migran hacia México y llegan en noviembre. ④

Los bisnietos nacen en julio. ③

Los nietos nacen en junio. ②

Los hijos nacen en abril y mayo y continúan la migración. ①

Los padres migran en marzo hacia el norte donde ponen sus huevos y mueren.

🔊 **FUENTE NÚMERO 2** Esta grabación, "La mariposa monarca, un fenómeno migratorio de la naturaleza", trata de los misterios acerca de los viajes de ida y vuelta de este insecto. Varios naturalistas y turistas mexicanos hablan en esta conversación con un locutor. La conversación fue publicada el 2 de diciembre de 2009 por Azteca Noticias de México. La grabación dura aproximadamente dos minutos y medio.

1. ¿Cuál es el propósito de este mapa ilustrado?
   - (A) Indicar la ruta precisa de la migración de la monarca
   - (B) Mostrar que una mariposa monarca siempre regresa al mismo sitio
   - (C) Resaltar el viaje migratorio de sucesivas generaciones de monarcas
   - (D) Ilustrar la extensión del hábitat de la monarca

2. Según el mapa, ¿a dónde no llegan las monarcas?
   - (A) Al noreste de los Estados Unidos
   - (B) Al sureste de los Estados Unidos
   - (C) Al este de Canadá
   - (D) Al noroeste de Canadá

3. ¿Qué deja de indicar el mapa?
   - (A) El número de generaciones en el retorno a México
   - (B) La muerte de la monarca
   - (C) La relación de parentesco entre varias generaciones
   - (D) La extensión de la migración hacia Canadá

4. Según la conversación, ¿cuál es el gran misterio de la mariposa monarca?
   - (A) Cómo viajan tantos kilómetros sin brújula
   - (B) Cómo las monarcas mantienen su población generación tras generación
   - (C) Cómo las monarcas producen tantas generaciones durante tan largo viaje
   - (D) Cómo las monarcas siempre llegan al mismo sitio aunque no son las que emprendieron el viaje

5. Según el audio, ¿en qué se ha convertido la monarca?
   - (A) En un símbolo de misterios científicos
   - (B) En un símbolo de migraciones de turistas
   - (C) En un símbolo de las almas de los muertos
   - (D) En un símbolo de la vitalidad mexicana

6. Según el audio, ¿cómo se registra la población de la monarca?
   - (A) Se observa el número de hectáreas mexicanas que habitan.
   - (B) Se observa el número de estados mexicanos y estadounidenses que visitan.
   - (C) Se observa el número de generaciones que el viaje de ida y vuelta requiere.
   - (D) Se observa el número de monarcas que llegan a Michoacán cada año.

7. Al hablar de la monarca, ¿qué expresan los naturalistas y turistas mexicanos?
   - (A) Un orgullo patriótico por la maravilla de la monarca
   - (B) Una admiración por la relación entre generaciones de la monarca
   - (C) Una alegría por la inteligencia y tenacidad de la monarca
   - (D) Una precaución por la lenta desaparición de la monarca

## CÁPSULA CULTURAL: EL CÓNDOR ANDINO, SÍMBOLO DE LA INMORTALIDAD

El cóndor, un ave enorme que habita las rocosas alturas de los Andes, es símbolo nacional de Colombia, Perú, Chile y Ecuador. Según la mitología inca, el cóndor representa la inmortalidad porque su vida y muerte siguen el ciclo del renacimiento. Según una leyenda antigua, cuando siente que las fuerzas empiezan a menguar, vuelve al nido donde nació para resucitar y empezar otro ciclo de vida. Siempre ha sido venerado por ser mensajero de lo bueno y de lo malo, habiendo predicho la llegada de los españoles en el siglo XVI. Irónicamente, hay quienes advierten que el majestuoso cóndor está en peligro de extinción. ¡Ojalá que no!

—Juan Molinero, *Diario Viaslado mayo de 2012*

**COMPARACIONES:** ¿Cómo influyen los animales en el folklore de tu comunidad? Compara las características físicas y las leyendas folklóricas del cóndor con el símbolo nacional de tu país.

## Audios

🔊 FUENTE  Esta grabación adaptada trata del conocimiento tradicional escondido en la genética de las semillas andinas. La entrevista original, "Semillas andinas, cinco mil años de sabiduría genética", fue publicada por Radio Naciones Unidas en mayo de 2010. Antonio Lafuente habla con Tania Santibáñez, una oficial de protección vegetal de la FAO. La grabación dura aproximadamente tres minutos.

1. ¿Por qué son diferentes las semillas andinas de otras?
   (A) Porque son de distintos colores
   (B) Porque dan seguridad de salud
   (C) Porque siguen vigentes después de tantos años de cultivo
   (D) Porque proveen seguridad de fertilidad

2. ¿De dónde vienen las semillas de las que hablan en el audio?
   (A) Son semillas modificadas genéticamente.
   (B) Son de civilizaciones aztecas.
   (C) Son variantes de la quínoa.
   (D) Son de países del altiplano andino.

3. ¿Qué le preocupa más a la especialista, Tania Santibáñez?
   (A) El cultivo de alimentos extranjeros
   (B) La pérdida de modos de producción
   (C) El dominio de la producción comercial
   (D) La desaparición de tradiciones locales

4. ¿Cuál es el propósito del proyecto de la FAO?
   (A) Promover el estudio biológico de semillas andinas
   (B) Llevar productos de calidad al mercado
   (C) Proteger las semillas de la extinción
   (D) Ayudar a incrementar la productividad alimentaria

5. ¿Qué otra pregunta sería apropiada para hacerle a Tania Santibáñez?
   (A) "¿Qué se necesitará llevar a cabo para mejorar el proyecto?"
   (B) "¿Qué tipo de semilla sería más productiva que la andina?"
   (C) "¿Por qué no puede el pequeño agricultor competir con las empresas grandes?"
   (D) "¿Por qué se van del campo los hijos de los agricultores?"

## CÁPSULA CULTURAL: LA QUÍNOA

La quínoa es un pseudocereal que crece fácilmente en las alturas de los Andes. Es un grano de alto contenido de almidón. Tiene una larga historia y data de las civilizaciones preincaicas e incaicas. Ha sido usada como cereal y en cosmética. Los tres productores más grandes son Bolivia, Perú y los Estados Unidos.

—*Juan Molinero, Diario Viaslado*

**COMPARACIONES: Describe los varios granos y cereales como el trigo, la cebada y el centeno que comes, de dónde vienen y el impacto que tendría su ausencia en tu dieta.**

## Correos Electrónicos

Has recibido este mensaje porque alguna vez contactaste la Fundación Tortugas sin Fronteras del Yucatán. Te interesan los reptiles.

**De:** Juan Trebole

**Asunto:** Tortugas en peligro

Querido/a estudiante de reptiles:

Recibe Ud. este mensaje porque nuestros estudios a través de FACEBOOK nos indican que a Ud. le interesaría recibir información sobre nuestras iniciativas con respecto a la preservación de las tortugas.

Desde este mes de marzo hasta finales de agosto, la tortuga boba (Caretta caretta) sale del mar a anidar y regresa al mar luego de poner los huevitos. Como se puede imaginar tienen que cruzar la Carretera 82 para dar con la arena adecuada para la puesta de los huevitos. Están en peligro y necesitan su apoyo.

¿Podría Ud. viajar a Cancún a proteger a estas tortugas bobas del tránsito turístico? ¿No tiene Ud. un sentido de urgencia y compasión por estos frágiles reptiles? Mándenos su sí rotundo y una breve explicación de su interés en salvarles la vida a estos seres de la naturaleza.

Si no puede Ud. viajar para acá, ¿nos podría enviar una donación para adelantar y mantener nuestro importante trabajo?

Un muy cordial saludo de agradecimiento,
Juan Trebole, Gerente de Tortugas sin Frontera

## Ensayo

***Tema del ensayo:***

*¿A cuál de las tres problemáticas científicas debe patrocinar la senior class para ayudar a asegurarle un mejor futuro?*

**FUENTE NÚMERO 1** Este texto, "En 20 años podremos viajar a Marte", trata de la posibilidad de enviar a seres humanos al planeta rojo. El artículo original fue publicado el 19 de septiembre de 2004 en La Flecha, tu diario de ciencia y tecnología.

VIAJES AL ESPACIO

El jefe del programa de exploración de Marte de la Agencia Aeroespacial de los Estados Unidos (NASA), Arthur Thompson, afirmó que "no se necesita un súper humano para construir y operar un vehículo" espacial
5   como los enviados este año al planeta rojo.

Thompson fue el orador estrella del quinto simposio internacional de tecnología de la información aplicada a la minería que se realizó en la capital peruana, donde aprovechó para reunirse con 70 escolares para
10   explicarles el programa de exploración de Marte iniciado en 1997 por la NASA.

"Disfruto especialmente de hablar con niños porque son el futuro y la gente que hará esto (por las investigaciones especiales) en el futuro son los
15   estudiantes de hoy", declaró en una entrevista.

Thompson, ingeniero electrónico, agregó que le encantaría encontrar "uno, dos ó 50 niños que en 10, 15 ó 20 años estén haciendo este trabajo" de investigación del espacio exterior. Para el científico, la
20   misión a Marte de la NASA demuestra que los humanos pueden ir a explorar otros planetas del sistema solar. "Quizás en 20 años se decida que es importante tener humanos en Marte", acotó, tras explicar que actualmente es muy difícil enviar una nave tripulada

a ese planeta por el alto costo que representa y la imposibilidad, hasta el momento, de encontrar agua.   25

**En busca de agua**

El experto señaló que el principal objetivo de su misión es buscar agua, de la cual tienen indicios que existió en grandes volúmenes en la superficie marciana. "Creemos   30
que el agua sigue allí, pero bajo tierra", subrayó Thompson. "El agua es la clave de todo: sirve para hacer el combustible para retornar (a la Tierra), enfriar la nave, generar energía y electricidad, y también para el consumo humano", señaló.   35

Después del primer robot enviado a Marte, el Pathfinder en 1997, la segunda etapa comenzó en enero de este año con los "rovers" Spirit y Opportunity que aún trabajan en ese planeta en la recolección de información geológica. A diferencia del Pathfinder, el Spirit y   40
el Opportunity procesan sus muestras y envían la información directamente a la NASA, que ya trabaja en el diseño de un robot más avanzado capaz de traer a la Tierra las muestras que recoja en el suelo marciano y que se prevé enviar en 2009. "En el futuro iremos a un   45
punto, extraeremos una muestra, la pondremos en una cápsula, la lanzaremos a la órbita de Marte y enviaremos otra nave para que la recoja y la traiga a la Tierra", explicó Thompson.

En ese sentido, será similar al programa Génesis de la   50
NASA, que buscaba traer polvo espacial pero que falló hace unos días en el aterrizaje. "A pesar de la falla del paracaídas del Génesis, el conocimiento de esa falla alimenta el diseño del mecanismo para este programa. Aprendemos de nuestros errores", agregó el experto.   55

**Misión especial**

Un programa como el de exploración a Marte tiene un costo inicial de 800 millones de dólares, pero cuenta en su desarrollo con ingenieros y científicos de Sudamérica, Europa y Asia, además de los   60
estadounidenses. Uno de los objetivos secundarios de las misiones especiales a Marte es encontrar recursos minerales para ser usados en la Tierra. "Sabemos que hay muchos recursos disponibles, pero la cuestión es desarrollar la tecnología que nos permita buscarlos y   65
traerlos", indicó Thompson.

**FUENTE NÚMERO 2** Este texto trata de la enfermedad Alzheimer. Es un gráfico de la evolución del deterioro de las facultades intelectuales. Nuestro gráfico está basado en información de Kelly Research Technologies, Lakemont, Georgia y una ilustración publicada por Clarín el 4 de septiembre de 2004.

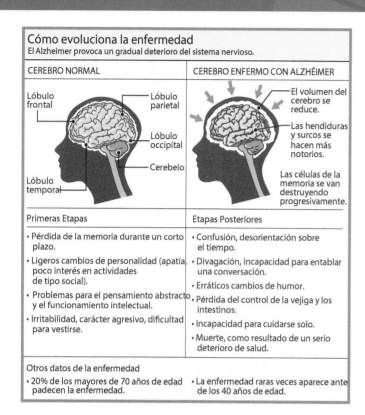

## Cómo evoluciona la enfermedad
El Alzheimer provoca un gradual deterioro del sistema nervioso.

| CEREBRO NORMAL | CEREBRO ENFERMO CON ALZHÉIMER |
|---|---|

Lóbulo frontal
Lóbulo parietal
Lóbulo occipital
Cerebelo
Lóbulo temporal

El volumen del cerebro se reduce.

Las hendiduras y surcos se hacen más notorios.

Las células de la memoria se van destruyendo progresivamente.

| Primeras Etapas | Etapas Posteriores |
|---|---|
| • Pérdida de la memoria durante un corto plazo. | • Confusión, desorientación sobre el tiempo. |
| • Ligeros cambios de personalidad (apatía, poco interés en actividades de tipo social). | • Divagación, incapacidad para entablar una conversación. |
| • Problemas para el pensamiento abstracto y el funcionamiento intelectual. | • Erráticos cambios de humor. |
| | • Pérdida del control de la vejiga y los intestinos. |
| • Irritabilidad, carácter agresivo, dificultad para vestirse. | • Incapacidad para cuidarse solo. |
| | • Muerte, como resultado de un serio deterioro de salud. |

| Otros datos de la enfermedad | |
|---|---|
| • 20% de los mayores de 70 años de edad padecen la enfermedad. | • La enfermedad raras veces aparece antes de los 40 años de edad. |

🔊 **FUENTE NÚMERO 3** Esta grabación, "Cuidemos nuestros árboles", trata de la importancia de los árboles en nuestra vida. Fue publicada por juliodemisiones, Puerto Rico de Misiones, Argentina. El locutor es Claudio Martens. La grabación dura un minuto.

## Conversaciones

🔊 Esta es una conversación por teléfono con el agente Mario, de la Agencia Comunitaria de Alertas. Te llama porque hay una alerta en tu área.

| Mario | • Te saluda y te avisa algo. |
|---|---|
| Tú | • Salúdalo, reacciona y pídele consejos. |
| Mario | • Reacciona y te hace una pregunta. |
| Tú | • Pídele más información. |
| Mario | • Continúa la conversación y te da un consejo. |
| Tú | • Contesta con detalles. |
| Mario | • Continúa la conversación. |
| Tú | • Contéstale y proponle varias alternativas. |
| Mario | • Te contesta. |
| Tú | • Hazle un comentario sobre sus observaciones y despídete. |

## Discursos

### Tema de la presentación:
*¿Cuál es la importancia de mantener lindos jardines de flores o huertitas de verduras comestibles en tu comunidad?*

*Compara tus observaciones acerca de las comunidades en las que has vivido con tus observaciones de una región del mundo hispanohablante que te sea familiar. En tu presentación, puedes referirte a lo que has estudiado, vivido, observado, etc.*

## CLASIFICADOS

PÁGINA **84** Lecturas

### ESENCIAL: PARA UNA MEJOR COMPRENSIÓN

**asueto**—descanso, tiempo sin trabajar

**la tiniebla**—falta de luz

**un temblor**—seísmo, terremoto, agitación violenta de la tierra

**recto/a**—lineal, justo, derecho

### IMPORTANTE: PARA UNA MEJOR DISCUSIÓN

**mermó (mermar)**—disminuir

**el temor**—el miedo

**la penumbra**—sombra no muy oscura

### ÚTIL: PARA UNA MEJOR EXPRESIÓN

**con antelación**—con anticipación

**el hecho de que**—por la razón que

**Producto:** ¿Qué son los códices prehispánicos?

**Práctica:** ¿Qué documentaron en los códices los mexicanos, los mayas y los incas?

**Perspectiva:** ¿Cómo justificaron los españoles de la conquista la destrucción de los códices de los mexicanos, los mayas y los incas?

PÁGINA **86** Ilustración con Audio

### ESENCIAL: PARA UNA MEJOR COMPRENSIÓN

**los tataranietos**—tercer nieto, rebisnieto

**la brújula**—instrumento magnético que indica los puntos norte, sur, etc.

**los difuntos**—los muertos

### IMPORTANTE: PARA UNA MEJOR DISCUSIÓN

**los imanes**—mineral que atrae otros metales

**las hectáreas**—medida de superficie igual a 2,47 acres

### ÚTIL: PARA UNA MEJOR EXPRESIÓN

**a ciencia cierta**—con certeza, con exactitud

**Producto:** Dibuja la más reciente marca comercial para promover el estado de Michoacán

**Práctica:** ¿Cómo veneraban los aztecas a las mariposas monarca?

**Perspectiva:** ¿Por qué veneraban los aztecas a las mariposas monarca?

PÁGINA **87** Audios

### ESENCIAL: PARA UNA MEJOR COMPRENSIÓN

**la semilla**—granito que se planta y del cual crece una planta

**la sequía**—período sin lluvias

**fortalece (fortalecer)**—hacer más fuerte

### IMPORTANTE: PARA UNA MEJOR DISCUSIÓN

**pretende (pretender)**—intentar

**la sabiduría**—conocimiento profundo

**el tesoro**—bienes materiales o naturales de valor guardados en un lugar

### ÚTIL: PARA UNA MEJOR EXPRESIÓN

**alrededor de**—más o menos

**a pesar de**—contra la voluntad de alguien o contra algo

**al nivel del mar**—a la altura de la superficie del océano

**Producto:** Describe la variedad de papas cultivadas en la región andina.

**Práctica:** Describe las condiciones más favorables para el cultivo de la papa en la América del Sur.

**Perspectiva:** ¿Cómo ha sido importante la papa en países fuera de América del Sur?

# La ciencia y la ética

## Lecturas

**FUENTE** Este texto, "Ciencia y moral: La ciencia está cuestionada por sus implicaciones potencialmente peligrosas", trata de los fines morales de la investigación científica. El artículo original fue publicado el 11 de diciembre de 2010 en La Nación, periódico de Costa Rica, por Enrique Obregón.

He dicho: "El científico, en su laboratorio, no escucha el consejo de las estrellas, por eso perdió la necesaria relación entre su conocimiento y **la ética**. Toda ciencia, **por principio**, busca **el bien** pero, en nuestro
5 momento histórico, eso no es del todo cierto. Noto un gran conflicto, ahora, entre la investigación científica y **la moral**. Hay un encuentro violento del espíritu **de lucro** con el espíritu d**el bien** común".

Galileo tuvo que comparecer ante la Inquisición,
10 pero no soportó la amenaza de las terribles torturas que le anunció el inquisidor Maculano y se retractó. Fue condenado, pero se le respetó la vida. Sin embargo, aunque un poco silencioso (a pesar de su pisotón contra el suelo) dicen que afirmó: "Y, sin embargo,
15 se mueve". Este es uno de los cientos de ejemplos históricos que podríamos citar para entender lo que desde siempre se ha llamado **la moral** de la ciencia.

Tiene un objetivo **moral** la investigación científica. La ciencia no es neutral. No lo fue antes, cuando el
20 investigador, en su estudio, solitario, trabajaba por una idea, por un paso hacia delante. Y no lo es hoy, con mucha más razón, cuando la ciencia está, **en gran medida**, al servicio de malas causas, al espíritu **de lucro** al que me he referido. Y esto tiene que ver con **la moral**
25 pues forma parte de la **ética** de un sistema económico, comprometido con la especulación financiera mundial.

No sólo la genética, sino la mayor parte de la ciencia, en la actualidad, están **éticamente** cuestionadas por sus implicaciones potencialmente peligrosas. Por
30 primera vez, en cuanto a ciencia se refiere, se abre una posibilidad a la manipulación de la vida, a una incorrecta forma de pisotear las leyes de la eternidad. Usar a los seres humanos para experimentos científicos, ¿es **ajeno** a **la moral**?

35 En nuestro tiempo, la ciencia está íntimamente vinculada al sistema económico, por eso podemos preguntarnos: ¿este sistema también es **ajeno** a **la ética**?

Por el momento, solamente recordemos que desde hace varias décadas, en Estados Unidos, la mayor
40 parte de la investigación científica está pagada por las grandes empresas, como el convenio entre el Instituto Tecnológico de Massachusetts y el Instituto Whitehead,

financiado por este, y que al final dice: "Todos los inventos y demás formas de propiedad intelectual creadas a partir del financiamiento del Instituto serán
45 propiedad de este". Y así, en miles de casos.

Esta forma de investigación científica en que ha desembocado gran parte de la ciencia en la actualidad, es contraria a **la moral**, por eso don Víctor Ramírez no tiene razón. No hay nada que pueda ser ubicado dentro
50 de **la moral** que justifique el derecho que se arroga una empresa para no poner al servicio de la humanidad un medicamento que puede salvar la vida de millones de seres humanos.

1. ¿A qué género de prosa pertenece este texto?
   (A) Un artículo periodístico
   (B) Una sátira literaria
   (C) Un editorial periodístico
   (D) Un tratado científico

2. ¿Para quiénes ha escrito este texto el autor?
   (A) Para el público en general
   (B) Para los científicos industriales
   (C) Para los funcionarios religiosos
   (D) Para un público instruido

3. Según el autor, ¿qué conflicto existe entre la ciencia y la moral?
   (A) Hay un conflicto entre la meta al bien social y la ganancia financiera.
   (B) Hay un conflicto entre la educación y el espíritu empresarial.
   (C) Hay un conflicto entre nuestro momento histórico y el pasado tradicional.
   (D) Hay un conflicto entre las expectativas del público y las de la comunidad científica.

4. Según el autor, ¿de qué es buen ejemplo Galileo?
   (A) De los objetivos de la ciencia
   (B) De la cobardía científica
   (C) De la valentía científica
   (D) De la moralidad científica

5. Cuando el autor dice que con la ciencia "se abre una posibilidad a la manipulación de la vida" (Líneas 30 y 31), ¿qué podemos inferir desde su punto de vista sobre el aborto?
   (A) Que está abierto
   (B) Que es pro-elección
   (C) Que es pro-vida
   (D) Que es neutro

**6.** ¿Qué dice el autor del control de la propiedad intelectual?

(A) Que la universidad la entrega al mundo científico

(B) Que las empresas la controlan porque patrocinan la investigación científica

(C) Que las universidades controlan lo que se descubre en sus laboratorios

(D) Que las empresas la comparten con los investigadores científicos

**7.** ¿A qué conclusión llega el autor cuando pregunta si el sistema económico es ajeno a la ética?

(A) Implica que no.

(B) Implica que sí.

(C) No llega a ninguna conclusión.

(D) Llega a una conclusión ambigua.

## CÁPSULA CULTURAL: LA INQUISICIÓN ESPAÑOLA

La Inquisición era un tribunal dedicado a mantener el dogma de la fe católica y así suprimir la herejía como la definía la Iglesia Católica. Datan sus orígenes de lo que es hoy el sur de Francia en el Siglo XII. La Inquisición Española fue fortalecida por los Reyes Católicos Fernando e Isabel en el siglo XV. Ha conseguido fama de cruel supresor de otras religiones y creencias practicadas en tierra católica. Estuvo bajo control de la monarquía española hasta 1821. Su campo de control se extendió hasta las Américas. Hubo otras Inquisiciones como la romana y la portuguesa.

—De Wikimolino 2012.

"La Inquisición" de Francisco de Goya (1746-1828)

**COMPARACIONES:** En tu comunidad, ¿hay instituciones dedicadas a mantener un punto de vista sin admitir la libre expresión de otros? ¿Cómo afectan estas instituciones a la cultura en que se sustentan?

Francisco de Goya, pintor español, nació en Fuendetodos.

## Lecturas con Audio

**FUENTE NÚMERO 1** Este texto abreviado "Polémica por la eutanasia, una confesión real sobre una vida de película" trata de Ramón Sampedro, quien decidió morir. Una amiga, Ramona Maneiro, admitió ser quien le dio el cianuro. El artículo original se publicó en www.claringlobal.com.ar por Florencia Gilardón el primero de febrero de 2005.

Pasaron siete años desde aquel día en que Ramón Sampedro decidió tomar cianuro para morir. Asistido por un grupo de once amigos, logró concretar su plan sin que nadie quedara incriminado. El español había
5 nacido en A Coruña en 1943, era marino y en su primera juventud -a los 25 años- había sufrido un accidente. Quedó inmovilizado para siempre, de la cabeza para abajo, cuando se tiró al agua desde una roca en un día de marea baja. Allí, comenzó **el calvario** que lo mantuvo postrado
10 en una cama durante 29 años. Buscaba una muerte digna...

Esta semana el caso de Ramón Sampedro volvió a la televisión y a la tapa de los principales diarios de toda España. Su amiga íntima Ramona Maneiro, de 44 años, confesó que ella fue quien lo había ayudado a
15 morir. "Yo era sus manos, las manos que él necesitaba, iba haciendo lo que él me decía", explicó Ramona a la cadena Telecinco. También reconoció que le había puesto "el vaso con la pajita", en el que antes **había disuelto** el cianuro en agua. Y que había preparado
20 el video en el que Sampedro grabó su propia muerte para **exculpar** a todas las personas de su entorno. Ella había estado detenida e imputada por el hecho, pero las sospechas judiciales no alcanzaron y jamás se había podido comprobar su participación.

25 En 1999 la causa judicial quedó archivada. Ahora, que el delito **prescribió**, Ramona decidió romper el silencio. "No soy una samaritana ni una Teresa de Calcuta", aseguró la mujer. Para Ramona, haberlo ayudado a morir fue un acto de amor. Ella quería contar
30 su versión de **lo ocurrido** para que terminaran las especulaciones mediáticas.

Ramón Sampedro se había convertido en el primer español en reclamar el derecho a la eutanasia. En 1994 había declarado frente a los jueces, "mi mente es la
35 única parte de mi cuerpo que todavía está viva. Soy una cabeza viva atada a un cuerpo muerto". Ramón también fue el primero en planificar en forma meticulosa su muerte. El objetivo era que no hubiese culpables. Era Ramón quien decidía morir pero no podía hacerlo
40 solo por su tetraplejía. Durante los años previos, se había dedicado a escribir sus **vivencias** con una lapicera que ponía en su boca. En 1996 publicó <u>Cartas</u>

<u>desde el infierno</u> donde reflexionaba sobre la muerte, la existencia, el amor, el poder y la religión. Y luego publicó el libro de poemas, <u>Cuando yo caiga</u>. 45

"Leí el libro de Ramón Sampedro hace unos años, investigué su entorno y comprendí que había todavía más razones para rodar la historia", dijo Alejandro Amenábar, el director español que filmó <u>Mar Adentro</u>.

A los familiares de Ramón Sampedro no les molestó 50 que la historia llegara a la pantalla grande. **Sin embargo**, ahora ellos también decidieron regresar a la escena después de la confesión de Ramona Maneiro para decir que "jamás la perdonarán" y que es una "asesina". Manuela, una sobrina del tetrapléjico 55 expresó, "él nos había dicho que Ramona era la única que **estaba dispuesta a** ayudarle a morir". Por eso dejó la casa de la familia y se fue a vivir con ella durante el último tiempo. Con la confesión, la mujer que había guardado el secreto pactado durante siete años, cierra 60 la historia de la lucha de Ramón Sampedro por lograr una muerte digna. Un final de la vida real que supera cualquier recreación cinematográfica. Y logra que el debate por la eutanasia siga vivo.

🔊 **FUENTE NÚMERO 2** Esta grabación del video "La eutanasia" es de aciprensa.com de Lima, Perú. El locutor habla de la eutanasia en términos morales. Este audio fue emitido el 6 de febrero de 2009. La grabación dura aproximadamente un minuto y quince segundos.

1. ¿Cuál es el propósito del artículo impreso?
   (A) Explicar cómo murió Ramón Sampedro
   (B) Exculpar a la amiga de Ramón Sampedro
   (C) Revelar un secreto guardado desde hace siete años
   (D) Recontar la historia de Ramón Sampedro

2. ¿Qué quería decir Ramona cuando dijo, "Yo era sus manos" (línea 15)?
   (A) Que Ramón no podía usar sus cuatro extremidades
   (B) Que por amor ella quería ayudarle a morir
   (C) Que Ramón insistió en involucrarla en su muerte
   (D) Que ella era más valiente que él

3. ¿Por qué decidió Ramona confesar ser cómplice en la muerte de Ramón?
   (A) Porque ella se sentía culpable
   (B) Porque ella quería revelar que lo hizo por amor
   (C) Porque ella quería que la prensa la dejara en paz
   (D) Porque ella sabía que el límite legal expiró

**4.** Según la fuente impresa, ¿por qué Ramón planificó su muerte tan minuciosamente?

    (A) Para que sus amigos pudieran consolarse en su solidaridad

    (B) Para que la ley no pudiera declarar culpable a nadie de su muerte

    (C) Para que sus amigos no se sintieran culpables

    (D) Para que la ley no pudiera detener a nadie

**5.** Según el artículo impreso, ¿por qué decidió el cineasta Alejandro Amenábar filmar la historia de Ramón Sampedro?

    (A) Porque el cineasta vio un héroe en Ramón Sampedro

    (B) Porque el libro de poemas de Ramón Sampedro conmovió al cineasta

    (C) Porque el cineasta vio una historia irresistible en la vida de Ramón Sampedro

    (D) Porque el cineasta quería apoyar el debate por la eutanasia.

**6.** Según el punto de vista de la fuente auditiva, ¿qué es la eutanasia?

    (A) Es un paliativo

    (B) Es un acto de caridad

    (C) Es un acto de cobardía

    (D) Es un asesinato

**7.** ¿Cuál de las siguientes afirmaciones resume mejor la opinión de la fuente auditiva acerca de los argumentos a favor de la eutanasia?

    (A) Que los argumentos a favor de la eutanasia menosprecian el sufrimiento humano

    (B) Que los argumentos a favor de la eutanasia desconocen su falacia moral

    (C) Que los argumentos a favor de la eutanasia esconden intereses perjudiciales

    (D) Que los argumentos a favor de la eutanasia rechazan una examinación nítida

**8.** ¿Qué dice la fuente auditiva de las supuestas motivaciones altruistas y nobles de los que ejecutan la eutanasia a otros?

    (A) Que son actos conscientes y deliberados

    (B) Que son actos traicioneros

    (C) Que son actos ilegales

    (D) Que son actos malogrados

**9.** ¿Qué tienen en común las dos fuentes?

    (A) Una preferencia por el punto de vista de la otra fuente

    (B) Un sentido de la compasión de la eutanasia

    (C) Una preocupación por lo que es la muerte humana digna

    (D) No tienen nada en común.

**10.** ¿Cuál de las siguientes afirmaciones resume mejor la diferencia entre las dos fuentes?

    (A) El audio es más dogmático; el artículo es más objetivo.

    (B) El audio es más didáctico; el artículo es más argumentativo.

    (C) El audio es más filosófico; el artículo es más práctico.

    (D) El audio es más pedante; el artículo es más equilibrado.

## CÁPSULA CULTURAL: VARIOS SISTEMAS DE SALUD EN AMÉRICA LATINA

El debate sobre cómo proporcionar el mejor sistema de salud a la población nacional sigue en muchos países del mundo. América Latina no es una excepción. El deseo de balancear realidades económicas con las necesidades médicas de poblaciones nacionales y migratorias ha producido tensiones políticas, económicas y filosóficas en muchos de estos países. Aquí apuntamos en términos muy generales el sistema de atención de salud en sólo unos cuantos países. Valdría la pena explorar otros sistemas en otros países.

Argentina: La atención de salud se provee a través de una combinación de planes de gobierno, sindicatos, hospitales y planes privados.

Chile: Se proporciona la atención de salud por la cooperación entre el gobierno y las aseguradoras privadas.

México: Se provee la sanidad pública a todos los ciudadanos, un derecho garantizado en la Constitución Nacional. Se realiza utilizando un sistema de dinero privado y del gobierno federal.

Perú: A través de un Plan Básico de Salud el gobierno nacional garantiza el acceso a la salud para todo peruano.

—Juan Molinero *Diario Viaslado*, 2 de febrero de 2012

**COMPARACIONES:** ¿Qué actitudes acerca de la muerte prevalecen en tu comunidad? Describe un ritual perteneciente a la muerte en tu comunidad.

## Audios

🔊 **FUENTE** Esta grabación, "Nuevas tecnologías de la educación", trata de la importancia de la ética en Internet. La presentación original fue publicada por el profesor Víctor Pacheco y Marcelle Villarreal de la Universidad Interamericana para el Desarrollo de México el 14 de agosto de 2009. La grabación dura aproximadamente dos minutos y medio.

1. Según la locutora, ¿por qué es indispensable el Internet?

   (A) Porque hoy en día el ritmo de la vida cambia muy rápidamente
   (B) Porque hoy en día las actividades laborales han crecido mucho
   (C) Porque hoy en día hay más conocimiento tecnológico que nunca
   (D) Porque hoy en día hay más personas con computadoras

2. ¿Qué actitud tiene la locutora hacia la informática?

   (A) La trata con desconfianza y desprecio.
   (B) La trata con descontento y desasosiego.
   (C) La trata con respeto y cautela.
   (D) La trata con admiración y fascinación.

3. ¿Cuál es el propósito de este audio?

   (A) Exigir la limitación del uso de Internet
   (B) Describir el desarrollo de una ética informática
   (C) Discutir unas normas hipotéticas para la tecnología
   (D) Proponer unos reglamentos para una ética informática

4. Según el audio, ¿cuál es el principal criterio por el cual se debe juzgar Internet?

   (A) Si el Internet contribuye a la supervivencia de la humanidad
   (B) Si el Internet facilita la comunicación entre varias esferas de la humanidad
   (C) Si el Internet apoya el destino feliz de la humanidad
   (D) Si el Internet ayuda a un legítimo desarrollo de la humanidad

5. ¿Qué propone este editorial auditivo para crear una ética informática?

   (A) Que no haya divisiones que separen culturas de Internet
   (B) Que haya currículos que permitan el estudio de la ética informática
   (C) Que haya escuelas que sean centros de ética informática
   (D) Que haya centros de investigación que patrullen la ética informática

## CÁPSULA CULTURAL: LA IBEROAMÉRICA SOCIABLE

Parece que los países de habla española se encuentran entre los países más afables del mundo según unos estudios hechos por ComScore, una compañía de investigación de marketing en Internet en 2011. Por ejemplo, entre los 25 mercados de más horas promedio por visitante en sitios de redes sociales hay 8 países de habla española incluyendo México, Perú, España y Argentina. Por ejemplo, Venezuela y Argentina son 2 de los 7 países con más penetración de población en Twitter del mundo y de los 15 principales mercados de Facebook 6 son de América Latina. Otro ejemplo: en América Latina hay 8,6 millones de miembros de LinkedIn. Hola. ¿Qué tal? ¿Me vas a agregar como amigo, Latinoamérica?

—Juan Molinero, *Diario Viaslado*

**COMPARACIONES:** ¿Qué actitud tienen tus amigos hacia las redes sociales? ¿Qué les anima a juntarse? Explica.

## Ensayo

**Tema del ensayo:**

*¿Se deben apoyar las investigaciones sobre la clonación humana?*

**FUENTE NÚMERO 1** Este texto adaptado, "Debate: Los beneficios y perjuicios de la clonación", trata de la clonación humana. El artículo original fue publicado en www.neoteo.com por Ariel Palazesi en marzo de 2008.

La clonación es uno de los temas que no dejan indiferentes a las personas. En general, o se está a favor o en contra. Son pocos los casos en que alguien adopta una postura "a mitad de camino". Pero quizás no todos
5 conozcan realmente cuáles son los beneficios y perjuicios que puede tener la clonación.

Antes de seguir, debemos aclarar que existen básicamente dos "tipos" de clonación. Podemos llamar a una "clonación terapéutica" y a la otra la "clonación
10 reproductiva". Si bien ambas emplean técnicas de laboratorio similares, la diferencia esencial entre ambos tipos de clonación se encuentra en los resultados obtenidos.

Pero a pesar de lo que la gente imagina cuando oye la
15 palabra "clonación", la inmensa mayoría de las veces un experimento de este tipo no termina con un nuevo ser vivo, sino que solo se obtienen copias de unas pocas células, en general para ser utilizadas con fines médicos. Este tipo de clonación, quizás menos conocido
20 y resistido, es el que hemos llamado "clonación terapéutica", que ha demostrado ser útil en el tratamiento de enfermedades genéticas, degenerativas y autoinmunes, como el mal de Parkinson, la enfermedad de Alzheimer, la fibrosis quística y el lupus, entre otras.

25 Una de las ventajas indudables de la clonación es la posibilidad que brindan a parejas con problemas de fertilidad de tener un hijo. Si bien no es un procedimiento estándar ni mucho menos, existen laboratorios y empresas (como el caso de Clonaid)
30 que aseguran haber llevado a cabo experiencias exitosas en este campo. Dejando de lado la discusión sobre si estos resultados son verdaderos o no, es innegable que técnicamente son posibles, o lo serán dentro de poco.

Otro beneficio palpable que traería aparejada la
35 popularización (y en algunos casos, la legalización) de la clonación terapéutica es el fin de los fracasos producidos en los transplantes de órganos. Mediante la clonación terapéutica, se podrían crear órganos completos a partir de una sola célula. Dichos órganos, al ser genéticamente idénticos al dueño de la célula
40 utilizada como punto de partida, no sería rechazado por el organismo al ser transplantado. Una técnica como esta salvaría (literalmente) decenas de millones de vidas al año. Es difícil no verla como un beneficio.

Como una desventaja suele emplearse frecuentemente
45 el razonamiento siguiente: "La familia es el pilar de la sociedad. ¿Qué pasa si cambiamos la forma en que creamos los bebés?" La respuesta, por supuesto, es sencilla. No pasará nada. De la misma manera que un bebé concebido in-vitro es un bebé perfectamente
50 normal y aceptado, el que sea fruto de la clonación de uno de sus padres también lo será.

Es cierto que, de ser llevada al extremo, la clonación reproductiva podría terminar con la diversidad genética. Esto se daría en el caso de que abandonemos
55 completamente la reproducción sexual y que todos los niños nuevos provengan de sólo un puñado de padres que por algún motivo son más "interesantes" que el resto. Esto nos dejaría muy mal parados (como raza) frente a una enfermedad nueva, que podría
60 extinguirnos al no existir individuos que casualmente son resistentes a ella.

Resulta bastante difícil encontrar desventajas al proceso de clonación, sobre todo cuando se trata de una técnica con fines terapéuticos. Seguramente, el debate más
65 profundo se dará en el campo de la ética, y será este el que finalmente haga posible o no la aplicación de esta ciencia como una solución más a los problemas que enfrentamos como humanos.

**En general, los científicos defienden la clonación**

**FUENTE NÚMERO 2** Este gráfico trata de una encuesta hecha en Uruguay. Fue publicada en varios informes en Internet y se origina en el Liceo de Nueva Helvecia de Colonia, Uruguay.

**Las preguntas fueron las siguientes:**

1)- ¿Está de acuerdo con la clonación? (a efectos de evaluar la aceptación del tema en nuestra sociedad)
2)- ¿Cree que se pueden salvar vidas mediante la misma? (para verificar cuán informada está la gente acerca de sus usos)
3)- ¿Cree en una posible implementación de la misma en el ámbito de la medicina de nuestro país? (para ver lo que piensa la gente sobre un posible avance médico aquí en Uruguay)
El método usado para responder fue el de opción múltiple (Sí; No; No Sabe/No Contesta)

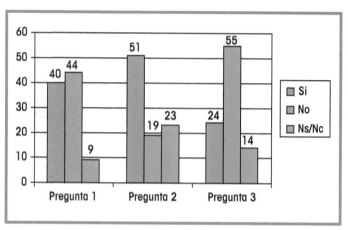

Fuente: Encuesta hecha en Colonia, Uruguay

**FUENTE NÚMERO 3** Esta grabación, "Desacuerdo por posible debate", trata del debate sobre la clonación humana. El audio original fue publicado el 22 de agosto de 2011 por nuestravision.com.mx. La grabación dura aproximadamente dos minutos.

## Correos Electrónicos

Has recibido este mensaje porque eres estudiante de secundaria. La organización Estudiantes contra el Uso de Células Madre busca tu adhesión a su causa.

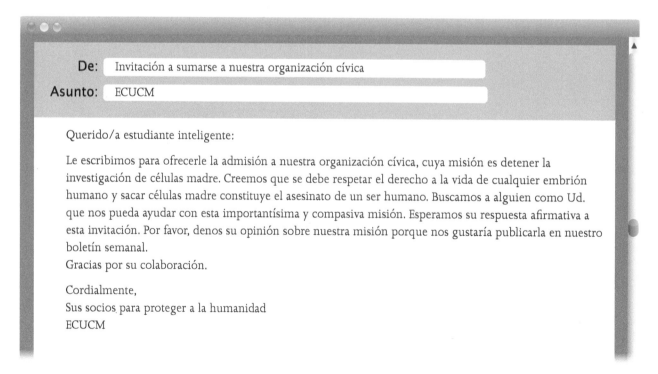

**De:** Invitación a sumarse a nuestra organización cívica

**Asunto:** ECUCM

Querido/a estudiante inteligente:

Le escribimos para ofrecerle la admisión a nuestra organización cívica, cuya misión es detener la investigación de células madre. Creemos que se debe respetar el derecho a la vida de cualquier embrión humano y sacar células madre constituye el asesinato de un ser humano. Buscamos a alguien como Ud. que nos pueda ayudar con esta importantísima y compasiva misión. Esperamos su respuesta afirmativa a esta invitación. Por favor, denos su opinión sobre nuestra misión porque nos gustaría publicarla en nuestro boletín semanal.
Gracias por su colaboración.

Cordialmente,
Sus socios para proteger a la humanidad
ECUCM

## Conversaciones

🔊 Esta es una conversación con Memo, un amigo tuyo. Vas a participar en esta conversación porque son muy buenos amigos y Memo es un hipocondríaco angustiado.

| Memo | • Te saluda y te explica algo. |
|------|--------------------------------|
| Tú | • Salúdalo y reacciona. |
| Memo | • Continúa la conversación. |
| Tú | • Contesta y hazle una pregunta. |
| Memo | • Te contesta. |
| Tú | • Reacciona y dale un consejo. |
| Memo | • Te hace unas preguntas. |
| Tú | • Contéstale. |
| Memo | • Reacciona y te hace unos comentarios. |
| Tú | • Reacciona y despídete. |

## Discursos

***Tema de la presentación:***

*¿Cuál es la actitud acerca de la donación de órganos propios en casos de accidentes mortales o fallecimiento prematuro en tu comunidad?*

*Compara tus observaciones acerca de las comunidades en las que has vivido con tus observaciones de una región del mundo hispanohablante que te sea familiar. En tu presentación, puedes referirte a lo que has estudiado, vivido, observado, etc.*

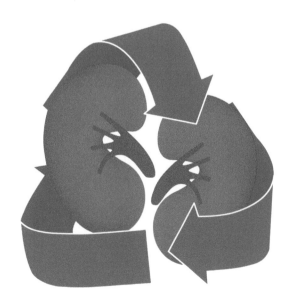

**CLASIFICADOS**

## PÁGINA 92 Lecturas

### ESENCIAL: PARA UNA MEJOR COMPRENSIÓN

**el bien**—lo bueno, moral

**la moral**—la moralidad, estudio de mala y buena conducta

**la ética**—estudio de la moralidad; conjunto de valores morales

### IMPORTANTE: PARA UNA MEJOR DISCUSIÓN

**de lucro**—de beneficio monetario

**ajeno/a a**—fuera de, no pertenece

### ÚTIL: PARA UNA MEJOR EXPRESIÓN

**en gran medida**—mayormente

**por principio**—en el comienzo

**Producto:** ¿Cómo define la bioética la Comisión Nacional de Bioética de México?

**Práctica:** Describe el curso virtual de ética de la Universidad de Santa Fe de Bogotá.

**Perspectiva:** ¿Por qué es necesario enseñar ética en las ciencias?

## PÁGINA 94 Lecturas con Audio

### ESENCIAL: PARA UNA MEJOR COMPRENSIÓN

**había disuelto (disolver)**—licuar, hacer líquido

**exculpar**—perdonar

**prescribió (prescribir una ley)** concluir

### IMPORTANTE: PARA UNA MEJOR DISCUSIÓN

**el calvario**—largo sufrimiento

**lo ocurrido**—lo que pasó, sucedió o tuvo lugar

**las vivencias**—circunstancias de la vida

**supuesto/a**—hipotético/a, posible, simulado/a

### ÚTIL: PARA UNA MEJOR EXPRESIÓN

**sin embargo**—al contrario

**estar dispuesto/a a**—tener ganas de; ser capaz de hacer algo

**Producto:** ¿Qué dice la ley de la muerte digna en España?

**Práctica:** ¿Cuáles son las prácticas para el proceso final de la vida que regula la ley de la muerte digna en España?

**Perspectiva:** ¿Por qué se oponen a la ley de la muerte digna en España la Iglesia Católica y el Partido Popular?

## PÁGINA 96 Audios

### ESENCIAL: PARA UNA MEJOR COMPRENSIÓN

**los sucesos**—eventos, acontecimientos

**informático/a**—perteneciente a la comunicación digital

**la reglamentación**—control de preceptos y reglas

**un reto**—desafío

### IMPORTANTE: PARA UNA MEJOR DISCUSIÓN

**la herramienta**—instrumento útil

**el entorno**—ámbito, hábitat

**realizar**—alcanzar, conseguir

### ÚTIL: PARA UNA MEJOR EXPRESIÓN

**tomando (tomar) en cuenta**—tomar en consideración, considerar

**la gama de**—serie, extensión

**Producto:** ¿Qué es Pinterest?

**Práctica:** ¿Qué funciones ofrece Pinterest a diferencia de otros medios sociales?

**Perspectiva:** ¿Cuáles serían unas ventajas y desventajas de usar Pinterest?

# LA VIDA CONTEMPORÁNEA

educación y carreras | entretenimiento y ocio | estilos de vida | relaciones personales | tradiciones y valores | trabajo voluntario

UN CHOQUE CULTURAL PARA ALGUNOS NIÑOS

## LOS PROGRAMAS EDUCATIVOS EN CENTROAMÉRICA

PÁGINA 103

CÓMO CONVIVIR DENTRO DE LA SOCIEDAD

## LA FAMILIA CONTEMPORÁNEA

PÁGINA 127

MACHU PICCHU - LA MAJESTUOSIDAD DE UN SANTUARIO NATURAL

## FIESTAS, ARTE Y TRADICIÓN PERUANA

PÁGINA 110

ES EL MEJOR MOMENTO PARA HACERLO

## ECUADOR – OFRECERSE COMO VOLUNTARIO

PÁGINA 143

## ÍNDICE NICARAGUA

**CÁPSULAS CULTURALES**
(PÁGINAS 102, 104, 105, 111, 114, 115, 120, 122, 123, 128, 129, 130, 136, 137, 139, 144, 145, 146)

**CLASIFICADOS CON VOCABULARIO Y PREGUNTAS CULTURALES**
(PÁGINAS 109, 118, 126, 134, 142, 150)

LOS ESPACIOS NATURALES DE DEPORTE Y ENTRETENIMIENTO

## PARQUES BIOSALUDABLES

PÁGINA 120

ECHEMOS UN VISTAZO AL LIBRO "CAMINO LINDO"

## TAPE PORÃ

PÁGINA 135

"Que el trabajo es tu digno laurel"
– Himno Nacional de Nicaragua

# La educación y las carreras profesionales

## Lecturas

**FUENTE** Esta carta es una solicitud de constancia de trabajo. Fue escrita en Montevideo, Uruguay, el 4 de diciembre de 2012.

Montevideo, 4 de diciembre de 2012
Antonio Ángel Márquez
Av. La Mancha n° 5478
Teléf. 29939031

5 Instituto de la Educación
Departamento de RR HH
Av. Puente N° 87181
Montevideo, Uruguay

A quien corresponda:

10 Por medio de esta carta yo, Antonio Ángel Márquez, con documento de identidad n° 2788102, de nacionalidad uruguaya, con **domicilio** actual en Av. La Mancha n° 5478, Montevideo, Uruguay, y graduado en lenguas extranjeras en la Universidad San Torres, **solicito**
15 **una constancia** de haber trabajado en este centro de estudios.

Desde el día 1 de abril de 2009 hasta el 1 de abril de 2011 **desempeñé** la función de docente del idioma castellano en este centro de estudios. Al término de
20 mi último contrato se me comunicó que no seguiría trabajando en este instituto y **por tanto** deseo **solicitar** una **constancia** de trabajo.

Quiero usar este documento para buscar un nuevo empleo. Es mi deseo seguir ejerciendo mi profesión
25 y espero que **accedan** a mi solicitud a la brevedad por tratarse de una petición **justa,** la cual además está **amparada** por la ley del trabajador.

Atentamente,

Antonio Ángel Márquez

1. ¿A quién se dirige esta carta?
   (A) A una agencia de empleo
   (B) A una escuela pública
   (C) A un docente
   (D) A un departamento gubernamental

2. ¿Por qué escribe el Sr. Márquez la carta?
   (A) Necesita un documento.
   (B) Busca trabajo en el Instituto de la Educación.
   (C) Quiere terminar su trabajo con el instituto.
   (D) Pide información sobre un empleo.

3. Según la carta, ¿cuánto tiempo duró el trabajo del maestro de castellano?
   (A) No ha terminado el trabajo.
   (B) Duró dos años completos.
   (C) Duró menos de dos años.
   (D) La carta no nos indica el período de trabajo.

4. ¿Cuál es la principal motivación del Sr. Márquez?
   (A) Obtener un nuevo empleo
   (B) Cambiar de profesión
   (C) Comunicarse mejor con el director del instituto
   (D) Expresar su frustración

5. ¿Cuál es el tono de esta carta?
   (A) Formal en su trato
   (B) Irrespetuoso
   (C) Desenfadado
   (D) Ingenuo

## CÁPSULA CULTURAL: ¿QUÉ DOCUMENTOS SE NECESITAN PARA TRABAJAR?

En todos los países hay ciertos documentos que hay que presentar antes de empezar el empleo. La constancia de estudios, el currículum vítae, las fotografías y una o dos formas de identificación oficial como el pasaporte, la cédula, la cartilla de servicio militar nacional y la visa (en caso de ser extranjero) son algunos de los documentos más comunes. En México es necesario obtener una CURP (Clave Única de Registro de la Población). Ésta consiste en una combinación de 18 letras y números que representan la información relevante.

**COMPARACIONES:** Compara los documentos que necesitas en tu comunidad para obtener empleo con los documentos que necesita un hispanohablante extranjero que quiere obtener el mismo empleo.

**Cómo se compone la CURP**

ROBERTO   ALAMAN   GOMEZ, nació en el D.F. el 25 de octubre de 1954

A A G R   5 4   1 0   2 5   H   D F   L M B   0   9

→ Dígito verificador
→ Homoclave: elemento para evitar registros duplicados
→ Primeras consonantes internas del primer apellido, del segundo apellido y del nombre de pila
→ Entidad federativa de nacimiento
→ Sexo: (H) para hombre y (M) para mujer
→ Fecha de nacimiento: año, mes y día
→ Inicial y primera vocal interna del primer apellido; inicial del segundo apellido e inicial del nombre de pila

## Ilustración con Audio

**FUENTE NÚMERO 1** **La tabla trata de la educación en Honduras. Las estadísticas fueron publicadas en 2010 por UNICEF (Fondo de Naciones Unidas para la Infancia).**

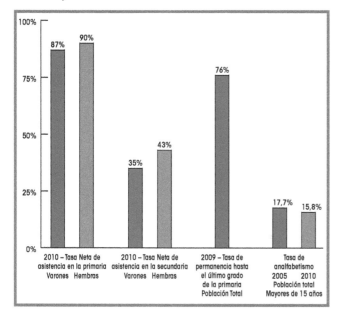

**FUENTE NÚMERO 2** **Esta grabación, "Educación primaria en Centroamérica", trata del progreso y los retos en la educación primaria de Guatemala. El locutor Jorge Gestoso entrevista a ministros de educación de varios gobiernos de Centroamérica. La conversación fue grabada para COMplus Alliance el 3 de marzo de 2008. La grabación dura aproximadamente dos minutos y medio.**

1. Según la tabla, ¿qué grupo falta más a las clases?
   (A) Los niños
   (B) Los jóvenes
   (C) Las niñas
   (D) Las jóvenes

2. Según la tabla, ¿qué se puede afirmar en cuanto a la tasa de alfabetización?
   (A) Entre los años 2005 y 2010 ha habido una mejoría.
   (B) Entre los años 2005 y 2010 ha habido un empeoramiento.
   (C) Entre los años 2005 y 2010 ha habido un cambio de 25%.
   (D) Entre los años 2005 y 2010 ha habido un estancamiento.

3. Según la tabla, ¿qué se puede afirmar acerca de la asistencia en la escuela secundaria?
   (A) Ha habido una tasa mejor de asistencia.
   (B) Ha habido una tasa peor de asistencia.
   (C) Ha habido un descenso entre la primaria y la secundaria.
   (D) Ha habido un ascenso entre la primaria y la secundaria.

4. Según la conversación, ¿cómo es la educación primaria en Centroamérica?
   (A) Está peor que antes.
   (B) No hay mejora.
   (C) No se puede mejorar a causa de la situación económica.
   (D) Está mejorando gradualmente.

5. Según la entrevista, ¿cuál es uno de los desafíos que enfrenta la educación primaria?
   (A) No hay suficiente dinero.
   (B) Los niños abandonan su educación temprano.
   (C) No hay buenos maestros.
   (D) No hay apoyo del gobierno.

6. Según la entrevista, ¿por qué es un desafío la diversidad étnica con respecto a la educación primaria?
   (A) Porque la población indígena tiene problemas culturales para empezar los estudios a una edad tan temprana
   (B) Porque hay tantas razas diferentes en Centroamérica y no todos hablan español
   (C) Porque hay guerras entre las poblaciones indígenas y no pueden llegar a las escuelas
   (D) Porque los maestros no pueden entender las creencias diversas

7. Según la entrevista, ¿cómo anda el problema del analfabetismo?
   (A) Está empeorando.
   (B) No ha cambiado.
   (C) El progreso ha sido lento.
   (D) Ya no existe el problema.

8. ¿Qué se puede afirmar sobre la información aportada en las dos fuentes?
   (A) La tabla se enfoca en la mujer y la fuente auditiva en los hombres y en las mujeres.
   (B) Según las dos fuentes, el tema de la educación en Centroamérica es importante y hay una mejoría aunque es lenta.
   (C) La tabla no tiene nada que ver con la fuente auditiva.
   (D) La tabla presenta dudas sobre la importancia de la educación primaria y la fuente auditiva no lo hace.

9. ¿Qué tienen en común las dos fuentes?
   (A) La importancia de invertir suficiente dinero para la educación
   (B) Las diferencias entre los hombres y las mujeres respecto a la educación
   (C) La inestabilidad de los gobiernos de Centroamérica
   (D) La enseñanza de los jóvenes

## CÁPSULA CULTURAL: LAS NOTAS – CUANDO UNA NOTA DE 70 ES BUENÍSIMA

En todo el mundo los profesores evalúan el trabajo de los alumnos. La escala es siempre diferente en sus términos, su criterio y su aplicación. Por ejemplo, se utiliza una escala de 0 a 70 en Bolivia y la calificación mínima para aprobar es 60 puntos en Guatemala y en otros países hispanos. En todo el país de Chile rige una escala única; es numérica del 1 al 7 (7.0 = Excelente; 6,5 = Sobresaliente; 6.0 = Muy bueno). En Venezuela en bachillerato (secundaria) hay dos escalas que se usan en distintas partes del país.

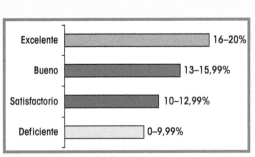

VENEZUELA: Escala de 20 – Se usa en casi todo el país.

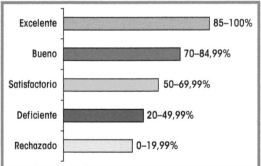

VENEZUELA: Escala de 5 – Se usa en sólo algunos colegios de Venezuela.

**COMPARACIONES: Compara el sistema de calificación en tu escuela con uno de los sistemas en los países de habla hispana.**

## Correos Electrónicos

Imagina que eres un estudiante universitario boliviano y has recibido este mensaje porque te interesa una beca Fulbright para obtener una maestría. Quieres ir a los EE.UU. y participar en este programa y has pedido información sobre el mismo.

**De:** Comité Prensa y Cultura

**Asunto:** Beca Fulbright

Querido/a estudiante:

Hemos recibido su carta de interés en nuestro programa. Tenemos varias etapas en nuestro proceso y nos alegra mucho que se haya comunicado con nosotros.

Como Ud. sabe, hay varios requisitos y condiciones. Por ejemplo, necesita ser ciudadano boliviano y tener un título profesional a nivel de licenciatura.

Buscamos a alguien que tenga excelentes antecedentes académicos. ¿Puede Ud. explicarnos algo sobre el programa educativo que ha cursado hasta ahora? Como Ud. sabe, tiene que retornar a Bolivia y permanecer en el país un mínimo de 2 años aplicando los conocimientos adquiridos en los EE.UU. Por favor, explíquenos brevemente un ejemplo de cómo puede aplicar algo que aprenderá en los EE.UU.

Finalmente, como usted sabe, desde 1964 más de 300 bolivianos han obtenido la Beca Fulbright en mérito a su excelencia académica. ¿Por qué se merece usted esta beca?

Estamos en espera de su repuesta.

Atentamente,

El Comité Prensa y Cultura

## Audios

🔊 FUENTE La entrevista, "Los hologramas y las carreras profesionales", trata del uso práctico de los hologramas. Juan José Sandoval, un blogger, entrevista al ingeniero Michel Domínguez de La Universidad de San Martín de Porres de Lima, Perú. La presentación fue emitida en el programa "Carreras con futuro" el 13 de diciembre de 2010 por la Universidad de San Martín de Porres. La grabación dura aproximadamente tres minutos.

1. ¿Cuál es el propósito de la entrevista?
   (A) Describir los hologramas y cómo funcionan
   (B) Describir el mundo del futuro
   (C) Describir las películas populares
   (D) Describir un estudio muy científico

2. Según la entrevista, ¿cuál es la importancia del holograma?
   (A) Les ayuda a los médicos con su diagnosis.
   (B) Nos deja ver las imágenes de una manera distinta.
   (C) Todavía no tiene importancia.
   (D) Todavía no sabemos.

3. ¿Cuál de las siguientes afirmaciones describe mejor el uso del holograma en las carreras del futuro?
   (A) No se puede predecir ahora.
   (B) Sólo se podrá usar en el mundo de ingeniería.
   (C) Hay varias carreras en las que se puede usar.
   (D) No nos indica los usos futuros.

4. Según la entrevista, ¿cuál de los siguientes es el proyecto corriente en el diseño de los hologramas?
   (A) El de láser
   (B) El de electrónica
   (C) El de diapositiva
   (D) El de diseño

5. Según la entrevista, ¿cuál será en el futuro un cambio a causa del uso de *fotoshop* con los hologramas?
   (A) Veremos una nueva versión para copiar fotos.
   (B) Podremos copiar manuscritos más rápido.
   (C) Manipularemos el proceso de copiar y pegar con nuestras propias manos.
   (D) Regresaremos a los procedimientos del pasado.

## CÁPSULA CULTURAL: LAS DIEZ CARRERAS PROFESIONALES MÁS REQUERIDAS POR LAS EMPRESAS PERUANAS SEGÚN "LABORUM", UNA EMPRESA EN LA BÚSQUEDA Y LA SELECCIÓN DE PERSONAL PARA TERCEROS

¿Qué quieres hacer cuando te gradúes de la universidad? Ésta es la pregunta que preocupa más a los alumnos durante los años escolares. ¿Es mejor escoger la carrera por el salario potencial o por la oportunidad de seguir los deseos personales y la felicidad? No obstante, tienes que prestar atención a las carreras más demandadas por las empresas grandes. Si vives en el Perú, aquí tienes una lista de las carreras con más puestos.

La carrera de **ADMINISTRACIÓN** es la más demandada por las empresas con un 11,34%.
En segundo lugar está la carrera de **COMPUTACIÓN** con un 9,04%.
En tercer lugar se encuentra la carrera de **CONTABILIDAD** con un 5,36%.
En cuarto lugar se encuentra la carrera de **INGENIERÍA INFORMÁTICA** con un 3,13%.
En quinto lugar se encuentra la carrera de **INGENIERÍA INDUSTRIAL** con un 3,05%.
En sexto lugar se encuentra la carrera de **DERECHO** con un 2,95%.
En séptimo lugar se encuentra la carrera de **SECRETARIADO** con un 2,35%.
En octavo lugar se encuentra la carrera de **ECONOMÍA** con un 2,34%.
En noveno lugar se encuentra la carrera de **MECÁNICA** con un 1,89%.
Y en décimo lugar se encuentra la carrera de **MARKETING** con un 1,78%.

¿Qué camino seguirás y por qué? La ruta al éxito tiene muchos baches. ¡Suerte!

—*Púa de Molinero, Blogviaslado, marzo de 2013*

**COMPARACIONES: Compara la carrera más popular en tu comunidad con las carreras más populares en el Perú.**

## Ensayo

***Tema del ensayo:***
*¿Se debe elegir la carrera según la demanda socioeconómica?*

**FUENTE NÚMERO 1** **Este texto trata de las carreras lucrativas. El artículo, "Diez carreras que son más rentables y diez no tan rentables", escrito por un comité de Portafolio.com, fue publicado en Portafolio el 20 de diciembre de 2012.**

Con las tres primeras carreras también hay más posibilidad de una mejor remuneración económica que con las tres últimas. Las conclusiones son del estudio:

5 "Los profesionales colombianos en el Siglo XXI ¿más estudian, más ganan?" realizado por el Observatorio del Mercado de Trabajo y la Seguridad Social de la Universidad Externado de Colombia.

El director del Observatorio, Stefano Farné, señala que estos resultados se dan porque en carreras como

10 Administración o Economía hay facilidad de encontrar empleo en cargos como director, analista, auditor, gerente, entre otras ocupaciones.

"Por el contrario, los que estudian Educación, Sociología o Deportes, en muchos casos, terminan

15 ejerciendo la docencia donde los salarios han sido tradicionalmente bajos, pero hay una mayor estabilidad laboral", explica el investigador.

La siguiente información muestra las carreras que resultaron más demandadas por las compañías, según

20 elaboraciones del Observatorio del Mercado del Trabajo y la Seguridad Social con base en datos del Observatorio Laboral para la Educación, del Ministerio de Educación.

Diez profesiones con salarios y probabilidad de empleo por encima del promedio

25 1. Administración
2. Bibliotecología
3. Economía
4. Ingeniería administrativa
5. Ingeniería de minas
30 6. Ingeniería eléctrica
7. Ingeniería electrónica
8. Ingeniería industrial
9. Ingeniería de sistemas
10. Medicina

35 **Otras carreras rentables:** Enfermería, Geología, Ingeniería Mecánica, Nutrición.

Diez profesiones con salarios y probabilidad de empleo por debajo del promedio

1. Antropología
2. Arquitectura    40
3. Artes Plásticas y Visuales
4. Artes Representativas
5. Biología
6. Deportes
7. Diseño    45
8. Educación
9. Física
10. Ingeniería Agroindustrial

**Otras carreras menos rentables:** Ingeniería Agronómica, Ingeniería Quirúrgica, Lenguas y    50
Literatura, Música, Sociología, Zootecnia, Filosofía, Ingeniería Agrícola, Medicina Veterinaria.

¿Qué buscan en las empresas?

Pese que la mayor oferta está en empleos como auxiliar, asesor y analista, cabe recordar que en ellas    55
se buscan profesionales de diferentes carreras, como administración, según las más de 8000 vacantes que cada mes están en www.elempleo.com.co.

El último estudio realizado por Manpower Colombia (firma que se especializa en la búsqueda de personal    60
para empresas) en 2008, reveló que la ingeniería, las finanzas, la enfermería y la docencia aparecen como demandadas y con pocas personas que llenen esas plazas. "Por supuesto, muchos factores determinan las fluctuaciones de esta demanda", señala Rosalba    65
Montoya, gerente nacional.

"En Colombia, para nosotros, a nivel profesional, las solicitudes más frecuentes son de administradores de negocios, ingenieros industriales, personas dedicadas al mercadeo, economistas y financieros, incluso se    70
pide mucho a egresados de Finanzas y Relaciones Internacionales", agrega Montoya.

Caso contrario sucede con Derecho, y con los médicos generales, porque son mercados más sujetos a funcionar a través de contactos y concursos. Según la    75
experta estas profesiones son solicitadas para trabajos muy especializados. "Los abogados, por ejemplo, aplican para trabajar en áreas administrativas en ocasiones, lo mismo que los médicos con determinadas especializaciones, incluyendo lo administrativo".    80

**FUENTE NÚMERO 2** Las siguientes tablas muestran las ofertas de empleo en veinte profesiones a marzo de 2009 en el portal http://www.elempleo.com.co que se especializa en las carreras de medicina, administración e ingeniería. La información fue publicada en el artículo "Diez carreras que son más rentables y diez no tan rentables" de Portafolio, un diario en línea colombiano, el 7 de abril de 2009.

La siguiente tabla muestra los diez puestos con mayor demanda en el mercado laboral colombiano.

| CARGO | DEMANDA |
|---|---|
| Auxiliar administrativo | 883 |
| Asesor jurídico | 843 |
| Analista de sistemas | 607 |
| Ingeniero | 571 |
| Asistente administrativo | 444 |
| Coordinador de personal | 442 |
| Jefe | 401 |
| Ejecutivo | 345 |
| Gerente | 338 |

En cambio, la siguiente tabla muestra los puestos con menor oferta de empleo en Colombia.

| CARGO | DEMANDA |
|---|---|
| Preparador de alimentos | 8 |
| Contralor | 8 |
| Comerciante financiero | 6 |
| Supernumerario | 6 |
| Dibujante | 6 |
| Asistente de investigación | 6 |
| Editor | 4 |
| Comunicador social | 4 |
| Webmaster | 1 |
| Revisor fiscal | 1 |
| Redactor | 1 |

**FUENTE NÚMERO 3** Esta grabación trata de la puerta de entrada al mundo profesional. La entrevista, "Comunicaciones en el siglo XXI: puerta de entrada al mundo profesional", es una Producción TecEducativa de eCampus y fue producida el 12 de septiembre de 2012. La grabación dura aproximadamente dos minutos.

## Conversaciones

🔊 Esta es una conversación con la famosa Jueza Judy. Vas a participar en esta conversación porque quieres ser aprendiz en su sala tribunal.

| Jueza Judy | • Te saluda y te hace unas preguntas. |
|---|---|
| Tú | • Salúdala y dale una respuesta. |
| Jueza Judy | • Continúa la conversación. |
| Tú | • Contesta. |
| Jueza Judy | • Te hace varias preguntas. |
| Tú | • Contesta. |
| Jueza Judy | • Reacciona y te hace unas preguntas. |
| Tú | • Contesta con detalles. |
| Jueza Judy | • Te hace una pregunta. |
| Tú | • Contéstale con dos opciones y despídete. |

## Discursos

**Tema de la presentación:**

*¿Cuál es la importancia de los programas atléticos en tu colegio para la preparación profesional?*

*Compara tus observaciones acerca de las comunidades en las que has vivido con tus observaciones de una región del mundo hispanohablante que te sea familiar. En tu presentación, puedes referirte a lo que has estudiado, vivido, observado, etc.*

Lionel Messi en la Selección Argentina frente a Brasil en los Juegos Olímpicos del 2008

# La educación y las carreras profesionales

## CLASIFICADOS

### PÁGINA 102 Lecturas

**ESENCIAL: PARA UNA MEJOR COMPRENSIÓN**

**solicito (solicitar)**—pedir, buscar

**una constancia**—prueba, certeza, justificación

*IMPORTANTE: PARA UNA MEJOR DISCUSIÓN*

**el domicilio**—residencia, vivienda, casa

**desempeñé (desempeñar)**—realizar, ejercer, cumplir

**accedan (acceder)**—aceptar, consentir

**amparado/a**—apoyado, protegido

**ÚTIL: PARA UNA MEJOR EXPRESIÓN**

**por tanto**—por eso

**justo/a**—equitativo, íntegro, honrado

**Producto:** ¿Qué información personal se suele incluir en una carta de solicitud de empleo?

**Práctica:** En una carta de solicitud de trabajo, ¿cómo se comunica la sinceridad y el respeto?

**Perspectiva:** ¿Qué se debe hacer si no responden a la carta de solicitud?

### PÁGINA 103 Ilustración con Audio

ESENCIAL: PARA UNA MEJOR COMPRENSIÓN

**la tasa**—proporción, relación entre dos magnitudes

**el analfabetismo**—falta de instrucción básica

**IMPORTANTE: PARA UNA MEJOR DISCUSIÓN**

**bruto/a**—tosco, en su estado natural, sin pulimento

**la meta**—objetivo

*ÚTIL: PARA UNA MEJOR EXPRESIÓN*

**estamos (estar) por debajo**—estar en un lugar o puesto inferior

**Producto:** Describe los objetivos del programa de alfabetización de Costa Rica.

**Práctica:** ¿Cómo se propone llevar a cabo el programa de alfabetización en Costa Rica?

**Perspectiva:** ¿Cómo esperan los costarricenses realizar el programa de alfabetización aprovechando el lema "más maestros que soldados"?

### PÁGINA 105 Audios

*ESENCIAL: PARA UNA MEJOR COMPRENSIÓN*

**involucran (involucrarse)**—comprometerse en un asunto, participar

**IMPORTANTE: PARA UNA MEJOR DISCUSIÓN**

**deslumbró (deslumbrar)**—provocar admiración, producir una gran impresión

**ÚTIL: PARA UNA MEJOR EXPRESIÓN**

**frente a**—ante algo o enfrente de algo

**Producto:** ¿Cuál es el propósito del Programa R@ICES en Argentina?

**Práctica:** ¿Qué impulsó la creación de R@ICES por el gobierno argentino?

**Perspectiva:** ¿Por qué es importante para el gobierno argentino que el Programa R@ICES tenga éxito?

# El entretenimiento y el ocio

## Lecturas

**FUENTE NÚMERO 1** Este texto, "Santuario histórico de Machu Picchu", fue publicado en Terra por promPerú, una comisión de turismo del gobierno peruano.

Ubicado en el departamento del Cusco, sobre una superficie de 32.592 hectáreas, el Santuario Histórico de Machu Picchu cumple la función de preservar una peculiar flora y fauna, y las bellezas paisajísticas de los bosques circundantes, así como contribuir a la protección
5 de los restos arqueológicos **ubicados** en él.

Mucha de la belleza y el encanto que rodea a Machu Picchu, el mayor atractivo turístico del Perú, se debe a su espectacular **entorno** natural: los bosques de montaña de este santuario histórico.

10 Machu Picchu es hogar de algunas espectaculares criaturas, como el gallito de las rocas,ave nacional del Perú, y el oso andino o ucumari, el único úrsido de Sudamérica.

También encuentran refugio en la zona el raro **venado**
15 enano o sachacabra, la tanka taruca y más de 300 especies de aves. Su flora es particularmente diversa e interesante: cerca de 200 especies de orquídeas han sido registradas en el santuario.

Domina el paisaje del santuario el majestuoso Salkantay,

a 6.271 msnm (metros sobre el nivel del mar), la
mayor montaña nevada de la Cordillera de Vilcanota, 20
venerada por los pobladores locales como Apu o
divinidad **tutelar**.

Machu Picchu combina la majestuosidad de un
escenario natural de gran belleza con el atractivo de los
restos prehispánicos más famosos del mundo. 25

**Datos útiles:**

**Clima:** Lluvioso durante todos los meses de verano (de
diciembre a marzo). Soleado entre mayo y setiembre,
aunque aún entonces no son raros **los chubascos**. Las
temperaturas máximas alcanzan los 27° C, mientras que 30
las mínimas raramente descienden de 11° C.

**Acceso:** Desde el Cusco parte cada mañana un tren que
une la ciudad con la estación de Machu Picchu, en un
hermoso viaje que dura unas cuatro horas. También
del Cusco parten helicópteros que permiten llegar a la 35
ciudadela en vuelos turísticos de 30 minutos.

Se recomienda un mínimo de dos días de estadía.

**FUENTE NÚMERO 2** El plano refleja el área edificada en Machu Picchu. Es una producción de Diario Viaslado realizada en diciembre de 2012.

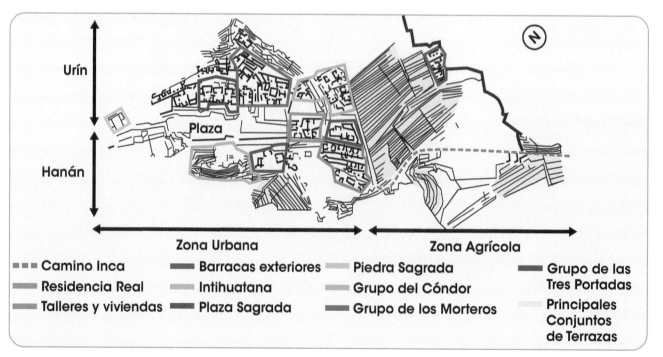

1. ¿Cuál es el propósito del artículo?

   (A) Contarnos la historia de esta zona turística
   (B) Informarnos sobre las varias zonas de Machu Picchu
   (C) Proveernos la información turística sobre varios aspectos de Machu Picchu
   (D) Enseñarnos sobre la gente indígena que vivía allá

2. Según el artículo, ¿por qué es tan bello este lugar?

   (A) Porque tiene una neblina constante
   (B) Porque tiene edificios antiguos
   (C) Porque el ambiente montañoso y forestal es espectacular
   (D) Porque está ubicado en los prados de los Andes

3. ¿Qué quiere decir, "Machu Picchu combina la majestuosidad de un escenario natural de gran belleza con el atractivo de los restos prehispánicos..." (Líneas 23-25)?

   (A) Allí se juntan la flora, la fauna y las ruinas antiguas.
   (B) Allí no concuerdan las montañas con otros aspectos del lugar.
   (C) Allí se puede ver un cementerio de los nobles y los famosos.
   (D) Allí se combinan mal el paisaje y las ruinas.

4. Según el artículo, si uno quiere tratar de evitar tiempos lluviosos, ¿cuándo se debe visitar Machu Picchu?

   (A) Se debe visitar durante el invierno.
   (B) Se debe visitar durante el verano.
   (C) No hay un período sin mucha lluvia.
   (D) Siempre está soleado sin mucha lluvia.

5. Según el artículo, ¿cómo se puede llegar a Machu Picchu?

   (A) Por crucero
   (B) Por caballo
   (C) Por coche
   (D) Por tren

6. Según el artículo, ¿por cuánto tiempo uno se debe quedar para conocer bien este lugar histórico?

   (A) Por lo menos una semana
   (B) Por cuatro horas o un poquito más
   (C) Depende del soroche
   (D) Por lo menos dos días

7. Según el artículo, ¿qué tipo de persona probablemente no visite Machu Picchu?

   (A) Un historiador
   (B) Un arqueólogo
   (C) Un demógrafo
   (D) Un horticultor

8. Según la imagen, ¿dónde vivía la gente de Machu Picchu?

   (A) En la zona agrícola
   (B) En la zona urbana
   (C) En la piedra sagrada
   (D) En el camino del inca

9. Según el plano, ¿cuál es un lugar típico del estilo de arquitectura hispana?

   (A) Las barracas
   (B) La plaza
   (C) Las estepas en la parte agrícola
   (D) La residencia real

10. Según el plano, ¿qué color representa la entrada principal?

    (A) El rojo
    (B) El verde
    (C) El violeta
    (D) El amarillo

11. Según las dos fuentes, ¿por qué no se visitaría Machu Picchu?

    (A) Porque a uno le gusta caminar mucho
    (B) Porque a uno le gusta viajar sólo por coche
    (C) Porque a uno le interesa el medio ambiente
    (D) Porque a uno le encantan los animales

## CÁPSULA CULTURAL: EN LAS TERRAZAS DE CUZCO SE PUEDE CULTIVAR MÁS QUE HORTALIZAS

¿Por qué se planea un viaje al Perú? En el Perú el clima es cálido y húmedo por el día y fresco por la noche. Aunque hay días lluviosos, se alternan rápidamente con momentos de intenso brillo solar. Hay hoteles de lujo en la ciudad de Cuzco y hay un hotel de cinco estrellas ubicado muy cerca de las ruinas. Después de aclimatarse al soroche, se puede comer bien en los restaurantes y visitar los monumentos en Cuzco o hacer caminatas por las ruinas antiguas de los incas en el santuario histórico de Machu Picchu. Es mejor quedarse una semana para disfrutar de todo lo que ofrece este lugar de belleza incomparable. Visita las terrazas de cultivo o toma un refresco en una terraza local. Hay de todo.

—Púa de Molinero, *Blogviaslado, marzo de 2013*

**COMPARACIONES: Compara la atracción turística de Machu Picchu con un sitio de tu país o comunidad.**

## Lecturas con Audio

**FUENTE NÚMERO 1** Esta selección, "Cartagena: destino colombiano de historia y cultura", trata sobre la ciudad de Cartagena, Colombia. Este texto fue publicado el 5 de septiembre de 2011 por Proexport Colombia, entidad encargada de promocionar el turismo internacional, la inversión extranjera y las exportaciones no tradicionales en Colombia.

Cartagena de Indias es una ciudad fantástica que guarda los secretos de la historia en sus murallas y balcones, en sus construcciones y en sus **angostos** caminos de piedra. La magia de Cartagena **reposa** en los cimientos

5 de sus fortificaciones, la calidez de su gente, la riqueza material de su arquitectura y las infinitas expresiones culturales de un pueblo **aguerrido** y valiente.

Esta ciudad **desborda** romanticismo y cuenta anécdotas fascinantes en las esquinas de calles y plazas, y en el

10 límite de sus murallas, que aguardan el ocaso para evocar las luchas del pasado. En días de sol, Cartagena vibra como el color de sus fachadas y la brisa del mar llega para refrescar un intenso recorrido por los callejones de la ciudad antigua.

15 Los monumentos se levantan solemnes, antiguos claustros, iglesias, **baluartes** y vestigios de cruentas batallas son el testimonio de hombres y mujeres invencibles que concedieron libertad a la "ciudad heroica".

20 Al caer la noche, Cartagena es cálida, irradia luz propia, cobra vida y se transforma. Crea una atmósfera única que enamora a sus huéspedes y los transporta a tiempos olvidados sobre **un carruaje** guiado por caballos.

Desde las murallas, con una hermosa vista al mar, la euforia crece y una fiesta inagotable espera la llegada

25 de los primeros rayos de sol para llevarse consigo el misterio de la noche.

Así es Cartagena. Una ciudad que relata su pasado, entrega historias fascinantes y renace en el tiempo.

Declarada por la UNESCO Patrimonio Cultural de la

30 Humanidad en 1984, Cartagena suma a los encantos de su arquitectura colonial, republicana y moderna, los atractivos de una intensa vida nocturna, festivales culturales, paisajes exuberantes, magníficas playas, excelente oferta gastronómica y una importante

35 infraestructura hotelera y turística.

Es placentero recorrer las calles y observar las construcciones coloniales, el Palacio de la Inquisición, la Torre del Reloj, las murallas y el Castillo de San Felipe de Barajas, además de disfrutar la brisa cálida y tranquila

40 desde sus parques y plazas.

La gastronomía es también una fiesta en la ciudad. Las alternativas se multiplican para los viajeros que buscan experimentar sabores nuevos y exóticos de la cocina local e internacional.

45 Las opciones de alojamiento son diversas. Es posible escoger tradicionales hoteles coloniales o exclusivos boutique que proporcionan una experiencia única por sus detalles y servicios personalizados.

Cartagena entrega todo el encanto de su historia y

50 el legado de ancestros que la hicieron grande y la convirtieron en uno de los destinos turísticos más importantes del país.

◀)) FUENTE NÚMERO **2** **Esta grabación,
"Cartagena de Indias", trata de una ciudad colonial
en el noreste de Colombia. Este spot fue elaborado
el 5 de septiembre de 2011 por Proexport
Colombia, entidad encargada de promocionar el
turismo internacional, la inversión extranjera y
las exportaciones no tradicionales en Colombia.
Un locutor habla de la historia y los encantos de la
ciudad. La grabación dura aproximadamente dos
minutos y quince segundos.**

1. ¿Cuál es el propósito del artículo?

(A) Dar a conocer la ciudad de Cartagena a grandes
rasgos
(B) Discutir la importancia de los autores colombianos
(C) Discutir los riesgos de visitar Colombia
(D) Promover los museos de Cartagena

2. Según el artículo, ¿cuál de las siguientes frases no
describe bien la ciudad de Cartagena?

(A) Una ciudad con historia totalmente pacífica
(B) Una ciudad con lugares históricos
(C) Una ciudad antigua
(D) Una ciudad de negocios

3. Según el artículo, ¿cómo se describe la ciudad de
Cartagena?

(A) Los días no se diferencian de las noches.
(B) Los colores cambian según la hora del día.
(C) No hay mucha gente por las calles.
(D) Sólo se puede entender bien la ciudad a través de un
guía turístico.

4. Según el artículo, ¿dónde pueden alojarse los turistas?

(A) Sólo se alquilan habitaciones en hoteles antiguos e
históricos.
(B) No hay lugares dentro de la ciudad histórica.
(C) Hay opciones variadas.
(D) Sólo en los hoteles modernos.

5. Según el audio, ¿qué quiere decir la frase "La Ciudad
Amurallada"?

(A) Un lugar cerrado con un muro
(B) Una ciudad con mucho oro
(C) Un lugar artístico
(D) Una ciudad de rumores

6. Según el audio, ¿por qué fue muy importante la
ciudad de Cartagena?

(A) Fue como una fortaleza en las montañas.
(B) Fue un lugar histórico debido a la presencia anterior
de los habitantes indígenas.
(C) Tenía una entrada al mar.
(D) Fue hogar de la familia real de Colombia.

7. Según el audio, ¿cómo se describe la historia de esta
ciudad?

(A) Variada y rica
(B) Llena de pobreza
(C) Caracterizada por el lujo
(D) Estable y segura

8. Según el audio, ¿qué quiere decir, "Colombia, el riesgo
es que te quieras quedar"?

(A) Sería peligroso quedarse allí.
(B) El país no tiene mucho que ofrecerle a un turista
típico.
(C) Tenemos que pensar de una manera distinta sobre el
país de Colombia.
(D) Hay tanto que hacer que uno no querrá marcharse.

9. ¿Qué tienen en común las dos fuentes?

(A) Presentan una visión romántica e idealista.
(B) Describen lugares turísticos.
(C) Nos dan un mejor conocimiento de la variedad y la
riqueza de la ciudad de Cartagena.
(D) La impresa tiene que ver más con el país de
Colombia y la auditiva con la ciudad de Cartagena.

10. Según las dos fuentes, ¿cómo es el país de Colombia?

(A) Es un país de escritores famosos, lugares históricos y
paisajes impresionantes.
(B) Es un país con una fuerte historia indígena.
(C) Es un país sin salida al mar.
(D) Es un país sin las comodidades modernas.

## CÁPSULA CULTURAL: LOS ESTEREOTIPOS NOS ENGAÑAN

Cuando se piensa en Buenos Aires se piensa inmediatamente en el tango. El país de Colombia nos ofrece el mejor café, las esmeraldas bien conocidas por todo el mundo, y una reserva de carbón y petróleo abundante. También, Colombia es reconocida por ser un líder en biodiversidad global. Sin embargo, desgraciadamente hay gente que inmediatamente asocia Colombia con los problemas de violencia y narcotráfico.

¿Cómo se perciben los colombianos a sí mismos? ¿Tienen ellos sus propios estereotipos? Parece ser que sí porque, por ejemplo, a las personas que nacen en la costa, o costeños, se les clasifica de perezosas; a las personas que nacen en Medellín, se les clasifica de audaces; a las personas que nacen en Pasto, se les clasifica de muy bobas y a las personas de Santander, se les clasifica de amargadas.

Pero, ¿cómo se puede catalogar a las personas? La respuesta es que no podemos hacerlo fácilmente porque somos una mezcla de virtudes y defectos y no todas las personas tienen una sola característica de manera exagerada. Somos verdaderamente una ensalada mixta.

—Púa de Molinero, *Blogviaslado,* marzo de 2013

**COMPARACIONES: Compara algunos de los estereotipos que existen en tu comunidad o tu país con los estereotipos que existen en los países hispanos.**

## Correos Electrónicos

Imagina que has recibido este mensaje de la directora del Día Internacional de la Danza. Hace algunos días habías solicitado información sobre un programa de trabajo voluntario.

**De:** Sra. Treón

**Asunto:** El Día Internacional de la Danza

Querido/a estudiante de español:

Muchas gracias por haber pedido información sobre nuestro programa de voluntarios. Como Ud. sabe el Comité de Danza Internacional del Instituto Internacional del Teatro (ITI/UNESCO) inició esta celebración en 1982. La fecha de la celebración, el 29 de abril, coincide con la fecha del nacimiento de Jean-Georges Noverre (1727-1810), creador del Ballet Moderno. Tenemos algunas preguntas para Ud. y le rogamos que nos mande esta información en cuanto pueda.

Primero, ¿por qué le interesa la danza? Cada año celebramos una personalidad de la danza mundialmente conocida. Por favor, ¿nos podría decir algo sobre un bailarín conocido que le haya influido y por qué le ha impresionado tanto?

Segundo, buscamos a alguien que pueda organizar nuestro evento de celebración local. ¿Cuáles son algunas actividades que puede organizar? Por ejemplo, el año pasado, un voluntario leyó un mensaje emitido por el gobierno sobre un bailarín famoso.

Nos gustaría que viniera gente que normalmente no acude a espectáculos de danza en el transcurso del año. ¿Qué plan propone para atraer a estas personas?

Estoy a sus órdenes para cualquier otra duda que tenga.

Atentamente,

Catarina Treón
Directora del Día Internacional de la Danza

## Audios

🔊 **FUENTE** Esta grabación, "Potencial mundial que nace en la calle", trata del deporte mexicano, el frontón, una modalidad de pelota vasca, y fue emitida el 2 de diciembre de 2011 por El Universal. El locutor entrevista a unos apasionados del deporte. La grabación dura dos minutos y medio.

1. ¿Cuál es el propósito de esta grabación?

   (A) Enseñar cómo jugar al frontón
   (B) Describir el deporte y quiénes lo juegan
   (C) Escuchar una competición nacional
   (D) Conocer mejor una región de España

2. Según el audio, ¿por qué es el frontón un deporte popular?

   (A) Porque hay muchos hombres y mujeres que lo juegan
   (B) Porque es un deporte olímpico
   (C) Porque se puede jugar a todas las edades
   (D) Porque es como el fútbol americano

3. Según el audio, ¿qué se necesita para jugar al frontón?

   (A) Mucho equipo deportivo
   (B) Un entrenador especial
   (C) Mucha inteligencia y atletismo
   (D) La juventud

4. Según el audio, ¿cómo puede uno lastimarse jugando al frontón?

   (A) Es posible que uno se lesione las piernas.
   (B) Uno puede herirse las manos.
   (C) Es probable que uno salga exhausto.
   (D) Uno puede romperse el brazo.

5. Según el jugador mayor, ¿cómo ha cambiado el deporte para él?

   (A) Ahora puede jugar con menos esfuerzo.
   (B) Ahora puede jugar con guantes.
   (C) Ahora puede jugar con una raqueta.
   (D) Ahora puede jugar con más esfuerzo.

Frontón para pelota vasca en Elizondo, España

## CÁPSULA CULTURAL: LOS DEPORTES PARA SIEMPRE

Es difícil escaparse del énfasis actual en la importancia de estar en buena forma. Mantener el buen estado físico es importante para todas las edades y especialmente para la gente mayor. ¿Cuáles son algunos deportes que se pueden elegir durante la juventud que son apropiados para los adultos y los mayores? Los expertos sugieren que se exploren los siguientes:

▲ El tenis doble
▲ La natación
▲ El golf
▲ El ciclismo
▲ El remo
▲ El Pilates
▲ El esquí de fondo
▲ La petanca
▲ El yoga
▲ El footing

¡Nunca se sabe cuándo surgirá el próximo golfista Ballesteros!

**COMPARACIONES: ¿Qué se hace en tu comunidad para motivar a los niños para que sean activos y que sigan estando en buena forma por toda la vida?**

## Ensayo

***Tema del ensayo:***

*¿Se debe considerar el chat cibernético como forma de entretenimiento y se lo debe rechazar como medio de comunicación seria y juiciosa?*

**FUENTE NÚMERO 1** Este artículo acortado, "Hablar con el teclado", trata del chat cibernético. El artículo original fue escrito por Diego Levis en Razón y Palabra, una revista digital mexicana especializada en comunicación en diciembre de 2006.

Cuando niños y adolescentes obvian en el chat las reglas ortográficas y sintácticas, introduciendo en ocasiones nuevas formas de escritura para alcanzar una mayor eficacia comunicativa de los mensajes, ponen en
5  práctica una valiosa economía del signo que no rechaza, sino revaloriza el uso de la escritura. Interpretan, sin duda de manera intuitiva, el entorno de pantallas omnipresentes en que se desenvuelven sus vidas, en el cual la carrera contra el tiempo y la inmediatez se muestran como valores
10 fundamentales de la organización social.

El chat y otras formas similares de comunicación escrita mediada por dispositivos electrónicos, se adscriben a un nuevo modo de comunicarse que está creando códigos propios. También se alejan de las normas establecidas
15 de sintaxis y ortografía al primar la necesidad agilidad y fluidez del acto comunicativo, que como dijimos antes, puede tener rasgos que permiten hablar de una "conversación escrita".

Por otro lado, es importante recordar que las formas
20 ortográficas y sintácticas evolucionan con el uso a través del tiempo. Incluso, los modos del habla (acento, pronunciación, tonalidad, vocabulario) se van modificando de manera continua, lo cual resulta fácil de comprobar cuando vemos películas realizadas décadas
25 atrás en nuestro propio país.

La introducción masiva de contracciones y abreviaturas en los mensajes electrónicos tampoco es especialmente novedosa. Recordemos que el uso de estos recursos era común en los telegramas y lo es aún en anuncios
30 clasificados, diccionarios y enciclopedias, y nadie nunca observó en esto un peligro para la lengua. En idiomas como el inglés el uso de contracciones idiomáticas está muy extendido y la taquigrafía, utilizada aún en juzgados y parlamentos, permite escribir al ritmo del
35 habla utilizando un código normalizado de signos y abreviaturas.

El idioma es un instrumento, una vía para comunicarnos y no un sacramento a respetar o una

efigie a adorar. El fin de toda comunicación es que los participantes en la misma se entiendan entre sí. Cuando 40 hablamos con amigos no lo hacemos del mismo modo que en una reunión de trabajo o en una conferencia. En uno y otro caso utilizamos códigos diferentes. La gran mayoría de niños y jóvenes, al igual que los adultos, saben que el modo de escribir que utilizan en el chat 45 no es adecuado para escribir, por ejemplo, una carta a sus abuelos o al director de su escuela.

**FUENTE NÚMERO 2** La siguiente tabla muestra algunos símbolos para escribir mensajes de texto en español. Es una producción de Editorial Viaslado elaborada el 25 de octubre de 2012.

| | |
|---|---|
| :) | Sonrisa |
| :-) | Sonrisa básica |
| :] | Otra sonrisa |
| ;-) | Guiño del ojo |
| XD | Carcajada |
| XP | Sacar la lengua |
| :-D | Usuario está riendo |
| :'-D | Risa con lagrimilla |
| :o | Sorpresa |
| :( | Tristeza |
| :'( | Tristeza con lagrimilla |
| :-I | Indiferencia |
| :-> | Comentario sarcástico |
| >:-> | Comentario diabólico |
| %-) | Usuario está mareado |
| :-^) | Usuario está resfriado |
| :-)^ | Usuario está babeando |
| :'-( | Usuario está llorando |
| :-@ | Usuario está gritando |
| :-& | Usuario no puede hablar |
| 0:-) | Usuario es un ángel |
| :-X | Usuario guardará el secreto |
| :-/ | Usuario es un escéptico |
| *:O) | Usuario es un payaso |
| :-9 | Usuario está relamiéndose los labios |
| :-I | Usuario no sabe qué decir |
| [] | Abrazos |
| :* | Besos |
| :*** | Muchos besos |
| :@ | Beso de tornillo |
| [:-] | Usuario es un robot |
| 8-E7 | Usuario está comiéndose las uñas |
| :-)'' | Usuario está babeando |
| '':-) | Usuario está sudando |
| @--- | Una rosa |

🔊 FUENTE NÚMERO 3  Esta grabación, "Familia Cibercafé en Detroit", trata del cibercafé de la familia Panchelón. Este spot fue realizado el 2 de enero de 2011. Es una producción de Panchalón Radio La Cadena Azul, Guatemala. La grabación dura aproximadamente dos minutos.

## Conversaciones

🔊 Esta es una conversación con la Sra. Héroe, maestra de tu colegio. Vas a participar en esta conversación porque quieres viajar con tu maestra y un grupo de estudiantes a Cuba durante las vacaciones de marzo.

| Sra. Héroe | • Te saluda y te hace unas preguntas. |
|---|---|
| Tú | • Salúdala y dale una respuesta. |
| Sra. Héroe | • Continúa la conversación. |
| Tú | • Contesta. |
| Sra. Héroe | • Te hace varias preguntas. |
| Tú | • Contesta. |
| Sra. Héroe | • Reacciona y te hace unas preguntas. |
| Tú | • Contesta con detalles. |
| Sra. Héroe | • Continúa la conversación. |
| Tú | • Contéstale, explícale el mensaje y despídete. |

## Discursos

**Tema de la presentación:**

*¿Cuál es la actitud de las personas de tu comunidad respecto a la música clásica?*

*Compara tus observaciones acerca de las comunidades en las que has vivido con tus observaciones de una región del mundo hispanohablante que te sea familiar. En tu presentación, puedes referirte a lo que has estudiado, vivido, observado, etc.*

Orquesta de Cámara Reina Sofía
de Madrid el 5 de octubre de 2012

## CLASIFICADOS

**PÁGINA 110** Lecturas

**PÁGINA 112** Lecturas con Audio

**PÁGINA 116** Audios

### ESENCIAL: PARA UNA MEJOR COMPRENSIÓN

**tutelar**—proteger, amparar, guiar

**los chubascos (el chubasco)**—lluvia fuerte y generalmente breve y con viento, chaparrón

**el entorno**—el ambiente, lo que rodea

### IMPORTANTE: PARA UNA MEJOR DISCUSIÓN

**ubicado/a**—localizado

**el venado**—un ciervo

**Producto:** Nombra los tipos de edificios que se encuentran en Machu Picchu?

**Práctica:** Explica para qué usaron Machu Picchu los incas.

**Perspectiva:** ¿Se debe considerar Machu Picchu tierra sagrada para los descendientes de los incas?

### ESENCIAL: PARA UNA MEJOR COMPRENSIÓN

**angosto/a**—estrecho, apretado

**empedrado/a**—cubierto de piedras

**los baluartes**—protección, defensa, fortificaciones

### IMPORTANTE: PARA UNA MEJOR DISCUSIÓN

**reposa (reposar)**—descansar

**aguerrido/a**—combativo, agresivo

**desborda (desbordar)**—tener una abundancia

**el carruaje**—vehículo tirado por caballos

### ÚTIL: PARA UNA MEJOR EXPRESIÓN

**llevaron (llevar) a cabo**—realizar, efectuar una acción o evento

**Producto:** Explica lo que es el Castillo de San Felipe de Barajas de Cartagena.

**Práctica:** ¿Cómo se destaca el Castillo de San Felipe de Barajas de Cartagena entre las construcciones hechas por los españoles en América Latina?

**Perspectiva:** ¿Por qué se debe incluir el Castillo de San Felipe de Barajas de Cartagena en la lista de Patrimonio Cultural de la Humanidad de la UNESCO?

### ESENCIAL: PARA UNA MEJOR COMPRENSIÓN

**rebote (rebotar)**—cambiar de dirección algo que está en movimiento. Por ejemplo, una pelota después de ser tirada rebota en la pared al chocar con algún obstáculo.

**pegar**—unir, juntar

**la barra**—pieza de metal u otra materia en forma de palo

**la palita**—especie de raqueta

### IMPORTANTE: PARA UNA MEJOR DISCUSIÓN

**lastima (lastimar)**—hacer daño, herir

**jubilado/a**—retirado, ya no trabaja más

**difundido/a**—extendido, esparcido

**Producto:** ¿Qué es el jai alai?

**Práctica:** ¿Cómo se juega el jai alai?

**Perspectiva:** ¿Por qué no ha podido establecerse el jai alai en la cultura de los Estados Unidos?

# Los estilos de vida

## Lecturas

**FUENTE** **En este fragmento del Capítulo 1 del libro La casa en Mango Street escrito por Sandra Cisneros, la autora describe la casa de la familia. Es de Vintage Books, una división de Random House, Inc., New York, 1994.**

L a casa de Mango Street es nuestra y no tenemos que
pagarle renta a nadie, ni compartir el patio con **los
de abajo**, ni cuidarnos de hacer mucho ruido, y no hay
propietario que golpee el techo con una escoba. Pero aún
5   así no es la casa que hubiéramos querido.

Tuvimos que salir volados del departamento de
Loomis. Los tubos del agua se rompían y el casero
no los reparaba porque la casa era muy vieja. Salimos
corriendo. Teníamos que usar el baño del vecino y
10  **acarrear** agua en botes lecheros de un galón. Por
eso Mamá y Papá buscaron una casa, y por eso nos
cambiamos a la de Mango Street, muy lejos, del otro
lado de la ciudad.

Siempre decían que algún día nos mudaríamos a
15  una casa, una casa de verdad, que fuera nuestra para
siempre, de la que no tuviéramos que salir cada año,
y nuestra casa tendría agua corriente y tubos que
sirvieran. Y escaleras interiores propias, como las casas
de la tele. Y tendríamos un sótano, y por lo menos tres
20  baños para no tener que avisarle a todo mundo cada vez
que nos bañáramos. Nuestra casa sería blanca, rodeada
de árboles, un jardín enorme y el pasto creciendo sin
cerca. Esa es la casa de la que hablaba Papá cuando tenía
un billete de lotería y esa es la casa que Mamá soñaba
25  en los cuentos que nos contaba antes de dormir.

Pero la casa de Mango Street no es de ningún
modo como ellos la contaron. Es pequeña y roja,
con escalones **apretados** al frente y unas ventanitas
tan chicas que parecen guardar su respiración. Los
30  ladrillos se hacen pedazos en algunas partes y la puerta
del frente **se ha hinchado** tanto que uno tiene que
empujar fuerte para entrar. No hay jardín al frente sino
cuatro **olmos** chiquititos que la ciudad plantó en la
banqueta. Afuera, atrás hay un garaje chiquito para el
35  carro que no tenemos todavía, y un patiecito que **luce**
todavía más chiquito entre los edificios de los lados.
Nuestra casa tiene escaleras pero son ordinarias, de
pasillo, y tiene solamente un baño. Todos compartimos
**recámaras**, Mamá y Papá, Carlos y Kiki, yo y Nenny.

1.  Según el trozo, ¿qué quiere decir "no hay propietario
    que golpee el techo con una escoba" (líneas 4 y 5)?
    (A) Dice que viene una persona para limpiar la casa.
    (B) Quiere decir que la familia alquila la casa.
    (C) Dice que son dueños de su propia casa.
    (D) Quiere decir que se necesita arreglar el techo.

2.  ¿Cuál es el enfoque de este trozo?
    (A) Describir una vida lujosa de una familia
    (B) Contar un poco de la historia de una familia que
        quiere vender su casa
    (C) Describir los detalles de una casa en una calle que se
        llama Mango
    (D) Relatar un paso en la vida de una familia

3.  Según el trozo, ¿por qué la familia dejó su primera
    casa?
    (A) Porque no podían pagar la renta
    (B) Porque no había suficientes dormitorios
    (C) Porque hubo problemas con la plomería
    (D) Porque los dueños los echaron

4.  Según el trozo, ¿qué quiere decir, "Esa es la casa de la
    que hablaba Papá cuando tenía un billete de lotería y
    esa es la casa que Mamá soñaba en los cuentos que nos
    contaba antes de dormir". (Líneas 23-25)?
    (A) Dice que la familia va a comprar un lugar especial
        con dinero de un premio.
    (B) Describe una casa en un cuento de hadas que lee la
        madre cada noche a sus hijos.
    (C) Se refiere a la casa en la que a la familia le gustaría
        vivir para siempre.
    (D) Es una casa en la que vivía el padre antes.

5.  Según el trozo, ¿cómo se describe la casa en la calle
    Mango?
    (A) Una casa ideal
    (B) Una casa con comodidades básicas
    (C) Una casa con la que soñaba la mamá
    (D) Un lugar muy inferior

6.  Según el trozo, ¿cuál de las siguientes respuestas
    describe mejor la condición de la casa en la calle
    Mango?
    (A) Lujosa
    (B) Decaída
    (C) Iluminada
    (D) Espaciosa

## CÁPSULA CULTURAL: EL PATIO - UNA SALA SOSTENIBLE

Según los historiadores, el patio tiene orígenes griegos que fue
evolucionando en edificaciones etruscas varios siglos antes de Cristo,
cuando se abría en el centro de la vivienda un espacio que recogía el
agua que caía de la techumbre inclinada hacia adentro. Como en tiempos
de los griegos, la aparición hoy del patio dentro de la vivienda en el sur
de España destaca la necesidad de aprovechar los elementos del medio
ambiente para hacer más cómodas las habitaciones interiores. El patio
andaluz provee una luz natural, un lugar para tener plantas y cultivar
flores y las plantas, un confort con condiciones climáticas ideales y un espacio para reunirse
con la familia. ¿Por qué no organizar la próxima fiesta de quinceañera en el patio de tu casa?

—Púa de Molinero, *Blogviaslado, marzo de 2013*

**COMPARACIONES: Compara los espacios al aire libre de los hogares de tu comunidad con el patio hispano.**

## Lecturas con Audio

**FUENTE NÚMERO 1** **Esta selección, "Parques
biosaludables: gimnasios al aire libre", trata de
parques con aparatos de ejercicio dirigidos a los
adultos. El artículo fue publicado por Bogotá
Humana, una entidad de la Secretaría Distrital de
Cultura, Recreación y Deporte de Bogotá, Colombia,
en diciembre de 2012.**

Los Parques El Virrey (Norte y Sur), El Tunal, El Nogal,
El Country, Simón Bolívar y Los Novios son parques
biosaludables que permiten a todas las personas **acceder**
permanentemente de forma gratuita a máquinas de
5 ejercicio que sólo se encontrarían en gimnasios privados.

Los bogotanos **cuentan con** siete parques biosaludables
para todo el público pero que van dirigidos de forma
especial al adulto mayor. Están ubicados en los parques:
El Virrey, El Tunal, el Virrey Sur, El Country, el Virrey
10 Norte, El Nogal, Simón Bolívar y Los Novios (también
conocido como Parque El Lago).

Los escenarios biosaludables **cuentan con** aparatos
especializados de ejercicio a disposición de todos los
bogotanos, en especial de los adultos mayores, que
son realidad gracias al auspicio de empresas privadas
como Colsanitas y el Instituto Distrital de Recreación
y Deporte (IDRD), entidad adscrita a la Secretaría de
Cultura, Recreación y Deporte.
15

Este tipo de proyecto, que actualmente existe en países
como España y Portugal, pone a disposición de los
bogotanos aparatos de fácil manejo, gran versatilidad
y **escaso** mantenimiento que se van integrando en
los espacios naturales de deporte y entretenimiento
de las personas, de la misma forma que en el pasado
lo hicieron juegos infantiles como **los columpios** y
demás.
20

25

En su intención de estimular la práctica del ejercicio
como una alternativa de promoción de la salud y el
bienestar, la administración distrital y Colsanitas, han
querido dar vida en Colombia a esta iniciativa que
busca suplir las necesidades de todas las personas,
poniendo al alcance de la población estos parques
biosaludables que permiten la práctica de un ejercicio
seguro y a la vez sin costo.
30

El parque biosaludable brinda un aporte a las
oportunidades de los bogotanos de conseguir en
espacios públicos ese equilibrio físico y mental que las
personas necesitan en cada momento de su vida.
35

Cada parque biosaludable tiene once aparatos de
ejercicio que ofrecen alternativas de calentamiento,
ejercicios de tonificación muscular y **estiramiento**.
40

- Elíptica
- Balancín

- Discos móviles
45 - Brazos altos y espalda
- Caballito
- Caminadora
- Pedales
- Barras paralelas
50 - Hula hula recto
- Espaldas doble cabina
- Masajeador de espalda

El objetivo es usar cada máquina por 10 minutos
y realizar todo el ciclo a lo largo de una hora y 50
55 minutos para obtener un acondicionamiento físico ideal.

◀)) FUENTE NÚMERO 2 **Esta grabación, "Parque biosaludable", trata de un parque que brinda aparatos de ejercicio para todos. Los periodistas Diego Duarte y Johana Galindo entrevistan a los usuarios. El audio es una producción de la Emisora Sabana de la Universidad de la Sabana de Bogotá, Colombia. El programa fue emitido el 13 de octubre de 2009. La grabación dura aproximadamente dos minutos.**

1. ¿Cuál es el propósito del artículo?
   (A) Presentar una teoría sobre la importancia del ejercicio
   (B) Proveer una reseña de una revista turística
   (C) Dar un vistazo a un programa que promueve el ejercicio
   (D) Analizar la historia bogotana

2. Según el artículo, ¿a quiénes se dirige principalmente el programa biosaludable?
   (A) A los adultos de cierta edad
   (B) A los niños
   (C) A las mujeres
   (D) A los atletas

3. Según el artículo, ¿cuál es el significado de la frase "poniendo al alcance de la población" (línea 32)?
   (A) Que sólo los ricos lo pueden usar
   (B) Que le sirve a la mayoría de la gente
   (C) Que se les prohíbe a los ciudadanos
   (D) Que les pertenece a los pobres

4. ¿Con qué propósito se menciona la empresa Colsanitas y el Instituto Distrital de Recreación y Deporte (IDRD) en el artículo?
   (A) Para mostrar el apoyo financiero que ha recibido el programa biosaludable
   (B) Para indicar algunos sitios de recreo
   (C) Para exponer algunas ideas contrarias al programa biosaludable
   (D) Para enfatizar la importancia política de estas organizaciones

5. Según la fuente auditiva, ¿cuál es un beneficio de un parque biosaludable?
   (A) Sólo participan los niños.
   (B) El parque permite el paseo de los animales domésticos.
   (C) Es una distracción de la rutina diaria.
   (D) Mejora el medio ambiente.

6. Según la fuente auditiva, ¿por qué es popular el parque biosaludable para los mayores?
   (A) Porque sirve a los que quieren bajar de peso
   (B) Porque pueden participar los abuelos y sus nietos en un programa de ejercicio
   (C) Porque es un programa sin la distracción del medio ambiente
   (D) Porque los usuarios buscan un programa de ejercicio al aire libre

7. Según la fuente auditiva, ¿por qué son los adultos mayores "los más beneficiados"?
   (A) Porque los mayores vienen al parque con más frecuencia que los jóvenes
   (B) Porque los mayores disfrutan de hacer ejercicio más que los jóvenes
   (C) Porque los mayores suelen usar más máquinas que los jóvenes
   (D) Porque los mayores se esfuerzan más físicamente que los jóvenes

8. Según la fuente auditiva, ¿cuál de las siguientes afirmaciones representa mejor la actitud de los usuarios de los parques biosaludables?
   (A) Como los parques no valen la pena, no se los deben frecuentar.
   (B) Como los parques atraen el crimen, se los deben evitar.
   (C) Como los parques son los únicos lugares de la ciudad donde hacer ejercicio, se los deben cuidar.
   (D) Como son muy importantes para mantener la salud, se los deben aprovechar.

9. ¿Qué tienen en común las dos fuentes?
   (A) El enfoque en la importancia del ejercicio
   (B) El enfoque en el apoyo del gobierno
   (C) El enfoque en el medio ambiente
   (D) El enfoque en el reconocimiento internacional

10. ¿Qué se puede afirmar sobre las dos fuentes?
    (A) La auditiva refuta las ideas presentadas en la escrita.
    (B) La escrita presenta los problemas de no estar en buen estado físico en Bogotá y la auditiva nos provee las soluciones.
    (C) La escrita explica más la formación del programa y la auditiva demuestra más el programa en la práctica.
    (D) La auditiva desmiente las dudas del programa mencionadas en la escrita.

## CÁPSULA CULTURAL: ¿CUÁL ES EL PRECIO DE ESTAR EN BUENA FORMA EN ESPAÑA?

| PRIVADO – GIMNASIO VIVAMOLINERO | AL AIRE LIBRE |
|---|---|
| Piscina climatizada | Una plaza |
| Parque acuático exterior | Un parque |
| Piscina exterior infantil | Una ribera |
| Piscina exterior para adultos | Un lugar aislado o silencioso |
| Pistas de tenis | El contacto con la naturaleza y la relajación |
| Canchas de baloncesto | Un bolso con todo lo necesario (una colchoneta, unas pesas, una banda |
| Polideportivo de fútbol | elástica, una botella de agua y una toalla) |
| Gimnasio con máquinas | Un sitio techado si llueve |
| Saunas | Iniciar cada rutina de ejercicio inmerso en la naturaleza (escuchar el canto |
| Solárium | de los pájaros, el sonido del viento, la calidez del sol) |
| Cafetería | Preparar un Mp3 con la música apropiada |
| Restaurante | Hacer una caminata |
| Spa | Montar en bicicleta |
| Hangar de piragüismo | Hacer lagartijas |
| Pistas de frontón | Hacer estocadas con pesitas o barra |
| Convenio para entrar en otros clubes | Hacer sentadillas |
| Convenio con cines para obtener descuentos de entrada | Hacer ejercicios aeróbicos |
| Aparcamiento | Hacer dominadas (en plazas con instalaciones para ejercicios) |
| Biblioteca | Subir y bajar cuestas |
| Salones de baile | Caminar en cuclillas |
| Zonas de juegos de cartas, billar y otros juegos de mesa | **Precio: Gratis** |
| **Precio: 40 – 60 Euros al mes bono familiar (4 personas)** | **N.B. Gratis, teniendo en cuenta el precio módico por lo que se use** |
| **16,90 Euros al mes bono por individuo** | **para el ejercicio personal** |
| **TODO INCLUIDO** | |

**COMPARACIONES:** ¿Qué importancia tiene el ejercicio al aire libre en familia y con otros miembros de tu comunidad?

## Correos Electrónicos

Imagina que has recibido este mensaje porque has pedido información sobre un viaje estudiantil durante el descanso de primavera. Te interesa mucho visitar lugares turísticos y mejorar tu castellano.

**De:** Director de programas estudiantiles

**Asunto:** Viajes Culturales y Programas de Lenguas (VCPL)

Querido/a estudiante de español:

Gracias por su interés en nuestro programa reconocido mundialmente. Tenemos varios programas que podemos ofrecerle. Para conocerle mejor y ayudarle a elegir el viaje que mejor concuerde con sus intereses, le agradeceríamos que nos contestara estas preguntas.

Primero, tiene que vivir con una familia por dos semanas y la ubicación se hace siempre en pueblos pequeños y en zonas tranquilas. ¿Qué le ofrecería a una familia anfitriona? ¿Por qué quiere pasar tiempo en un país hispanohablante y en un pueblo pequeño?

Finalmente, descríbanos en detalle las mejores cualidades que posee y díganos por qué le gustaría a una familia que Ud. viviera con ellos.

Quedamos a la espera de su atención.

Atentamente,

Juan Wilson
Director de VCPL

## Audios

🔊 FUENTE **Esta grabación trata de instrumentos musicales hechos con recursos de la basura. La locutora Sannie López Garelli narra este spot, "Tu basura mi música", que ella produjo para CNN el 13 de junio de 2011 en Asunción, Paraguay. La grabación dura dos minutos y medio.**

1. ¿Cuál es el propósito de este spot?
   - (A) Resaltar la importancia del servicio comunitario
   - (B) Explicar cómo se puede reciclar la basura creativamente para obtener algo útil
   - (C) Proponer la importancia de la música
   - (D) Analizar la pobreza

2. Según el spot, ¿por qué es importante el proyecto "Sonidos de la Tierra"?
   - (A) Porque el proyecto le ayuda a la gente pobre a obtener comida
   - (B) Porque el proyecto les provee a los jóvenes una manera de aprovechar la música
   - (C) Porque el proyecto explora los sonidos de los instrumentos hechos de materiales naturales de la tierra
   - (D) Porque es el primero de este tipo en la ciudad de Asunción

3. Según el spot, ¿cómo se describe la Orquesta de Reciclados?
   - (A) Como una orquesta establecida con instrumentos musicales de primera calidad
   - (B) Como una orquesta lujosa
   - (C) Como una orquesta novedosa
   - (D) Como una orquesta de poco talento

4. Según el spot, ¿cuál es un objetivo importante de la orquesta?
   - (A) Eliminar la violencia
   - (B) Fomentar la alfabetización
   - (C) Darles comida a los pobres
   - (D) Limpiar las calles de la ciudad

5. Según el spot, ¿cómo se ha beneficiado Juan Ayala gracias a esta orquesta de reciclados?
   - (A) Juan aprendió a tocar un instrumento musical y ha viajado mucho.
   - (B) La familia de Juan pudo mudarse a Asunción.
   - (C) Juan ayudó a su madre al ganar dinero con su música.
   - (D) Juan todavía no se ha dado cuenta de los beneficios.

## CÁPSULA CULTURAL: EL DÍA INTERNACIONAL DEL RECICLAJE – EL 17 DE MAYO

El símbolo es una banda de Moebius. Cada una de sus tres flechas representa uno de los pasos del proceso de reciclaje: la recogida de materiales para reciclar, el reciclaje en sí y la compra de los productos reciclados.

**Contenedor amarillo – envases de plástico**
**Contenedor verde – envases de vidrio**
**Contenedor azul – papel y cartón**
**Contenedor gris – metal**
**Contenedor anaranjado – residuo orgánico**

**COMPARACIONES: Describe el nivel de participación en los programas de reciclaje en tu comunidad.**

## Ensayo

***Tema del ensayo:***

*¿Debe uno adherirse a un régimen de conducta estricta para tener una vida saludable?*

**FUENTE NÚMERO 1** **Este texto, "El estilo de vida actual: ¿es saludable?", trata de los valores, las adicciones y el comportamiento de los seres humanos de este siglo. El artículo original, escrito por Elsa Diggs, fue publicado el 3 de mayo de 2006 en IntraMed de Bueno Aires, Argentina.**

El éxito, el poder y el consumismo (valores de este siglo), vividos como metas, condicionan los comportamientos humanos ocasionando cambios en su manera de ser. Como consecuencia de estos nuevos estilos
5   sociales, el hombre moderno se fue transformando en un individuo aislado, desesperado por la búsqueda de satisfacciones inmediatas y de manera compulsiva, con ausencia de valores que le sirvan de sustento (crisis de la familia y la sociedad), con la sensación de pérdida de
10  control, falta de reglas claras y un aumento progresivo de la dependencia en desmedro de su libertad. De esta manera los comportamientos se modificaron adquiriendo características de adicción, volviendo al individuo vulnerable, especialmente en lo que se refiere a las
15  enfermedades somato-psíquicas.

Al dar prestigio y valor al éxito, al poder y al consumismo, la sociedad refuerza al hombre moderno en su dependencia psíquica en ellos.

En relación a los estímulos tradicionales (sustancias
20  químicas) de las adicciones conocidas, debemos agregar nuevos estímulos que generen conductas de carácter compulsivo y la sensación de no poder dejar de realizarlas como el sol, la alimentación (los tipos de alimentos y la forma), el trabajo, el sedentarismo, los
25  celulares, los videojuegos, las compras, entre otras. Estas son las "otras drogas" o "las drogas sociales" o "las adicciones comportamentales".

En el CIE-10 define al síndrome de dependencia como: "conjunto de manifestaciones fisiológicas,
30  comportamentales y cognitivas en el cual el consumir una droga o un tipo de ella (podríamos decir drogas sociales), adquiere máxima prioridad para el individuo y se manifiesta como:

▲ menor capacidad de control

▲ síntomas somáticos del síndrome de abstinencia          35

▲ abandono de otras fuentes de placer

▲ persistencia del consumo (podríamos decir conducta) a pesar de saber su consecuencia nociva

Basta con la presencia de 3 o más de los síntomas a continuación para sospechar Síndrome de Dependencia.          40

Desde el año 1965 la OMS modifica el término adicción por dependencia (Síndrome de Dependencia) para el cual es necesario la existencia de:

▲ vacío afectivo o conflicto interno

▲ un estímulo que a uno le dé ilusión de que le          45
calmará la angustia

▲ la acción compulsiva

▲ el síndrome de dependencia

▲ el síndrome de abstinencia

Casi todas las definiciones de Adicción o Síndrome          50
de Dependencia coinciden en considerar el carácter compulsivo del comportamiento de abstinencia o de dependencia. Es evidente que estos comportamientos los encontramos también con mayor frecuencia en el hombre moderno.          55

**FUENTE NÚMERO 2** **Esta tabla, "Factores de reisgo de enfermedades", trata de los factores de riesgo de las enfermedades orgánicas que son típicos de la vida contemporánea. Contiene información publicada en IntraMed el 3 de mayo de 2006.**

**El sol (la luz ultravioleta):** Es el bronceado por su valor estético y un indicador de estatus social vivido como hemos definido a los comportamientos adictivos. Tiene incidencia en todas las afecciones de la piel hasta inclusive los tumores de piel.

**La comida:** La comida saturada en grasa animal es factor de riesgo en los tumores de intestino grueso, el colesterol y la falta de fibras en las afecciones del colon. Esta preferencia ha sido inducida socialmente en desmedro de las comidas con pescado, frutas, verduras. Según un estudio sobre propagandas al respecto, la relación es: 70% de propaganda en comidas ricas en grasas saturadas, azúcares y sal y el 3% en frutas y verduras. También la crisis económica condiciona el tipo de comidas.

**El sedentarismo:** Es un factor de riesgo en desmedro al ejercicio físico y surge como consecuencia de determinadas actividades (computación, TV, tipo de trabajo). La actividad física es el factor protector que favorece la salud (colesterol, obesidad, tonicidad) y en relación a los tumores, favorece la protección a los tumores colon-rectales).

**El trabajo:** Cuando conlleva las características de adicción produce estrés, sedentarismo y aislamiento progresivo del ámbito familiar y de diferentes actividades que producen placer. Son todos factores de riesgo en las enfermedades cardiológicas y gastrointestinales, entre otras. También brinda mucha estimulación social lo que refuerza la adicción.

🔊 FUENTE NÚMERO 3 **Esta grabación, "Educación para el consumo responsable", trata de las decisiones diarias que uno debe tomar. La selección fue publicada el 19 de enero de 2012 y es una producción del Servicio Nacional del Consumidor de Chile (SERNAC) y del gobierno de Chile. La grabación dura aproximadamente dos minutos y medio.**

## Conversaciones

🔊 Esta es una conversación con Paula, una amiga de tu colegio. Vas a participar en esta conversación porque quieres consejo sobre un problema que tienes con tu familia sobre el uso de las redes sociales.

| Paula | • Te saluda y te hace unas preguntas. |
|-------|----------------------------------------|
| Tú | • Salúdala, contesta las preguntas y explica la razón de la llamada. |
| Paula | • Continúa la conversación. |
| Tú | • Contesta afirmativamente con detalles. |
| Paula | • Continúa la conversación. |
| Tú | • Contesta afirmativamente con detalles. |
| Paula | • Reacciona y te hace una pregunta. |
| Tú | • Contesta afirmativamente con detalles. |
| Paula | • Te hace unas preguntas. |
| Tú | • Contéstale, ofrece algunas opciones y despídete. |

## Discursos

**Tema de la presentación:**

*¿Qué efecto ha producido el uso popular de la tecnología en la intimidad de la comunicación?*

*Compara tus observaciones acerca de las comunidades en las que has vivido con tus observaciones de una región del mundo hispanohablante que te sea familiar. En tu presentación, puedes referirte a lo que has estudiado, vivido, observado, etc.*

## CLASIFICADOS

**PÁGINA 119** Lecturas

**PÁGINA 120** Lecturas con Audio

**PÁGINA 123** Audios

### ESENCIAL: PARA UNA MEJOR COMPRENSIÓN

**acarrear**—transportar, llevar

**luce (lucir)**—destacar, brillar

**las recámaras (la recamara)** —cuartos, habitaciones

### IMPORTANTE: PARA UNA MEJOR DISCUSIÓN

**apretado/a**—estrecho con poco margen, sin espacio

**se ha hinchado (hincharse)**— aumentar su volumen, inflar

**los olmos (el olmo)**—tipo de árbol

### ÚTIL: PARA UNA MEJOR EXPRESIÓN

**los de abajo**—los de posición inferior

**Producto:** Describe el diseño de un chalet en España.

**Práctica:** Describe cómo es vivir en un chalet a diferencia de vivir en un piso.

**Perspectiva:** Explica la importancia tradicional en España de heredar el hogar familiar.

### ESENCIAL: PARA UNA MEJOR COMPRENSIÓN

**los columpios (el columpio)**— asiento colgado de un soporte más alto con cuerdas

**el estiramiento**—extensión de los miembros del cuerpo, ejercicio que aumenta la flexibilidad muscular y relaja

**la convivencia**—la vida en compañía de otros

### IMPORTANTE: PARA UNA MEJOR DISCUSIÓN

**acceder**—tener acceso o entrada a un lugar o cosa

**cuentan con (contar con)**— tener confianza en

### ÚTIL: PARA UNA MEJOR EXPRESIÓN

**escaso/a**—poco, limitado

**Producto:** Describe la tasa de envejecimiento en Cuba.

**Práctica:** Describe el estilo de vida de los de la tercera edad en Cuba.

**Perspectiva:** ¿Cuál es la actitud del gobierno cubano hacia el envejecimiento de la población del país?

### ESENCIAL: PARA UNA MEJOR COMPRENSIÓN

**el caño**—tubo

**la tapita**—pieza que cierra por la parte superior cajas, botellas u otros recipientes

### IMPORTANTE: PARA UNA MEJOR DISCUSIÓN

**hacer giras**—hacer actuaciones en distintos lugares, hacer un tour, hacer un viaje corto

**Producto:** Explica por qué se considera Bogotá la ciudad más verde de América Latina.

**Práctica:** Explica lo que hacen los bogotanos para mantener un medio ambiente sostenible.

**Perspectiva:** Explica la tensión entre las varias facciones en cuanto al activismo ambientalista en Bogotá.

# Las relaciones personales

## Lecturas

**FUENTE NÚMERO 1** **Este texto, "La familia contemporánea", trata de los cambios sociales que han dificultado la crianza de los hijos. El artículo fue publicado en Nosotros 2 por Ana María Schwarz.**

Se ha reconocido siempre que la familia es la célula de la sociedad y que se basa en el parentesco conyugal y consanguíneo, es decir, en las relaciones entre marido y mujer, padres e hijos, hermanos y hermanas, etc.

5   La vida de la familia se caracteriza tanto por procesos materiales como por procesos espirituales. El amor, el respeto mutuo y el énfasis en la educación de los hijos constituyen los principios morales más importantes dentro de la familia.

10  Es en **el seno** familiar donde el ser humano se descubre como persona única e irrepetible, donde vale por **sí misma**. Es el lugar donde el mismo aprende a manifestar los sentimientos, adquiere los valores más fundamentales y aprende las creencias y los
15  conocimientos que regirán su vida.

Como todo en la historia humana, la estructura familiar ha evolucionado y sufrido cambios impactantes. La familia moderna ha variado **en cuanto a** sus formas más tradicionales, sus funciones, su composición, su
20  ciclo de vida, y principalmente, **en cuanto a** los roles de los padres. La única función que ha sobrevivido a todos los cambios en todas las épocas es la de mantener fuertes el afecto y el apoyo entre todos sus miembros, en especial, entre padres e hijos.

25  La globalización y la mundialización han impactado fuertemente a la familia, al transformar los roles que sus miembros deben asumir, en especial las actividades que por tradición la mujer venía ejerciendo.

**A partir de** la década de 1960, en la unidad familiar
30  ha entrado una nueva dinámica: un mayor número de parejas viven juntas antes o en lugar de contraer matrimonio. De igual forma se ha incrementado considerablemente el número de familias de **jefatura** femenina, ya sea por decisión propia de ser madres
35  solteras o por la facilidad con que las parejas actuales deciden separarse.

En esta nueva dimensión familiar, las parejas actuales comienzan su aventura de ser padres. Al intentar educar y socializar a sus hijos, buscan adaptarlos a distintas
40  formas de vida. De manera seria deben considerar las necesidades y las exigencias que obligan un rediseño familiar que responda a los nuevos estilos de convivencia. Para afrontar esta problemática social, las

parejas han de encontrar un método que concuerde con el proceso de transformación que la sociedad está   45
sufriendo en la actualidad.

Los padres deben asumir un compromiso que busque una vida más humana con relaciones interpersonales que incorporen los valores de tolerancia y respeto a la diversidad. Esto permitirá que las familias del siglo XXI   50
avancen en ese complicado proceso de lograr que sus hijos sean ellos mismos. Los padres deben utilizar las herramientas del amor, de la aceptación incondicional y del respeto **por encima del** autoritarismo. Sobre todo, deben alejar a sus hijos de la ambición **desmedida** por   55
el poder y la vanidad absurda del tener.

**FUENTE NÚMERO 2** **Estas tablas tratan de las estadísticas del hogar recopiladas para los censos de Chile desde 1982 hasta 2012. Estas cifras, que revelan el número promedio de personas por hogar y los jefes de hogar por sexo, fueron publicadas por la CEPAL y el INE de Chile en varias publicaciones en 2012.**

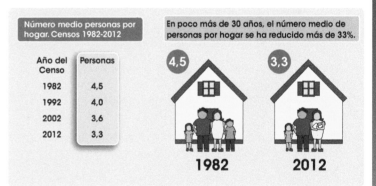

**Número medio personas por hogar. Censos 1982-2012**

| Año del Censo | Personas |
| --- | --- |
| 1982 | 4,5 |
| 1992 | 4,0 |
| 2002 | 3,6 |
| 2012 | 3,3 |

En poco más de 30 años, el número medio de personas por hogar se ha reducido más de 33%.

4,5 — 1982   3,3 — 2012

**Jefes de Hogar por sexo Censos 1982-2012**

| Año | Hogares | Sexo | | Porcentaje Mujeres |
| --- | --- | --- | --- | --- |
| | | Hombres | Mujeres | |
| 1982 | 2.466.653 | 1.934.404 | 532.249 | 21,6 |
| 1992 | 3.293.779 | 2.459.452 | 834.327 | 25,3 |
| 2002 | 4.141.427 | 4.141.427 | 1.305.307 | 31,5 |
| 2012 | 5.729.977 | 3.409.336 | 2.320.640 | 40,5 |

En 1982, los hombres prácticamente cuadruplicaban a las mujeres en su labor como jefes de hogar.

Según el último Censo de 2012, del total de los hogares (5.729.977), el 40,5% de ellos tiene a una mujer como jefa de hogar.

21,6 — 1982

40,5 — 2012

Fuente: Censos 1982-2012.

1. ¿Cuál es el propósito del artículo?

    (A) Alertar contra las influencias de la globalización
    (B) Abogar por la crianza decente de los hijos
    (C) Resaltar la importancia del amor y del respeto en la actualidad
    (D) Informar sobre las nuevas estructuras familiares

2. Según el artículo, ¿qué significa "Es en el seno familiar donde el ser humano se descubre como persona única..." (Líneas 10 y 11)?

    (A) No se puede reemplazar la importancia de la familia.
    (B) No se puede predeterminar la personalidad.
    (C) No se pueden cambiar los valores familiares.
    (D) No se puede programar el destino del individuo.

3. Según el artículo, ¿por qué ha cambiado tanto la estructura de la familia?

    (A) Porque el ciclo de vida ha cambiado
    (B) Porque el papel de cada miembro ha variado
    (C) Porque el paso natural del tiempo la ha afectado
    (D) Porque falta apoyo entre los miembros de la familia

4. Según el artículo, ¿cómo ha sido el papel de la mujer dentro de la estructura familiar?

    (A) La mujer siempre tiene un marido.
    (B) La mujer rechaza la idea de vivir con su novio.
    (C) La mujer asume más el rol de madre soltera.
    (D) La mujer hace menos actividades con sus hijos.

5. Según el artículo, ¿a qué se debe la transformación de la estructura familiar?

    (A) Al aumento de matrimonios
    (B) A la disminución de los divorcios
    (C) A la falta de parejas verdaderas
    (D) A los cambios globales del modo de vida

6. Según el artículo, ¿cuál de las siguientes afirmaciones resume mejor la nueva dimensión familiar?

    (A) La familia tiene que adaptarse a varios desafíos.
    (B) La familia disfruta de una vida en armonía.
    (C) La familia tiene menos apoyo de la sociedad que antes.
    (D) La familia aprovecha una educación buena.

7. Según el artículo, ¿qué tienen que hacer los padres del siglo XXI?

    (A) Pasar más tiempo con sus hijos
    (B) Involucrarse más en las actividades de sus hijos
    (C) Inculcar a los hijos el respeto y el amor
    (D) Advertir a los niños de la vanidad y la ambición en el mundo

8. Según los censos, ¿cuál de las siguientes afirmaciones resume mejor los dos gráficos?

    (A) En 2012 hay menos personas que viven bajo un mismo techo y el hombre sigue siendo cabeza de familia.
    (B) Durante los años ochenta y noventa, ha aumentado el número de familiares por hogar y ha bajado la importancia de la mujer como jefa de la casa.
    (C) No ha habido un cambio grande estadísticamente durante los años ochenta y noventa.
    (D) Según los porcentajes anuales, la mujer ha bajado en importancia en su papel como madre y en su papel como jefa de la casa.

9. ¿Qué representa la información en el segundo gráfico?

    (A) El aumento de mujeres en la población chilena
    (B) El tamaño de la casa en general
    (C) La disminución sobre todo de hombres en Chile
    (D) El aumento evidente de la mujer como cabeza del hogar

10. ¿Cuál de las siguientes afirmaciones resume mejor la relación entre el artículo y los gráficos?

    (A) Los gráficos apoyan la información del artículo sobre la estructura familiar.
    (B) Los gráficos contradicen la información del artículo.
    (C) El artículo pone más énfasis en los cambios para los hombres y los gráficos prestan más atención a los cambios para las mujeres.
    (D) El artículo contiene información que no se presenta en los gráficos.

## CÁPSULA CULTURAL: ¿HAY UNA FAMILIA TÍPICA?

No hay consenso sobre la definición de la familia. La familia extendida puede incluir una combinación de los siguientes: los padres, los hijos, los abuelos, los tíos, y los bisabuelos. La familia monoparental está compuesta por un solo progenitor y uno o varios hijos. La familia homoparental consiste en una pareja de hombres o de mujeres que son **progenitores** de uno o más niños.

Hay algunos que piensan que el modelo tradicional de familia está en crisis pero hay otros que creen que la familia está convirtiéndose en algo distinto. Todo depende de factores sociales, culturales, económicos y afectivos. ¿Qué piensas tú?

—Púa de Molinero, Blogviaslado, marzo de 2013

**COMPARACIONES: ¿Qué factores sociales han cambiado la estructura tradicional de la familia en tu comunidad?**

## Ilustración con Audio

**FUENTE NÚMERO 1** **Esta tabla, "Relaciones personales", trata de las actividades, ideas y condiciones que favorecen el desarrollo de las relaciones personales. El artículo original, "Relaciones personales", fue escrito por José Ángel Medina y Fernando Cembranos en España para FAD (La Fundación de Ayuda contra la Drogadicción) en 2002.**

| Los sentimientos | Las actividades de alta dificultad | Tener experiencias compartidas que tengan un impacto emocional |
|---|---|---|
| ▲ entablar conversaciones e intercambiar ideas sobre temas personales<br>▲ contarles nuestros problemas a otros | ▲ escalar una montaña<br>▲ estudiar para **la selectividad** | ▲ ir a un concierto<br>▲ ver una película<br>▲ ir de viaje<br>▲ ir a una fiesta<br>▲ asistir a espectáculos |
| **Participar en innovaciones** | **Tener una compenetración ideológica** | **Sentirse acompañado en situaciones difíciles** |
| ▲ participar en un deporte nuevo<br>▲ ser miembro de un club<br>▲ entrar en el mundo laboral | ▲ moral<br>▲ política<br>▲ social<br>▲ cultural | ▲ crisis afectivas o sentimentales<br>▲ problemas de salud |

**◀)) FUENTE NÚMERO 2** **Esta grabación se titula "Relaciones humanas" y fue emitida en España por Lucas Martínez Bellido el 18 de mayo de 2008. La grabación dura aproximadamente dos minutos.**

1. ¿Cuál de las siguientes afirmaciones resume mejor la información en la tabla?
   (A) La mayoría de las actividades se relaciona con el trabajo.
   (B) La mayoría de las actividades se puede hacer con otros.
   (C) La mayoría de las actividades promociona una vida sedentaria.
   (D) La mayoría de las actividades se puede realizar en el hogar familiar.

2. Según la tabla, ¿qué quiere decir "Sentirse acompañado en situaciones difíciles"?
   (A) Que hay que ayudarles a todos
   (B) Que es necesario pensar en los de abajo
   (C) Que es importante buscar apoyo si se lo necesita
   (D) Que hay que acompañar a los amigos

3. ¿Cuál sería otro título apropiado para la tabla?
   (A) Seis recetas para mejorar la vida
   (B) Ejercicios para mejorar la salud
   (C) Poco dinero pero muchas ventajas
   (D) Lo bueno y lo malo de las relaciones personales

4. Según el audio, ¿cómo se describe mejor al ser humano?
   (A) Una persona ingenua
   (B) Una persona compleja
   (C) Una persona sin fronteras
   (D) Una persona sencilla

5. Según el audio, ¿cómo se describen las actividades que hacen los seres humanos?
   (A) Un sistema reglamentado
   (B) Una rutina compleja
   (C) Unos quehaceres muy irregulares
   (D) Unos encuentros lujosos

6. Según el audio, ¿de qué duda el locutor?
   (A) De la importancia de las relaciones personales
   (B) Del papel que tiene el confort en las relaciones humanas
   (C) De las intenciones de los compañeros
   (D) De la intimidad de la compañía social

7. ¿Cuál es la diferencia más notable entre las dos fuentes?
   (A) El audio plantea una descripción de lo que hacen los seres humanos y la tabla ofrece consejos.
   (B) El audio llama la atención sobre los barrios marginales y la tabla describe actividades para la clase alta.
   (C) El audio pone énfasis en la familia y la tabla se concentra en el ser humano de manera individual.
   (D) El audio contradice lo que dice la tabla.

## CÁPSULA CULTURAL: PARA UNA BUENA DEGUSTACIÓN DE LA VIDA, APROVECHA LA SOBREMESA

Cuando vivía en España, me impresionó que algunas comidas duraran más de dos horas. Hablábamos y discutíamos los acontecimientos del día y siempre comentábamos los rumores que corrían. Todos participábamos en la sobremesa, una costumbre de orígenes romanos. Durante este tipo de tertulia, los amigos, los familiares y a veces los desconocidos charlábamos y no nos importaba el reloj. ¿Cómo puede sobrevivir esta tradición en el mundo del texting y de la comida chatarra? Hay algunos que dicen que quedarse alrededor de la mesa hablando en la jornada laboral no es productivo. Hay otros que dicen que estos momentos de relajación después de una comida mejoran las relaciones personales creando un ambiente de empatía y confianza. También me parece que relajarse platicando con familiares y amigos mejora la digestión.

—*Púa de Molinero, Blog Viaslado, 15 de abril de 2013.*

**COMPARACIONES: ¿Comprende tu familia o tu comunidad la importancia de la sobremesa?**

## Audios

🔊 **FUENTE** Esta grabación, "Cómo ser más sociable en tres simples pasos", trata de lo que uno puede hacer para mejorar la autoestima, ser positivo y llevarse bien con otros. Alfredo Carrión narró este spot para Autoayuda Online el 10 de agosto de 2011. La grabación dura casi tres minutos.

1. ¿Cuál es el propósito del audio?
   (A) Sugerir unos pasos de un programa exitoso
   (B) Alabar un programa de autoestima
   (C) Promover un programa de autoayuda
   (D) Explicar un programa diario para personas positivas

2. Según el locutor, ¿por qué es importante ser más sociable?
   (A) Porque así se eliminan muchos obstáculos
   (B) Porque se disfruta más de la vida
   (C) Porque es la ley del mínimo esfuerzo
   (D) Porque así uno se abre a una avalancha de ideas

3. ¿Qué quiere decir el locutor cuando dice "...céntrate en las mejores partes de ti mismo"?
   (A) Que debes enfocarte en lo positivo
   (B) Que debes evitar los problemas diarios
   (C) Que debes buscar más soluciones personales
   (D) Que debes esforzarte mucho para prolongar la vida

4. Según el locutor, ¿por qué uno debe interesarse en otros?
   (A) Porque es un acto de independencia
   (B) Porque es una manera de escaparse
   (C) Porque uno puede atraer a otros
   (D) Porque uno no quiere parecer raro

5. ¿Cuál de las siguientes afirmaciones expresa mejor lo que piensa el locutor sobre pensar en positivo?
   (A) El locutor piensa que no se debe tener miedo de lo positivo.
   (B) El locutor cree que se debe mantener una actitud buena.
   (C) El locutor relata que nunca se puede ser optimista todo el tiempo.
   (D) El locutor comparte que pensar en positivo tiene menos importancia que los otros dos pasos.

La bombilla

El mate

## CÁPSULA CULTURAL: EL ARTE DE MATEAR

¿Por qué se toma mate en los países como Argentina, Paraguay y Uruguay? Según algunos historiadores, el mate se originó como un rito de los nativos guaraníes en el territorio que hoy ocupa el Paraguay y las provincias argentinas de Misiones y Corrientes. Ellos dicen que los guaraníes sepultaban los restos de sus seres queridos y en ese mismo lugar plantaban yerba mate. Luego que la planta crecía, la cosechaban y la tomaban en rueda con sus familias, de la misma manera que se realiza hoy en día. La palabra mate viene de matí, una palabra quechua que quiere decir calabaza. Es costumbre compartirlo entre amigos, conocidos y parientes. Matear es una actividad cotidiana y hoy es muy común ver a la gente trabajando frente a sus computadoras con un termo de mate.

—Púa de Molinero, *Blogviaslado, marzo de 2013*

**COMPARACIONES: ¿Qué papel tienen algunas bebidas o comidas en la vida social cotidiana de tu comunidad?**

## Correos Electrónicos

Imagina que has recibido este mensaje del Comité de Actividades porque has aceptado participar como voluntario/a en una celebración del quincuagésimo aniversario de tu colegio.

**De:** Samuel Roncal

**Asunto:** Ayuda voluntaria en el comité

Querido/a estudiante de español:

Muchas gracias por haber aceptado participar en esta celebración tan importante para nuestro colegio. Nos gustaría incluir no sólo a los alumnos de hoy sino también a los estudiantes de antes. Queremos que Ud. organice los planes para los que se graduaron hace 25 años. Ya hemos decidido la fecha y el sitio y podemos proporcionarle las direcciones de todos los graduados. Le rogamos que nos conteste algunas preguntas para que podamos seguir adelante.

Las decoraciones suelen ser muy importantes. ¿Podría sugerirnos un tema apropiado para ellas? El anuario escolar les interesa a todos. ¿Cómo podemos incluirlo como parte del festejo de una manera creativa? Finalmente, ¿cómo podemos incorporar la tecnología a la celebración?

Estoy a sus órdenes para cualquier pregunta que tenga y estoy entusiasmado por trabajar con Ud.

Le saluda atentamente,

Samuel Roncal
Director

**Rectoría de la Universidad Nacional Autónoma de México en Ciudad Universitaria (México, D.F.) con mural de David Alfaro Siqueiros**

## Ensayo

***Tema del ensayo:***

*¿Se les debe dar a los niños la oportunidad de tener voz en cuanto a las reglas de la casa?*

**FUENTE NÚMERO 1** Este texto, "Atender a las relaciones personales", trata de las relaciones entre padres e hijos. El artículo original fue publicado por Aciprensa (Agencia Católica de Informaciones), un portal vinculado a la Iglesia Católica.

L a amabilidad, la corrección, la elegancia en el trato con los hijos, se podría decir que son los principios básicos para su educación. No se educa a base de prohibiciones, de gritos, de castigos... Esto puede ir produciendo en los
5 hijos reacciones muy variadas, rebeldes o de aparente aceptación, pero que irán creando individuos resentidos. No es el modo de ayudar al mejor desarrollo de los hijos.

Es más eficaz el trato cariñoso, el interés verdadero, que supone desinteresarnos de nosotros mismos, el
10 sacrificio de cada momento hecho con alegría y el amor con entrega que supone siempre un ambiente mucho más agradable que los gritos y es además, de efectos más seguros. En el trato diario con nuestros hijos, cuando estemos de buen humor o cuando
15 tengamos algún disgusto, cuando estemos descansados o si sentimos fatiga, en momentos de optimismo o de pesimismo, es decir SIEMPRE, debemos procurar la mayor corrección, la mayor delicadeza, pensando que "siempre tienen aroma las manos que arrojan rosas".

20 Todo esto no supone pérdida de autoridad, los padres hemos de marcar caminos, señalar pautas para que discurran por ellos nuestros hijos, sin menospreciarlos nunca, sino acogiéndolos con todo nuestro cariño.

Cuentan una anécdota sobre un diálogo de un señor
25 mayor y un niño de 8 años:

- ¿Qué te gustaría ser Luis?
- Mayor-contesta el chico.
- Y, ¿por qué?
- Para poder mandar y tener siempre la razón.
30 - ¿Tú crees que los mayores nunca se equivocan?
- Se equivocan muchas veces, pero siempre tienen razón.

Cuántas veces también nuestros hijos pueden llegar a pensar que la razón está en la fuerza y no en la verdad.

35 Otro aspecto fundamental en las relaciones personales entre padres e hijos es la confianza. Confianza y sinceridad son esenciales si queremos que las relaciones con los hijos sean constructivas y sirvan para ayudarles a desarrollar su personalidad. Fundamentalmente hay que cuidar el diálogo, el cual lleva consigo contraste de 40 pareceres, aprender a preguntar, a escuchar, a conducir sin imponer, a marcar caminos apropiados. Habrá que tener en cuenta que amor no significa "blandenguería", porque si es auténtico quiere lo mejor para el ser amado y esto lleva consigo esfuerzo, sacrificios y, 45 muchas veces, caminos pedregosos. Ese esfuerzo por cuidar nuestras relaciones personales con nuestros hijos irá dirigido a conseguir que ellos sean fuertes, recios, constantes y sobre todo, felices.

**FUENTE NÚMERO 2** Esta fotografía demuestra un aspecto de las presiones sociales y familiares que existen en la vida contemporánea para conformarse con reglas impuestas.

**FUENTE NÚMERO 3** Esta grabación, "¿Cómo educar a un niño?", da consejos para ser un buen padre y fue emitida por Explicast México el 14 de mayo de 2012. La grabación dura aproximadamente tres minutos.

Estatua de Fray Luis de León frente a un patio de la Universidad de Salamanca, España, la universidad más antigua del mundo de habla española.

## Conversaciones

Esta es una conversación con Linda, una amiga de tu colegio. Vas a participar en esta conversación porque ella está organizando un día en el que los estudiantes no van a usar ningún tipo de comunicación por vía tecnológica y te interesaría ayudar.

| Linda | • Te saluda y te hace unas preguntas. |
|-------|----------------------------------------|
| Tú | • Salúdala y contesta las preguntas. |
| Linda | • Continúa la conversación. |
| Tú | • Contesta con detalles. |
| Linda | • Continúa la conversación. |
| Tú | • Propón algunas ideas. |
| Linda | • Reacciona y te hace una pregunta. |
| Tú | • Contesta afirmativamente con detalles. |
| Linda | • Te hace unas preguntas. |
| Tú | • Contéstale, ofrece algunas opciones y despídete. |

## Discursos

***Tema de la presentación:***

*¿Qué efecto ha tenido la velocidad de la vida contemporánea en la estructura familiar?*

*Compara tus observaciones acerca de las comunidades en las que has vivido con tus observaciones de una región del mundo hispanohablante que te sea familiar. En tu presentación, puedes referirte a lo que has estudiado, vivido, observado, etc.*

Avenida 9 de julio,
Buenos Aires

## CLASIFICADOS

### ESENCIAL: PARA UNA MEJOR COMPRENSIÓN

**la jefatura**—directiva, cargo de jefe

**el seno**—parte interna de algo

*IMPORTANTE: PARA UNA MEJOR DISCUSIÓN*

**desmedido/a**—desproporcionado, desmesurado

#### ÚTIL: PARA UNA MEJOR EXPRESIÓN

**sí mismo/a**—enfatiza la referencia personal

**en cuanto a**—por lo que toca o corresponde a algo

**a partir de**—desde

**por encima**—arriba de, superior a otra cosa

**Producto:** ¿Cómo se define la familia típica en España?

**Práctica:** A diferencia del resto de Europa, ¿por qué hay menos españoles con tres hijos o más?

**Perspectiva:** ¿Por qué es procupante la cifra de 1,32 hijos por mujer española?

---

ESENCIAL: PARA UNA MEJOR COMPRENSIÓN

**capaz**—que tiene cualidades para hacer algo, talentoso, apto

**plantea (plantear)**—proponer algo

#### IMPORTANTE: PARA UNA MEJOR DISCUSIÓN

**el ser**—persona

**la selectividad**—conjunto de exámenes que se toman en España para poder acceder a la universidad

#### ÚTIL: PARA UNA MEJOR EXPRESIÓN

**enfrente**—la parte opuesta, punto que mira a otro, lo que está delante de otro

**Producto:** ¿Qué es un libro de superación personal?

**Práctica:** ¿Qué papel despempeña un coach en América Latina?

**Perspectiva:** ¿Por qué sube la venta de libros de autoayuda y superación durante una crisis económica?

---

*ESENCIAL: PARA UNA MEJOR COMPRENSIÓN*

**anímico/a**—de los sentimientos, del estado de ánimo

**acontecimientos**—eventos, sucesos

#### IMPORTANTE: PARA UNA MEJOR DISCUSIÓN

**acogedora**—agradable, cómodo, tranquilo

**te apresures (apresurarse)**—darse prisa, apurarse

#### ÚTIL: PARA UNA MEJOR EXPRESIÓN

**de este modo**—así, de esta manera

**Producto:** ¿Cómo es el típico bar de España?

**Práctica:** ¿Por qué es tan popular comer fuera de casa para los españoles?

**Perspectiva:** Explica por qué perdió la hostelería española 12.000 establecimientos entre los años 2009 y 2012.

# Las tradiciones y los valores sociales

## Lecturas

**FUENTE** Este fragmento viene del preámbulo del libro Tape Porã escrito por Mirella Cossovel de Cuellar. El título del libro está en el idioma guaraní que conjuntamente con el castellano es también el idioma oficial del Paraguay. En castellano el título significa "Camino lindo". El libro fue impreso en abril de 2011 en Asunción, Paraguay.

Cada día, aprovechando el fresco de la mañana y el buen tiempo, iba yo a caminar al único parque que había cerca de mi casa. Allí **solía** encontrarme con algunas amigas mías que también disfrutaban de la caminata
5   **matutina**. Una mañana me llamó la atención la inusual presencia de una joven mujer que, hablando en guaraní, **alentaba** a una niña, que, sentada en una de las hamacas, trataba de balancearse. Era evidente que la niña, que habrá tenido cuatro o cinco años, estaba descubriendo,
10  por primera vez, el placer de subir a una hamaca. En su pequeño rostro, sus grandes ojos negros brillaban de emoción y soltaba gritos de alegría cada vez que la mujer, que supuse sería su madre, daba **un empujón** a la hamaca, haciendo que la niña volara alto y este vuelo permitía a la
15  pequeña ver los árboles como si estuvieran a su altura.

Esa misma mañana, terminada mi caminata, fui al supermercado a hacer mis compras. Al volver a casa, en **la vereda** de la doble avenida, me encontré otra vez, **frente a frente** con la joven mujer que había visto en
20  el parque. Me impresionó muchísimo su aspecto. Mi corazón **se encogió de pena**. ¿Cómo puede la sociedad permitir que un ser humano llegue a ese extremo? Se notaba que la mujer estaba **casi desfallecida**, sin energías. A pesar de eso, llevaba a la niña en sus brazos.
25  El vestido sucio y andrajoso que llevaba puesto le quedaba grande. A pesar de su delgadez se notaba que estaba embarazada. Su cabellera, larga y sucia, cubría sus hombros **enjutos** y enmarcaba un rostro de bonitas facciones en el cual dos ojos **hundidos** me miraban
30  implorantes.

Deposité en el suelo mis dos bolsas, abrí una, saqué un pan *Felipe* y se lo entregué a la mujer, que enseguida se lo pasó a la nena. Ésta lo agarró con una de sus pequeñas manos y le dio un mordisco. El pan apenas
35  cabía en la mano de la niña y le dije a la madre que lo partiera para compartirlo con su hija. Recogí mis cosas y me alejé caminando, pero por mucho tiempo no me abandonó la sensación de que podía haber hecho más por esos dos seres desvalidos. La imagen de esa mujer y
40  de esa niña me hizo recordar a los personajes de «Los miserables», la famosa novela de Víctor Hugo. Este encuentro me inspiró a escribir esta novela.

La autora

1.  ¿Cuál es el enfoque del preámbulo?
    (A) Describir una vida desafortunada
    (B) Contar un poco de una historia larga y agradable
    (C) Describir un paisaje bonito
    (D) Presentar una familia de madre e hija

2.  Según el preámbulo, ¿cómo se describe mejor la rutina diaria de la autora?
    (A) Feliz y divertida
    (B) Triste y solitaria
    (C) Aventurera y espantosa
    (D) Malísima y dolorosa

3.  Según el preámbulo, ¿qué le sorprendió a la autora un día en el parque?
    (A) Las amigas no llegaron.
    (B) Vio algo fuera de lo normal.
    (C) De repente cambió el tiempo.
    (D) Aparecieron algunas personas bien vestidas.

4.  Según el preámbulo, ¿cómo reaccionó la niña al subir en la hamaca?
    (A) Con miedo
    (B) Con felicidad
    (C) Con ansiedad
    (D) Con rabia

5.  Según el preámbulo, ¿cómo se sintió la autora la segunda vez que se encontró con la mujer y la niña?
    (A) Nostálgica
    (B) Conmovida
    (C) Sorprendida
    (D) Desenfadada

6.  Según el preámbulo, ¿qué les ofreció la autora a la mujer y a la niña?
    (A) Dos bolsas de comida
    (B) Monedas para comprar comida
    (C) Algunas prendas
    (D) Un poco de comida

## CÁPSULA CULTURAL: AL COLUMPIARSE EN UNA HAMACA

La hamaca de mi vejez

¡Qué maravilla es la hamaca! Representa lo mejor de la vida y trae recuerdos de los días placenteros sin preocupaciones ni ansiedades. La hamaca a la que la autora de <u>Tape Porã</u> hace referencia es, en realidad, lo que se conoce también como un columpio. En Argentina y Uruguay también se usa la palabra hamaca para referirse al columpio, es decir, a los asientos que se encuentran en las plazas y los parques para hamacarse hacia el cielo. En esos países como en el Paraguay se usa la palabra hamaca para referirse a la hamaca o hamaca paraguaya donde uno puede recostarse y leer un libro, relajarse o dormir. En México y en España, sin embargo, se usa la palabra hamaca para las hamacas que sirven para relajarse y la palabra columpio para los columpios del parque que sirven para columpiarse hacia otras alturas.

Más impresionante aún es el origen de la hamaca, claro, perdido en los misterios del pasado. Lo cierto es que la hamaca es una ingeniosa invención latinoamericana. Los mayas usaban hamacas hechas de la corteza del árbol *hamac*. Los taínos se daban cuenta de los encantos de la hamaca y se hamacaban en sus redes de pesca fabricadas de fibras vegetales. En un principio, las hamacas servían para dormir fuera del alcance de los animalitos y de las víboras. Con el pasar del tiempo, se fueron transformando y hoy se las puede encontrar en diferentes modelos y variadas formas coloridas para disfrutar de una tarde soñolienta. Yo, por ejemplo, he dejado la hamaca del parque por una tumbona plegable a la orilla del mar y poco a poco voy a reemplazarla con la mecedora de mi vejez.

—Juan Molinero, *Blogviaslado*, 27 de marzo de 2013

**COMPARACIONES: ¿Qué productos de uso práctico y de origen antiguo sirven hoy para el entretenimiento y la diversión?**

## Lecturas con Audio

**FUENTE NÚMERO 1** **Esta selección trata de una celebración contemporánea, el Día de la Morenita, mejor conocida como la Virgen de Guadalupe. Este texto, "Millones visitan a la Virgen de Guadalupe", fue publicado por La Prensa en Managua, Nicaragua, el 12 de diciembre de 2012.**

Alrededor de 5.8 millones de **fieles** visitaron la Basílica de la Virgen de Guadalupe en la capital mexicana, con motivo de cumplirse hoy el 481 aniversario de su última aparición ante el indígena Juan Diego, canonizado en 2002.

5 La celebración del Día de la Morenita del Cerro del Tepeyac comenzó en el primer minuto del 12 de diciembre, cuando miles de personas, entre ellas artistas como Pedro Fernández y Daniela Romo, interpretaron "Las Mañanitas", el feliz cumpleaños en México, a la
10 patrona de América Latina durante una misa.

Procedentes de todos los puntos de México y también de otros países **los peregrinos** disfrutaron durante **la madrugada** de un espectáculo de luz y sonido en las inmediaciones de la Basílica.

Buena parte de **los fieles** pasaron la noche a la 15 intemperie, **apenas** cubiertos con mantas o sacos de dormir, en los alrededores del templo católico más visitado del mundo después de la Basílica de San Pedro. Las autoridades de la capital mexicana destacaron que hasta ahora los festejos en honor a la Virgen se 20 desarrollan sin contratiempos y cifraron los visitantes hasta ahora en unos 5.8 millones.

En declaraciones a los medios, el jefe de Gobierno de México, Miguel Ángel Mancera, dijo que va bien el operativo implementado con motivo de esta fiesta 25 y que hasta ahora cinco millones de personas han sido atendidas en sitios de descanso, carpas y puntos de hidratación. Más de un centenar de médicos y enfermeras trabajan en la zona, donde se instalaron módulos de atención y ambulancias, mientras que unos 30 17,000 policías participan en el operativo de vigilancia de la Basílica y sus alrededores.

El papa Benedicto XVI también recordó hoy a la Virgen de Guadalupe y le pidió que vele por México y "le conceda unidad, justicia, concordia y paz". Además, 35 hoy quiso estar acompañado por una mexicana en su debut en Twitter en el día de la Virgen morena, en el que agradeció los dos Portales de Belén y dos **abetos** navideños regalados por el estado mexicano de Michoacán al Vaticano para adornar la Sede Apostólica. 40

◀)) FUENTE NÚMERO 2 **En esta grabación, "Virgen de Guadalupe", canta Lucero Hogaza León, una famosa cantante mexicana, en un programa de televisión Mañanitas a la Virgen de Guadalupe. El programa fue emitido por Televisa (México) en 1985. Las Mañanitas son canciones tradicionales mexicanas que se cantan en fiestas de cumpleaños. La grabación dura aproximadamente tres minutos.**

1. ¿Cuál es el propósito del artículo?
   - (A) Enseñarnos algo sobre la Virgen de Guadalupe
   - (B) Destacar la importancia de una gran celebración
   - (C) Promover los lugares turísticos mexicanos
   - (D) Apuntar las estadísticas del gobierno mexicano

2. Según el artículo, ¿quiénes asisten a la celebración?
   - (A) Sólo la gente de México
   - (B) No sólo la gente del D.F. sino la gente de todas partes del mundo
   - (C) Sólo la gente de Nicaragua
   - (D) Solamente la gente de los cerros

3. Según el artículo, ¿cómo se prepara la gran ciudad para la celebración?
   - (A) Con mucho cuidado y suficiente personal
   - (B) Con preparativos de último minuto
   - (C) Con mucha comida y bebida
   - (D) Con muchos folletos religiosos

4. Según el artículo, ¿cómo reaccionó la gente con motivo de la celebración?
   - (A) De manera contradictoria
   - (B) Con orgullo y entusiasmo
   - (C) De manera negativa
   - (D) Con indiferencia

5. Según el audio, ¿qué tipo de canción es?
   - (A) Folclórica
   - (B) De protesta
   - (C) De veneración
   - (D) Espiritual

6. Según el audio, ¿cómo es la Virgen de Guadalupe?
   - (A) Adorada
   - (B) Desconocida
   - (C) Llamativa
   - (D) Iluminada

7. Según el audio, ¿qué quiere decir "has tornado en azúcar todo lo amargo"?
   - (A) La Virgen puede entender todo.
   - (B) La Virgen puede producir algo dulce.
   - (C) La Virgen puede cambiar todo el mundo.
   - (D) La Virgen puede transformar lo negativo en positivo.

8. Según el audio, ¿por qué se suplica de rodillas?
   - (A) Porque no se puede suplicar de pie
   - (B) Porque no hay otra manera de llegar
   - (C) Porque así se demuestra la devoción
   - (D) Porque la Virgen lo demanda

9. ¿Qué tienen en común las dos fuentes?
   - (A) Describen una visita turística.
   - (B) Muestran dos puntos de vista distintos.
   - (C) Sólo comparten el tema de la religión.
   - (D) Demuestran la pasión por una tradición religiosa.

10. Según las dos fuentes, ¿cuál de las siguientes opiniones une mejor las dos fuentes?
    - (A) El deseo de promover la religión
    - (B) El deseo de conocer a la Virgen
    - (C) El deseo de reverenciar a la Virgen
    - (D) El deseo de olvidarse de los íconos

## CÁPSULA CULTURAL: TUITS VATICANOS LEÍDOS ALREDEDOR DEL MUNDO

Desde la Catedral de la Virgen de Guadalupe hasta Roma, el 13 de marzo de 2013 todo el mundo esperaba la fumata blanca (humo blanco) de la chimenea de la Capilla Sixtina que anunciaría la elección del nuevo papa. El nuevo papa fue elegido de entre los 115 cardinales electores que venían de todas partes del mundo. Primero, la fumata blanca, luego un anuncio y finalmente un tuit que decía "Habemus Papam Franciscum" (Tenemos Papa, Francisco). Así el antiguo mundo se juntó con el moderno en la celebración de la elección de un papa, líder supremo de los 1.196 millones de católicos de todo el mundo. La cuenta papal en Twitter @pontifex tiene 2,5 millones de seguidores. El nuevo pontífice, Francisco I, ya ha usado su cuenta y manda mensajes en español, italiano, alemán, francés, portugués, polaco, árabe y latín. Inmediatamente el mensaje corrió como la pólvora. Es seguro que si hubiera habido cuentas en Twitter cuando Juan Diego conoció a la Virgen de Guadalupe, los mensajes se hubieran vuelto virales también.

El Papa Francisco I

—Juan Molinero, *Blogviaslado*, 6 de abril de 2013

**COMPARACIONES: ¿Cuáles son otros ejemplos de rituales tradicionales que se han adaptado a las demandas del mundo contemporáneo?**

## Audios

🔊 **FUENTE** Esta grabación, "Charla: educación y valores sociales", trata de una conferencia que tuvo lugar en La Casa de la Dona en Valencia, España, sobre el rol de los padres en inculcar los valores esenciales de la vida a sus hijos. Un locutor entrevista a la conferenciante, la psicóloga Maricarmen Oltra. La entrevista fue emitida por Mislata TV el 8 de noviembre de 2012. La grabación dura aproximadamente dos minutos.

1. ¿A qué público está destinado este audio?
   (A) A adolescentes
   (B) A psicólogas
   (C) A niños
   (D) A madres

2. Según el audio, ¿cuál es el propósito de esta charla?
   (A) Enseñar a los niños lo básico
   (B) Evitar la violencia en las familias
   (C) Educar a los padres sobre cómo criar a los niños
   (D) Valorar el sistema de enseñanza

3. Según el audio, ¿qué tipo de persona típicamente frecuenta las charlas?
   (A) Una joven
   (B) Un maestro
   (C) Un profesional médico
   (D) Una mayor interesada

4. Según el audio, ¿cuál es la manera más efectiva de ofrecerles a los niños una buena formación?
   (A) Con libros fáciles de leer
   (B) Con conversaciones abiertas
   (C) Con talleres breves
   (D) Con clases a una edad temprana

5. Según el audio, ¿por qué es útil este tipo de charla?
   (A) Se puede aprender mucho sobre la piscología del niño.
   (B) Se puede aprender a eliminar los problemas obvios.
   (C) Se puede aprender a evitar los obstáculos diarios.
   (D) Se puede aprender mucho sobre los valores sociales.

6. Si pudieras escuchar un informe adicional sobre un punto de vista contrario, ¿cuál de los siguientes títulos sería el más apropiado?
   (A) "La estructura familiar y sus valores valen menos en la vida contemporánea"
   (B) "Los padres y su importancia en la vida del niño"
   (C) "La madre, el padre, el tío – todos tienen su importancia"
   (D) "La comunicación - más vale tarde que nunca"

7. ¿Por qué es esta charla parte de unas jornadas contra la violencia de género?
   (A) Porque asisten los padres y son ellos los que pueden cambiar todo en la vida de sus niños
   (B) Porque los expertos asistentes exponen los problemas cotidianos
   (C) Porque es un requisito del gobierno
   (D) Porque es una oportunidad en esta parte de España para revelar los problemas de la violencia

## CÁPSULA CULTURAL: LAS FALLAS DE VALENCIA

Si hay un momento ideal para visitar la ciudad de Valencia, España, es durante el mes de marzo cuando se celebran Las Fallas. Es una celebración de San José, el patrono de los carpinteros, y del comienzo de primavera. Tiene sus raíces en los tiempos de los carpinteros medievales que tenían por costumbre quemar madera en la primavera para celebrar el fin del invierno. Oficialmente esta celebración empieza el 15 de marzo; sin embargo, hay *mascletadas o mascletá* (en valenciano significa una serie de disparos de petardos y fuegos artificiales) desde el primero de marzo. El 17 y 18 de marzo son días dedicados a la ofrenda a la patrona de la ciudad de Valencia, la Virgen de los Desamparados. Es un gran honor ser elegida una fallera, la que le ofrece un ramo de flores a la Virgen. El punto fuerte de los días de fiesta son las fallas, unos enormes monumentos construidos por los valencianos que representan personas famosas y personalidades políticas tratadas de forma satírica. Las Fallas terminan con la *cremá*, el acto de cremar o prender fuego a estas magníficas obras de arte el 19 de marzo, el día de San José. Cada calle o manzana en la ciudad de Valencia ostenta su propia falla y celebración y cuando todo termina, la gente empieza de nuevo a prepararse para el próximo marzo y para otra celebración inolvidable.

—*Púa de Molinero, Blogviaslado, 21 de marzo de 2013*

Una falla, Valencia, España, 2012

**COMPARACIONES: ¿Cómo se celebra el cambio de estaciones en tu comunidad?**

## Correos Electrónicos

Este mensaje electrónico es del director del programa atlético de tu colegio. Has recibido este mensaje porque le has escrito una carta de petición sobre la desigualdad de género en los deportes en tu colegio.

| **De:** | Sr. Eduardo Alán |
| **Asunto:** | La desigualdad |

Querido/a estudiante de español:

Le agradezco su interés en juntarse con varios miembros del comité escolar y con algunos alumnos para analizar nuestro programa deportivo. Para prepararnos para esta conversación le pido que me mande más información. ¿Por qué piensa Ud. que hay desigualdad de género en los deportes acá en el Colegio Molino? Cambiar un programa ya establecido es un proceso largo. En su opinión, ¿cuál sería el primer paso y por qué? Por último, habrá gente que no quiera cambiar nuestro programa. ¿Qué les diría a ellos para convencerles de que hay un problema?

Por cualquier duda, por favor, póngase en contacto conmigo.

Atentamente,

Eduardo Alán
Director del Programa Atlético de Colegio Molichuelo

## Ensayo

**Tema del ensayo:**

*¿Debe mantener la juventud de hoy los valores sociales y las tradiciones de sus antepasados?*

**FUENTE NÚMERO 1** Este artículo, "El beso argentino", trata del tradicional beso que se da al saludarse. El artículo original, escrito por Cecilia Absatz, fue publicado en el diario La Nación de Buenos Aires, Argentina, el 23 de marzo de 2008.

Parece instalada para siempre entre nosotros la costumbre de besarse al saludar. Se supone que es una expresión más de la proverbial calidez de los porteños, esa inclinación a hacerse amigo que tanto
5 seduce a los extranjeros. Y si alguna persona llegara a mostrarse incómoda con el sistema oficial de los besos, va a ser mirada con cierto recelo y un poco de lástima, como si en ese gesto mostrara el germen inequívoco de la misantropía. Un par de años atrás, el filósofo Tomás
10 Abraham publicó en un blog un artículo memorable llamado Bésame poco, donde concentraba su protesta en el género masculino: "He lanzado una campaña en Buenos Aires para terminar con el sistema obligatorio de besos entre varones", comenzaba. Y proponía el método
15 tanto más civilizado de darse la mano, que definió como "franco, viril, leal, distante pero respetuoso".

En su momento, el artículo fue profusamente comentado; mucha gente se sintió aludida. De más está decir que la campaña fracasó, cosa que el propio
20 Abraham reconoció en un artículo posterior. En resumen, los besos siguen en pleno vigor entre varones, mujeres y por qué no niños.

Los besos son, por cierto, contactos muy agradables con amigos y familiares, la gente a la que uno quiere.
25 Pero cuando se trata de un perfecto desconocido el beso parece un gesto algo extremo desde el punto de vista estrictamente territorial. Es una forma de acercamiento que compromete asuntos tan privados como el aliento del otro, el olor de su ropa, la piel de sus labios, y
30 muchas veces el pelo largo de algunas mujeres que tiende a caer indiscreto entre las dos mejillas. Un beso apurado, de esos que ocurren cuando el recién llegado debe besar a toda la concurrencia, puede accidentalmente golpear un pómulo y hasta romper el
35 cristal de una gafa sin montura. Los niños son torturados con los besos que sus padres los obligan a dar a personas que no conocen y más aún con los que reciben sin que nadie los proteja de labios pintados y ajenos.

Darse la mano, en cambio, mantiene a la otra persona
40 literalmente a un brazo de distancia, tal como nos enseñaron en la escuela. Y al contacto de su mano es

mucho lo que se puede saber del otro. Hay manos tibias y protectoras que da gusto estrechar; otras, en cambio, son húmedas y heladas como peces. Esta información
45 debería ser suficiente para cumplir con los fines de un saludo y nos ahorraría el intercambio tanto más íntimo de la gimnasia afectiva, que no siempre es sincera. En Estados Unidos, por ejemplo, no se derrochan los besos: la gente se saluda con una simple inclinación
50 de cabeza; entre amigos y conocidos íntimos se dan la mano. Tiene que pasar algo especial para que se den un beso. Y a nadie se le pasaría por la cabeza besar a un niño: por algo así podría incluso ser denunciado a la policía.

Sin embargo, entre nosotros, especialmente en las
55 ciudades, el beso parece inamovible. Perfectamente aceptado entre hombres, obligatorio entre mujeres, se ha convertido en el saludo oficial de propios y extraños, en un ritual urbano difícil de combatir. El que se muestra renuente, como se dijo más arriba,
60 echa un sutil manto de hostilidad sobre sus relaciones y rápidamente se gana la antipatía de todos. A este personaje, entonces, le quedan dos caminos: se adapta a la ley y se besa con todos de buen grado, o practica una mirada contundente, capaz de disuadir al besador
65 más empecinado. Ofrece su mano cuando le parece pertinente y se hace cargo de su mala fama.

**FUENTE NÚMERO 2** Esta tabla trata de algunos cambios de tradiciones y valores que se pueden observar por el mundo hispano. Presenta información de un sondeo publicado por Diario Viaslado en octubre de 2012.

**PREGUNTA DEL SONDEO: ¿Cómo han ido cambiando las tradiciones?**

| Navidad (Nacimiento de Jesús) | Día de los Reyes Magos |
|---|---|
| Ahora se ven coches con cuernos y nariz de alce. También se ven muchos más sombreros de Papá Noel que niños en procesión pidiendo fruta y dulces pasando de puerta en puerta. Hay muchos árboles de Navidad con adornos y luces en vez de la representación del nacimiento de Jesús en el tradicional pesebre.  | En algunos casos la tradición ha cambiado. Los niños ya no dejan sus zapatos bien lustrados cerca de la ventana ni agua para los camellos. Además, ahora piden de regalo un videojuego en vez del trompo o un carrito de madera como antes.  |
| **Semana Santa** | **Día de los Muertos** |
| En algunos países ya no se tiene que salir de casa y se puede mirar todo por televisión.  | Todavía una de cada dos personas pone ofrenda en el Distrito Federal. Sin embargo, hay algunos que se disfrazan y piden dulces mientras usan el término "Halloween".  |

◀)) FUENTE NÚMERO 3 Esta grabación, "Tradiciones navideñas perdidas", trata de las tradiciones navideñas de México. Un locutor entrevista a personas en un parque en el D.F. de México haciéndoles la pregunta "¿Por qué han perdido las tradiciones en las fiestas decembrinas?". El programa, "Sondeos", fue emitido por javiersolorazano.com el 23 de diciembre de 2010. La grabación dura aproximadamente dos minutos y medio.

## Conversaciones

◀)) Esta es una conversación con Raquel, presidenta de estudiantes de tu colegio. Vas a participar en esta conversación porque quieres hablar con ella sobre el problema del ciberacoso en tu colegio.

| Raquel | • Te saluda y te hace unas preguntas. |
|--------|----------------------------------------|
| Tú | • Salúdala y contesta las preguntas. |
| Raquel | • Continúa la conversación. |
| Tú | • Contesta con detalles. |
| Raquel | • Continúa la conversación. |
| Tú | • Contesta con detalles. |
| Raquel | • Reacciona y te hace una pregunta. |
| Tú | • Contesta con detalles sobre otra preocupación que tienes del ciberacoso. |
| Raquel | • Te hace una pregunta. |
| Tú | • Contéstale afirmativamente y dile por qué. Ofrece una opción y despídete. |

## Discursos

### Tema de la presentación:

*¿Qué importancia tienen todavía para ti las tradiciones de tus antepasados familiares?*

*Compara tus observaciones acerca de las comunidades en las que has vivido con tus observaciones de una región del mundo hispanohablante que te sea familiar. En tu presentación, puedes referirte a lo que has estudiado, vivido, observado, etc.*

**CLASIFICADOS**

## PÁGINA **135** Lecturas

## PÁGINA **136** Lecturas con Audio

## PÁGINA **138** Audios

### ESENCIAL: PARA UNA MEJOR COMPRENSIÓN

**solía (soler)**—tener costumbre, hacer algo con frecuencia

**la vereda**—acera de una calle o plaza

**enjuto/a**—delgado, flaco

**hundido/a**—sumergido, inmerso

### IMPORTANTE: PARA UNA MEJOR DISCUSIÓN

**matutina/o**—de la mañana

**alentaba (alentar)**—animar, dar vigor, infundir aliento o esfuerzo

**un empujón**—un impulso para mover algo

**casi desfallecida/o**—exhausto, agotado, cansado

### ÚTIL: PARA UNA MEJOR EXPRESIÓN

**frente a frente**—en presencia y delante de otro

**se encogió (encogerse) de pena**—entristecerse, sentir una inmensa tristeza

**Producto:** Dibuja una hamaca paraguaya tradicional.

**Práctica:** ¿Cuáles son las razones prácticas del uso de una hamaca?

**Perspectiva:** ¿Por qué es recostarse en una hamaca paraguay conectarse al pasado?

### ESENCIAL: PARA UNA MEJOR COMPRENSIÓN

**los peregrinos (el peregrino)**—el que viaja a un lugar sagrado

**los fieles (el fiel)**—el que cree, el creyente

### IMPORTANTE: PARA UNA MEJOR DISCUSIÓN

**la madrugada**—inicio del día

**los abetos (el abeto)**—tipo de árbol

**milagroso/a**—que no puede ser explicado

**brota (brotar)**—comenzar a nacer o a salir

### ÚTIL: PARA UNA MEJOR EXPRESIÓN

**apenas**—casi no, difícilmente

**Producto:** Describe lo que es la Misa de Gallo.

**Práctica:** Describe algunas diferencias entre las celebraciones de la Misa de Gallo de distintos lugares.

**Perspectiva:** Describe la importancia de la Misa de Gallo dentro de la liturgia católica.

### ESENCIAL: PARA UNA MEJOR COMPRENSIÓN

**inculcar**—infundir, persuadir, inspirar

**la charla**—disertación oral ante un público, discurso, conferencia informal

### IMPORTANTE: PARA UNA MEJOR DISCUSIÓN

**realizan (realizar)**—hacer, llevar a cabo, cumplir

### ÚTIL: PARA UNA MEJOR EXPRESIÓN

**a lo largo de**—durante

**Producto:** Describe la educación infantil en España.

**Práctica:** ¿Por qué hay dos ciclos dentro de la educación infantil en España?

**Perspectiva:** Según la Ley Orgánica de Educación, ¿por qué es tan importante la educación infantil en España?

# El trabajo voluntario

**FUENTE** Esta selección, "Ecuador – Ofrecerse como voluntario", viene de un folleto diseñado por La Fundación Ecuador Volunteer, una Organización No Gubernamental (ONG) legalmente reconocida por el gobierno ecuatoriano y creada en el año 2005 con el objetivo de ofrecer oportunidades de voluntariado a personas nacionales y extranjeras. El texto originó en el Sitio Oficial de la Fundación Ecuador Volunteer en 2008.

# PREGUNTAS FRECUENTES

## Organización

**1. ¿Cuál es la función principal de Ecuador Volunteer?**

La Fundación Ecuador Volunteer es una organización sin fines de lucro, cuya principal función es seleccionar voluntarios y crear una conexión de cooperación con diferentes proyectos a lo largo de Ecuador.

**2. ¿La Fundación Ecuador Volunteer, está autorizada para operar?**

La Fundación Ecuador Volunteer ha sido legalmente constituida en Ecuador, a través del Acuerdo Ministerial Nº 0350 y es la única organización autorizada por el gobierno de Ecuador para seleccionar voluntarios nacionales e internacionales.

## Tiempo de Trabajo

**1. ¿Cuál es el tiempo mínimo para trabajar en los Proyectos Gratuitos?**

El tiempo mínimo que se requiere para aplicar a estos proyectos es de 3 meses en adelante.

**2. ¿Cuál es el tiempo mínimo para trabajar en los Proyectos de Bajo Costo?**

El tiempo mínimo que se requiere para aplicar a estos proyectos es de 1 mes en adelante.

**3. ¿Cuánto tiempo debo estar en Quito, antes de empezar mi trabajo voluntario?**

Los voluntarios deben permanecer en Quito, entre dos y tres días antes de comenzar su trabajo, periodo de tiempo que nos permite ofrecer toda la información necesaria al voluntario sobre la cultura, costumbres y detalles del proyecto. Si el voluntario necesita comprar algún tipo de artículo personal, éste es el mejor momento para hacerlo.

## Tipos de Proyectos

**1. ¿Qué clase de proyectos están disponibles?**

Los proyectos voluntarios se clasifican en dos áreas: Proyectos Gratuitos y Proyectos de Bajo.

**2. ¿Qué áreas abarcan los proyectos voluntarios?**

Las áreas de acción tanto de los proyectos voluntarios gratuitos como los de Bajo Costo son las siguientes: social, comunitaria, ambiental, educativa y salud.

**3. ¿Qué son los Proyectos Gratuitos?**

La sección de Proyectos Gratuitos ofrece oportunidades de voluntariado totalmente gratis, esto significa que los proyectos cubren los costos de alimentación y alojamiento del voluntario durante su tiempo de colaboración.

**4. ¿Qué son los Proyectos de Bajo Costo?**

La sección de Proyectos de Bajo Costo ofrece oportunidades de trabajo voluntario en algunas áreas donde el voluntario debe cubrir sus costos de alojamiento y alimentación. Algunos de los proyectos ofrecen alimentación dentro del programa de acuerdo a sus posibilidades.

**5. ¿Puedo aplicar mi profesión en los proyectos?**

Si, es lo más recomendable. Es muy importante que los voluntarios envíen su CV (currículum vítae), para determinar en qué área de acción puede aplicar su profesión y adicionalmente esperar la respuesta de los proyectos que están interesados en este perfil.

**6. ¿Dónde están localizados los programas?**

Los programas están ubicados a lo largo de Ecuador, y cada ficha de información del proyecto específica la ubicación.

1. ¿Cuál es el propósito del folleto?
   - (A) Contestar todo tipo de preguntas sobre Ecuador Voluntario
   - (B) Mostrar los varios tipos de trabajo voluntario disponibles
   - (C) Navegar un sitio web para trabajo voluntario
   - (D) Planear vacaciones en Ecuador como voluntario

2. Según el folleto, ¿cuáles son los requisitos de pago para el programa de voluntariado?
   - (A) Uno no tiene que pagar nada porque es totalmente gratis.
   - (B) Sólo se compran las comidas y nada más.
   - (C) Uno tiene que pagar los gastos mínimos.
   - (D) Todo depende del programa y su ubicación.

3. Según el folleto, ¿por qué es única la organización Ecuador Voluntario?
   - (A) Porque es de una compañía privada y lujosa para voluntarios
   - (B) Porque está ubicada en Quito y los voluntarios se benefician de la cultura
   - (C) Porque es reconocida anualmente por el número de voluntarios participantes
   - (D) Porque es la única organización para voluntarios internacionales sancionada por el gobierno de Ecuador

4. Según el folleto, ¿qué tipo de experiencia previa se requiere que tengan los voluntarios?
   - (A) Experiencia con el entrenamiento profesional
   - (B) Un mínimo de 10 años de aprendizaje
   - (C) Ninguna experiencia previa
   - (D) Experiencia en reparaciones del hogar

5. Según el folleto, ¿por qué recomiendan con fuerza que los voluntarios se queden un tiempo en Quito antes de empezar el trabajo?
   - (A) Para conocer los lugares turísticos
   - (B) Para aclimatarse
   - (C) Para ir de compras
   - (D) Para aprender el lenguaje nativo

## CÁPSULA CULTURAL: FUNDACIÓN PIES DESCALZOS— CAMINANDO TRAS LAS HUELLAS DE SHAKIRA

Shakira, fundadora de Pies Descalzos

La famosísima cantante colombiana Shakira fundó Pies Descalzos en su ciudad natal de Barranquilla a finales de los años 90. Su misión ha cambiado poco a través de los años: ayudar a los niños de Colombia y del tercer mundo que viven sin protección contra los males de la violencia, la malnutrición y la falta de educación. Afortunadamente los programas de Pies Descalzos ofrecen participación voluntaria. La edad mínima es de 18 años para participar en toda una gama de proyectos y actividades. Sólo hay que tener las ganas y la tenacidad para servir en una de las ubicaciones en Colombia: Barranquilla, Altos de Cazucá o Quibdó. Buscan voluntarios que puedan ayudar en áreas tan diversas como las artes, la nutrición, la psicología y los idiomas entre muchas otras. Arriésgate. Sólo necesitas mandar tu hoja de vida a voluntarios@fundacionpiesdescalzos.com. ¡Ah, una cosa más! Los voluntarios deben poder entender por los niños en español. Por lo menos, deben ser entendidos por los niños que buscan su apoyo y afecto.

—Juan Molinero, *Blogviaslado, febrero de 2013*

**COMPARACIONES:** ¿Qué circunstancias sociales y económicas impulsan las actividades de programas de voluntariado en tu comunidad cuya misión es ayudar a los niños?

# Ilustración con Audio

**FUENTE NÚMERO 1** Este formulario fue publicado por Diario Viaslado en 2012. El formulario pide la información necesaria para ser un voluntario que quiere trabajar con los niños.

| Nombre | |
|---|---|
| Apellidos | |
| Experiencia | |
| Correo electrónico | |
| Dirección | |
| Disponibilidad | |
| Mensaje | |

Currículum vítae
Adjunta tu currículum vítae (formatos permitidos: doc,pdf – máx. 10MB)

☐ He leído y acepto la ley de protección de datos.

[ Enviar ]

🔊 **FUENTE NÚMERO 2** Esta entrevista, "Trabajos voluntarios", trata de un programa de voluntariado patrocinado por la Dirección de Asuntos Estudiantiles (la DAE) de la Universidad de Bernardo O'Higgins en Santiago, Chile. María José Romero, estudiante y locutora, entrevista a Eduardo Montalva, estudiante de derecho y director de Trabajos Voluntarios para TVUBO el 10 de agosto de 2009. La grabación dura aproximadamente tres minutos.

1. ¿Cuál es el propósito del formulario?
   - (A) Recopilar información sobre el voluntario
   - (B) Informarles a los voluntarios sobre un candidato ideal
   - (C) Anunciar un programa de voluntarios
   - (D) Elegir el mejor voluntario

2. Según el formulario, ¿qué información buscan cuando preguntan sobre la disponibilidad del voluntario?
   - (A) La edad del voluntario
   - (B) La duración de la experiencia previa del voluntario
   - (C) Las fechas para comenzar y terminar el compromiso del voluntario
   - (D) El interés del voluntario en el programa

3. Según el formulario, ¿qué importancia tiene la sección de la ley de protección?
   - (A) No tiene mucha importancia; sólo es algo opcional.
   - (B) No se puede entregar el formulario sin leer esta sección.
   - (C) Explica que van a proteger al voluntario de cualquier peligro.
   - (D) Es necesaria porque se va a trabajar con niños.

4. Según el audio, ¿cómo se describe el trabajo de Eduardo Montalva?
   - (A) Administra los trabajos voluntarios
   - (B) Anuncia los programas sociales de la universidad
   - (C) Informa a los santiaguinos sobre sus derechos civiles
   - (D) Visita los campamentos en Santiago cada día

5. Según el audio, ¿para qué empezaron los voluntarios a visitar los campamentos?
   - (A) Para conocer mejor a la gente
   - (B) Para visitar los lugares importantes de Santiago
   - (C) Para empezar su programa de entrenamiento
   - (D) Para comprender mejor lo que es ser voluntario

6. Según Eduardo Montalva, ¿cuál será la primera actividad de acción social del nuevo semestre?
   - (A) Una fiesta para niños
   - (B) Un reclutamiento de voluntarios
   - (C) Una charla sobre el espíritu de servicio social
   - (D) Un baile de gala

7. ¿Cuál es la diferencia más notable entre las dos fuentes?
   - (A) La fuente auditiva busca cierto tipo de voluntario y la impresa no lo especifica.
   - (B) Tanto la fuente auditiva como la impresa requieren que el voluntario tenga experiencia de servicio social.
   - (C) La fuente impresa pide información específica del voluntario y la fuente auditiva pide información más general.
   - (D) La fuente impresa pide información sobre el voluntario y la auditiva habla de lo que hacen los voluntarios.

## CÁPSULA CULTURAL: ONCE (ORGANIZACIÓN NACIONAL DE CIEGOS DE ESPAÑA)

Los voluntarios de la ONCE trabajan con personas ciegas de todas las edades, especialmente con los mayores. Para hacerse voluntario es necesario pasar por unas entrevistas de selección. El trabajo principal de los voluntarios consiste en acompañar a los ciegos al cine, al teatro o a talleres ocupacionales. Las personas ciegas también piden que los voluntarios les lean. Esta organización es muy profesional y es una de las más grandes de España. La ONCE es muy conocida por su lotería. Los ciegos venden cupones de lotería en las calles. Esta actividad les da trabajo respetable a los ciegos y también recauda dinero para los servicios que los benefician.

—Juan Molinero, Blogviaslado, marzo de 2009

**COMPARACIONES:** ¿Cómo beneficia la lotería a personas de tu comunidad?

## Audios

🔊 FUENTE Esta grabación, "¿Qué se siente al ser voluntario?", trata de las distintas experiencias de voluntarios para la Cruz Roja de Uribe Aldea, un pueblo en Viscaya, España. En el audio, emitido el 2 de septiembre de 2011 por la Cruz Roja, unos voluntarios hablan de sus experiencias. La grabación dura aproximadamente dos minutos y medio.

1. ¿Cuál es el propósito de esta grabación?

   (A) Contratar a nuevos voluntarios
   (B) Describir los varios trabajos voluntarios
   (C) Anunciar la importancia personal de ser voluntario
   (D) Darles gracias a los voluntarios

2. Según la grabación, ¿cómo se describe a un voluntario típico de La Cruz Roja?

   (A) Es una persona común y corriente.
   (B) Es una persona bien conocida.
   (C) Es una persona fuerte y sufrida.
   (D) Es una persona con título universitario.

3. Según la grabación, ¿cómo impactaron a una voluntaria los desastres meteorológicos?

   (A) Poco a poco le cambiaron su vida.
   (B) Siguió cuidando sólo de sí misma.
   (C) La llevaron a ser voluntaria de la Cruz Roja.
   (D) Sentía impotencia y no pudo hacer nada.

4. Según la grabación, aunque hay catástrofes mundiales lejos de nuestra casa, ¿qué se puede hacer?

   (A) Se puede viajar a todas partes para ayudar.
   (B) Se puede seguir las noticias por los medios de comunicación.
   (C) Se puede encontrar a personas necesitadas cerca de casa.
   (D) Se puede mandar dinero a La Cruz Roja.

5. Imagina que vas a dar un informe sobre lo que escuchaste en el audio. ¿Cuál de los siguientes sería el mejor título para tu presentación?

   (A) "Sea voluntario y tendrá una experiencia inolvidable"
   (B) "Cómo vivir una vida de voluntariado"
   (C) "Les toca a los amigos una vida de voluntariado"
   (D) "Viaje Ud. por el mundo y sea voluntario internacional"

## CÁPSULA CULTURAL: UN AÑO DE "GAP"

Se puede tomar un año de "gap" (o un año sabático) enseñando o siendo parte de proyectos y trabajos de voluntariado. Hay una gran variedad de proyectos de trabajos voluntarios y opciones de viajes a todas partes del mundo. Es muy común tomar un año libre después de graduarse del colegio secundario y antes de empezar los estudios universitarios. Según La Tercera, una revista digital de Chile, en 2010, "Los jóvenes chilenos tienen claro sus objetivos: el 58% quiere viajar. El 21% trabajaría para juntar plata, el 6% haría un curso de inglés y el 5% simplemente descansaría. Estos datos se desprenden de una encuesta de La Tercera a 300 estudiantes de cuarto medio que se preparan para la PSU (*Prueba de Selección Universitaria*, como la prueba SAT en los EE.UU.) en los preuniversitarios Pedro de Valdivia, Gustavo Molina y en el Preuniversitario UC. Quienes protagonizan esta tendencia en Chile desde hace 20 años son los estudiantes universitarios que retrasan su ingreso al campo laboral pensando en que el trecho es largo y agotador. Pero el año de 'gap' luego del colegio es un fenómeno reciente…"

—Juan Molinero, *Blogviaslado*, junio de 2011

**COMPARACIONES: ¿Cuáles son algunos de los motivos por los cuales un estudiante de colegio decide postergar su ingreso a la universidad?**

## Correos Electrónicos

Imagina que has recibido este mensaje porque le has escrito una carta a la directora de un programa de servicio comunitario que se llama La Luz Brilla. Con este programa los voluntarios realizan visitas por la noche a un lugar en tu ciudad en el que hay gente sin techo y sin familia. Quieres organizar a un grupo de alumnos de tu colegio para participar en este programa.

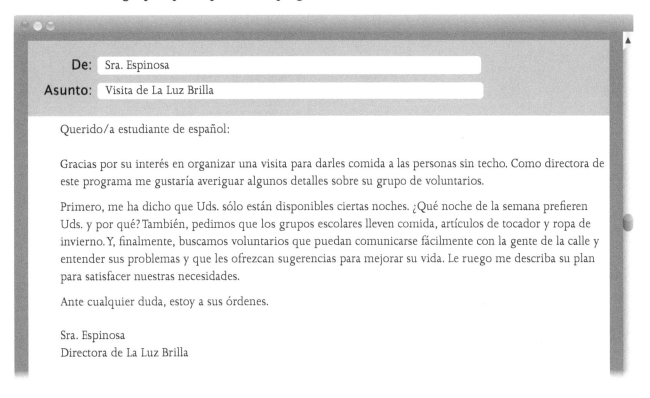

**De:** Sra. Espinosa

**Asunto:** Visita de La Luz Brilla

Querido/a estudiante de español:

Gracias por su interés en organizar una visita para darles comida a las personas sin techo. Como directora de este programa me gustaría averiguar algunos detalles sobre su grupo de voluntarios.

Primero, me ha dicho que Uds. sólo están disponibles ciertas noches. ¿Qué noche de la semana prefieren Uds. y por qué? También, pedimos que los grupos escolares lleven comida, artículos de tocador y ropa de invierno. Y, finalmente, buscamos voluntarios que puedan comunicarse fácilmente con la gente de la calle y entender sus problemas y que les ofrezcan sugerencias para mejorar su vida. Le ruego me describa su plan para satisfacer nuestras necesidades.

Ante cualquier duda, estoy a sus órdenes.

Sra. Espinosa
Directora de La Luz Brilla

## Ensayo

**Tema del ensayo:**
*¿Se debe recibir recompensa por ofrecerse como voluntario?*

FUENTE NÚMERO 1 **Este texto, "El voluntariado puede aumentar la esperanza de vida", trata de los posibles beneficios de ser voluntario y fue publicado por Tendencias 21 el 9 de septiembre de 2011.**

El voluntariado podría prolongar la vida, sugiere una nueva investigación de la Asociación Psicológica de América.

El estudio ha demostrado, sin embargo, que el aumento de la esperanza de vida de los voluntarios depende
5    de los motivos que éstos tengan. Así, constató que las personas que ayudan a otras por el deseo de establecer y mantener conexiones sociales viven más que la gente que no ejerce el voluntariado.

Por el contrario, los individuos que afirmaron que    10
ejercían el voluntariado buscando una satisfacción
personal presentaron la misma tasa de mortalidad que
los individuos que no ejercían voluntariado alguno.

Según los autores de la investigación, estos resultados
podrían significar que del tipo de motivación depende    15
la reducción o no del estrés que genera el voluntariado,
por factores como la ausencia de pago o de tiempo
libre.

Para alcanzar sus conclusiones, los investigadores
examinaron datos del Estudio Wisconsin Longitudinal,    20
acerca de la vida de 10.317 personas desde 1957 hasta
el presente. Asimismo, en 2004 realizaron encuestas
sobre el voluntariado que estas personas habían
ejercido en los últimos 10 años, así como sobre sus
motivaciones para ejercerlo. Años después, los autores    25
del estudio determinaron cuántos de los encuestados
seguían vivos.

**FUENTE NÚMERO 2** Este folleto trata de las oportunidades disponibles para pasar las vacaciones como voluntario. Contiene información publicada por Viajes Viaslado en octubre de 2012.

- ▲ Cooperación al desarrollo
- ▲ Informática
- ▲ Medio ambiente
- ▲ Sexualidad/Diversidad sexual

- ▲ Deportes
- ▲ Personas con discapacidad
- ▲ Personas en riesgo de exclusión
- ▲ Personas sin hogar

- ▲ Asesoramiento
- ▲ Derechos humanos
- ▲ Minorías étnicas
- ▲ Salud

- ▲ Ciberacciones
- ▲ Cultura y arte social
- ▲ Infancia, juventud y familia
- ▲ Adultos mayores

- ▲ Ayuda humanitaria
- ▲ Diseño
- ▲ Inmigración, refugio y asilo
- ▲ Personas en situación penitenciaria

- ▲ Adicciones
- ▲ Consumo responsable
- ▲ Mujeres
- ▲ Protección de animales

**◀)) FUENTE NÚMERO 3** Esta grabación, "Brigada de dentistas españoles en Nicaragua", trata de los voluntarios que pasan tiempo enseñando a la gente educación bucodental y brindando su servicio gratis. La selección fue emitida por Reportaje del Canal 2 de Nicaragua el 28 de diciembre de 2012. Es una producción realizada por Jorge Rodríguez. La grabación dura aproximadamente dos minutos y medio.

## Conversaciones

 Esta es una conversación con la Pastora Camerón, quien está a cargo de un club de vida espiritual en tu colegio. Vas a participar en esta conversación porque quieres establecer en tu colegio una sucursal de "Visita de Medianoche", una organización que da comida y ropa a los sin techo en las ciudades grandes.

| Camerón | • Te saluda y te hace unas preguntas. |
| --- | --- |
| Tú | • Salúdala y contesta las preguntas. |
| Camerón | • Continúa la conversación. |
| Tú | • Contesta con detalles. |
| Camerón | • Continúa la conversación. |
| Tú | • Contesta con detalles. |
| Camerón | • Reacciona y te hace una pregunta. |
| Tú | • Contesta con detalles y explica por qué tienes un poco de miedo. |
| Camerón | • Reacciona y continúa la conversación. |
| Tú | • Explica por qué funcionará el plan y despídete. |

## Discursos

**Tema de la presentación:**

*¿Qué importancia tiene el trabajo voluntario entre la juventud de tu comunidad?*

*Compara tus observaciones acerca de las comunidades en las que has vivido con tus observaciones de una región del mundo hispanohablante que te sea familiar. En tu presentación, puedes referirte a lo que has estudiado, vivido, observado, etc.*

jóvenes    investigación    Según

voluntariado    motivaciones

Asociación    depende    individuos    esperanza

personas    sociales    podrían

ejerce    ejercían    conexiones

contrario    nueva    tasa    presentaron

## CLASIFICADOS

**PÁGINA 143 Lecturas**

**ESENCIAL: PARA UNA MEJOR COMPRENSIÓN**

**el alojamiento**—casa, hospedaje, lugar donde alguien puede alojarse

*IMPORTANTE: PARA UNA MEJOR DISCUSIÓN*

**el perfil**—silueta, información de una persona sobre su capacitación

**ÚTIL: PARA UNA MEJOR EXPRESIÓN**

**sin fines de lucro**—sin beneficios o ganancias
**en adelante**—a partir de un momento dado, ir más allá

**Producto:** Describe la misión de la Fundación ONCE en España.

**Práctica:** ¿Cómo han podido implementar la misión de la Fundación ONCE en España?

**Perspectiva:** Explica la importancia de la tradición del cupón de la ONCE en España.

**PÁGINA 145 Ilustración con Audio**

ESENCIAL: PARA UNA MEJOR COMPRENSIÓN

**el empuje**—ánimo, energía, impulso
**los cotillones**—fiesta, baile, evento festivo
**aportar**—contribuir, dar, colaborar

**IMPORTANTE: PARA UNA MEJOR DISCUSIÓN**

**el gestor**—el administrador
**se gestaran (gestarse)**—iniciar, prepararse, desarrollarse
**el taca taca**—juego de fútbol de mesa en Chile, futbolín

**Producto:** Describe el programa Nuestros Pequeños Hermanos Internacional, de Cuernavaca, México.

**Práctica:** ¿Cómo pretenden realizar la misión cristiana de Nuestros Pequeños Hermanos?

**Perspectiva:** ¿Por qué se han beneficiado los niños latinoamericanos del trabajo de Nuestros Pequeños Hermanos?

**PÁGINA 146 Audios**

*ESENCIAL: PARA UNA MEJOR COMPRENSIÓN*

**me eduqué (educarse en)**—formarse, desarrollar, adquirir conocimientos
**aportación**—contribución, colaboración

**IMPORTANTE: PARA UNA MEJOR DISCUSIÓN**

**acudir**—ir, comparecer, asistir

**ÚTIL: PARA UNA MEJOR EXPRESIÓN**

**a raíz de**—debido a, a causa de, después de
**pozo del tío Raimundo**—era un barrio de chabolas sin ningún tipo de servicio
**sacar adelante**—ayudar, apoyar, promover

**Producto:** Describe el propósito del Servicio de Voluntariado Europeo.

**Práctica:** ¿Cómo se inscriben los jóvenes en el Servicio de Voluntariado Europeo?

**Perspectiva:** ¿Qué efecto ha tenido el Servicio de Voluntariado Europeo en efectuar los desafíos mundiales?

# LAS IDENTIDADES
# PERSONALES Y PÚBLICAS

| enajenación y asimilación | héroes y personajes históricos | identidad nacional y étnica | creencias personales | intereses personales | autoestima |

LOS AYOREOS: UNA TRIBU ESCONDIDA

## LA CIVILIZACIÓN LOS PONE EN RIESGO

PÁGINA **153**

"POBRE EN MÉRITOS HUMANOS, RICO EN VIRTUDES Y FAMA"

## ¿SABÍAS QUIÉN ES JUAN DIEGO?

PÁGINA **160**

ANA MARÍA MATUTE: "ESE HOMBRE LLEVA ALGO MALO DENTRO..."

## LOS PÁJAROS

PÁGINA **152**

SÓLO UN 17% DE MEXICANOS DICE QUE PUEDE LOGRAR SUS SUEÑOS

## SUEÑOS Y ASPIRACIONES INCUMPLIDOS

PÁGINA **170**

"HAY COMPORTAMIENTOS NO REGLAMENTADOS PERO QUE LA LÓGICA DEL TRATO..."

## EL MANUAL DE CARREÑO

PÁGINA **177**

TRABAJO PARA MANOS JUBILADAS

## TRENES MODELO PARA ROMÁNTICOS

PÁGINA **186**

### ÍNDICE CUBANO

**CÁPSULAS CULTURALES**
(PÁGINAS 153, 155, 156, 161, 163, 164, 170, 171, 173, 179, 180, 181, 187, 189, 190, 195, 197, 199)

**CLASIFICADOS CON VOCABULARIO Y PREGUNTAS CULTURALES**
(PÁGINAS 159, 168, 176, 185, 193, 202)

¡EN ESPERA!

# La enajenación y la asimilación

## Lecturas

**FUENTE** En esta selección abreviada hay una descripción de los personajes principales de este cuento. El cuento, "Los pájaros", fue publicado en <u>Historias de la Artámila</u> (1961) por Ana María Matute, ganadora del prestigioso Premio Cervantes (2010).

"Los pájaros"

Vivía muy apartado de **la aldea**, en el principio del camino de la Cruz de Vado, más allá de las últimas casas. Su padre era **el guardabosques** de los Amarantos
5 y llevaban los dos una vida solitaria y **huraña**. En el pueblo no querían al **guardabosques**, por su profesión. Al muchacho casi no le conocían.

Un día, buscando moras, llegué hasta su **choza, por casualidad**. Al divisarla, me dio un golpe el corazón,
10 porque me vinieron a la memoria las feas historias que oí en **la aldea** acerca de ellos.

—Ese hombre lleva algo malo dentro – decían.

—Sí: alguna muerte le pesa…

—¡Por algo le abandonó su mujer!

15 Pocos días antes cumplí yo nueve años, y, aunque no entendía **aún** muchas de las cosas que se decían del **guardabosques**, me entró el miedo, aleteando como un murciélago en la sombra de los árboles. Me sentía cansada, sudorosa, y me detuve junto a los robles que
20 rodeaban **la choza**. Entonces, me di cuenta de que había penetrado en terreno de los Amarantos, y pensé, con **un estremecimiento**:

"Tal vez, si me ven, me maten. Sí; quizá **me peguen un tiro**, al verme aquí. Creerán que vine a robar leña,
25 como Pascualín…"

**1.** ¿De quiénes trata esta descripción?
(A) De un guardabosques y su asistente
(B) De la autora y un amigo de su niñez
(C) De un padre y su hijo
(D) De miembros de la familia Amarantos

**2.** ¿Qué quiere decir cuando se dice que la vida de los dos es huraña?
(A) Su vida es feliz.
(B) Su vida carece de amistades.
(C) Su vida ejemplifica la ética laboral.
(D) Su vida padece de la miseria.

**3.** ¿Por qué no les caía bien el padre a los de la aldea?
(A) Porque el padre no permitía que nadie entrara al bosque
(B) Porque el padre era un empresario exigente y altivo
(C) Porque nadie conocía muy bien al padre
(D) Porque el padre vivía lejos del pueblo

**4.** ¿Por qué se asustó la autora al encontrarse cerca de la casa del guardabosques?
(A) Porque el guardabosques vivía en una choza
(B) Porque la autora encontró la casa por casualidad
(C) Porque la autora se encontró más lejos de la aldea de lo que pensaba
(D) Porque la autora recordó los rumores acerca del guardabosques

**5.** ¿Cuál es el efecto de las palabras "algo", "alguna" y "algo" en líneas 12, 13 y 14?
(A) Una ambigua descripción del bosque
(B) Una ambigua caracterización del muchacho
(C) Una ambigua expresión de la época
(D) Una ambigua desaprobación del guardabosques

**6.** ¿De qué tiene miedo la autora?
(A) De haberse perdido en el bosque
(B) De que el guardabosques y el muchacho le disparen una bala
(C) De que el guardabosques y el muchacho crean que ella es Pascualín
(D) De que el guardabosques y el muchacho la secuestren

**7.** ¿Cuál de las siguientes afirmaciones resume mejor este trozo?
(A) "Esta escena muestra el miedo que produce la irresponsabilidad de los niños."
(B) "Esta escena revela el poder de los chismes para marginar a sus víctimas."
(C) "Esta escena destaca la vida aislada de personas que viven en los bosques."
(D) "Esta escena presagia la compasión que la autora le brindará al guardabosques."

## CÁPSULA CULTURAL: LA LITERATURA Y EL PREMIO MIGUEL DE CERVANTES

Los países de habla española gozan de una gloriosa historia literaria. Desde tiempos remotos hasta nuestra era, los autores que escriben en este idioma han protagonizado elegantemente la honda experiencia humana. No hay ningún galardón que mejor exprese el máximo reconocimiento de su talento cultural que el Premio Cervantes. Nombrado por Miguel de Cervantes, soñador de la vida de Don Quijote y Sancho Panza, el Premio fue establecido en 1974. Por tradición se falla el Premio el 23 de abril, la fecha que conmemora la muerte de Cervantes. España, México y Argentina son los países con más galardonados. Ana María Matute es la última de tres autoras que han recibido el Premio.

**COMPARACIONES:** ¿Qué papel han jugado los premios en resaltar los logros de personas en tu comunidad?

## Lecturas con Audio

**FUENTE NÚMERO 1** Este texto adaptado de "La civilización pone en riesgo a los ayoreos en Paraguay" trata de un grupo indígena de Paraguay. El artículo original se publicó en el blog Noticias de Indígenas y fue cargado el 7 de marzo de 2012.

Unas huellas detalladas, los hoyos cavados para capturar tortugas y las ramas rotas no dejan lugar a dudas: delatan la presencia de la denominada "tribu escondida", un grupo de indígenas ayoreos **aislados** y no
5  contactados que -hasta hace poco- vivía en una hacienda de la región norteña del Chaco, propiedad de la rica empresa **ganadera** brasileña River Plate.

El Departamento de Asuntos Indígenas del Gobierno de Paraguay (INDI) confirmó la existencia de esta tribu
10  de indígenas ayoreos en una alejada y extensa área, que abarca el terreno de la compañía **ganadera**, cuya explotación está poniendo en riesgo su supervivencia.

"Tienen que correr a otros lugares por **la amenaza** de quedar al descubierto, poniendo en peligro sus vidas",
15  señala un informe, citado por el diario español El Mundo, desde Asunción.

"El problema principal es la desarticulación de los ayoreos de una sociedad que históricamente **les dio la espalda**, por un motivo simple: siempre se resistieron a
20  ser introducidos con calzador en una modernidad que desprecian y rechazan a todos los efectos", explica el antropólogo Luis Andrade.

No se puede reprochar a los ayoreos el querer vivir en su mundo. Unas imágenes captadas en 2011 pusieron
25  de manifiesto cómo las empresas de ganado River Plate y BBC SA habían destruido 4.000 hectáreas del bosque habitado por estos indígenas, por lo que las compañías fueron imputadas.

El reciente informe gubernamental recoge una nueva
30  violación de los derechos indígenas, ya que "el espacio es violado porque el lugar es territorio y circuito ayoreo y está alambrado en una parte. Además se han quemado y talado montes".

La organización ayorea OPIT hizo un llamado para que se incrementen los esfuerzos en la protección de sus          35
miembros no contactados, que son forzados a salir de sus **hogares** en el bosque por la actividad desarrollada por River Plate.

**De todos modos**, según la ONG Survival International, queda un largo camino por recorrer para que los ayoreos          40
sean debidamente reconocidos por el estado paraguayo.

Margot Coopersmith, de Survival, dijo a El Mundo que "ser ayoreo hoy, en Paraguay, es una señal de incuestionable espíritu de libertad y autodeterminación frente a las imposiciones de las empresas **ganaderas** y          45
**madereras**".

Ángel es dirigente de la comunidad ayorea paraguaya, residente en la capital. Desde allí intenta explicar al mundo su particular filosofía de vida.

"Sólo pedimos un poco de respeto, que se nos consulte          50
sobre la conveniencia de utilizar nuestros territorios ancestrales para la explotación **maderera**. No estamos de acuerdo con el abuso permanente del Gobierno que utiliza nuestros recursos sin consultar".

Dentro de los ayoreos los más **aislados** son los          55
totobiegosodes (cuyo nombre significa "gente del lugar de los cerdos salvajes"). Son un pueblo nómada de cazadores-recolectores. Desde 1969 muchos han sido expulsados de la selva, pero algunos todavía evitan cualquier contacto con foráneos.          60

La población ayorea abarca a 4.500 o 5.000 personas, de las cuales 2.000 habitan en Paraguay y las restantes en Bolivia. Los ayoreos totobiegosodes **aislados**, son menos de 50 personas, por lo que las ONG piden apoyo.

🔊 **FUENTE NÚMERO 2** Esta grabación del video "Los indígenas aislados", trata de los korubo, una tribu que vive en las selvas remotas del Perú. El audio fue producido por Survival, una organización que trabaja defendiendo los derechos de los pueblos indígenas tribales en todo el mundo. Una locutora habla con miembros de la tribu cuyas palabras son traducidas por un intérprete. La grabación dura aproximadamente 3 minutos.

1. ¿Cuál es el propósito del artículo?
   (A) Pedir respeto por las circunstancias de los ayoreo
   (B) Describir el apoyo social que disfrutan los ayoreo
   (C) Llamar la atención a las circunstancias difíciles de los ayoreo
   (D) Confirmar la existencia de los ayoreo

2. Según el artículo, ¿cómo se identifica dónde viven los ayoreo aislados?
   (A) Por unas sendas escondidas a lo largo de la selva
   (B) Por unos indicios de actividad de caza
   (C) Por la presencia de restos de tortugas
   (D) Por unos informes gubernamentales

3. Según la fuente escrita, ¿por qué huyen los ayoreo de los forasteros?
   (A) Por miedo de perder la vida
   (B) Por miedo del ganado de la compañía ganadera
   (C) Por miedo a perder sus bosques
   (D) Por miedo a ser rechazados por los foraños

4. Según el artículo, ¿qué tienen en común la OPIT y la Survival International?
   (A) Son dos grupos que apoyan a los ayoreo.
   (B) Son dos grupos que protegen el territorio de los ayoreo.
   (C) Son dos grupos que viven con los ayoreo.
   (D) Son dos grupos que patrocinan acciones gubernamentales.

5. Según la fuente auditiva, ¿quiénes han invadido el territorio de los ayoreo?
   (A) Unos madereros de caoba
   (B) Unos misioneros religiosos
   (C) Unos inversionistas en viviendas de campo
   (D) Unos especuladores de minerales

6. En el audio, ¿por qué entrevistan a Ojnay, un ayoreo de Paraguay?
   (A) Porque trabaja para el gobierno paraguayo
   (B) Porque tiene familiares desplazados
   (C) Porque vive entre las tribus escondidas y aisladas
   (D) Porque expresa la esperanza de su gente

7. Según el audio, ¿cuál ha sido con frecuencia la principal consecuencia del primer contacto entre un pueblo indígena y los fuereños?
   (A) La destrucción de cosecha y vivienda de los indígenas
   (B) La muerte de los indígenas por enfermedades fuereñas
   (C) La tala de los bosques primordiales de los indígenas
   (D) El cambio del modo de ser de los indígenas

8. Según la fuente auditiva, ¿para qué trabaja la ONG Survival?
   (A) Para que los madereros y colonos no encuentren a las tribus escondidas
   (B) Para que los gobiernos impidan la intervención de ganaderos en la vida indígena
   (C) Para que los ganaderos repartan su ganancia con los indígenas
   (D) Para que los indígenas decidan su propio destino

9. ¿Qué propósito tienen en común las dos fuentes?
   (A) Comunicar la necesidad de ayudar a los pueblos aislados de la civilización
   (B) Describir el rol inevitable de las ganaderías en la vida de los indígenas no contactados
   (C) Informar sobre la destrucción del medio ambiente paraguayo
   (D) Reclutar voluntarios para ayudar a los pueblos aislados

10. Según las dos fuentes, ¿cuáles son los obstáculos para la preservación de las culturas indígenas?
    (A) La ignorancia de las culturas indígenas
    (B) La indiferencia a los derechos de las culturas indígenas
    (C) La matanza de los indígenas escondidos
    (D) La venta de las tierras ancestrales de los indígenas escondidos

## CÁPSULA CULTURAL: LOS TOTOBIEGOSODE: UN GRUPO AYOREO NO CONTACTADO

Entre los ayoreo hay varios subgrupos. En lugares remotos del Chaco Boreal de Paraguay viven escondidos los Totobiegosode, el subgrupo más aislado. Han decidido alejarse y esconderse de los foráneos que han invadido sus territorios ancestrales e irse a los montes pero han tenido que mudarse constantemente debido al continuo avance de las excavadoras de firmas como la ganadería brasilera Yaguareté Parâ, según Survival International. Yaguareté ha comprado 78.000 hectáreas (300 millas cuadradas) en el corazón del territorio ayoreo. No se sabe cuántos totobiegosode hay; pero se sabe que son cazadores de tortugas, cerdos salvajes y recolectores de miel y verduras selváticas.

**COMPARACIONES:** ¿Hay grupos en tu país que luchen por preservar su modo de vivir contra fuerzas culturales más poderosas y ubicuas? Describe cómo tratan de proteger los valores culturales de su civilización. ¿Qué podemos aprender de su lucha?

EL CHACO BOREAL

## Audios

🔊 FUENTE **Esta grabación, "Inmigrantes en los pueblos: Integración total" trata de la asimilación de extranjeros en los colegios de Salamanca, España. Un locutor de Radio Televisión de Castilla y León entrevista a ciudadanos y habitantes del pueblo. La grabación dura casi dos minutos.**

1. ¿Cuál es el propósito de la selección?
   - (A) Ofrecer ejemplos de la asimilación de extranjeros en pueblos salmantinos
   - (B) Comprobar que los inmigrantes reciben servicios sociales que no merecen
   - (C) Entrevistar a inmigrantes afligidos en pueblos pequeños de España
   - (D) Demostrar que los inmigrantes se ajustan mejor en pueblos que en ciudades

2. ¿Cómo se caracterizarían los sitios donde viven los entrevistados?
   - (A) Como zonas aisladas
   - (B) Como zonas despobladas
   - (C) Como zonas urbanas
   - (D) Como zonas superpobladas

3. Según los entrevistados, ¿cuál ha sido una ventaja de vivir con otros extranjeros en estos pueblos?
   - (A) Hablar el mismo idioma
   - (B) Compartir diferentes valores culturales
   - (C) Convivir juntos amablemente
   - (D) Encontrar trabajo

4. ¿Qué tienen en común los entrevistados?
   - (A) Todos asisten al colegio local.
   - (B) Todos tienen una perspectiva optimista.
   - (C) Todos viven con sus padres.
   - (D) Todos agradecen al gobierno español.

5. ¿Qué pregunta sería más apropiada para hacerle al locutor al final de la entrevista?
   - (A) ¿Por qué no hay más inmigrantes en Castilla y León?
   - (B) ¿Tienen suficiente trabajo estos inmigrantes?
   - (C) ¿Cuántos inmigrantes hay en Madrid?
   - (D) ¿Hay inmigrantes en otras partes de España?

## CÁPSULA CULTURAL: CASTILLA Y LEÓN— LUGAR DE BIENES CULTURALES

Ubicada en el noroeste de España, la comunidad autónoma de Castilla y León goza de más bienes culturales que cualquier otra región del mundo. Uno de estos monumentos de Patrimonio de la Humanidad es el acueducto de Segovia.

Los romanos construyeron el acueducto entre los siglos I y II d.C. (después de Cristo) para llevar agua potable a una de sus legiones, una tropa de soldados que protegía la zona. Ahora hay legiones de turistas que visitan este monumento que es una de las construcciones romanas mejor preservadas del mundo.

**El Acueducto de Segovia**

Construida en piedra (hay más de 25.000 piezas cuadradas), sin mortero ni argamasa, la visión de esta maravilla desafía la imaginación y la ingeniería. Hasta nuestros días llevaba agua a la ciudad desde el Río Frío situado a 18 kms. en la sierra.

No hay nada más agradable que visitar el acueducto y disfrutar de una cena de cochinillo de Segovia, otra delicia de la comunidad.

—Juan Molinero, enero de 2012, Blogviaslado

**COMPARACIONES: ¿Hay un monumento histórico de interés que personifique el carácter de tu comunidad? Explica.**

## Correos Electrónicos

Este mensaje es del subdirector del Diario Poblano. Recibes este mensaje porque has expresado un interés en escribir un editorial sobre la inmigración.

**De:** Jorge Raimundo, Subdirector, Diario Poblano

**Asunto:** Editoriales estudiantiles

Estimado/a estudiante de español,

Ha recibido este mensaje porque buscamos personas como Ud. que tengan interés en la problemática de la inmigración en nuestro país. Quisiéramos saber más sobre su interés en este asunto tan controvertido. ¿Por qué le interesa y qué quiere proponer para resolver la polémica? Por favor, responda lo antes posible a este mensaje contestando a esta pregunta.

También nos gustaría darle la oportunidad de expresar sus ideas de manera más amplia, así que por favor incluya un párrafo introductorio para un editorial en nuestro periódico sobre el tema.

Atentamente,
Jorge Raimundo, Subdirector
Diario Poblano

**Dondequiera que estés**

## Ensayo

**Tema del ensayo:**
*¿Se debe proteger al país de la entrada de los inmigrantes?*

**FUENTE NÚMERO 1** Este texto abreviado, "La xenofobia no llega a las urnas", trata del discurso político sobre el impacto de la inmigración en España. El artículo original fue escrito por Laura Jurado y fue publicado por Vía52 en Madrid en 2011.

La proliferación de las posiciones xenófobas es ya un hecho en España, en la sociedad y en la política. Hay un aumento de posturas racistas entre los españoles que muchos informes relacionan con la crisis económica que

5 azota nuestro país y los elevados índices de desempleo.

España es un país novato en la acogida de inmigrantes. Hace sólo unos años, como nos han contado tantas veces nuestros padres y abuelos, lo habitual era que fuéramos nosotros quienes viajáramos al extranjero en

10 busca de trabajo.

El país de emigrantes pasa a convertirse en uno de los principales destinos migratorios del mundo. De hecho en 2007, España se convierte en líder dentro del ranking de países con mayor migración neta.

15 ¿Cómo han asimilado los ciudadanos españoles estos dos fenómenos? Según un informe del Observatorio Español del Racismo y la Xenofobia, la mayor parte de los españoles cree que el número de inmigrantes es elevado (33%), e incluso, atención a la connotación de

20 la palabra, excesivo (46%). Vamos más allá. El 58% de los españoles considera que las personas procedentes de otros países nos están quitando los puestos de trabajo. Y la mayoría tiene la idea de que abusan de nuestros servicios sociales (educación o sanidad) sin aportar

25 mucho al Estado o nada.

Hay algo que tenemos claro: el discurso xenófobo está instalado en la política. No de forma mayoritaria ni mucho menos. ¿Pero qué ocurre con la ciudadanía? ¿De verdad estos partidos consiguen el éxito que

30 buscan traducido en votos electorales? Sería imposible establecer un patrón común para todos y cada uno de los partidos políticos que difunden estas ideas.

Son datos que, efectivamente, muestran un creciente éxito del discurso xenófobo en algunas comunidades.

35 Pero datos aún bastante lejanos de lo que podemos encontrar en otros países europeos donde partidos de este tipo se convierten en algunas de las principales fuerzas políticas a nivel nacional. En el caso español

vemos cómo estos partidos, donde realmente triunfan (si es que lo consiguen) es en ámbitos mucho más 40 locales y, especialmente, en núcleos con un alto índice de inmigración. A tenor de los datos y de algunos estudios elaborados por universidades españolas, podemos decir que es muy difícil que un partido de corte xenófobo alcance una posición fuerte a nivel 45 nacional. Así hemos podido comprobar cómo algunos de los partidos mencionados tienen algunos o muchos concejales en ayuntamientos pero ninguno de ellos ha logrado un escaño en el Congreso de los Diputados o el Senado. Y es que, la mayoría, tiene claro que la causa de 50 la difícil situación que vive España va mucho más allá de la presencia de inmigrantes en nuestro país.

**FUENTE NÚMERO 2** Estos gráficos tratan de la inmigración en España. Son estadísticas de "Evolución del racismo y la xenofobia en España", un informe del Ministerio de Trabajo e Inmigración de España y preparado por Mª Ángeles Cea D'Ancona y Miguel S. Valles Martínez en 2011.

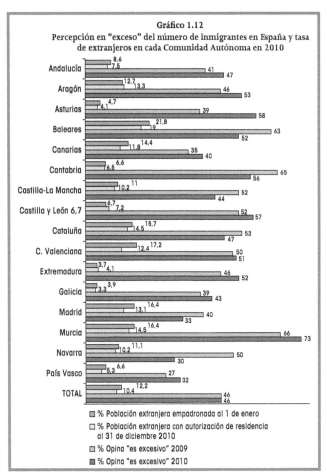

Fuente: El Ministerio de Trabajo e Inmigración de España, 2011

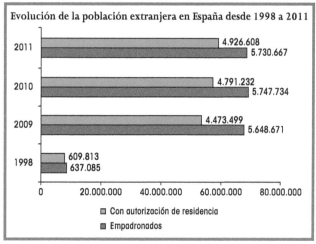

Evolución de la población extranjera en España desde 1998 a 2011

- 2011: 4.926.608 (Con autorización de residencia) / 5.730.667 (Empadronados)
- 2010: 4.791.232 / 5.747.734
- 2009: 4.473.499 / 5.648.671
- 1998: 609.813 / 637.085

☐ Con autorización de residencia
☐ Empadronados

Fuente: Catálogo de publicaciones de la Administración General del Estado

🔊 **FUENTE NÚMERO 3** Esta grabación, "Por la erradicación del Racismo en España" trata de una nueva ley promulgada en España contra la discriminación racial. En la entrevista el locutor Edwin González entrevista a Esteban Ibarra, Presidente del Movimiento contra la Intolerancia. La entrevista fue emitida por Iberoamérica TV el 12 de agosto de 2011. La grabación dura aproximadamente tres minutos.

## Conversaciones

🔊 Ésta es una conversación con Consuelo, la hija de una amiga de tu madre. Vas a participar en esta conversación porque ella se ha matriculado en tu colegio y mañana es el primer día de clases.

| Consuelo | • Te saluda y te pide tu opinión. |
|---|---|
| Tú | • Salúdala y contesta. |
| Consuelo | • Te da más detalles. |
| Tú | • Contesta afirmativamente y ofrécele lo que te pide. |
| Consuelo | • Continúa la conversación y te hace una pregunta. |
| Tú | • Contesta negativamente y explica por qué. |
| Consuelo | • Reacciona y continúa la conversación. |
| Tú | • Contesta con detalles sobre tu excusa. |
| Consuelo | • Continúa la conversación. |
| Tú | • Propón otra opción y despídete. |

## Discursos

***Tema de la presentación:***

*¿Cuál ha sido la actitud de la gente de tu comunidad hacia los extranjeros que no hablan bien el idioma dominante?*

*Compara tus observaciones acerca de las comunidades en las que has vivido con tus observaciones de una región del mundo hispanohablante que te sea familiar. En tu presentación, puedes referirte a lo que has estudiado, vivido, observado, etc.*

**CLASIFICADOS**

**PÁGINA 152** Lecturas

**PÁGINA 153** Lecturas con Audio

**PÁGINA 155** Audios

## ESENCIAL: PARA UNA MEJOR COMPRENSIÓN

**la aldea**—pueblo pequeño
**huraño/a**—antisocial, solitario
**la choza**—casa tosca hecha de madera cruda, cabaña

## IMPORTANTE: PARA UNA MEJOR DISCUSIÓN

**el guardabosques**—una persona que se dedica a proteger el bosque
**un estremecimiento**—agitación, escalofrío, miedo

## ÚTIL: PARA UNA MEJOR EXPRESIÓN

**por casualidad**—algo imprevisto, sin ser planeado, al azar
**me peguen un tiro (pegarle un tiro a alguien)**—disparar a alguien con un arma de fuego

**Producto:** ¿Qué es la Real Academia Española?

**Práctica:** ¿Cuál es la misión de la Real Academia Española?

**Perspectiva:** ¿Qué efecto ha tenido la Real Academia Española en el mundo de habla española?

## ESENCIAL: PARA UNA MEJOR COMPRENSIÓN

**ganadero/a**—dedicado a la cría de animales como vacas, caballos, ovejas, etc.
**la amenaza**—anuncio de algo malo que va a pasar
**maderero/a**—perteneciente o relativo a la industria de la madera
**forasteros/as**—extranjeros, fuereños, foráneos, los que no pertenecen a un lugar o pueblo

## IMPORTANTE: PARA UNA MEJOR DISCUSIÓN

**aislado/a**—aparte, no incluido
**el hogar**—la casa íntima

## ÚTIL: PARA UNA MEJOR EXPRESIÓN

**le dio la espalda (darle la espalda a alguien o algo)**—rechazar, no hacerle caso
**de todos modos**—a pesar de todo, de todas formas

**Producto:** Describe el ámbito natural en el cual viven los ayoreos.

**Práctica:** ¿Cómo conviven los ayoreos con el medio ambiente?

**Perspectiva:** ¿Cómo muestran los ayoreos su respeto por el equilibrio ecológico?

## ESENCIAL: PARA UNA MEJOR COMPRENSIÓN

**la convivencia**—vida con otros

## IMPORTANTE: PARA UNA MEJOR DISCUSIÓN

**los temporeros**—trabajadores de horas temporales
**el censo**—lista de habitantes
**adaptarse**—acostumbrarse, cambiar de hábitos

## ÚTIL: PARA UNA MEJOR EXPRESIÓN

**aunque**—por más que, si bien
**a pesar de**—contra la dificultad de lograr algo, contra la fuerza o la resistencia de una situación

**Producto:** Describe la industria de la fresa en Asturias, España.

**Práctica:** ¿Cómo se celebra el Festival de la Fresa en Grullos, Asturias?

**Perspectiva:** Explica por qué la cosecha de la fresa es tan importante para los asturianos.

Las identidades personales y públicas

# Los héroes y los personajes históricos

## Lecturas

**FUENTE NÚMERO 1**  Este texto, "¿Sabes quién es Juan Diego?" trata de un hombre indígena de México que fue santificado en 2002. Este artículo fue originalmente publicado en 2001 en la guía Virgen de Guadalupe y utilizado por la Revista México Desconocido en México. El artículo fue escrito por Sergio B. Martínez.

A 537 años de su nacimiento, Juan Diego, natural de estas tierras, sigue siendo tema de controversia en el mundo eclesiástico por su historia con la Virgen de Guadalupe; se ha puesto en duda desde la veracidad de su clarividencia hasta su propio
5 nacimiento. Sin embargo, numerosos estudios **comprueban** que Juan Diego no es un personaje ficticio; sino que realmente existió y ha pasado a la historia religiosa como uno de los personajes más afortunados. Su virtud se reconoce a tal grado que su Santidad Juan Pablo II le otorgó la condición de santo en el año 2002.

10 El lugar más probable de su nacimiento fue Cuautitlán, barrio de Tlayacac, en el año 1474; de origen chichimeca, nuestro personaje se dedicó seguramente a la agricultura, aunque es **factible** que también trabajara en la alfarería, la cestería o similares. **Asimismo**, es posible que fuera sujeto
15 de la emigración provocada por un nuevo reparto de tierras conquistadas por los tenochcas alrededor de 1516, y que esto, lo llevara a mudarse obligatoria o voluntariamente a Tulpetlac, cerca de Ecatepec, donde se hallaría al iniciarse la Conquista.

Se supone que hacia 1524 Juan Diego fue bautizado, junto
20 con su esposa y tío, y que recibieron, respectivamente, los nombres cristianos Juan Diego, María Lucía y Juan Bernardino.

Juan Diego enviudó en 1529, dos años antes de que se le apareciera la Señora Inmaculada y sus vecinos le llamaban"El Peregrino", pues gustaba de caminar a solas, e ir de su lugar
25 de residencia a Tlatelolco para recibir la catequización y escuchar misa.

Una vez pasada la maravillosa experiencia de platicar con la Señora del Cielo, de ver la imagen estampada en su **tilma** y construida **la ermita**, se dedicó a cuidarla y seguramente a platicar con Ella, así como a referir el acontecimiento a todo 30 aquel que quisiera escucharlo y, en especial, a seguir viviendo santamente.

Juan Diego murió en 1548, a los 74 años, "pobre en méritos humanos, rico en virtud y fama", en su aposento "muy chiquito", de adobe, que tenía junto a **la ermita**, como consta 35 en las Informaciones de 1666.

Otra información que confirma la existencia y vida de Juan Diego proviene de un medallón…

La inscripción con letra de oro en campo azul dice así: "En este lugar se apareció Nuestra Señora de Guadalupe a un indio 40 llamado Juan Diego, que está enterrado en esta iglesia".

Desde el punto de vista histórico y de acuerdo con el ingeniero Joel Romero, don Ignacio Manuel Altamirano trató magistralmente a Juan Diego, cuando le dijo que "el día que no hubiera Guadalupe ni Juan Diego, no habría nacionalidad 45 mexicana". Y, agrega el ingeniero Romero, en una entrevista publicada en Ixtus (1996), "Juan Diego es un modelo de paz interior que todos necesitamos en este convulso mundo, y su principal hazaña es que estando condenado a la oscuridad, refulge con luz propia a pesar de la luz guadalupana". 50

**FUENTE NÚMERO 2**  Este plano muestra los límites de circulación segura para la celebración del Día de la Virgen de Guadalupe. El plan fue difundido por las fuerzas de seguridad del DF de México en diciembre de 2010.

1. ¿Cuál es el propósito del artículo?
   (A) Comprobar el lugar del nacimiento de Juan Diego
   (B) Afirmar las milagrosas hazañas de Juan Diego
   (C) Confirmar que Juan Diego era de carne y hueso
   (D) Mostrar los hechos contradictorios de la existencia de Juan Diego

Fuente: El Universal.mx

**SEGURIDAD A PEREGRINOS**

El viernes 10 de diciembre arrancará el operativo especial para recibir a peregrinos de toda la República, por lo que autoridades federales y locales dispondrán de vigilancia especial, servicios médicos y puntos de ayuda en el recinto guadalupano y sus inmediaciones

**Simbología**

- Ambulancia
- Bomberos
- Protección Civil
- Servicio médico
- SSP
- PGJ Policía Judicial
- Atención a personas extraviadas
- Locatel
- Profeco
- Estación Metro
- Agua potable
- Sanitarios
- Paradero de bicicletas

**7 millones** de "peregrinos" se espera, visiten la Basílica

**5 agencias** móviles del ministerio público, habrá

**320 médicos** y paramédicos darán servicio

**350 elementos** de la policía federal se encargarán de la seguridad

**112 cámaras** de videovigilancia de la SSPDF en operación

¿Cuál de las siguientes afirmaciones resume mejor los datos acerca del origen de Juan Diego?

(A) Se sabe que Juan Diego se mudó después de la Conquista.
(B) No se sabe si nació en un lugar y se mudó a otro.
(C) Se sabe que trabajó en agricultura o alfarería.
(D) No se sabe con exactitud dónde nació.

¿Por qué se supone que Juan Diego fue bautizado?

(A) Porque aunque de origen indígena, se le conocía por su nombre cristiano
(B) Porque estaba casado con una mujer cristiana
(C) Porque se le apareció la Virgen María
(D) Porque era peregrino

Según el artículo, ¿qué le pasó a Juan Diego dos años antes de conocer a la Virgen María?

(A) Fue bautizado.
(B) Se murió su esposa.
(C) Sus vecinos le nombraron "el peregrino".
(D) Iba a misa con frecuencia.

Según el artículo, ¿cómo vivió Juan Diego después de su encuentro con la Virgen María?

(A) Vivió cuidando un refugio sagrado.
(B) Vivió manteniendo a su familia.
(C) Vivió como un ermitaño.
(D) Vivió como un hombre rico.

Según el artículo, ¿cómo corrobora un medallón la existencia de Juan Diego?

(A) El medallón fue firmado por Juan Diego.
(B) El medallón confirma el lugar del encuentro entre Juan Diego y la Virgen.
(C) El medallón señala dónde está construida la ermita.
(D) El medallón cuenta la historia de Juan Diego y la Virgen.

¿Por qué distribuyeron este plano de seguridad a peregrinos?

(A) Porque esperaban la llegada de millones de peregrinos
(B) Porque anticipaban muchos accidentes y emergencias médicas
(C) Porque querían dar a los peregrinos mucho espacio para venerar a la Virgen de Guadalupe
(D) Porque procuraban mostrar el área de más peligro durante la celebración

En el mapa, ¿qué significa "una zona de tránsito restringida"?

(A) Un área donde los peregrinos deben portarse bien
(B) Un área por donde no se puede pasar durante las celebraciones
(C) Un área donde se prohíben carros
(D) Un área donde sólo los peregrinos pueden entrar

¿Cómo se llama la parada de metro más cercana a la Basílica?

(A) Talismán
(B) Basílica
(C) General Villada
(D) Ricarte

10. Si fueras un peregrino y de repente te sintieras mareado, ¿a dónde irías a buscar ayuda?

(A) A la esquina de Euskaro y Calzada de los Misterios
(B) A la esquina de Insurgentes y Avenida Montevideo
(C) A la esquina de Avenida Montevideo y Calzada de los Misterios
(D) A la esquina de General Villada y Calzada de Guadalupe

11. Tomadas juntas, ¿qué explican las dos fuentes?

(A) La controversia persistente de la vida de Juan Diego
(B) La influencia de los indígenas en la vida mexicana
(C) La importancia de la Virgen de Guadalupe en la cultura mexicana
(D) Los problemas causados por el culto de la Virgen de Guadalupe

## CÁPSULA CULTURAL: LA TILMA DE JUAN DIEGO

LA TILMA DE JUAN DIEGO

LA BASÍLICA DE GUADALUPE

Lo fascinante de la tradición de Juan Diego y su encuentro con la Virgen María es el misterio que rodea la veracidad de casi todos los elementos de la historia. La tilma de Juan Diego que se exhibe en la Basílica de Guadalupe tiene un papel central en las controversias. Vamos a entender el papel que tuvo en la vida de Juan Diego.

Según la tradición durante la cuarta aparición de la Virgen, le mandó a Juan Diego que recolectara las rosas en el cerro Tepeyac (que no eran naturales de la zona) en su tilma y que se la llevara al obispo en señal de la aparición de la Virgen y su deseo que le construyeran un templo en su nombre. Juan Diego la obedeció. Al mostrarle al obispo las rosas apareció una imagen de la Virgen impresa en la tilma.

Pese a muchas investigaciones científicas no se puede desmentir la veracidad de la tilma que ahora está expuesta en la Basílica de Guadalupe.

—Juan Molinero
*Blogviaslado, 2012*

**COMPARACIONES:** ¿Cuáles son algunos misterios inexplicables que se encuentran en tu comunidad? ¿Qué papel tienen los misterios en la cultura intelectual y popular?

## Lecturas con Audio

**FUENTE NÚMERO 1** Este texto abreviado "Mi raza" trata de una discusión del racismo y fue escrito en 1893 por José Martí, el gran héroe cubano.

**José Martí**

Esa de racista está siendo una palabra confusa y hay que **ponerla en claro**. El hombre no tiene ningún derecho especial
5 porque pertenezca a una raza o a otra: dígase hombre, y ya se dicen todos los derechos. El negro, por negro, no es inferior ni superior a ningún otro hombre; peca por **redundante** el blanco que dice: "Mi raza"; peca por **redundante** el negro
10 que dice: "Mi raza". Todo lo que divide a los hombres, todo lo que especifica, aparta o acorrala es un pecado contra la humanidad. … Insistir en las divisiones de raza, en las diferencias de raza, de un pueblo naturalmente dividido, es dificultar la ventura pública y la individual,
15 que están en el mayor acercamiento de los factores que han de vivir en común. …

El racista blanco, que le cree a su raza derechos superiores, ¿qué derechos tiene para quejarse del racista negro que también le vea especialidad a su raza? El
20 racista negro, que ve en la raza **un carácter** especial, ¿qué derecho tiene para quejarse del racista blanco? … La paz pide los derechos comunes de la naturaleza; los derechos diferenciales, contrarios a la naturaleza, son enemigos de la paz. El blanco que se **aísla**, **aísla** al
25 negro. El negro que se **aísla**, provoca a aislarse al blanco.

En Cuba no hay temor a la guerra de razas. Hombre es más que blanco, más que mulato, más que negro. En los campos de batalla murieron por Cuba, han subido juntas por los aires, las almas de los blancos y de los
30 negros. … Lo semejante esencial se busca y halla por sobre las diferencias de detalle; y lo fundamental de **los caracteres** análogos se funde en los partidos… **La afinidad** de **los caracteres** es más poderosa entre los hombres que **la afinidad** del color. Los negros,
35 distribuidos en las especialidades diversas u hostiles del espíritu humano, jamás se podrán **ligar**, ni desearán **ligarse**, contra el blanco, distribuido en las mismas especialidades. Los negros están demasiado cansados de la esclavitud para entrar voluntariamente en la
40 esclavitud del color. Los hombres de pompa e interés se irán de un lado, blancos o negros; y los hombres generosos y desinteresados se irán de otro. Los hombres verdaderos, negros o blancos, se tratarán con lealtad y ternura, por el gusto del mérito y el orgullo de todo lo
45 que honre la tierra en que nacimos, negro o blanco. …

Muchos blancos se han olvidado ya de su color, y muchos negros juntos trabajan, blancos y negros, por el cultivo de la mente, por la propagación de la virtud, por el triunfo del trabajo creador y de la caridad sublime.

…

Y en lo demás, cada cual será libre en lo sagrado de la 50 casa. El mérito, la prueba patente y continua de cultura y el comercio inexorable acabarán de unir a los hombres. En Cuba hay mucha grandeza en negros y blancos.

🔊 **FUENTE NÚMERO 2** Esta grabación "José Martí, símbolo de Cuba y de América" es una reseña histórica que trata de la trayectoria política, cultural y patriótica del héroe nacional cubano José Martí y su relación con Cuba, su patria chica, y América, su patria grande. Este audio es de Radio Ciudad del Mar de Cienfuegos, Cuba, y fue emitido en junio de 2011. La grabación dura aproximadamente 3 minutos.

1. ¿Cuál es el propósito del texto impreso?
   (A) Negar las diferencias entre las razas
   (B) Explicar las semejanzas entre las razas
   (C) Criticar a los que destacan las diferencias entre las razas
   (D) Resaltar la igualdad entre las razas

2. Según José Martí, ¿cuál es una consecuencia de insistir en las diferencias de raza?
   (A) Refuerza la igualdad de las razas.
   (B) Complica el destino humano.
   (C) Clarifica la universalidad humana.
   (D) Justifica la razón de vivir juntos.

3. Según el texto impreso, ¿qué debe impulsar la formación de grupos?
   (A) La generosidad de la actitud humana
   (B) La lealtad de las razas humanas
   (C) El patriotismo de la cultura humana
   (D) La semejanza de la naturaleza humana

4. En el artículo escrito, ¿cuál es el significado de "la esclavitud del color" (líneas 39-40)?
   (A) Lucir diferencias de raza es perder la libertad.
   (B) Ser de color es hacerse preso en Cuba.
   (C) El color de la piel revela prejuicios racistas.
   (D) Se hicieron esclavos por el color de la piel.

5. En el texto auditivo, ¿cuál es la actitud de la locutora hacia José Martí?

(A) Lo considera el más talentoso de los revolucionarios de su época.

(B) Lo considera el más heroico de los revolucionarios de su época.

(C) Lo considera el más dominante de los revolucionarios de su época.

(D) Lo considera el más astuto de los revolucionarios de su época.

6. Según la locutora del audio, ¿qué le permitía a Martí ser un líder tan importante?

(A) Su experiencia política de tanta diversidad

(B) Su capacidad para utilizar el español con tanta sutileza

(C) Su simpatía por los de abajo

(D) Su tenacidad personal con tanta honradez

7. Según la fuente auditiva, ¿cuál era la actitud de Martí hacia la sociedad norteamericana?

(A) Delató su explotación y aprovechó su fuerza.

(B) Denunció su imperialismo y aceptó su ayuda.

(C) Describió sus debilidades y admiró sus realizaciones.

(D) Declaró sus monstruosidades y aprobó sus bellezas.

8. Según la fuente auditiva, ¿cuál de las siguientes afirmaciones representa mejor el legado de José Martí?

(A) Sus ideas sociopolíticas han mantenido su vigencia hasta hoy.

(B) Sus ideas sociopolíticas han sido olvidadas.

(C) Sus ideas sociopolíticas han sido realizadas por lo general en América Latina.

(D) Sus ideas sociopolíticas no han ofendido a nadie.

9. ¿Qué ponen de relieve las dos fuentes?

(A) La importancia de la igualdad de las razas para Martí

(B) La crueldad del racismo para Martí

(C) La generosidad del espíritu humano para Martí

(D) La sinrazón de las revoluciones violentas para Martí

10. ¿Qué se puede afirmar según las dos fuentes?

(A) La fuente auditiva desarrolla las ideas expuestas en el audio.

(B) La fuente escrita expresa ideas no mencionadas en el audio.

(C) La fuente auditiva refuerza la sinceridad de las palabras de Martí en la fuente impresa.

(D) La fuente auditiva describe a Martí como realista y la impresa lo revela como idealista.

Mario Vargas Llosa

## CÁPSULA CULTURAL: MARIO VARGAS LLOSA, ESCRITOR ESPECTACULAR Y CANDIDATO POLÍTICO

El muy reconocido novelista y ensayista, Jorge Mario Pedro Vargas Llosa recibió el Premio Nobel de Literatura en 2010. También fue candidato en 1990 a la presidencia de Perú, su país natal, del cual dijo, "Yo le puedo agradecer a mi país, a lo que yo soy, el ser un escritor". Empezó a tener éxito en las letras en los inicios de su carrera. Ha escrito varias obras galardonadas incluyendo La ciudad y los perros, La casa verde y muchas otras. Sigue escribiendo hasta hoy en día y siendo gran hincha de fútbol.

**COMPARACIONES:** ¿Quiénes son otros hombres y mujeres de las letras hispanas que se han convertido en líderes políticos? ¿Qué papel desempeñan los intelectuales en el liderazgo de tu comunidad local o nacional?

## Audios

🔊 **FUENTE** Esta grabación "Homenaje a Mercedes Sosa" es un elogio a la cantante argentina por el poeta Pablo Martini. Fue escrito en ocasión de su muerte y trata de cómo fue la artista. Fue grabado para el programa "Tengo una idea" de Argentina en octubre de 2010. La grabación dura casi tres minutos.

1. ¿Cuál es el propósito de las palabras del poeta?

   (A) Popularizar las canciones de Mercedes Sosa

   (B) Explicar el impacto artístico de Mercedes Sosa

   (C) Perfilar el carácter de Mercedes Sosa

   (D) Elogiar la pureza musical de Mercedes Sosa

2. ¿Qué significa el verso de la canción "Cuando tenga la tierra"?

   (A) "Cuando me muera"

   (B) "Cuando yo compre una parcela de tierra"

   (C) "Cuando yo regrese a las orillas de mi patria"

   (D) "Cuando yo rescate la tierra del abuso ambiental"

3. ¿Cuál es el efecto de turnarse en expresarse el poeta y la cantante?

   (A) El poeta puede interpretar el significado de la canción de la cantante.

   (B) Los dos se juntan en un dúo artístico.

   (C) El poeta puede mostrar mejor el mensaje de la cantante.

   (D) Los dos se ponen de acuerdo.

4. Según este elogio, ¿cuál de las siguientes afirmaciones mejor resume la persona de Mercedes Sosa?

   (A) Mercedes Sosa encarna el mar y el cielo a la vez.

   (B) Mercedes Sosa es agresiva y sensible a la vez.

   (C) Mercedes Sosa es optimista e idealista a la vez.

   (D) Mercedes Sosa es prolífica y astuta a la vez.

5. ¿Para quiénes se produciría esta grabación?

   (A) Para los que recordaran el aporte social de Mercedes Sosa

   (B) Para los que reconocieran la tonada y la letra de Mercedes Sosa

   (C) Para los que supieran de la obra de Mercedes Sosa

   (D) Para los que fueron al funeral de Mercedes Sosa

## CÁPSULA CULTURAL: EL GAUCHO MARTÍN FIERRO—LIBRO NACIONAL DE ARGENTINA

Este poema narrativo conocido simplemente como El Martín Fierro fue compuesto por José Hernández en 1872. Escrito en verso, el libro trata de la vida de un gaucho reclutado con otros gauchos para eliminar a los indígenas de las pampas argentinas. Considerado el libro nacional de la Argentina, su personaje central Martín Fierro es su héroe nacional—rebelde, cantante, independiente, valiente y sobre todo libre. Es prototipo mitificado de la fiera vida del llano. "Soy gaucho y entiendanló", nos reta Martín Fierro en su tonada puramente pampeña.

—Juan Molinero, Diario Viaslado, el 3 de enero de 2013

**COMPARACIONES:** ¿Quiénes son las figuras ficticias que han subido a niveles míticos para representar el carácter nacional de tu país? ¿Cuáles son los valores nacionales que encarnan?

## Correos Electrónicos

Este mensaje es de Carlos González, Director de la biblioteca de tu pueblo. Has recibido este mensaje porque has solicitado la participación en una competición académica de dos días que tendrá lugar en un hotel cerca de donde vives.

**De:** Carlos González, Bibliotecario

**Asunto:** Su participación

Estimado/a estudiante de español:

Muchas gracias por aceptar nuestra invitación para participar en nuestro programa sobre el héroe ideal. Habrá tres seminarios o simposios sobre las cualidades de un héroe ideal. 1) El Héroe Literario, 2) El Héroe Histórico y 3) El Héroe Internacional. Debería entender que estos seminarios tratarán tanto sobre la mujer como sobre el hombre. Nos gustaría saber en cuál de los seminarios preferiría Ud. participar y por qué. Suponemos que ha pensado en algunas de las características que tendría un héroe ideal y sería importante que piense en ellas antes de llegar al simposio. En una respuesta a este mensaje incluya una justificación de las dos características más importantes para el tipo de héroe que ha elegido.

Nosotros anticipamos su participación con una cálida bienvenida.

Carlos González, Bibliotecario y Director

## Ensayo

**Tema del ensayo:**

*¿Qué es un verdadero héroe?*

**FUENTE NÚMERO 1** Este texto, "¿Qué es ser un héroe? ¿Quiénes son héroes?" trata de varios puntos de vista sobre lo que es ser héroes. El artículo original fue publicado el 25 de febrero de 2007 por Dicky del Hoyo en su blog delhoyo.com.

Este verano del 2007, en lo periodístico, ha sido un verano atípico con la economía dando sobresaltos, con noticias políticas importantes y con guerras activas en las que no se vislumbran soluciones. También este verano ha
5 sido el verano de los Héroes.

Héroe por accidente
En Estados Unidos y quizás como una metáfora del derrumbamiento del Imperio se cayó un puente en Minneapolis. Esa tragedia fue producida por la falta de
10 inversiones en mantenimiento y provocó 13 muertos. Podrían haber sido muchos más si no llega a ser por la sangre fría de Jeremy Hernández. El chicano Hernández, de 20 años, consiguió rescatar a los niños de un autobús escolar en el que iba como ayudante
15 de actividades extraescolares. Ese trabajo lo había

conseguido tras haber sido expulsado del Instituto por no poder pagar los 15.000 dólares que costaba la matrícula del curso de mecánica que quería seguir. Ahora, tras haber sido designado oficialmente "héroe",
20 muchas instituciones americanas se han ofrecido a pagarle la matrícula.

El héroe inconsciente
Otro héroe de este verano fue Julián Reyes, un vecino de Tenerife, que salvó con una manguera y
25 rodeado de llamas varias casas de su pueblo. Elevado mediáticamente a los altares de la heroicidad Julián contaba cómo, para realizar su hazaña, tuvo que huir de la policía que le perseguía con la intención de evacuarlo. Posteriormente se escondió y poniéndose
30 en peligro, y poniendo en peligro a las personas que le seguían buscando, hizo de apagafuegos voluntario. Todo un héroe a pesar de que la lógica dice que vale más que se quemen unas casas a que mueran o queden heridos el personal de los grupos de emergencia que intentaron
35 su rescate.

Un héroe atípico y flamenco
Antonio Solera, un guitarrista flamenco paseaba por las calles del barrio japonés de Sibuya tras acabar, de madrugada, su actuación en un teatro. Unas llamas

40 y una mujer gritando le llamaron la atención y tras
hacerse entender (ignoro cómo) consiguió que la
mujer que estaba atrapada en el incendio saltara a sus
brazos y se salvara de una muerte segura. Un rescate
muy flamenco que acabó con Antonio condecorado por
45 las autoridades japonesas.

Héroes, la serie de TV
"Un gran poder requiere de una gran responsabilidad".
Esa es la frase típica en las películas de superhéroes.
En esta serie hay héroes buenos y malos. Gente con
50 habilidades producidas por una alteración genética que
intentan salvar al mundo y otros que se aprovechan
de sus potencialidades para su beneficio o para hacer
el mal. No le veo nada de mérito al ser un héroe si,
por ejemplo, puedes doblar el espacio-tiempo y hacer
55 lo que quieras y cuando quieras, como hace Hiro
Nakamura.

Los héroes cotidianos
Son mis héroes preferidos. Es, por ejemplo, la señora
que cuida de su marido enfermo, que se desplaza
60 quince kilómetros para trabajar por un sueldo pequeño
y que aún tiene tiempo para repartir sonrisas y hacer
del mundo un sitio mejor.

Hay también gente que nos rodea que, sin tener
alteraciones genéticas, son portadores de superpoderes.
65 Conozco a alguien que tiene capacidades innatas para
la imperturbabilidad. Es capaz de montar todo un
equipo de grabación en 30", encontrando el mejor sitio
en dura disputa con otras cámaras. También tiene el
superpoder de conseguir todo tipo de cosas. Si necesita
70 una pieza para una cámara de vídeo da igual que esté en
Apatamonasterio o en el desierto del Gobi, logrará dar
con esa pieza sin que nadie a su alrededor sepa cómo
lo hizo. Además a él las chicas, en los bares, le tiran
miguitas de pan y a mí eso no me ha pasado nunca.
75 Los héroes también cumplen años, por eso, desde estas
líneas, Zorionak Iban Ortega.

**FUENTE NÚMERO 2** Este texto trata de una
investigación sobre los héroes y sus características.
El texto fue publicado en diciembre de 2012 por el
Diario Viaslado.

Tras una serie de entrevistas y sondeos, el Diario
Viaslado juntó la siguiente lista de las características
más mencionadas por los encuestados. El estudio se realizó
en 2011 y los resultados fueron publicados en diciembre
de 2012.

**LA PREGUNTA PRINCIPAL** de las entrevistas y los sondeos: Para Ud., ¿qué características tienen los héroes de la actualidad?

**LAS RESPUESTAS MÁS REPETIDAS:** Son personas comunes que arriesgan la vida para salvar a otros sin pensar en sí mismos.

Son superhéroes que aunque son de ficción sirven de modelo vital en esta época de mediocridad.

Son personajes de nuestra historia nacional que encarnan los valores originales de nuestra cultura.

Son personas que poseen cualidades de astucia, un sentido de defenderse a toda costa y fuerza física.

Son personas que intentan corregir la incompetencia y la corrupción del sistema.

Son personas que hacen un esfuerzo grande de voluntad, hecho con generosidad al servicio de Dios o de la patria.

Son personas con cualidades de belleza y carisma más sobresalientes de lo común.

**FUENTE NÚMERO 3** Esta grabación,
"Entrevista sobre Héroes Cotidianos", trata de un
libro que habla de los héroes de cada día. En la
entrevista, el locutor David Barbero entrevista a Pilar
Jericó, autora del libro. La grabación fue publicada en
abril de 2010 en Madrid, España. La grabación dura
aproximadamente 2:45.

## Conversaciones

🔊 Esta es una conversación con Marisol, una amiga. Vas a participar en esta conversación porque ella está montando un show de héroes para niños de primaria.

| Marisol | • Te saluda y te propone algo. |
|---------|-------------------------------|
| Tú | • Salúdala y reacciona negativamente con una explicación. |
| Marisol | • Continúa la conversación. |
| Tú | • Contesta dando detalles. |
| Marisol | • Continúa la conversación. |
| Tú | • Reacciona protestando en contra de su idea. |
| Marisol | • Continúa la conversación. |
| Tú | • Contesta y hazle una pregunta acerca del show. |
| Marisol | • Continúa la conversación y te hace una pregunta. |
| Tú | • Explica y despídete. |
| Marisol | • Reacciona y se despide. |

## Discursos

**Tema de la presentación:**

*¿Cuál ha sido la influencia de algunos héroes ficticios en representar los valores culturales de tu comunidad?*

*Compara tus observaciones acerca de las comunidades en las que has vivido con tus observaciones de una región del mundo hispanohablante que te sea familiar. En tu presentación, puedes referirte a lo que has estudiado, vivido, observado, etc.*

**CLASIFICADOS**

**PÁGINA 160** Lecturas

### ESENCIAL: PARA UNA MEJOR COMPRENSIÓN

**comprueban (comprobar)—**verificar la veracidad de algo

**factible—**posible, realizable

### IMPORTANTE: PARA UNA MEJOR DISCUSIÓN

**la tilma—**prenda para recolectar productos agrícolas

**la ermita—**iglesia pequeña en zonas remotas

### ÚTIL: PARA UNA MEJOR EXPRESIÓN

**asimismo—**también

**Producto:** ¿Por qué se comenzó la construcción de la nueva Basílica de Guadalupe?

**Práctica:** ¿Por qué es la Basílica de Guadalupe el destino más popular del mundo para los peregrinos católicos?

**Perspectiva:** Describe cómo ha sido sincretizada la Virgen de Guadalupe.

**PÁGINA 162** Lecturas con Audio

### ESENCIAL: PARA UNA MEJOR COMPRENSIÓN

**el carácter—**características de la personalidad

**se aísla (aislarse)—**mantenerse solo y aparte

**precoz—**talentoso/a para su edad

### IMPORTANTE: PARA UNA MEJOR DISCUSIÓN

**redundante—**que se repite innecesariamente

**la afinidad—**conexión y semejanza

**ligar—**conectar, unir

### ÚTIL: PARA UNA MEJOR EXPRESIÓN

**ponerlo en claro—**aclarar, hacer evidente

**el dominio de la lengua—**buen control del idioma

**año tras año—**todos los años

**Producto:** ¿Por qué se denominan sencillos los "Versos Sencillos" de José Martí?

**Práctica:** ¿Por qué se enseñan los "Versos Sencillos" en los colegios latinoamericanos?

**Perspectiva:** ¿Por qué siguen siendo importantes culturalmente los "Versos Sencillos" en Cuba?

**PÁGINA 164** Audios

### ESENCIAL: PARA UNA MEJOR COMPRENSIÓN

**sembraré (sembrar)—**esparcir semillas en la tierra

**los grillos—**insectos negros que rozándose las alas

**la tonada—**canción o tono regional del idioma

### IMPORTANTE: PARA UNA MEJOR DISCUSIÓN

**el racimo—**conjunto de uvas unidas

**fecundo/a—**fértil

**los trigales—**campos de trigo (un cereal)

**Producto:** Define el movimiento musical llamado "La Nueva Canción" de los años 60 y 70 del siglo XX en América Latina y España.

**Práctica:** ¿Por qué se considera la canción "Gracias a la vida" una de las canciones ejemplares de "La Nueva Canción"?

**Perspectiva:** ¿Qué impacto tuvo "La Nueva Canción" en las dictaduras de España y Latinoamérica?

# La identidad nacional y la identidad étnica

## Lecturas

**FUENTE** Este texto, "Balada de los dos abuelos" trata de las dos herencias que comparte el poeta. El poema fue publicado en el libro "West Indies Ltd." de 1934 por Nicolás Guillén, poeta cubano.

**Sombras** que sólo yo veo,
me **escoltan** mis dos abuelos.

Lanza con punta de hueso,
**tambor** de cuero y madera:
5   mi abuelo negro.
Gorguera en el cuello ancho,
gris armadura guerrera:
mi abuelo blanco.

Pie desnudo, torso pétreo
10   los de mi negro;
pupilas de vidrio antártico
las de mi blanco.

Africa de selvas húmedas
y de gordos gongos sordos ...
15   —¡Me muero!
(Dice mi abuelo negro.)
Agua prieta de **caimanes**,
verdes mañanas de cocos ...
—¡Me canso!
20   (Dice mi abuelo blanco.)
Oh velas de **amargo** viento,
galeón ardiendo en oro...

—¡Me muero!
(Dice mi abuelo negro.)
¡Oh costas de cuello virgen   25
engañadas de abalorios... !
—¡Me canso!
(Dice mi abuelo blanco.)

¡Oh, puro sol repujado,
preso en el aro del trópico;   30
oh luna redonda y limpia
sobre el sueño de los monos!

¡Qué de barcos, qué de barcos!
¡Qué de negros, qué de negros!
¡Qué largo fulgor de cañas!   35
¡Qué **látigo** el del negrero!

Piedra de llanto y de sangre,
venas y ojos entreabiertos,
y madrugadas vacías,
y atardeceres de ingenio,   40
y una gran voz, fuerte voz,
despedazando el silencio.

¡Qué de barcos, qué de barcos,

qué de negros!

**Sombras** que sólo yo veo,   45
me **escoltan** mis dos abuelos.

Don Federico me grita
y Taita Facundo calla;
los dos en la noche sueñan
y andan, andan.   50
Yo los junto.

—¡Federico!
¡Facundo! Los dos se abrazan.
Los dos suspiran. Los dos
las fuertes cabezas alzan:   55
los dos del mismo tamaño,
bajo las estrellas altas;
los dos del mismo tamaño,
ansia negra y ansia blanca,
los dos del mismo tamaño,   60
gritan, sueñan, lloran, cantan.
Sueñan, lloran, cantan,
Lloran, cantan.

¡Cantan!

---

1. ¿De dónde es el abuelo negro?

   (A) De una tierra de galeones
   (B) De una tierra de ritmos tamboriles
   (C) De una tierra de sombras
   (D) De una tierra de guerreros

2. ¿De dónde es el abuelo blanco?

   (A) De la tierra de los monos
   (B) De la tierra del caimán
   (C) De la tierra de los colonizadores
   (D) De la tierra de llanto y sangre

3. ¿Qué afirmación describe mejor cómo llegó el abuelo negro a Cuba?

   (A) "Llegó con otros esclavos."
   (B) "Llegó con otros colonizadores."
   (C) "Llegó cansado y amargo."
   (D) "Llegó engañado y armado."

4. ¿Qué lugar describen los versos 29-32?

   (A) El barco
   (B) El mar
   (C) Cuba
   (D) España

5. ¿Por qué tiene un látigo el negrero?

   (A) Para pelear con los blancos
   (B) Para defenderse de los caimanes
   (C) Para divertirse en los campos de caña
   (D) Para controlar a los negros

6. ¿Por qué dice el poeta "yo los junto" (verso 51)?

   (A) Porque los ve en una sombra
   (B) Porque los acompaña en la vida
   (C) Porque ha hecho las paces con los dos
   (D) Porque lleva la sangre de los dos

7. ¿Qué tienen en común los dos abuelos?

   (A) Los dos son optimistas.
   (B) Los dos son conquistadores.
   (C) Los dos son felices.
   (D) Los dos son amargos.

## CÁPSULA CULTURAL: LOS ESCLAVOS Y EL SINCRETISMO EN CUBA

Los españoles de Cuba empezaron a importar esclavos de África para trabajar en los ingenios de caña de azúcar en el siglo XVI. Los esclavos de la población indígena morían y esto producía una escasez de mano de obra. El tráfico de esclavos duró hasta mediados del siglo XIX. Los primeros africanos llegaron para ser sirvientes de los primeros exploradores y conquistadores españoles y a comienzos del siglo se calcula que había más esclavos africanos que amos europeos. No cabe duda que la cultura cubana debe su singular carácter a la fusión de las dos culturas. Al llegar a la isla, los africanos se adaptaron a las tradiciones de los negreros. Cuba goza de este sincretismo en la práctica de la religión (la Santería), el desarrollo de la música (ritmos e instrumentos) y la comida (el ñame y el plátano africanos combinados con los caldos y el arroz españoles en el menú cubano). El sincretismo confirma que se puede dejar la casa, pero nunca el hogar.

—Juan Molinero, Blogviaslado, 2012

**COMPARACIONES: ¿Qué fusiones de culturas son evidentes en tu comunidad? Describe los nuevos productos culturales que han surgido de este proceso.**

## Ilustración con Audio

**FUENTE NÚMERO 1** Esta tabla trata de la identidad mexicana. Se basa en el estudio, "Sueños y aspiraciones de l@s mexican@s", hecho en febrero de 2011 por GAUSSC y Lexia y auspiciado por Nexos en Línea de México.

**PREGUNTA DE LA ENCUESTA:**
**¿Dónde se encuentra su opinión?**

Totalmente de acuerdo ← ← ← ← → → → → Totalmente de acuerdo

| | | | | | | | | | |
|---|---|---|---|---|---|---|---|---|---|
| 90% | El individuo puede cambiar su vida | 59% | 20% | 11% | 5% | 3% | 2% | El individuo NO puede cambiar su vida | 10% |
| 76% | **Los sueños** se pueden hacer realidad | 28% | 28% | 20% | 13% | 7% | 4% | **Los sueños** son algo inalcanzable | 24% |
| 67% | Los mexicanos tenemos cultura de triunfadores | 17% | 23% | 27% | 18% | 10% | 5% | Los mexicanos tenemos cultura de perdedores | 33% |
| 64% | NO importa lo que hagan los ricos y poderosos, yo SÍ puedo **lograr** mis sueños y aspiraciones | 17% | 24% | 23% | 22% | 9% | 5% | Los ricos y poderosos son los que NO me permiten **lograr** mis sueños y aspiraciones | 36% |
| 63% | Para **lograr** lo que aspiro en la vida influye más el esfuerzo personal y familiar | 22% | 22% | 19% | 17% | 13% | 7% | Para **lograr** lo que aspiro en la vida influye más el esfuerzo de todos como país | 37% |
| 63% | En México cada quien jala **por su cuenta** | 15% | 25% | 23% | 18% | 13% | 6% | En México trabajamos en equipo | 37% |
| 61% | A los mexicanos nos importa más el futuro | 18% | 18% | 25% | 19% | 14% | 6% | A los mexicanos nos importa más el pasado | 39% |
| 52% | Los mexicanos siempre ponemos esfuerzo extra en lo que hacemos | 12% | 17% | 23% | 22% | 17% | 8% | Los mexicanos **nos conformamos con** el mínimo esfuerzo | 48% |
| 51% | Para progresar México NO necesita de Estados Unidos | 18% | 14% | 19% | 21% | 15% | 13% | Para progresar México SÍ necesita de Estados Unidos | 49% |

Fuente: GAUSSC Y Lexic y Nexos en Línea de México

**◀)) FUENTE NÚMERO 2** Esta grabación adaptada, "América Latina y sus estereotipos", trata de la identidad mexicana. En este clip Roberto Bartra, antropólogo y autor de la Universidad Nacional de México, habla de la noción de la excepcionalidad mexicana. La grabación dura aproximadamente dos minutos.

1. ¿Qué siguiente afirmación respalda todas las respuestas de la encuesta?

   (A) Que hay un sentido de inferioridad en los mexicanos

   (B) Que hay un sentido de pesimismo acerca del futuro en los mexicanos

   (C) Que hay un sentido de nostalgia por el pasado en los mexicanos

   (D) Que hay un sentido de individualismo en los mexicanos

2. De la tabla, ¿qué se puede concluir sobre la actitud mexicana hacia el futuro?

   (A) Es ambigua.

   (B) Es optimista.

   (C) Es negativa.

   (D) Es desconfiada.

3. En el título "Sueños y aspiraciones de l@s mexican@s", ¿qué significa la arroba?

   (A) Una dirección electrónica

   (B) Un gazapo sin corregir

   (C) Ambos sexos

   (D) Una abreviatura

4. Según Roberto Bartra, ¿qué significa el término "excepcionalidad"?

   (A) Un sentido de coherencia y fuerza

   (B) Un sentido de rebeldía y revolución

   (C) Un sentido de una identidad única

   (D) Un sentido de patriotismo y renovación

5. Según Roberto Bartra, ¿qué tipo de países exhiben un sentido de excepcionalidad?

   (A) Países con una historia larga de revoluciones

   (B) Países con mucha confianza social

   (C) Países con mucho poder económico

   (D) Países con una fuerte tradición de nacionalismo

6. Según Roberto Bartra, ¿qué hace excepcional a México?

   (A) La Revolución Mexicana

   (B) Los mexicanos

   (C) Sus formas culturales

   (D) Sus valores precolombinos

7. ¿Qué afirmación de la tabla apoya mejor la idea de la excepcionalidad mexicana?

   (A) "No importa lo que hagan los ricos y poderosos."

   (B) "Los mexicanos tenemos una cultura de triunfadores."

   (C) "Para lograr lo que aspiro en la vida influye el esfuerzo de todos."

   (D) "A los mexicanos nos importa más el futuro."

Francisco I. Madero y líderes revolucionarios. 24 de abril de 1911

## CÁPSULA CULTURAL: LA REVOLUCIÓN MEXICANA 1910-1917 O ¿TODAVÍA?

Sin lugar a dudas la lucha que empezó en noviembre de 1910 en México produjo profundos cambios en el tejido social de aquel país. Durante la larga trayectoria de La Revolución vinieron y se fueron una gama impresionante de gobiernos y figuras históricas, hubo atrocidades por todos lados; pero hubo avances sociales y políticos en los sectores de educación, el acceso al voto, el reparto de servicio médico, etc. También la experiencia revolucionaria influyó en normas artísticas e ideas intelectuales. A poco del comienzo de las hostilidades surgieron demandas con respecto a la redistribución de tierras, la devolución de tierra de los indígenas y mejoras en el área de trabajo. La Revolución prometió mucho, cumplió mucho y dejó mucho por hacer.

—Juan Molinero, *Diario Viaslado, septiembre de 2012*

**COMPARACIONES: ¿Cuáles han sido algunas promesas y esperanzas de movimientos políticos en tu país que quedan por cumplir? Explica los obstáculos a su realización.**

## Audios

🔊 **FUENTE**  Esta grabación trata de la revista Ébano de Colombia. Yarlín "Yafro" Martínez y Ana Pilar Copete anuncian el segmento y una locutora entrevista al periodista y empresario Esaúd Urrutia Noel sobre la revista. La grabación dura aproximadamente tres minutos.

1. ¿Cuál es el propósito de la presentación?

   (A) Anunciar el estreno de una revista colombiana
   (B) Hablar de la importancia de los africanos en Colombia
   (C) Contar la historia de la creación de una revista colombiana
   (D) Entrevistar a un empresario periodístico de Colombia

2. ¿Qué revela la narradora acerca de la creación de Ébano?

   (A) Que el periodista Urrutia quiso escribir para un público estrictamente afrolatino
   (B) Que el periodista Urrutia quiso presentar a los afrolatinos de una forma positiva
   (C) Que el periodista Urrutia quiso lanzar una revista profesional y artística
   (D) Que el periodista Urrutia quiso distribuir la revista sólo para Colombia

3. Según Urrutia, ¿cómo fue la reacción inicial a la revista?

   (A) Abrumadora
   (B) Frustrante
   (C) Cálida
   (D) Desalentadora

4. Según Urrutia, ¿cuál ha sido la misión de Ébano?

   (A) Contribuir a la inclusión de la población afrolatina en la identidad colombiana
   (B) Destacar los éxitos afrolatinos en Colombia
   (C) Relatar la vida cotidiana de los afrolatinos en Colombia
   (D) Mostrar la importancia de los afrolatinos en Colombia

5. ¿Qué quiere decir Urrutia cuando dice "desde nuestra propia óptica"?

   (A) Desde el punto de vista colombiano
   (B) Desde la perspectiva afrolatina
   (C) Desde una visión inconclusa
   (D) Desde una opinión periodística

6. Según Urrutia, ¿qué tipo de personaje quieren evitar en Ébano?

   (A) Una figura exitosa de la comunidad colombiana
   (B) Una figura política del pasado colombiano
   (C) Una figura ordinaria en la vida actual
   (D) Una figura icónica en los deportes

7. Si quisieras encontrar más información sobre la contribución afrolatina a Colombia, ¿cuál de las siguientes fuentes sería la más apropiada consultar?

   (A) Minorías: Representación en el Congreso Colombiano
   (B) Algunos ritmos afrolatinoamericanos
   (C) Las condiciones de los afrolatinoamericanos
   (D) Etnicidad, Multiculturalismo y Política Sociales en Colombia

8. ¿Cuál de los siguientes títulos sería el mejor para esta presentación auditiva?

   (A) "Ébano, una revista del aporte afrolatino en Colombia"
   (B) "Ébano, una revista inspirada por Ebony"
   (C) "Ébano, una revista del famoso empresario Esaúd Urrutia Noel"
   (D) "Ébano, una revista que contribuye al progreso económico de Colombia"

Vendedora palenquera, Cartagena, Colombia

## CÁPSULA CULTURAL:

## EL MULTICULTURALISMO DE COLOMBIA

Colombia es conocida como uno de los países de mayor diversidad en el mundo. Si se observan los grupos raciales y étnicos y la variedad de artes, lenguas y cocina, uno queda asombrado ante la gama panorámica de herencias, gustos y contribuciones de estos grupos. Vamos a considerar una variedad de estadísticas porque es difícil saber con exactitud los números y los porcentajes de la población colombiana:

Población total: 47 millones

Mestizos: 49%-58%

Morenos: 14%

Blancos: 20%-37%

Afrocolombianos: 4%-7,6%

Indígenas: 1%-3,4%

**COMPARACIONES: ¿En qué sentido es tu comunidad un crisol cultural? Comenta algunos ejemplos de por qué es difícil mantener la identidad cultural.**

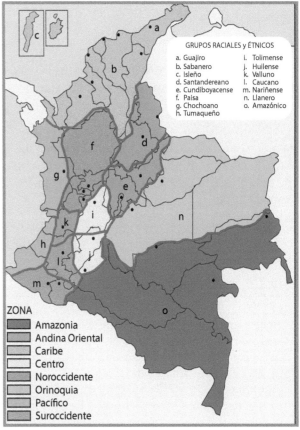

**GRUPOS RACIALES y ÉTNICOS**

a. Guajiro
b. Sabanero
c. Isleño
d. Santandereano
e. Cundiboyacense
f. Paisa
g. Chochoano
h. Tumaqueño
i. Tolimense
j. Huilense
k. Valluno
l. Caucano
m. Nariñense
n. Llanero
o. Amazónico

**ZONA**

Amazonia
Andina Oriental
Caribe
Centro
Noroccidente
Orinoquia
Pacífico
Suroccidente

Fuente: El censo colombiano de 2005, "Area Handbook Series" y "The World Factbook".

## Correos Electrónicos

Este mensaje es de Patriotas Jóvenes, un grupo de jóvenes unidos por su interés en la historia de su país. Has recibido este mensaje porque has escrito una carta pidiendo la adhesión a esta organización.

**De:** Patriotas Jóvenes

**Asunto:** Su petición de adhesión

Estimado/a patriota:

Le saludamos y le agradecemos su deseo de sumarse a nuestra institución patriótica. Reclutamos a jóvenes como Ud. que tengan la valentía de expresar su amor por su patria. Sin embargo, el ingreso a nuestras filas requiere una investigación cuidadosa de sus cualidades como patriota. Descríbanos algunas actividades cívicas en las cuales ha participado recientemente. Además, nos interesaría saber si nos podría ayudar con su aporte en nuestro concurso de la bandera. Hay tres importantes rangos en el desfile: — capitán de los patriotas pequeños, capitán de los vehículos blindados y capitán de los bateristas. ¿En cuál mostraría mejor sus capacidades y por qué?
Reciba nuestros saludos.
Esperamos sus comentarios.
¡Viva la patria! ¡Vivan los jóvenes!
Almirante Antonio Mareo
Patriotas Jóvenes

## Ensayo

***Tema del ensayo:***

*En Estados Unidos, ¿se debe reconocer el orgullo de todos los hispanohablantes el 5 de mayo o sólo el de los mexicanos?*

**FUENTE NÚMERO 1** Este texto, "Los 5 de mayo", trata de la historia de la celebración del Cinco de Mayo. El artículo original fue publicado por Nexos en Línea y escrito por Mauricio Tenorio Trillo el 1 de mayo de 2012.

A fines del siglo XIX el 5 de mayo era una celebración de mexicanos en Texas, Nuevo México o California; ecos aquellos de la paulatina canonización cívica de Juárez y Zaragoza y de ese momento poblano en que México
5 creyó merecer el respeto del mundo. Ese día honraban a su México, al mismo de Juárez, y a su Estados Unidos, el republicano, el de Lincoln, aliado de don Benito. Otra cosa es el 5 de mayo del siglo XXI en Estados Unidos. A partir de la década de 1990 el "cincou de maio" se ha convertido
10 en una fiesta tan estadunidense como el 4 de julio o el día de San Patricio o el día de Acción de Gracias. Poco tiene que ver ya con Juárez, Zaragoza o Puebla porque ya ni siquiera es cosa sólo mexicana. Ahora es el día en que lo celebrado vira en los celebradores: no mexicanos, sino
15 "latinos" que, al celebrar, se transforman en lo celebrado: "latinos" actuando el papel étnico-cultural que les corresponde en una cultura política que exige identidad y marca étnica 5 de mayo y en la Casa Blanca el presidente en turno come tacos y burritos.

20 En 1868 un periódico en español publicado en San Francisco evocaba al 5 de mayo de la manera en que se recordará la fecha a lo largo del siglo XIX: fiesta cívica, himno nacional estadunidense, himno mexicano, discursos, poesías, lectura del bando de guerra de la
25 batalla de Puebla, acusaciones en contra de Napoleón el tirano, alabanzas a Zaragoza el héroe, mención del respeto ganado por México con la ayuda de Estados Unidos. Se celebraba a México y a Estados Unidos por igual.

En fin, en la prensa en español de fines del siglo XIX
30 y principios del XX queda claro que las celebraciones del 5 de mayo tenían connotaciones políticas locales, ecos de la política estadunidense y mexicana, posicionamientos ideológicos o históricos pero pocas veces o nunca étnicos. A los mexicanos de tiempos de
35 "bajo el sol de mayo" no parecía importarles un pepino lo mestizo, zapoteca o náhuatl de las tropas o de Juárez.

En efecto, el 5 de mayo de bajo el sol de mayo… fue superado por el 5 de mayo de bajo el sol de Aztlán, una nueva forma de mexicanidad en Estados

Unidos. La transformación comenzó con las protestas
40 pacíficas encabezadas por César Chávez para mejorar las condiciones de los trabajadores del campo. El nuevo 5 de mayo ya no decía Juárez ni Zaragoza, sino anti-imperialismo, reivindicación étnico-azteca, anti-asimilación, derechos civiles, libertad, anti-racismo. Fue
45 el movimiento chicano el que, acaso involuntariamente, dio lugar a esta popularización comercial y política del 5 de mayo.

A partir de la década de 1980 el 5 de mayo pasó a ser el día en que Estados Unidos celebra su herencia
50 mexicana. Y como tal es un día patrocinado por el Estado, las escuelas públicas, y también por las compañías de cerveza y de medios de comunicación, los restaurantes y tiendas de toda clase de productos. La fecha que tantas metáforas han sido acabó
55 despegándose no sólo de su contenido histórico literal (Zaragoza, Puebla, 1862), sino de una larga y complicada historia de significados. Pero rasgos quedan de sus múltiples encarnaciones en el actual 5 de mayo estadunidense, cargado de consumismo y política
60 identitaria estadunidense post-1980.

**FUENTE NÚMERO 2** Este cartel trata del Sitio de Puebla, el origen de la celebración del Cinco de Mayo. Es de la Biblioteca del niño en el DF de México y es una reproducción de un cartel del año 1901.

**El 5 de mayo de 1862 y el Sitio de Puebla**

Fuente: Ilustración de Heriberto Frías y José Guadalupe Posada. Publicado en 1901 por los Hermanos Maucci. En la colección de Biblioteca del niño mexicano. Southern Methodist University, Central University Libraries, DeGolyer Library.

🔊 **FUENTE NÚMERO 3** Esta grabación , "El 5 De Mayo", trata de la celebración del Cinco de Mayo. La locutora es Daniela Pacheco. El audio es una producción de Total Dynamix, Inc. y fue emitido el 28 de abril de 2010 en Ashburn, Virginia. La grabación dura aproximadamente dos minutos.

## Conversaciones

🔊 Esta es una conversación con Mariano, un amigo, que tiene una duda. Vas a participar en esta conversación porque él va a una feria este fin de semana y quiere que lo acompañes.

| | |
|---|---|
| Mariano | • Te saluda y te pide algo. |
| Tú | • Salúdalo y contesta afirmativamente. |
| Mariano | • Reacciona y continúa la conversación. |
| Tú | • Contesta exponiendo varias posibilidades. |
| Mariano | • Reacciona y te hace una pregunta. |
| Tú | • Reacciona y hazle unas sugerencias. |
| Mariano | • Continúa la conversación y te hace una pregunta. |
| Tú | • Contesta negativamente y ofrece una alternativa. |
| Mariano | • Te contesta y te hace una pregunta. |
| Tú | • Contesta y despídete dándole unas sugerencias para su encuentro. |
| Mariano | • Reacciona y se despide. |

## Discursos

**Tema de la presentación:**

*¿Qué influencia ha tenido la diversidad étnica de tu comunidad en la comida que te sirven en la escuela y en casa?*

*Compara tus observaciones acerca de las comunidades en las que has vivido con tus observaciones de una región del mundo hispanohablante que te sea familiar. En tu presentación, puedes referirte a lo que has estudiado, vivido, observado, etc.*

**CLASIFICADOS**

PÁGINA **169** Lecturas

PÁGINA **170** Lecturas con Ilustración

PÁGINA **172** Audios

### ESENCIAL: PARA UNA MEJOR COMPRENSIÓN

**las sombras**—imágenes oscuras proyectadas por el sol y un objeto

**amargo/a**—emoción de disgusto y aflicción

**el látigo**—arma de vara y cuerda de cuero

### IMPORTANTE: PARA UNA MEJOR DISCUSIÓN

**escoltan (escoltar)**—acompañar con respeto o protección

**el tambor**—instrumento de percusión

**los caimanes**—reptiles parecidos al cocodrilo

> **Producto:** ¿En qué religiones está basada la santería en Cuba?

> **Práctica:** Explica el rito de iniciación en la santería.

> **Perspectiva:** En cuanto al sistema nacional de salud, ¿qué papel desempeña la santería en la Cuba de hoy?

### ESENCIAL: PARA UNA MEJOR COMPRENSIÓN

**los sueños**—aspiraciones, metas
**lograr**—adquirir, obtener

### IMPORTANTE: PARA UNA MEJOR DISCUSIÓN

**nos conformamos con (conformarse)**—satisfacerse con

**coherente**—uniforme, constante, lógico, relacionado

**nacionalista**—que sigue o defiende la patria

### ÚTIL: PARA UNA MEJOR EXPRESIÓN

**por su cuenta**—a su juicio, a su parecer

> **Producto:** Nombra cuatro héroes de la Revolución Mexicana y explica su papel en ella.

> **Práctica:** ¿Cuál de los héroes de la Revolución adaptó el PAN y el PRI y por qué?

> **Perspectiva:** Explica la cita siguiente: "Los héroes revolucionarios son un factor de identidad y de unión para México".

### ESENCIAL: PARA UNA MEJOR COMPRENSIÓN

**un medio**—recurso, fuente
**la acogida**—aceptación, aprobación, recibimiento

### IMPORTANTE: PARA UNA MEJOR DISCUSIÓN

**los personajes**—personas importantes

**el aporte**—contribución, ayuda

### ÚTIL: PARA UNA MEJOR EXPRESIÓN

**mediante**—a través de, con la ayuda de

**sacamos a flote (sacar)**—revelar, presentar

> **Producto:** ¿Qué representaban las pinturas de castas hechas en el período colonial?

> **Práctica:** Explica el sistema de castas iniciado y utilizado durante el período colonial.

> **Perspectiva:** ¿Por qué crearon los españoles en el Nuevo Mundo un sistema complejo de castas?

# Las creencias personales

## Lecturas

**FUENTE NÚMERO 1** Este texto, "El manual de Carreño", trata sobre la etiqueta. El artículo original fue publicado en Protocolo y Etiqueta por universalia.usb.ve, un portal de la Universidad Simón Bolívar de Caracas, Venezuela el 15 de octubre de 2003.

"Hay **comportamientos** no reglamentados pero que la lógica del **trato** social actual señala."

Hoy en día, cuando se pautan inéditas **normas** de urbanidad -urbs, urbe- o reglas para la convivencia en la
5  ciudad, que cambian y se adecuan a la velocidad con que vivimos, el "Manual de Urbanidad y buenas **maneras**" de Manuel Antonio Carreño quizá sea para muchos un libro pasado de moda, una reliquia de la antigüedad.

Por otro lado, los tiempos modernos y la comunicación
10  electrónica han ido forjando también sus patrones de interacción; y es así como en Internet existe lo que se denomina netiqueta, una guía que esboza la **manera** de proceder en la red en donde, por ejemplo, escribir todo en mayúsculas se traduce como un "gritar" al interlocutor.

15  Hay además **comportamientos** no reglamentados pero que la lógica del trato social actual señala, como el mantener apagado el celular durante una conferencia o un concierto. Manuel Antonio Carreño (1812-1874), político y escritor, padre de Teresa Carreño y hermano de
20  Simón Rodríguez, recogió en su manual las formas más elementales y las reglas sobre los buenos **modales** para relacionarse en sociedad.

El libro comienza con tres capítulos introductorios, "Deberes morales del hombre", en donde desarrolla esas
25  obligaciones para con Dios, para con la sociedad, para con nuestros padres, para con la Patria, para con nuestros semejantes y para con nosotros mismos, puesto que "el hecho de formar parte del género humano ya nos compromete a esos deberes".

30  Luego de repasar algunos **principios** generales, se extiende en **normas** del aseo, sobre el modo de conducirnos dentro de la casa, en diferentes lugares fuera de ella y en sociedad, para finalmente pasearse por las diferentes aplicaciones de la urbanidad. Esta obra fue, durante mucho tiempo,
35  declarada en diversos países hispanoamericanos libro de texto para las escuelas públicas.

La urbanidad, dice la introducción a este manual, es virtud o manifestación de virtud: reflejo exterior de realidades interiores, la intención de integrarse positivamente en la
40  vida ciudadana convertida en hechos.

**FUENTE NÚMERO 2** La tabla trata de varias normas de conducta. Los datos para esta gráfica vienen de distintas fuentes de Latinoamérica y España.

La conducta y la etiqueta: una encuesta por los siglos

| Estadísticas calculadas de varias fuentes incluyendo "Tendencias turísticas", "La familia y los valores", "La buena formación" y "Vísperas". | SIGLO XIX | HOY |
|---|---|---|
| | Los que creen que es muy desagradable | |
| **LA COMIDA** | | |
| Aplicarse maquillaje o peinarse en la mesa de comer. | 92% | 34% |
| Comer ruidosamente haciendo gestos exagerados. | 74% | 67% |
| Introducir pedazos de comida demasiado grandes a la boca. | 84% | 45% |
| Escupir en la mano un pedazo de comida o un hueso de cereza. | 88% | 56% |
| **Escarbarse los dientes.** | 84% | 25% |
| **HÁBITOS Y TICS** | | |
| Chuparse o morderse un mechón de pelo. | 73% | 16% |
| Morderse las uñas o cutículas. | 76% | 39% |
| Sentarse con las piernas cruzadas. | 69% | 05% |
| Rascarse o pellizcarse la cara. | 75% | 17% |
| **TRATO SOCIAL** | | |
| Masticar chicle mientras habla o tiene la boca abierta. | 78% | 34% |
| Fumar en la calle o hacerlo sin haber pedido permiso a los presentes, especialmente a sabiendas de que el olor a cigarro puede ofender o incomodar a alguien. | 61% | 15% |
| Tener un cigarrillo en los labios mientras habla. | 84% | 65% |
| Hacer que los demás se sientan culpables o incómodos mientras come Ud. algún delicioso postre solamente porque usted debe abstenerse debido a alguna dieta. | 54% | 81% |
| Hablar al mismo tiempo que otro. | 61% | 54% |
| Cometer la indiscreción de hacerle alguna pregunta íntima a alguien en voz alta: ¿Es eso una peluca? | 68% | 75% |
| **HIGIENE Y APARIENCIA** | | |
| Usar rulos en el cabello en público. | 96% | 14% |
| Llevar esmalte de uñas descascarado, uñas partidas o maltratadas o, peor aún, sucias. | 71% | 37% |
| Una línea demasiado dramática y notable que delimite claramente dónde termina el maquillaje y dónde comienza el color natural de la piel. | 57% | 89% |
| Hablar demasiado o en detalle de excentricidades personales: operaciones, enfermedades, neurosis, alergias, accidentes, etc. | 63% | 11% |
| Usar un cepillo o peine sucios. | 88% | 49% |

(No es para uso estadístico.)

1. ¿Cuál es el propósito de este artículo?

   (A) Presentar una censura de un libro sobre la etiqueta
   (B) Discutir la importancia de los buenos modales en cualquier época
   (C) Explicar que el Manual de Carreño está pasado de moda
   (D) Proponer un libro moderno sobre la etiqueta

2. Según el artículo, ¿cómo se define la urbanidad contemporánea?

   (A) Como un comportamiento basado en normas tradicionales
   (B) Como un comportamiento de acuerdo con normas de la ciudad
   (C) Como un comportamiento a un compás lento y razonable de la sociedad
   (D) Como un comportamiento basado en responsabilidades para con Dios y la Patria

3. Según el artículo, ¿qué está forjando nuevas reglas de conducta?

   (A) La "netiqueta"
   (B) La Web
   (C) Las redes sociales
   (D) Las empresas tecnológicas

4. ¿Qué afirma el artículo sobre las normas de lo que es la buena conducta?

   (A) Que hay conducta no regulada pero sensata
   (B) Que hay conducta ordinaria pero distinguida
   (C) Que hay conducta inmoral pero aceptada
   (D) Que hay conducta obligada pero perdonada

5. ¿Cuál de las siguientes afirmaciones resume mejor el artículo?

   (A) Hay ciertos modales que no siguen vigentes.
   (B) Es imposible mantener la cortesía al ritmo contemporáneo.
   (C) Es importante aprender de los valores del pasado.
   (D) Todavía hay necesidad de un manual de las buenas maneras.

6. ¿Cómo justifica "El manual de Carreño" la aceptación indiscutible de los deberes morales?

   (A) Es una expectativa por ser humano.
   (B) Es una expectativa por ser religioso.
   (C) Es una expectativa por ser honorable.
   (D) Es una expectativa por ser patriótico.

7. Según el artículo, ¿qué tipo de aclamación recibió "El manual de Carreño" en su época?

   (A) Una aprobación limitada
   (B) Una aprobación general
   (C) Una aprobación controvertida
   (D) Una aprobación internacional

8. Según "El manual de Carreño", ¿qué manifiestan los buenos modales?

   (A) Un buen carácter
   (B) Sólo una realidad exterior
   (C) Sólo unas buenas intenciones
   (D) Una limpia conciencia

9. Según la tabla, ¿cuál era la categoría de conducta que más disgustaba en el siglo XIX?

   (A) La comida
   (B) Los hábitos
   (C) El trato social
   (D) La higiene y la apariencia

10. ¿Cuál afirmación resume mejor lo que revelan las estadísticas de la tabla?

    (A) Que el siglo XIX era una época más cortés que hoy
    (B) Que hay más tolerancia por la mala conducta hoy que en el siglo XIX
    (C) Que había más interés en la etiqueta en el siglo XIX que hoy
    (D) Que los de hoy son más brutos que los del siglo XIX

11. De las dos fuentes, ¿qué se puede afirmar de quiénes aceptarían las lecciones de "El manual de Carreño" hoy?

    (A) Pocos
    (B) Muchos
    (C) Los viejos
    (D) Los jóvenes

## CÁPSULA CULTURAL: MANUEL ANTONIO CARREÑO Y LA COMIDA

El músico (pianista y compositor), pedagogo (fundador del Colegio Roscio) y diplomático (Ministro de Relaciones Externas), Manuel Antonio Carreño nació en Caracas para instruir. Cuando salió en entregas en 1853, su "Manual de urbanidad y buenas maneras para uso de la juventud de ambos sexos en el cual se encuentran las principales reglas de civilidad y etiqueta que deben observarse en las diversas situaciones sociales, precedido de un breve tratado sobre los deberes morales del hombre" obtuvo una fama general por toda América Latina. Le interesaba todo tipo de interacción humana y tenía opinión de todo. Vamos a ver lo que dijo en su manual sobre la buena comida.

"El pan siempre se parte con la mano, nunca con cuchillo. La carne, por otra parte, requiere un cuchillo y tenedor especiales. En algunos lugares de América se acostumbra cortar toda la carne y luego proceder a comerla usando solamente el tenedor; sin embargo, esto no resulta de buen gusto en Europa y en la mayor parte de los países de América. Lo más correcto es cortar un pedacito de carne a la vez, proceder a introducirlo en la boca con el tenedor y, luego, cortar el próximo pedacito. Los pedazos que se introducen a la boca deben ser lo suficientemente pequeños como para no causar que la persona, al masticar, se vea obligada a hacer muecas y ademanes excesivos. No se deben hacer ruidos al masticar o ingerir los alimentos, ni tampoco deben hacerse chillar los cubiertos contra el plato, pues, todos estos sonidos pueden resultar desagradables, y hasta insoportables, para algunos de los presentes en la mesa." (Del "Manual de urbanidad y buenas maneras")

¿Pasado de moda? Este libro y guía de cómo mantener el civismo en la sociedad siempre tendrá algo de qué hablarnos desde hace más de un siglo. La urbanidad siempre estará de moda.

—Juan Molinero, Blogviaslado

**COMPARACIONES:** **¿Cuáles son algunas formas en que se regula la buena conducta en tu comunidad? Describe cómo se preservan los valores sociales.**

## Ilustración con Audio

**FUENTE NÚMERO 1** Esta tabla trata de las supersticiones. La tabla se basa en investigaciones hechas por Internautas y no son científicas. Se puede encontrar las estadísticas en es.postyour.info.

Fuente: Internautas Post Your Info

🔊 **FUENTE NÚMERO 2** Esta grabación, "Amuletos para atraer la suerte en Año Nuevo", trata de productos que traen buena suerte. La conversación fue publicada por TV Azteca del DF de México el 29 de diciembre 2009. La grabación dura aproximadamente dos minutos y medio.

1. ¿Qué grupos de personas no están representados en esta encuesta?

   (A) Los viejos y los de mediana edad
   (B) Las mujeres mayores de Europa
   (C) Los niños menores de 16 años de edad
   (D) Los americanos del sur y del norte

2. Según la encuesta, ¿qué grupo de personas es el más supersticioso?

   (A) Los hombres de todo el mundo
   (B) Las mujeres de todo el mundo
   (C) Los jóvenes de todo el mundo
   (D) Los africanos, asiáticos y australianos

3. ¿Cuál de las siguientes afirmaciones resume mejor la información presentada en el gráfico?

   (A) La mayoría de la gente encuestada no sabe si son supersticiosos.
   (B) La mayoría de la gente encuestada no quería responder.
   (C) La mayoría de la gente encuestada no decía la verdad.
   (D) La mayoría de la gente encuestada no se cree supersticiosa.

4. En el audio, ¿a quiénes entrevista el locutor?

   (A) A turistas extranjeros
   (B) A supersticiosos de todo tipo
   (C) A vendedores de la calle
   (D) A oficiales locales

5. En el audio, ¿qué simboliza el cuerno?

   (A) La igualdad
   (B) La seguridad
   (C) La salud
   (D) La prosperidad

6. En el audio, ¿por qué hay tanto interés en los amuletos en ese momento?

   (A) Están en vísperas del año nuevo.
   (B) Ha sido un año difícil para todos.
   (C) Están por celebrar una buena cosecha.
   (D) Les desean un próspero año a los vendedores.

7. Al utilizar la información de la tabla, ¿qué se puede predecir del futuro de los vendedores del audio?

   (A) No tendrán muchos clientes creyentes.
   (B) Tendrán un futuro próspero.
   (C) Van a cambiar de mercancías.
   (D) Van a tener más clientes aún.

## CÁPSULA CULTURAL: ¡EL OJO AJENO TE ESTÁ MIRANDO!

Según algunos, el ojo de otro te vigila y te cuida. Según otros, el ojo de otro te mira con envidia y odio. Estas creencias son tan antiguas como la civilización y quizá desde antes de la civilización. A través de los tiempos se han desarrollado ideas sobre la protección contra el mal de ojo y otros peligros.

**El Ojo Turco:** Se usa el ojo turco contra los malos sentimientos de otros. Es un amuleto de cristal con un ojo azul en el centro. Algunas mujeres embarazadas y algunas madres lo usan para proteger a los niños pequeños contra los maleficios. Hoy en día han llegado a ser joyería muy popular entre los turistas.

**El Ojo de Dios:** Es una artesanía confeccionada sobre todo por los huicholes del oeste de México. Es un tejido montado en una cruz y representa los cinco puntos cardinales de los huicholes—el oeste, el este, el norte, el sur y el centro de todo, el ojo que protege a los niños. Se agrega un ojo de Dios cada año hasta que el niño cumple cinco años. Como el ojo turco, ha llegado a ser una artesanía turística.

**COMPARACIONES:** ¿Qué amuletos, símbolos y rituales se utilizan en tu comunidad para asegurar la buena suerte y alejar la mala?

## Audios

🔊 FUENTE  Esta grabación, "Receta para tener dinero todo el mes", trata de una fórmula casera. Este spot fue transmitido en el programa "Aquí estamos" en junio de 2010. La locutora principal es Claudia Contreras. Fue una presentación de TV3 de Televisa Puebla, México. La grabación dura aproximadamente dos minutos.

1. ¿Cuál es el propósito de este video?

   (A) Presentar una idea divertida
   (B) Presentar un rito tradicional
   (C) Presentar un hecho científico
   (D) Presentar una receta nutritiva

2. ¿Qué tipo de agua requiere la receta que se presenta en el video?

   (A) Agua pura
   (B) Agua casera
   (C) Agua purificada
   (D) Agua fría

3. ¿Por qué se supone que es necesario diluir la sal?

   (A) Porque es del mar
   (B) Porque hay tanta
   (C) Porque es de grano
   (D) Porque hay poca

4. ¿Cuándo se dicen las palabras mágicas?

   (A) Antes de meter las manos en el agua
   (B) Después de sacar las manos del agua
   (C) Cuando las manos están limpias
   (D) Cuando las manos están en el agua

5. ¿Qué tipo de consejo da Claudia Contreras?

   (A) Supersticioso
   (B) Científico
   (C) Dietético
   (D) Psicológico

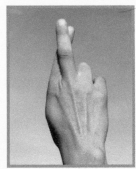

## CÁPSULA CULTURAL: LA BUENA SUERTE, LA MALA SUERTE Y LA INTERVENCIÓN HUMANA

¿Por qué creemos que tenemos influencia en la suerte? ¿Creemos que nuestra intervención podrá negar las fuerzas del azar? ¿Queremos tener el poder de cambiar el destino? Vamos a dejar estas cuestiones a los filósofos y aprender unas supersticiones, mejor dicho sabiduría antigua, que intervienen en la vida de muchos latinos.

El Martes 13—Este día se considera de mala suerte porque los martes se relacionan con Marte, el dios de la guerra y con la mala fama del número 13 cuya explicación se esconde en la neblina de tiempos remotos. "Los días martes, no te cases ni te embarques, ni de tu casa te apartes."

Cruzar los dedos—Se dice que al cruzar los dedos se protege de cualquier mal porque es el signo de la cruz.

La escoba—Según unas sabias, no se debe barrer la casa de adentro hacia afuera porque así se hace huir la buena suerte.

El aullido de los perros—Los antiguos postularon que los perros, antes que nadie, reconocían la llegada de la muerte porque podían oler las ánimas. En el cuento de Juan Rulfo "No oyes ladrar los perros", los perros no se oyen hasta que se muere el hijo del padre camino a Tonaya. En La dama del alba de Alejandro Casona son los perros que anuncian la llegada de la figura de la muerte.

**COMPARACIONES:** ¿Cuáles son algunas supersticiones de tu comunidad que pretenden atraer la buena suerte?

## Correos Electrónicos

Este mensaje electrónico es de María Mauricio de Velásquez, Directora del Centro Cívico de San Gustavo de Lorenzo. Has recibido este mensaje porque escribiste un editorial en el periódico de tu colegio abogando por la tolerancia religiosa en el mundo.

**De:** Centro Cívico de San Gustavo de Lorenzo

**Asunto:** Una semana hacia la tolerancia

Estimado/a líder estudiantil:

Le mandamos un caluroso saludo desde San Lorenzo de Argentina. Esperamos que este mensaje le encuentre bien. Este febrero vamos a reunir a un grupo internacional de jóvenes para hablar sobre la tolerancia religiosa durante una semana de talleres, seminarios y charlas informales.

Hemos recibido su editorial sobre la tolerancia religiosa y nos da mucho orgullo invitarle a nuestro concurso. Los participantes vivirán en cabañas con estudiantes de otras partes del mundo. Para acomodarle mejor con otros compañeros, ¿qué deberíamos saber sobre Ud. para poder escogerlos mejor?

Vamos a dividir a los participantes en tres talleres diferentes. Vamos a ofrecer: Tolerancia en la Educación, Tolerancia en la Comunidad y Tolerancia en el Mundo. ¿En cuál preferiría Ud. participar y por qué?

Por último, estamos planeando actividades por las noches para darles a los participantes oportunidades informales para conocer a otros participantes. ¿Qué sugeriría Ud. para aprovechar esta oportunidad de difundir la tolerancia religiosa en el mundo?

Gracias por su participación y estamos a la espera de su respuesta.

Atentamente,
María Mauricio de Velásquez
Directora, CCSGSL

## Ensayo

**Tema del ensayo:**
*¿Se debe permitir que el fin justifique los medios?*

**FUENTE NÚMERO 1** Este texto adaptado, "¿El fin justifica los medios?", trata de la problemática de si el fin que se busca justifica los medios utilizados para realizarlo. El artículo original fue publicado en Tertulia Filosófica Puerta de Toledo, un blog encontrado en Internet.

La sentencia "El fin justifica los medios" puede interpretarse de dos maneras diferentes y como eso puede crear confusión, comenzaremos por aclarar este punto.

La primera interpretación sería "**Cualquier fin justifica cualquier medio**" y, formulada así, resulta claramente insostenible, no sólo desde la ética sino desde el más elemental sentido común. [5]

La segunda interpretación, que es la que consideraremos en adelante, sería esta "Cualquier medio, puede estar justificado por un fin lo suficiente importante". [10]

Consideremos un sujeto que se enfrenta a una situación problemática ante la que debe tomar una decisión para resolverla de la mejor manera posible. Pero, aquí surge una cuestión importante: ¿La mejor para quién? Y la respuesta es, obviamente, la mejor para él, para el individuo que posee el cerebro que hace el cálculo y toma la decisión. [15]

Así pues, el fin justifica los medios siempre que la
20 relación costo/beneficio a corto y largo plazo sea
positiva para el individuo que utiliza un determinado
medio para alcanzar un determinado fin.

¿Puede existir un fin que justifique el uso de un medio
que consista en torturar a un semejante hasta producirle
25 el mayor dolor que sea posible?

Si nuestra tesis inicial es correcta, la respuesta debería
ser afirmativa. Solo tenemos que encontrar un fin
lo suficiente valioso como para que supere el coste
asociado a la violación de la fuerte prohibición
30 social y moral de no torturar a los semejantes y las
correspondientes represalias asociadas.

Podemos, por lo tanto, concluir que la máxima "el
fin justifica los medios" entendida en la segunda
interpretación, se aplica en todos los casos, sin
35 excepción, si tenemos en cuenta que en la evaluación
que hace el sujeto sobre el coste/beneficio intervienen
factores tales como el miedo a las represalias sociales,
el temor al propio remordimiento, el temor a haber
incurrido en algún error al evaluar los datos del
40 problema, etc. pero, si finalmente llega a la conclusión de
que el beneficio global del fin es superior al coste global
del medio, ejecutará la acción que cumple ese requisito.

En resumen, el individuo que se enfrenta a una decisión
siempre aplica, aunque no sea consciente de ello, la
45 máxima de que el fin justifica los medios, que podría
traducirse menos ampulosamente como "haz siempre
lo que consideres mejor". El problema real está en
evaluar con precisión el coste global a corto, medio y
largo plazo del fin y de los medios en relación con los
50 intereses del individuo que decide, teniendo en cuenta
que forma parte de una comunidad humana de la que
depende física y emocionalmente.

El problema con el que se enfrenta el individuo que
decide no es la validez general de la ecuación "el fin
55 justifica los medios", sino el de determinar **si un medio
determinado justifica un fin determinado**, evaluados
ambos en su compleja totalidad.

## DATOS SOBRE EL BOMBARDEO DE HIROSHIMA

**FECHA:** 6 de agosto de 1945

**LUGAR:** La ciudad de Hiroshima, Japón

**POBLACIÓN:** unos 255.000

**MUERTOS:** unos 80.000

**HERIDOS:** unos 100.000

**DESTRUCCIÓN:** 69% de los edificios

**EL FIN DESEADO OFICIALMENTE:** LA RENDICIÓN INCONDICIONAL DE JAPÓN

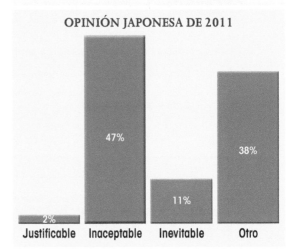

OPINIÓN JAPONESA DE 2011

Justificable 2% | Inaceptable 47% | Inevitable 11% | Otro 38%

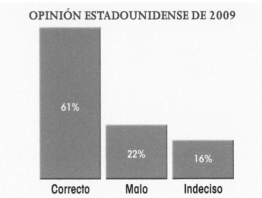

OPINIÓN ESTADOUNIDENSE DE 2009

Correcto 61% | Malo 22% | Indeciso 16%

Fuente: Opinión japonesa, Encuesta del Comité Estudiantil de Paz Soka Gakkai Chugoku
Fuente: Opinión estadounidense, Quinnipiac College, 2009

**FUENTE NÚMERO 2** Este texto trata de varios datos relacionados al bombardeo de Hiroshima, Japón. Son datos de varias fuentes de Japón y Estados Unidos.

**FUENTE NÚMERO 3** Esta grabación "El fin justifica los medios", trata de las actividades de grupos de presión para influir en la opinión pública. Este spot es de Mauricio Heredia, un bloguero, el 14 de septiembre de 2011. La grabación dura aproximadamente un minuto y medio.

## Conversaciones

🔊 Esta es una conversación con Marisa, una amiga. Vas a participar en esta conversación porque le dejaste un mensaje invitándola a ir al cine esta noche.

| Marisa | • Te llama y te saluda. |
|--------|-------------------------|
| Tú | • Salúdala y trata de convencerle de que te acompañe. |
| Marisa | • Reacciona y continúa la conversación. |
| Tú | • Dile que no estás de acuerdo y por qué. |
| Marisa | • Reacciona. |
| Tú | • Reacciona y proponle otra cita. |
| Marisa | • Reacciona y te hace una pregunta. |
| Tú | • Reacciona y explícale las consecuencias de sus acciones. |
| Marisa | • Reacciona y se despide. |
| Tú | • Dale tus consejos y despídete. |
| Marisa | • Se despide. |

## Discursos

**Tema de la presentación:**

*¿Qué papel ha jugado la religión en a formación de las relaciones sociales de tu comunidad?*

*Compara tus observaciones acerca de las comunidades en las que has vivido con tus observaciones de una región del mundo hispanohablante que te sea familiar. En tu presentación, puedes referirte a lo que has estudiado, vivido, observado, etc.*

## CLASIFICADOS

### ESENCIAL: PARA UNA MEJOR COMPRENSIÓN

**el comportamiento**—la conducta personal

**las maneras**—urbanidad, cortesía, modales

**los modales**—urbanidad, cortesía, maneras

### IMPORTANTE: PARA UNA MEJOR DISCUSIÓN

**el trato**—manera de portarse con otros

**las normas**—reglas de cómo debe ser algo

**los principios**—ideas morales

### ÚTIL: PARA UNA MEJOR EXPRESIÓN

**escarbarse los dientes**—limpiarse los dientes con el dedo o un palillo de madera

**Producto:** ¿Qué es una revista de cotilleo y cuáles son las dos más populares en España?

**Práctica:** Explica el culto al cotilleo en España.

**Perspectiva:** ¿Por qué, según muchos, está descontrolado el cotilleo en España?

### ESENCIAL: PARA UNA MEJOR COMPRENSIÓN

**un amuleto**—objeto al que se le atribuyen poderes mágicos

### IMPORTANTE: PARA UNA MEJOR DISCUSIÓN

**la herradura**—pieza de metal en forma de U que llevan los caballos en las patas

**la mazorca**—fruto del maíz de forma alongada

**las velas**—cirio, candela

### ÚTIL: PARA UNA MEJOR EXPRESIÓN

**un cuerno de la abundancia**—el cuerno de cabra representa la prosperidad

**Producto:** Describe los muñecos para La Nochevieja en La Plata, La Argentina.

**Práctica:** Explica la tradición de la Quema del Muñeco durante La Nochevieja en La Plata, Argentina.

**Perspectiva:** Explica por qué se queman los muñecos en la Nochevieja.

### ESENCIAL: PARA UNA MEJOR COMPRENSIÓN

**la receta**—papel en el que se escriben los ingredientes y forma de hacer algo, nota en la cual se apuntan los componentes de algo

**la oración**—una frase expresada para pedir algo a alguien

**el grano**—partículas pequeñas, pedacito duro

### IMPORTANTE: PARA UNA MEJOR DISCUSIÓN

**diluya (diluir)**—disolver en líquido

**nos mojamos (mojarse)**—bañarse con agua, empaparse

**Producto:** ¿Qué es la lotería promovida por la ONCE en España?

**Práctica:** ¿Cómo se difunden los billetes de la ONCE en España?

**Perspectiva:** Explica las supersticiones relacionadas con la compra de la lotería de la ONCE en España.

# Los intereses personales

## Lecturas

**FUENTE** En este texto se piden consejos sobre los posibles pasatiempos para la jubilación. La carta fue escrita por Elvira Manzanares de Pisoteo a la empresa de trenes modelo Ibertren Modelismo en Barcelona.

Ibertren Modelismo, S. L.
Camps / Fabrés, 3, 2°, 2ª
08006 Barcelona

Muy estimados señores:

5    Les saludo y les pido me aconsejen acerca de **un pasatiempo**. Les cuento que por el impresionante cruce de dos momentos fortuitos he decidido que es el momento indicado para tomar una decisión definitiva sobre mi **jubilación**. Este año perdí mi trabajo un día
10   después de visitar el Museo del Ferrocarril en Santander.

Desgraciadamente este museo es decrépito, lleno de **cachivaches** cubiertos del polvo de un pasado olvidado excepto por unos pocos románticos como yo. Allí vi locomotoras abandonadas, un montón de fotos
15   amarillentas y vagones **carentes de** pasajeros rebosantes de energía en anticipación a un viaje a tierras desconocidas. Aquello no era nada más que un recuerdo de una época perdida cuando reinaba cierto tipo de transporte mítico.

Sin embargo, en mi caso, me hizo pensar en mi juventud
20   cuando esperaba ver pasar el tren entre Barcelona y Bilbao. Ese tren, si lo recuerdo bien, se frenaba para su parada en Santander a unos cuantos kilómetros de la estación. Desde ese momento oía el estrepitoso sonido de su silbato y el apasionado escape de vapor y agudo
25   chillido de sus frenos. Me gustaría volver a ese tiempo aunque sólo fuese para recuperar la magia de los ferrocarriles que prometían aventuras desconocidas.

Ya que estoy por jubilarme busco una afición que me estimule, que me instruya y que me dé la oportunidad
30   de trabajar con las manos. Siempre me ha fascinado la historia y la historia de nuestro país durante los últimos dos siglos ha sido definida por el uso de los caminos de hierro que **atraviesan** nuestra querida España. Como tengo una casa propia con bastante espacio ahora en
35   la planta baja para montar una escena de la Guerra Civil, me gustaría montar **una maqueta** del trayecto entre Santander y Boo donde perdió mi bisabuela a mi bisabuelo durante la Guerra.

¿Me podrían aconsejar sobre los accesorios disponibles
40   y la escala apropiada? Tengo un área de 3 metros cuadrados. Por supuesto, quisiera saber si venden trenes modelo "vintage" con casas y paisaje de la misma escala. En fin, ¿podrían aconsejarme en cuanto a lo que necesito para preparar la escena en miniatura que voy a construir?

45   A la espera de su respuesta, les mando un cordial saludo.

Elvira Manzanares de Pisoteo

1.   ¿A qué se refiere el número 2ª en la línea 2?
     (A) Al número de la planta del edificio
     (B) Al número de la puerta de la planta
     (C) Al número de la casa de la calle
     (D) Al número de la ventana del mostrador

2.   ¿Por qué busca consejos la autora de la carta?
     (A) Porque perdió su trabajo
     (B) Porque acaba de hacer un viaje por tren
     (C) Porque quiere planear una actividad durante su jubilación
     (D) Porque le gustan los trenes

3.   ¿Cómo caracteriza la autora la apariencia del museo?
     (A) Como un lugar venido a menos
     (B) Como un lugar risible
     (C) Como un lugar de misterio
     (D) Como un lugar hecho polvo

4.   ¿Cómo describe la autora el ferrocarril de su juventud?
     (A) Como una época añorada
     (B) Como una época llena de sonidos misteriosos
     (C) Como una época inverosímil
     (D) Como una época perdida en las nubes del olvido

5.   ¿Por qué ha decidido la autora participar en la recreación de trenes modelo?
     (A) Porque busca algo relacionado con la historia
     (B) Porque busca algo relacionado con su carrera profesional
     (C) Porque busca algo relacionado con la Guerra Civil Española
     (D) Porque busca algo relacionado con Santander y Boo

6.   Según la autora, ¿qué papel ha jugado el ferrocarril en la historia de España?
     (A) Ha sido un importante transporte de armamentos y tropas en España.
     (B) Ha sido una importante industria en España.
     (C) Ha sido una importante conexión entre varias partes de España.
     (D) Ha sido una importante forma de diversión en España.

7.   ¿Por qué quiere la autora construir "una maqueta del trayecto entre Santander y Boo" (línea 36-37)?
     (A) Porque le interesa la historia de los pueblos de Santander y Boo
     (B) Porque es el tramo del tren que recuerda de su juventud
     (C) Porque es el tramo donde murió su bisabuelo durante la Guerra Civil Española
     (D) Porque la corta distancia entre los dos pueblos podría caber en la planta baja de su casa

## CÁPSULA CULTURAL: EL AVE ES UNA BALA

"Chao, María. Te veo en Barcelona en 2.5 hrs."

"Hola, Juan. Nos vemos en Madrid en 2.5 hrs. Te amo. Chao."

Más rápidos que un mensaje instantáneo los dos AVES salieron y los novios se cruzaron en la ferrovía sin tener tiempo para saludar. Un tren que viaja a 300km/hr vuela y no le da a nadie tiempo ni siquiera para verse. Cómodo y barato el AVE (Alta Velocidad Española) ahora viaja por todas las partes de España. Para el gobierno español el desarrollo del sistema de trenes de alta velocidad sigue siendo una prioridad, a pesar de la crisis económica en España. Disfrutando de un diseño ultramoderno, el AVE es el encanto y modelo del genio de la ingeniería del transporte español. Dentro de poco, los carriles de la empresa ferroviaria RENFE conectarán a España con los sistemas de trenes de Europa. Por eso, se puede esperar que por fin los dos novios se encuentren y que sigan sus viajes por toda Europa. ¡Pueden contar mejor con el AVE que con la mensajería instantánea!

—Juan Molinero, *periodista Diario Viaslado 2011*

**COMPARACIONES: ¿Qué modos de transporte han capturado la imaginación del público donde vives? Describe su impacto en la cultura popular de tu comunidad.**

**Red de trenes de alta velocidad en España a mayo de 2012**

## Lecturas con Audio

**FUENTE NÚMERO 1** Este texto "El placer de leer" trata de la relación entre la lectura y la escritura. El artículo original se publicó en Aplicaciones Educativas con la autorización de www.fluvium.org y fue escrito por Jaime Nubiola el 2 de junio de 2010.

### El Placer De Leer

La primera **etapa** para aprender a escribir –que dura toda la vida, aunque evoluciona en sus temas y en intensidad– consiste básicamente en coleccionar aquellos textos breves que, al leerlos –por primera o por duodécima
5   vez–, nos han dado la punzante impresión de que estaban escritos para uno. Lo decisivo no es que sean textos considerados "importantes", sino que nos hayan llegado al fondo del corazón. Después hay que leerlos muchas veces. Con su repetida lectura esos textos se ensanchan, y nuestra
10  comprensión y nosotros mismos **crecemos** con ello.

Lo más práctico es anotar esos textos a mano, sin preocupación excesiva por su literalidad, pero sí

indicando la fuente para poder encontrar en el futuro el texto original si lo necesitamos. Esas colecciones de textos **en torno** a los temas que nos interesan, leídas                 15 y releídas una y otra vez, pensadas muchas veces, permiten que cuando uno quiera ponerse a escribir el punto de partida no sea una estremecedora página en blanco, sino todo ese conjunto abigarrado de anotaciones, consideraciones personales, imágenes y                          20 metáforas. La escritura no partirá de la nada, sino que será la continuación natural, la expansión creativa de las anotaciones y reflexiones precedentes.

La lectura resulta del todo indispensable en una vida intelectual. La literatura es la mejor manera de educar          25 la imaginación; es también muchas veces un buen modo de aprender a escribir de la mano de los autores clásicos y de los grandes escritores y resulta siempre una fuente riquísima de sugerencias. No importa que lo que leamos no sean las cumbres de la literatura                        30 universal, basta con que atraiga nuestra imaginación y disfrutemos leyendo.

¿Qué libros leer? Aquellos que nos apetezcan por la razón que sea. Un buen motivo para leer un libro concreto es que le haya gustado a alguien a quien                         35

apreciemos y nos lo haya recomendado. Otra buena
razón es la de haber leído antes con gusto algún otro
libro del mismo autor y haber percibido esa sintonía.

¿En qué orden leer? Sin ningún orden. Basta con tener
40  los libros apilados en un montón o en una lista para
irlos leyendo uno detrás de otro, de forma que no
leamos más de dos o tres libros a la vez. Está bien el
tener un plan de lecturas, pero sin obsesionarse, porque
se trata de leer sin más lo que a uno le guste y porque
45  le guste. Al final eso deja **un poso**, aunque parezca que
uno no se acuerda de nada.

¿Cómo leer? Yo recomiendo siempre leer con un lápiz
en la mano, o en el bolsillo, para hacer una pequeña
raya al margen de aquel pasaje o aquella expresión con
50  la que hemos "**enganchado**" y nos gustaría anotar o
fotocopiar, y también llevar dentro del libro una octavilla
que nos sirva de punto y en la que vayamos anotando
los números de esas páginas que hemos señalado, alguna
palabra que queramos buscar en el diccionario, o aquella
55  reflexión o idea que nos ha sugerido la lectura.

🔊 **FUENTE NÚMERO 2** **Esta grabación del video
"Me gusta leer" trata de cómo es leer. Este audio fue
emitido el 21 de octubre de 2008 por Random House
Mondadori en Barcelona, España. La grabación dura
aproximadamente 3 minutos.**

1.  ¿Cuál es el propósito de la lectura?
    (A) Describir un procedimiento para escribir mejor
    literatura
    (B) Explicar la equivocación de escribir sin leer
    previamente
    (C) Resaltar la importancia de la lectura como
    preparación para escribir
    (D) Proponer un método de coleccionar los trozos
    literarios más interesantes

2.  Según el artículo, ¿cuál es el resultado de una lectura
    repetida?
    (A) Que estos textos nos ayudan a crecer
    intelectualmente
    (B) Que estos textos proveen una comprensión más
    amplia de la vida
    (C) Que estos textos estimulan la lectura de más textos
    aún
    (D) Que estos textos logran formar nuestra perspectiva
    del mundo

3.  En el artículo, ¿cuál es el significado de "Al final eso
    deja un poso" (línea 45)?
    (A) Que leer siempre deja algo emocionante
    (B) Que leer siempre ilustra algo recordado
    (C) Que leer siempre ensancha la imaginación
    (D) Que leer siempre enriquece sin que sea reconocido

4.  ¿Cuál de las siguientes afirmaciones resume mejor el
    artículo?
    (A) "El acto de leer debe ser activo para estimular la
    imaginación"
    (B) "La lectura es la mejor manera de capturar lo
    esencial de la vida"
    (C) "La escritura no puede justificarse sin la lectura"
    (D) "Debemos leer para aumentar el placer y la
    diversión personales"

5.  En el audio, ¿a qué uso de las palabras se refiere el
    locutor?
    (A) A un uso literario
    (B) A un uso filosófico
    (C) A un uso publicitario
    (D) A un uso periodístico

6.  Según el audio, ¿qué efecto producen las palabras de
    una lectura?
    (A) Ideas
    (B) Oraciones
    (C) Emociones
    (D) Fantasías

7.  Según la fuente auditiva, ¿qué provoca la lectura en el
    lector?
    (A) Un deseo de acabar con la lectura
    (B) Un deseo de soñar con los protagonistas
    (C) Un deseo de saludar a un visitante inesperado
    (D) Un deseo de saber qué va a pasar

8.  ¿Cuál es el propósito de la fuente auditiva?
    (A) Alabar el uso poético de las palabras
    (B) Anunciar una nueva página web
    (C) Describir cómo es soñar con palabras
    (D) Contar una historia de una visita inesperada

9.  ¿Qué tienen en común las dos fuentes?
    (A) Las dos promueven la importancia de leer bien.
    (B) Las dos explican los beneficios de escribir bien.
    (C) Las dos dan consejos prácticos para una buena
    lectura.
    (D) Las dos justifican el tiempo que requiere la buena
    lectura.

10. ¿Qué diferencia las dos fuentes?
    (A) El audio cuenta una historia; el artículo, no.
    (B) El audio habla del impacto de las palabras; el
    artículo, no.
    (C) El artículo da consejos personales del autor; el
    audio, no.
    (D) El artículo está en primera persona; el audio, no.

## CÁPSULA CULTURAL: NO TE QUEDES NUNCA SIN PALABRAS

Si buscas una idea, una frase o una palabra en español, debes ir a visitar la Biblioteca Nacional de España. Allá encontrarás más de 28 millones de obras publicadas en España desde el siglo XVIII. Folletos, libros, partituras, mapas, grabados, todo tipo de obra impresa los vas a encontrar en este magnífico hogar para bibliófilos. Fundada hace 300 años por Su Majestad Felipe V, la Biblioteca Nacional es guardia del patrimonio documental de España. Su misión es reunir y proteger el conocimiento y la sabiduría de los españoles. Lo mejor de todo es que se puede visitar y acceder a sus colecciones digitales a través de su sitio web bdh.bne.es/bnesearch. La Biblioteca Nacional de España es solo una de las muchas bibliotecas de muy alta categoría del mundo hispanohablante. Visita las bibliotecas nacionales de México, Chile, Argentina y Venezuela si buscas más palabras aún. ¡Nunca te quedarás sin palabras!

Biblioteca Nacional de España en Madrid

—*Viajes Viaslado "Viaja y Valórate"*

**COMPARACIONES: ¿Cuál es el papel de la biblioteca local en tu comunidad? ¿Ha cambiado sus servicios recientemente? ¿Por qué?**

## Audios

🔊 **FUENTE** Esta grabación trata del pasatiempo de la ornitología. Este spot original titulado "Curso de observación de las aves" fue publicado por el Instituto Nacional de Biodiversidad de Costa Rica. Pablo Elizondo, investigador, nos habla. La grabación dura aproximadamente dos minutos y medio.

1. ¿Cuál es el propósito de este audio?
   (A) Jactarse de la biodiversidad de Costa Rica
   (B) Describir lo que es ser observador de aves
   (C) Explicar las oportunidades de ver aves en Costa Rica
   (D) Promover los programas ornitológicos del Instituto Nacional de Biodiversidad

2. Según Pablo Elizondo, ¿qué se puede entender al observar pájaros?
   (A) La relación entre el hombre y las aves
   (B) La importancia de los ecosistemas para las aves
   (C) El desarrollo espiritual durante caminatas en búsqueda de aves
   (D) La identificación de algunas especies de aves

3. Según Pablo Elizondo, ¿qué es necesario para ser observador de aves?
   (A) Un buen equipo de binoculares
   (B) Una buena guía de aves
   (C) Una buena comprensión de aves
   (D) Un buen sentido de apreciación por las aves

4. Según Pablo Elizondo, ¿qué se debe observar en las aves?
   (A) Los hábitats de las aves
   (B) La comida de las aves
   (C) El plumaje de las aves
   (D) El canto de las aves

5. ¿Qué pregunta sería la más apropiada para hacerle a Pablo Elizondo al final de la presentación?
   (A) ¿Dónde se puede inscribir en los programas del Instituto Nacional de Biodiversidad?
   (B) ¿Por qué se debe observar a las aves en los bosques de Costa Rica?
   (C) En Costa Rica, ¿cuál es la mejor temporada para observar aves?
   (D) Si yo participara en una caminata, ¿sería Ud. nuestro guía?

## CÁPSULA CULTURAL: LOS QUETZALES TIENEN PARQUE

El parque de Costa Rica más nuevo es el Parque Nacional Los Quetzales. Ubicado al sur del país, ocupa 4.117 hectáreas (más de 10.000 acres). A pesar de la gran variedad de flora y fauna que incluyen especies raras, una de las atracciones más populares es la magnífica ave que se llama el quetzal. Considerada sagrada por su relación con el dios maya Quetzalcóatl, la serpiente emplumada, es el ave nacional de Guatemala y el nombre de la moneda de ese país. Para muchos es símbolo de la libertad porque, según una leyenda, en lugar de quedarse en cautiverio se enfermó y murió, así logrando su libertad. Es lamentable que un ave muy inteligente se encuentre en peligro de extinción—una libertad total pero muy triste.

—Juan Molinero, *Blogviaslado*

Quetzal

**COMPARACIONES: Describe el lugar histórico y simbólico que ocupan algunos animales en el folclore de tu país.**

## Correos Electrónicos

Este mensaje electrónico es de Pasatiempos Pasados de Tiempo. Has recibido este mensaje porque alguien anónimo ha dicho que tú tienes varias opiniones fuertes sobre los pasatiempos.

**De:** Pasatiempos Pasados de Tiempo

**Asunto:** Antología de Pasatiempos

Hola, buen/a contestatario/a:

Según los rumores que se escuchan de vez en cuando por acá, hemos sabido que es Ud. un agudo observador de las diversiones y los pasatiempos de otros. Nos gustaría saber cómo Ud. ha desarrollado su sentido tan sagaz de lo inverosímil, lo absurdo y lo ridículo.

Sabemos que sus compañeros sólo tienen interés en la música y los deportes pero nos gustaría recibir su descripción del pasatiempo más inútil que hay. Estamos publicando una antología de pasatiempos inútiles. En este momento este libro es nuestra pasión y necesitamos los aportes de miembros de nuestra comunidad. Ud. ha de ser un especialista en este asunto. ¿Cuál cree Ud. que sea el pasatiempo más inútil y por qué?

Cuando tenga algo escrito sobre sus observaciones, nos gustaría que nos lo enviara cuanto antes. ¿Sería posible?

Gracias por su colaboración. Reciba un saludo de
Chiclana Aljerez
Directora, Pasatiempos Pasados de Tiempo

## Ensayo

***Tema del ensayo:***

*¿Deben los padres restringir el uso de videojuegos a sus hijos?*

**FUENTE NÚMERO 1** Este texto, "Los videojuegos pueden ser peligrosos", trata de estudios sobre el efecto de los videojuegos en el desarrollo emocional de los niños. El artículo original escrito por el Dr. Mayer Margarici fue publicado el 31 de agosto de 2011 en el sitio Educación Infantil.

D esde que se comenzaron a vender en la década de los años setenta, los videojuegos para televisor o computadora se han convertido progresivamente en una distracción de utilización frecuente en la infancia, aunque
5  muchos padres han manifestado su preocupación por los posibles efectos negativos que pudieran ocasionar.

Por ello, recientemente se han conducido trabajos científicos de investigación, cuyos resultados sugieren que estos juegos pueden producir efectos perjudiciales,
10  tales como: cambios en la frecuencia cardiaca y presión arterial o desencadenar convulsiones epilépticas. Por otra parte, otras investigaciones han reportado efectos beneficiosos asociados a la creatividad y socialización del niño, además de constituir una manera amigable
15  de promover el acercamiento de los niños a las computadoras y aumentar su coordinación manual-ocular y su atención a los pequeños detalles.

La mayoría de video-juegos preferidos por los niños se relacionan con violencia y el número de títulos de corte
20  violento fabricados sigue en aumento. Los considerados como extremadamente violentos han aumentado sus ventas en más de un 30% en los últimos años. Los juegos menos aceptados son los que contienen aspectos educativos.

25  Con respecto a la cantidad de tiempo invertido, el promedio norteamericano es de más de 6 horas de juego por semana, especialmente por los varones, que prefieren estas distracciones mucho más que las niñas.

Un estudio reciente realizado por la National Coalition
30  on Televisión Violence demostró efectos perjudiciales en niños y adolescentes normales, demostrando la conexión entre los videojuegos violentos y un comportamiento agresivo posterior. En general, aunque estos juegos no han sido implicados directamente como
35  causantes de psico-patologías severas, los estudios sugieren una relación con comportamientos agresivos.

Por otra parte, también se afectan las actitudes ante el sexo femenino, por ejemplo: en muchos de los juegos el protagonista y la mayoría de los personajes
40  pertenecen al sexo masculino y las acciones que se deben ejecutar tienen como objetivo el rescate de la secuestrada damisela en peligro.

**FUENTE NÚMERO 2** Este texto trata de los hábitos de ocio de jugadores y no jugadores de videojuegos. Son estadísticas de una encuesta hecha en España por el Observatorio del Videojuego y de la Animación y la Facultad de Comunicación de la Universidad Europea de Madrid en junio de 2010.

Las preguntas para la encuesta fueron:
Televisión: ¿Miras televisión todos o casi todos los días?
Cine: ¿Vas al cine al menos una o dos veces al mes?
Deporte: ¿Practicas deporte al menos una vez por semana?
Música: ¿Escuchas la música todos o casi todos los días?

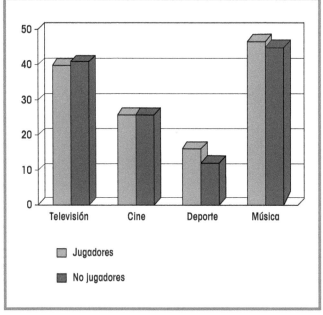

Fuente: Facultad de Comunicación de la Universidad Europea de Madrid, 2010

**FUENTE NÚMERO 3** Esta grabación, "Sueños: Videojuego", trata de los beneficios de jugar videojuegos. El locutor habla de la experiencia de su hermano con los videojuegos. La selección fue publicada por Samuel Bernal el 27 de febrero de 2011 y es una producción de Máquina de Sueños. La grabación dura aproximadamente tres minutos.

## Conversaciones

🔊 Esta es una conversación con el Sr. Hiato, un socio de tu abuelo. Vas a participar en esta conversación por casualidad.

| | |
|---|---|
| Sr. Hiato | • Te saluda y te propone algo. |
| Tú | • Salúdalo y contesta negativamente. |
| Sr. Hiato | • Continúa la conversación. |
| Tú | • Reacciona y explícale en detalle tu respuesta. |
| Sr. Hiato | • Reacciona y te hace una pregunta. |
| Tú | • Contesta y proponle una alternativa. |
| Sr. Hiato | • Reacciona y te hace una pregunta. |
| Tú | • Reacciona y hazle una pregunta. |
| Sr. Hiato | • Continúa la conversación. |
| Tú | • Contesta y despídete. |

## Discursos

### Tema de la presentación:

*¿Cuál es la importancia de construir instalaciones que provean oportunidades para participar en actividades de interés personal en tu comunidad?*

*Compara tus observaciones acerca de las comunidades en las que has vivido con tus observaciones de una región del mundo hispanohablante que te sea familiar. En tu presentación, puedes referirte a lo que has estudiado, vivido, observado, etc.*

### CLASIFICADOS

**ESENCIAL: PARA UNA MEJOR COMPRENSIÓN**

**un pasatiempo**—diversión, juego, actividad de ocio, etc.
**una maqueta**—reproducción a escala reducida, construcción en miniatura

*IMPORTANTE: PARA UNA MEJOR DISCUSIÓN*

**los cachivaches**—objetos en desuso
**la jubilación**—retirada de trabajo
**atraviesan (atravesar)**—cruzar

*ÚTIL: PARA UNA MEJOR EXPRESIÓN*

**carente de**—que no tiene, que escasea

**Producto:** Describe la relación entre el AVE y su logotipo.

**Práctica:** ¿Describe la calidad de los servicios del AVE?

**Perspectiva:** ¿Por qué se ha comprometido el gobierno español a la construcción de la red ferroviaria nacional a pesar de la crisis económica?

ESENCIAL: PARA UNA MEJOR COMPRENSIÓN

**crecemos (crecer)**—aumentar de forma natural, madurarse
**un poso**—residuo, sedimento

IMPORTANTE: PARA UNA MEJOR DISCUSIÓN

**la etapa**—fase de una acción
**enganchado/a (enganchar)**—agarrado, aferrado
**se apodera de (apoderarse)**—obtener, poseer, conseguir

*ÚTIL: PARA UNA MEJOR EXPRESIÓN*

**en torno a**—acerca de, alrededor de
**érase una vez**—hace mucho tiempo

**Producto:** ¿Qué son los códices mayas?

**Práctica:** ¿Qué se narraba en los códices mayas?

**Perspectiva:** ¿Por qué destruyeron los españoles casi todos los códices que encontraron en el Yucatán en el siglo XVI?

*ESENCIAL: PARA UNA MEJOR COMPRENSIÓN*

**la especie**—clasificación biológica
**agudice (agudizar)**—afilar, preparar bien

IMPORTANTE: PARA UNA MEJOR DISCUSIÓN

**el plumaje**—conjunto de plumas
**los bosquejos**—plan con sólo los elementos básicos, boceto
**anímese (animarse)**—decidirse a hacer algo, darse energía para realizar una acción

*ÚTIL: PARA UNA MEJOR EXPRESIÓN*

**por esto**—así, por esta razón

**Producto:** ¿Cuáles son los distintos tipos de parques naturales y áreas naturales que han sido protegidos del desarrollo comercial en Costa Rica?

**Práctica:** ¿Cuáles han sido algunas de las dificultades en mantener la integridad de los parques naturales de Costa Rica?

**Perspectiva:** ¿Por qué se declaró Costa Rica uno de "*Los 10 Mejores Destinos Éticos del Mundo en Desarrollo*" en 2012?

# La autoestima

## Lecturas

**FUENTE** Esta selección trata de una empresa de coaching. La publicidad fue publicada en Internet desde Salta, Argentina.

EL PODER DE LA CONFIANZA

(Ilustración número 1)

- ¿Hasta dónde podemos **confiar** el uno en el otro?
- ¿Qué entendemos y qué **NO** entendemos de **LA CONFIANZA**?
- ¿Cómo se construye y cómo se destruye la confianza?
5  - ¿Confianza es lo mismo que... Fe ciega?
- ¿En quiénes podemos **confiar**?
- ¿Cómo es una persona **confiable**?
- ¿Cómo reconstruir **LA CONFIANZA**?

**CONSTRUYENDO CONFIANZA**

10  En La Vida y En Los Negocios
¿Para qué le sirve a Ud. saber qué es LA CONFIANZA?
Si a Ud. HOY, le ocurriera lo siguiente: En su negocio o Empresa...
Todos sus empleados o colaboradores, clientes, están
15  ansiosos por **HACER con UD**. ...
Sus amigos lo llaman, sus parientes le piden consejo, su familia, su pareja lo acompañan, le dan su apoyo y afecto.
¿¿¿Suena a mágico???... ¡¡¡REFLEXIONE !!!...

20  ¿Por qué cree que esto sucedería?, ¿por qué cree que la gente quiere hacer y estar con UD.?
En este Taller tendrá la respuesta a esos interrogantes íntimos que todas las personas tienen:

- ¿Por qué hay gente que quiere **hacer con**migo?

25  - ¿Por qué hay algunos que NO quieren **hacer con**migo?

- ¿Por qué yo NO quiero **hacer con** tal persona?
- ¿Qué pasa conmigo que NO consigo lo que necesito?
- ¿Qué me falta aprender?                                    30

Los seres Humanos vivimos en sociedad, nuestro HACER y VIVIR se basa en las Interrelaciones con otros y para ello, se necesita de UNA MONEDA que por OBVIA, no deja de ser la más EFECTIVA.

LA CONFIANZA http://www.argentinacoaching.com/        35
web/index.php?option=com_content&view=article&id
=48&Itemid=57

El Master Coach RUBÉN ORZUZA aborda este tema desde la experiencia que:

Para que los seres humanos realicen cosas juntos con        40
éxito, (parejas, **socios**, colaboradores, negocios) todos parten de... LA CONFIANZA.

Por ello ha realizado una profunda investigación en este tema, donde existe mucha confusión, e **Ingenuidad**, acerca de la Construcción de la Confianza, sobre la        45
Desconfianza y la Reconstrucción de La Confianza.

- ¿Necesitamos **confiar** para **hacer con** otros?
- ¿Cuándo nos hacemos personas **confiables**?
- ¿Cuáles son los elementos que constituye la confianza?
- ¿Qué es la DESCONFIANZA?                                    50
- ¿Qué perdemos cuando **confiamos**?
- ¿Qué ganamos teniendo confianza?
- ¿Hasta dónde podemos **confiar** el uno en el otro?
- ¿Qué es **la traición**?

Consultar por fechas a:                                       55
info@coachingsalta.com

1.  **¿Qué promueve esta publicidad?**
    (A) Talleres sobre cómo encontrar colegas fieles
    (B) Seminarios sobre cómo ser seguro de sí mismo
    (C) Entrenamiento sobre lo que es la autoestima
    (D) Cursos sobre relaciones íntimas

2. ¿Cuál de las siguientes afirmaciones comunica mejor el mensaje de la ilustración 1?

(A) Unirse a Coaching Salta sería una oportunidad de forjar relaciones confiables.

(B) Tener confianza en uno mismo es tener confianza en otros

(C) Darle la mano a otros nos da una actitud de confianza

(D) Cruzar un puente seguro sería conocer a otros

3. Según la publicidad, ¿cómo sabrás que se te ve con confianza?

(A) Cuando los demás busquen tu apoyo

(B) Cuando los demás siempre estén a tu lado

(C) Cuando los demás confíen en tus motivos

(D) Cuando los demás te traten con cariño

4. ¿Qué es la MONEDA que se menciona en línea 33?

(A) Un trato de beneficio mutuo

(B) Una recompensa obvia y apropiada

(C) Un pago en efectivo

(D) Una relación segura y cariñosa

5. Según la publicidad, ¿qué tipo de entrenamiento ofrece específicamente el Master Coach Rubén Orzuza?

(A) Un entrenamiento para evitar la traición personal

(B) Un entrenamiento para alcanzar metas grupales

(C) Un entrenamiento para potenciar al individuo

(D) Un entrenamiento para prevenir la desconfianza

## CÁPSULA CULTURAL: CONFIANZA DE LOS MEXICANOS EN INSTITUCIONES MEXICANAS

"Le voy a leer una lista de instituciones de la sociedad, por favor, dígame cuánta confianza tiene Ud. en cada una de ellas." Esta fue la pregunta para una encuesta a miles de personas en 2012.

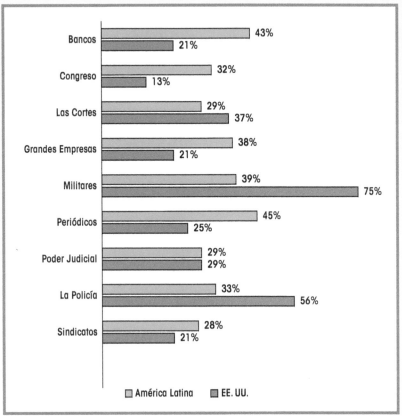

Fuente: http://www.parametria.com.mx

**COMPARACIONES:** ¿Cuánta confianza tiene tu comunidad en aquellas instituciones? Prepara una encuesta para tus compañeros de clase.

## Ilustración con Audio

**FUENTE NÚMERO 1** Esta tabla trata del promedio de las puntuaciones de los 10 ítems que componen la escala de autoestima y la puntuación total en indígenas y mestizos. La tabla se basa en investigaciones hechas en 2010 y fue publicada en 2012 por la Universidad Autónoma de Chiapas, México.

| Ítems: Rango 1-4 (los ítems negativos 3, 5, 8, 9, y 10 se han recodificado positivamente lo que indica que el 4 es la puntuación positiva máxima en autoestima en todos los ítems) | Puntuación promedia entre indígenas (261 entrevistados) | Puntuación promedia entre mestizos (256 entrevistados) |
|---|---|---|
| 1. Tengo la sensación de que soy una persona de **valía** al menos igual que la mayoría de la gente. | 3,36 | 3,53 |
| 2. Tengo la sensación de que poseo algunas buenas cualidades. | 3,39 | 3,46 |
| 3. En definitiva, tiendo a pensar que soy un fracasado. | 3,42 | 3,60 |
| 4. Soy capaz de hacer las cosas tan bien como la mayoría de las personas. | 3,39 | 3,51 |
| 5. Siento que no tengo demasiadas cosas de las que sentirme orgulloso/a. | 2,20 | 1,87 |
| 6. Tengo una actitud positiva hacia mí mismo/a. | 3,34 | 3,44 |
| 7. En general, estoy satisfecho conmigo mismo/a. | 3,14 | 3,27 |
| 8. Ojalá me respetara más a mí mismo/a. | 1,82 | 2,07 |
| 9. A veces, me siento realmente inútil. | 3,17 | 3,30 |
| 10. A veces, pienso que no soy bueno/a en nada. | 3,39 | 3,58 |
| Total Autoestima | 3,06 | 3,16 |

Fuente: Identidad étnica y autoestima en jóvenes indígenas y mestizos de San Cristóbal de las Casas (Chiapas, México), 22 mayo 2011.

**◀)) FUENTE NÚMERO 2** Esta grabación, "Sube tu autoestima estando de tu parte", trata de cómo aceptarse a sí mismo. Fue publicado por aumentamiautoestima.com el 27 de abril de 2012. El locutor es Elías Berntsson. La grabación dura aproximadamente tres minutos.

1. ¿Cuál de las siguientes afirmaciones resume mejor los datos de la tabla?
   (A) "Los mestizos y los indígenas disfrutan de un nivel alto de autoestima."
   (B) "Los mestizos y los indígenas están satisfechos consigo mismos en cada categoría."
   (C) "En comparación con el grupo mayoritario los mestizos y los indígenas no se respetan a sí mismos."
   (D) "Los mestizos tienen un nivel de autoestima más alto que los indígenas."

2. Según la tabla, ¿en qué categoría se sienten mejor consigo mismos los entrevistados?
   (A) En la categoría de no considerarse un perdedor
   (B) En la categoría de considerarse orgulloso de sus logros
   (C) En la categoría de considerarse útil en su comunidad
   (D) En la categoría de no considerarse inepto en nada

3. En pregunta número 1 de la tabla, ¿qué significa "una persona de valía"?
   (A) Alguien de mérito
   (B) Alguien de dinero
   (C) Alguien de buena formación educativa
   (D) Alguien de buen carácter moral

4. Según la tabla, ¿de qué emoción positiva carecen los mestizos y los indígenas?
   (A) Simpatía por sí mismos
   (B) Orgullo de sí mismos
   (C) Alegría por sí mismos
   (D) Respeto por sí mismos

5. Según la fuente auditiva, ¿qué significa "estar de nuestro lado"?
   (A) Considerarte tu mejor amigo
   (B) Aceptar tus pensamientos positivos y negativos
   (C) Desmentir emociones desagradables y persistentes
   (D) Ser humilde y comprensivo

6. Según el audio, ¿qué debe hacer uno con los pensamientos negativos?

   (A) Simplemente reconocerlos
   (B) Simplemente repartirlos
   (C) Simplemente rechazarlos
   (D) Simplemente cambiarlos

7. Según el audio, ¿qué pasa si rechazas una emoción negativa?

   (A) Se va.
   (B) Se intensifica.
   (C) Persiste.
   (D) Se te olvida.

8. Según el audio, ¿por qué es más fácil ver la debilidad en la vida ajena que en la tuya?

   (A) Porque reconocer lo bueno en otros no produce autoestima
   (B) Porque reconocer tus debilidades sería rechazarte a ti mismo
   (C) Porque reconocer una debilidad es despreciar tus fortalezas
   (D) Porque reconocer la debilidad en ti requiere un cambio arduo

9. Si se hubiera seguido los consejos de la fuente auditiva, ¿qué ítem deberían haber incluido en el sondeo de la fuente impresa?

   (A) Siempre cierro los ojos y visualizo otra opción.
   (B) Siempre acepto mis sentimientos y sigo adelante.
   (C) Siempre busco lo mejor en toda situación.
   (D) Siempre me fío de mis puntos fuertes.

## CÁPSULA CULTURAL:
## MÉXICO: UNA APETITOSA ENSALADA MIXTA DE GENTES

México se considera uno de los tres países de más diversidad racial y cultural del mundo. Después de India y China, México goza de una pluralidad impresionante. Etnias y razas se han combinado para producir una mezcla, o sea un mestizaje de gente oriunda de casi todas partes del globo. El mestizaje no es una etnia sino el importante resultado de siglos de uniones de sangres diversas. Para describir este fenómeno se han utilizado palabras como amerindios para indicar los muchos grupos indígenas que comprenden un 7-13% de la población, mulatos para categorizar a los de herencia africana (un 0.1%) y europea (un 20%), mestizos para describir a los de cualquier mezcla de sangres que abarcan un 55-60% de los mexicanos. Esto ha producido una sabrosísima receta de diversidad cultural. Sólo hay que experimentar la variedad de estilos e ideas ofrecidas en la música, el arte, el baile y la literatura. Si quieres despertar tu apetito por aportes culturales, sólo necesitas oler las exquisiteces de este país.

—*Juan Molinero Blogviaslado*

**COMPARACIONES:** ¿Qué impacto tienen los aportes de varias culturas en tu comunidad? ¿Qué falta si no hay mucha diversidad cultural en tu comunidad?

Fuente: Mafalda, permiso de Julieta Colombo, Representante de J. S. Lavado, Quino

## Correos Electrónicos

Este mensaje electrónico es de Jóvenes Sanos, un grupo local dedicado a apoyar a los jóvenes de tu comunidad. Recibes este mensaje porque has expresado interés en ser un "hermano mayor" para los niños de tu comunidad.

**De:** Jóvenes Sanos

**Asunto:** ¡Ten confianza y confiarán en ti!

Estimado/a estudiante de nivel secundario:

Le rogamos que nos ayude. Buscamos a personas que quieran aconsejarnos sobre cómo estimular la autoestima de nuestros niños, los pequeños tesoros de nuestra comunidad. Sabemos que Ud. tiene interés en proveer un ámbito en el cual estas frágiles flores puedan crecer y florecer. Por favor, déjenos saber sus ideas sobre qué debe hacer una comunidad para nutrir la autoestima de nuestras joyas. ¿Podría contarnos algo de su historia con respecto a la autoestima? ¿Qué ha hecho para aferrarse a su autoestima?

Le agradecemos sus comentarios. Será muy valioso para nosotros puesto que seguimos desarrollando programas para dejar crecer estas bonitas bellotas en robles fuertes.

Desde el jardín de nuestro futuro,
Jóvenes Sanos

## Audios

🔊 FUENTE  Esta grabación, "¿Caminas con seguridad?", trata de la importancia de la postura en la autoestima. María Marín narra esta selección que fue emitida por AOL Latino el 19 de agosto de 2010. La grabación dura aproximadamente dos minutos.

1.  ¿Cuál es el propósito de esta selección?
    (A) Confirmar que las primeras impresiones engañan
    (B) Animar a las mujeres a mostrar confianza en sí mismas
    (C) Asignar una tarea personal a todas las mujeres
    (D) Promover ejercicios de casa para una mejor postura

2.  Según la locutora, ¿cuáles son algunas indicaciones de la baja autoestima?
    (A) El caminar lento e irregular
    (B) El caminar cabizbajo y agresivo
    (C) El caminar con los hombros encogidos
    (D) El caminar con la cabeza en alto

3.  Según la locutora, ¿por qué es importante la buena postura al caminar?
    (A) Es el factor principal para crear la primera impresión.
    (B) Es importante para mantener la buena salud.
    (C) Es importante para llevarse bien con los demás.
    (D) Es importante para comunicar las ideas propias a otros

**4.** Según la locutora, ¿por qué debe una sonrisa acompañar la buena postura?

(A) Porque asegura el contacto visual
(B) Porque envía el mensaje de valentía
(C) Porque comunica lealtad
(D) Porque posibilita una vida más larga

**5.** Según la locutora, ¿qué produce una postura que comunica valentía, lealtad y seguridad?

(A) Un cuerpo más atlético y sano
(B) Una perspectiva positiva y feliz
(C) Un cambio interior de la confianza
(D) El éxito en la vida profesional

## CÁPSULA CULTURAL: EL TRADICIONAL PASEO CONTEMPORÁNEO

Si quieres echar un vistazo a la cultura de una comunidad, visita una plaza. En pueblos pequeños y centros urbanos, todo el mundo camina por la plaza local. La tradición del paseo es central en la vida de la plaza. Desde hace siglos vienen las familias a divertirse, los niños a correr y jugar, los jóvenes a coquetear y conocerse y los viejos a platicar. Con su fuente, sus sendas, sus estatuas y sus bancos, la plaza aporta oportunidades de relacionarse con los amigos, la historia y las noticias del día. Siempre hay movimiento de ideas, sentimientos, sonidos y olores. En la plaza caminan personas y pajaritos y perritos. En fin, allá uno va a participar en el gran teatro de la vida.

—Juan Molinero, Viajesalado, ¡Viaja y Conócete!

**COMPARACIONES: En tu comunidad, ¿cuál es el papel de los sitios donde el público puede reunirse para conocerse y comentar los sucesos de la vida diaria? Explica.**

La Plaza de la Independencia de Quito, Ecuador

## Ensayo

**Tema del ensayo:**

*¿Se debe hacer caso omiso de los fracasos para asegurar la autoestima?*

**FUENTE NÚMERO 1** Este texto trata de la relación entre el fracaso escolar y la falta de autoestima. El artículo original fue publicado por Preocupados: Educadores Comprometidos con el Éxito y Fracaso Escolar.

Falta de Autoestima

Afirmaba hace unos años el Dr. Polaino-Lorente en un Congreso celebrado en Pamplona, que ahora está "de moda" la autoestima y ya no hay problemas de
5  personalidad. Antes había problemas de personalidad y nadie hablaba de la autoestima…

Bien, ahora está de moda la autoestima y todos los problemas parecen ser ocasionados por una baja autoestima…

10  Pero no. La autoestima no <u>es la causa</u>, sino <u>el resultado de</u>… Veámoslo.

Cuando un escolar tiene éxito, recibe elogios por sus resultados escolares y, lamentablemente, también recibe elogios dirigidos a su persona, junto con
15  manifestaciones de aprobación y afecto: sonrisas, miradas dulces, palmaditas, besos, abrazos… todo eso que interpretamos como "muestras de afecto".

Y tales muestras las obtiene el niño por lo que logra… en la escuela.

20  ¡Qué bien!: Aprueban lo que hago y me aprecian… Luego yo, "espejito mágico", ME PUEDO QUERER A MÍ MISMO (Alta Auto-Estima, a partir de una Alta Extero-Estima)

El problema llega cuando no se obtienen logros
25  escolares. En este caso se reciben recriminaciones por los malos resultados, junto con comentarios menospreciativos dirigidos a la persona, con gestos duros, miradas furiosas, tono de voz y contenidos desagradables, zarandeos… En fin, todo lo que
30  podríamos interpretar como falta de afecto o incluso "desafecto".

Es decir: No tengo logros, me critican a mí, me retiran el afecto, me manifiestan desafecto,… luego yo, "espejito mágico", NO ME PUEDO QUERER A
35  MÍ MISMO (poca Auto-estima, a partir de una Escasa Extero-Estima) Tal para cual.

Dada esta línea de razonamiento, es fácil darse cuenta reflexionando sobre ella, que en realidad la baja Autoestima aparece después del fracaso y raramente antes, por lo que no podría ser la causa del fracaso. Más   40
bien, nos encontramos ante una de sus consecuencias. Por lo tanto, no es necesario aumentar la autoestima de un estudiante para que este tenga éxito. La realidad es justo al revés: proporcione la posibilidad de tener éxito curricular al escolar, mediante programas de   45
moldeamiento y manifiéstele su apoyo. Anímelo a percibirse capaz de progresar y explíquele que su afecto hacia él es independiente de sus logros.

No le manifieste afecto cuando tenga éxito, ni le retire la manifestación de afecto cuando no lo obtenga. Dele   50
pruebas de afecto periódicamente, pero nunca de manera relacionada con sus logros escolares.

En conclusión: la Baja Autoestima NO ES LA CAUSA DEL FRACASO ESCOLAR, sino más bien el resultado del mismo.   55

**FUENTE NÚMERO 2** Este gráfico trata de factores del éxito social y profesional. Son las opiniones del exponente Luis Torres presentadas en una conferencia en México sobre rasgos personales necesarios para el éxito el 25 de julio de 2009.

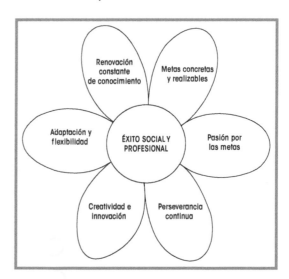

**FUENTE NÚMERO 3** Esta grabación, "Para triunfar debes fracasar", trata del papel del fracaso en desarrollar la autoestima. Este audio fue elaborado por aumentandomiautoestima.com el 27 de abril de 2012. Elías Berntsson, de España, es el locutor.

## Conversaciones

🔊 Esta es una conversación con un representante de La Juventud Encuestas. Vas a participar en esta conversación porque contestaste el teléfono a pesar de que tu sentido común te decía no hacerlo.

| | |
|---|---|
| Representante | • Te saluda y te propone algo. |
| Tú | • Contesta afirmativamente y hazle una pregunta. |
| Representante | • Reacciona y te hace la primera pregunta. |
| Tú | • Contesta con detalles. |
| Representante | • Te hace la segunda pregunta. |
| Tú | • Contesta con detalles. |
| Representante | • Te hace la tercera pregunta. |
| Tú | • Contesta con detalles. |
| Representante | • Te hace la cuarta pregunta. |
| Tú | • Contesta y protesta las preguntas. |
| Representante | • Reacciona y se despide. |

## Discursos

### Tema de la presentación:

*¿Cómo han afectado los sucesos históricos internacionales la confianza en la estabilidad social y económica de tu comunidad?*

*Compara tus observaciones acerca de las comunidades en las que has vivido con tus observaciones de una región del mundo hispanohablante que te sea familiar. En tu presentación, puedes referirte a lo que has estudiado, vivido, observado, etc.*

Bolsa Mexicana
de Valores

**CLASIFICADOS**

## PÁGINA 194 Lecturas

### ESENCIAL: PARA UNA MEJOR COMPRENSIÓN

**confiar**—tener confianza en alguien

**confiable**—que es digno de confianza

**la traición**—acto que quiebra la confianza, engaño

### IMPORTANTE: PARA UNA MEJOR DISCUSIÓN

**la ingenuidad**—inocencia, falta de entendimiento profundo

**los socios**—los colegas, los compañeros

### ÚTIL: PARA UNA MEJOR EXPRESIÓN

**hacer(se) con Ud.**—ganar su confianza

**Producto:** ¿Qué es el coaching teleológico en la Argentina?

**Práctica:** Describe el entrenamiento que ofrece el coaching teleológico en la Argentina.

**Perspectiva:** ¿Por qué han cambiado las actitudes negativas hacia el coaching teleológico actualmente en la Argentina?

## PÁGINA 196 Lecturas con Audio

### ESENCIAL: PARA UNA MEJOR COMPRENSIÓN

**de valía**—de valor, merece aprecio

**un fracasado**—alguien que no ha tenido éxito en la vida

### IMPORTANTE: PARA UNA MEJOR DISCUSIÓN

**las vivencias**—experiencia personal

**la derrota**—pérdida adversa, fracaso

### ÚTIL: PARA UNA MEJOR EXPRESIÓN

**le echan la culpa a (echarle la culpa a alguien)**—atribuirle la falta de éxito a otro

**hacerse cargo de**—asumir la responsabilidad de algo, encargarse de algo

**Producto:** Describe la producción de la coca.

**Práctica:** Explica algunos usos de la coca en Bolivia.

**Perspectiva:** ¿Qué controversia socio-política ha producido la industria de la coca en Bolivia?

## PÁGINA 198 Audios

### ESENCIAL: PARA UNA MEJOR COMPRENSIÓN

**encogidos/as**—doblado/a, desanimado/a

**leal**—fiel, digno de confianza, amigable

### IMPORTANTE: PARA UNA MEJOR DISCUSIÓN

**cabizbajo/a**—con la cabeza hacia abajo

**confiar**—tener confianza en

### ÚTIL: PARA UNA MEJOR EXPRESIÓN

**por último**—finalmente, en conclusión

**Producto:** ¿Cuáles son los temas más populares de los libros de autoayuda en la Argentina?

**Práctica:** Describe cómo se ha aplicado la autoayuda a la vida diaria en la Argentina.

**Perspectiva:** ¿Qué opinan los psicólogos en cuanto al efecto de los libros de autoayuda en los argentinos?

# LAS FAMILIAS
## Y LAS COMUNIDADES

| tradiciones y valores | comunidades educativas | estructura de la familia | ciudadanía global | geografía humana | redes sociales |

"TIENE EN JAQUE EL GOBIERNO"

## INVIERNO ESTUDIANTIL SACUDE CHILE

PÁGINA **211**

LA SABIDURÍA MAPUCHE GUÍA LA SOCIEDAD

## UN HOSPITAL PARA LA IGNORANCIA

ESCULTURA DE LAUTARO, HÉROE MAPUCHE, EN LA PLAZA DE CAÑETE, CHILE

PÁGINA **245**

SE QUEDAN EN CASA CON LOS PADRES

## EMANCIPACIÓN DE LOS JÓVENES

PÁGINA **221**

"LES DABA UNA BUENA ZURRA A AQUELLOS PAJARRACOS"

## EL NACIMIENTO DE LAS TORTUGAS

PÁGINA **204**

NO SE ENSEÑA LA MITAD DE LAS LENGUAS VIVAS

## CRUZADA POR LOS IDIOMAS NATIVOS

PÁGINA **237**

DONDE NACIÓ LA AMISTAD

## PUERTO PINASCO

PÁGINA **231**

## ÍNDICE PARAGUAYO

**CÁPSULAS CULTURALES**
(PÁGINAS 205, 206, 207, 213, 215, 216, 221, 223, 228, 230, 231, 237, 239, 240, 246, 248, 249)

**CLASIFICADOS CON VOCABULARIO Y PREGUNTAS CULTURALES**
(PÁGINAS 210, 219, 227, 235, 244, 252)

¿FLORECERÁ EL LAPACHO CUANDO VENGA SU PRIMAVERA?

# Las tradiciones y los valores

## Lecturas

**FUENTE** Este cuento, "El nacimiento de las tortugas", trata de los valores familiares. Fue publicado en Cuentos para dormir por Pedro Pablo Sacristán de Madrid.

Amanda estaba emocionadísima. Habían tenido que esperar muchos días, pero por fin, aquella noche nacerían las tortuguitas en la playa ¡y su papá le iba a llevar a verlas!

Se levantaron cuando aún era de noche, tomaron **las**
5   **linternas**, y fueron a la playa con mucho cuidado.
Su padre le había hecho prometer que respetaría a
las tortugas bebé, y que no haría ruido y obedecería
al momento, y ella estaba **dispuesta** casi a cumplir
cualquier cosa **con tal de** poder ver cómo nacían las
10  tortugas. No sabía muy bien cómo sería aquello, pero
había oído a su hermano mayor, que las tortugas nacían
en la playa a pocos metros del agua, y luego corrían
hacia el mar; y todo eso le pareció muy emocionante.

Agazapados y sin hacer ruido, sólo con la pequeña
15  luz de **una linterna** muy suave, estuvieron esperando.
Amanda miraba a todas partes, esperando ver a la
tortuga mamá, y casi se pierde **la aparición** de la
primera tortuguita. ¡Era tan chiquitina! Se movía muy
torpemente, se notaba que era un bebé, pero sin esperar
20  ni a sus hermanos ni a la tortuga mamá comenzó a
correr hacia el mar. **En seguida** aparecieron más y más
tortuguitas, y todas comenzaron a correr hacia la orilla.

Ellos seguían **escondidos** y quietos, observando el bello
espectáculo de aquella carrera loca. Pero **en seguida**
25  ocurrió algo que a Amanda le pareció horrible: llegaron
algunas gaviotas y otras aves, y comenzaron a comerse
algunas de las tortuguitas. Amanda seguía buscando
por todas partes para ver si aparecía el papá tortuga y
les daba una buena zurra a aquellos pajarracos, pero no
30  apareció por ningún sitio. La niña siguió observando
todo con una lagrimita en los ojos, y cuando por fin
las primeras tortuguitas llegaron al agua y se pusieron
a salvo de los pájaros, dio un gritito de alegría. Aunque
los pájaros comieron bastantes tortuguitas, finalmente
35  otras muchas consiguieron llegar a la orilla, lo que hizo
muy feliz a Amanda.

Cuando volvían a casa, su papá, que había visto la
lagrimita de Amanda, le explicó que las tortugas
nacían así; mamá tortuga ponía muchos huevos,
40  escondiéndolos en la arena, y luego se marchaba; y
cuando nacían las tortuguitas debían tratar de llegar a
la orilla por sus propios medios. Por eso nacían tantas,
porque muchas se las comían otros animales, y no sólo
en la arena, sino también en el agua. Y le explicó que

las pocas que conseguían ser mayores, luego vivían        45
muchísimos años.

Amanda se alegró mucho de aprender tanto sobre las
tortugas, pero mientras volvía a casa, sólo podía pensar
en lo contenta que estaba de tener una familia, y de
que sus papás y sus hermanos la hubieran ayudado y        50
cuidado tanto desde pequeñita.

1. ¿Qué género de cuentos es éste?
   (A) Didáctico
   (B) De terror
   (C) Cómico
   (D) Satírico

2. ¿Por qué estaba "emocionadísima" Amanda (línea 1)?
   (A) Porque iba a salir de noche por primera vez
   (B) Porque iba a ver a las tortugas bebé por primera vez
   (C) Porque iba a salir con su padre y hermano por primera vez
   (D) Porque iba a ir a la playa por primera vez

3. ¿Qué tuvo que prometer Amanda antes de ir a la playa?
   (A) Llevar una linterna
   (B) Estar muy quieta
   (C) Observar con mucho cuidado
   (D) Aceptar el destino de las tortugas

4. Según el texto, ¿qué hacía cada tortuguita antes de llegar al mar?
   (A) Corría al mar sin esperar a nadie
   (B) Se movía con agilidad
   (C) Se perdía fácilmente
   (D) Buscaba a su mamá

5. ¿Qué no había anticipado Amanda?
   (A) La cantidad de tortuguitas
   (B) La belleza del momento
   (C) La llegada de las gaviotas
   (D) La oscuridad de la noche

6. ¿Cómo reaccionó Amanda por la cena de las gaviotas?
   (A) Con sorna
   (B) Con comprensión
   (C) Con nostalgia
   (D) Con tristeza

7. ¿Qué lección aprendió Amanda?
   (A) Que las tortugas están destinadas a una vida trágica
   (B) Que no se puede contra las fuerzas naturales
   (C) Que los padres pueden ser crueles
   (D) Que ella tenía suerte de tener una familia que la cuidaba

## CÁPSULA CULTURAL: LAS ISLAS GALÁPAGOS, EMBLEMA DE LA BIODIVERSIDAD

No son muy lindas y no son monas para nada pero, sí, son espectaculares. Son las tortugas gigantes. Representan la diversidad biológica que se encuentra en su hogar, las Islas Galápagos. El joven Charles Darwin llegó a estas islas en HMS Beagle en 1835, durante el viaje que produjo su teoría de la evolución.

Las Islas Galápagos o El Archipiélago de Colón, su nombre oficial, son una provincia de Ecuador, ubicada a unos 970 km. de la costa del país. A causa del aislamiento geográfico y un clima favorable, su flora y fauna son únicas en el mundo. También tiene una población diversa oriunda de lugares diversos. Por ejemplo, en el siglo XVIII los bucaneros ingleses usaban la isla para esconder sus víveres y tesoros, comiendo las tortugas gigantes que habían navegado por el mar desde el viejo mundo (África) también.

—Juan Molinero, *Agencia Viajesalado. ¡Viaja y conócete!*

**COMPARACIONES:** ¿Cuáles son las condiciones de geografía y clima que producen las cualidades únicas de tu comunidad?

Tortugas gigantes nativas de las Islas Galápagos

## Ilustración con Audio

**FUENTE NÚMERO 1** Este cartel trata de la celebración de la tortilla de hinojo, una especie aromática que tiene un sabor particular y especial. El gráfico viene de Los Fayos, un pueblo en Aragón, España.

> **EL AYUNTAMIENTO DE LOS FAYOS CON AITANA**
>
> RECUPERACIÓN DE LA
> TORTILLA DE HINOJO
>
> **24/04/2010**
>
> LUGAR: SALÓN CULTURAL
> De 19:30 a 20:00 horas
>
> SE ELABORARÁN BASTANTES TORTILLAS DE HINOJO, CON MOTIVO DE **REPARTIRLAS** EN **TAPAS**, ASÍ COMO CHISTORRA, MORCILLA, TORTILLA DE PATATA Y OTRAS TAPAS VARIADAS.
> EL PRECIO DE LA TAPA MÁS VINO, CAÑA DE CERVEZA O AGUA SERÁ DE UN EURO.
>
> TODO EL DINERO **RECAUDADO** SE DESTINARÁ INTEGRALMENTE A AITANA, PARA AYUDAR A SU FAMILIA A REALIZAR EL TRATAMIENTO PARA SU CURACIÓN.
>
> TODA PERSONA INTERESADA EN COLABORAR EN LA PREPARACIÓN DE LAS TAPAS, ROGAMOS ACUDAN AL SALÓN A PARTIR DE LAS 5 DE LA TARDE.

🔊 **FUENTE NÚMERO 2** Esta grabación, "La fiesta de la tortilla de hinojo", trata de una planta silvestre que se usa para dar un sabor especial a la tortilla española. La grabación fue producida por Documentales Etnográficos y cuenta la historia de la Villa de los Fayos en Aragón, España. La grabación dura aproximadamente un minuto y quince segundos.

1. ¿Cuál es el propósito del cartel?
   (A) Informar de una competencia entre tortilleros
   (B) Anunciar un evento de caridad
   (C) Llamar la atención a una tortilla especial
   (D) Conmemorar un suceso histórico

2. ¿A qué hora empezará el programa?
   (A) A las 9:30 de la mañana
   (B) A las 9:30 de la noche
   (C) A las 7:30 de la tarde
   (D) A las 8:30 de la tarde

3. Según el cartel, ¿dónde será el evento?
   (A) En el salón principal de un museo
   (B) En un cuarto al lado de un estudio
   (C) En un cuarto grande de un teatro
   (D) En una sala principal de un edificio gubernamental

4. Según el cartel, ¿qué se necesita para preparar el programa?
   (A) Personal para elaborar la comida
   (B) Dinero para pagar por las tapas
   (C) Tortillas de patata por cocinar
   (D) Una curación para Aitana

5. Según la fuente auditiva, ¿dónde crece el hinojo?
   (A) En los bosques silvestres
   (B) Al lado de los caminos
   (C) En campos cultivados
   (D) En surcos regados

6. En el audio, ¿qué consejo da el hombre para la cosecha del hinojo?
   (A) Se debe arrancar el hinojo de la tierra.
   (B) Se deben cortar los hinojos por el tallo.
   (C) Se deben sacar los hinojos con cuidado de la tierra.
   (D) Se deben dejar los hinojos con las setas.

7. ¿Qué comunican las dos fuentes acerca del hinojo?
   (A) Son plantas silvestres.
   (B) Son plantas sabrosas.
   (C) Son plantas especiales.
   (D) Son plantas ordinarias.

## CÁPSULA CULTURAL: LAS COFRADÍAS Y LA SEMANA SANTA

Sin duda, la celebración cristiana más importante es la de la pasión, muerte y resurrección de Jesucristo. Esta última se celebra el Domingo de Pascua. Se celebra siempre en los países hispanos en marzo o abril con procesiones y misas. En estas procesiones o desfiles de gran solemnidad religiosa son claves las cofradías que se han reunido durante todo el año. Las cofradías, también conocidas como hermandades, son grupos laicos de creyentes católicos con distintos fines de carácter religioso, piadoso o caritativo. La historia de estos grupos es larga y data de antes del siglo XI en España. Hay cofradías en América Latina también. La primera fue establecida en Perú durante el siglo XVI.

—Juan Molinero, *Blogviaslado*, 8 de abril de 2012.

**COMPARACIONES:** ¿Qué rol juegan las organizaciones laicas en el establecimiento de un sentido de solidaridad colectiva en tu comunidad?

Nazerenos en Córdoba, España

## Audios

🔊 **FUENTE** Esta grabación, "Planificación de reuniones familiares", trata sobre cómo planificar reuniones para los varios gustos de cualquier miembro de una familia. El locutor Juan Molinero habla con Cristina LaFontana y José Antonio de la Barca, dos especialistas en relaciones familiares. Esta selección de *Nuestro Rincón del Mundo* se basa en un artículo escrito el 15 de mayo de 2012 en *40 Viajes On Line*. La grabación dura aproximadamente tres minutos.

1. ¿Cuál es el propósito de esta presentación?
   - (A) Informar sobre la psicología de la familia disfuncional
   - (B) Animar a los que se atreven a planear vacaciones familiares
   - (C) Explicar por qué es dificil planear una reunión familiar
   - (D) Dar consejos para una reunión familiar feliz

2. Según la entrevista, ¿por qué es importante aprovechar las reuniones familiares?
   - (A) Porque a los familiares no les gusta reunirse a menudo
   - (B) Porque son eventos desorganizados hoy en día
   - (C) Porque es difícil juntar a todos los familiares en un lugar
   - (D) Porque cada reunión es única

3. Según el audio, ¿qué es importante hacer antes de una reunión familiar?
   - (A) Hacer una lista de invitados
   - (B) Elegir el lugar
   - (C) Avisar de antemano
   - (D) Decidir una fecha

4. Según el panelista, ¿qué hay que evitar en las reuniones familiares?
   - (A) Las fiestas formales
   - (B) La manifestación de rencores del pasado
   - (C) Una organización demasiado estricta
   - (D) Los chistes y chismes hirientes

5. Según el panelista, ¿qué papel puede tener la televisión en reuniones familiares?
   - (A) Divertir a toda la familia
   - (B) Desviar la atención a toda la familia
   - (C) Informar e instruir a toda la familia
   - (D) Estimular el amor y el cariño entre toda la familia

6. ¿A qué se refiere el panelista cuando dice que "nadie tendrá que estar incómodo"?
   - (A) A los resentimientos disimulados
   - (B) A la conducta de los niños
   - (C) A los chistes inapropiados
   - (D) A las conversaciones aburridas

7. Según la panelista, ¿qué pueden hacer las familias adineradas para reunirse?
   - (A) Ir a cenar a un restaurante favorito
   - (B) Tener un plan abierto y flexible
   - (C) Ir a un lugar lejos de casa
   - (D) Gastar su dinero en regalos caros

8. Vas a dar un informe sobre lo que escuchaste en la fuente auditiva. ¿Cuál de los siguientes es el mejor título para tu presentación?
   - (A) "Las reuniones de familias disfuncionales"
   - (B) "Diez razones para evitar las reuniones familiares"
   - (C) "La manipulación de la reunión familiar"
   - (D) "La paz y la felicidad en la reunión familiar"

## CÁPSULA CULTURAL: LA FAMILIA DE FELIPE IV DE ESPAÑA

Recuerdo la primera vez que vi el cuadro "Las Meninas", quizá el mejor cuadro de la historia pintado en 1656 por Diego Velázquez (1599-1660). Estaba a solas en su propia sala, el único cuadro que así se trataba en el Prado. Dada la composición del espacio, la luz del día, un espejo y un biombo, la familia retratada en ese maravilloso cuadro se destacaba en tres dimensiones como si saliese en ese momento del museo. ¿Era el momento que compartían los once personajes un día cualquiera en la vida de la familia real? ¿Puedes imaginar cómo sería una reunión de esa familia real? ¿Quiénes eran estos personajes? Aquí les presento una respuesta.

Ilustración 1: Las Meninas de Velázquez

1. La Infanta Margarita Teresa de Austria (1651-1673): hija del rey Felipe IV y Mariana de Austria
2. Isabel de Velasco: hija de un conde y menina o sirvienta de la reina Mariana
3. María Agustina Sarmiento de Sotomayor: hija de una condesa y menina
4. Mari Bárbola: acompañante de la Infanta
5. Nicolasito Pertusato: acompañante de la Infanta
6. Marcela de Ulloa: responsable del cuidado de la Infanta
7. Diego Ruiz Ascona: responsable del cuidado de la Infanta
8. José Nieto Velázquez: el aposentador de la reina y familiar de Diego Velázquez
9. El pintor
10. Felipe IV, rey de España
11. Mariana de Austria, reina de España

—Juan Molinero, *Blogviaslado, el 23 de diciembre de 2012*

Ilustración 2: Las Meninas de Velázquez

**COMPARACIONES: ¿Qué papel ha jugado la familia más poderosa de tu comunidad en establecer un sentido de gusto y de conducta? Explica.**

## Correos Electrónicos

Este mensaje electrónico es de la Sra. Platón, tu profesora de filosofía. Has recibido este mensaje porque estás en la clase de Filosofía 101.

| De: | La Sra. Platón |
| --- | --- |
| Asunto: | La vida honrada |

Queridos estudiantes:

Buenas tardes. Por este medio les envío la tarea para mañana. Sé que cada uno de Uds. pretende vivir una vida honrada pero tal vez por ser jóvenes hay momentos en que no lo hacen. Me gustaría me comenten lo que es la vida honrada y cómo intentan vivirla. Claro, en este momento quiero sólo una sinopsis preliminar, es decir un resumen breve de sus ideas principales sobre la vida honrada. Además deben incluir unos ejemplos de hechos que demuestran una conducta honrada. Mañana durante la clase tendrán una oportunidad de autodescubrimiento sobre el tema.

Deben realizar esta tarea en un mensaje electrónico y por cualquier duda o comentario deben consultarme en ese mensaje.

Un cordial saludo,
Juana Teresa Platón de Cartes
Profesora de Filosofía

## Ensayo

*Tema del ensayo:*

*¿Se deben preservar las celebraciones tradicionales para tener un sentido de comunidad?*

**FUENTE NÚMERO 1** Este texto, "Costumbres y tradiciones", trata de cómo se transmiten las tradiciones de una generación a otra. El artículo original fue publicado por Conevyt: Consejo Nacional de Educación para la Vida y el Trabajo de México.

Los seres humanos creamos cultura. Nuestras formas de pensar, de sentir y de actuar, la lengua que hablamos, nuestras creencias, la comida y el arte son algunas expresiones de nuestra cultura.

5 Este conjunto de saberes y experiencias se transmite de generación en generación por diferentes medios. Los niños aprenden de los adultos y los adultos de los ancianos. Aprenden de lo que oyen y de lo que leen; aprenden también de lo que ven y experimentan por sí

10 mismos en la convivencia cotidiana. Así se heredan las tradiciones.

Mediante la transmisión de sus costumbres y tradiciones, un grupo social intenta asegurar que las generaciones jóvenes den continuidad a los

15 conocimientos, valores e intereses que los distinguen como grupo y los hace diferentes a otros.

Conservar las tradiciones de una comunidad o de un país significa practicar las costumbres, hábitos, formas de ser y modos de comportamiento de las personas.

20 Por ejemplo, en muchas comunidades y regiones de México, se conserva la tradición de rendir culto a los muertos. Esta tradición se manifiesta a través de distintas costumbres como: preparar la comida que agradaba a los familiares difuntos, llevar flores a sus

25 tumbas, construirles altares y, días después, levantar la ofrenda compartiéndola con la comunidad, entre otras actividades.

Las tradiciones y costumbres cambian con el paso del tiempo, como resultado de las nuevas experiencias y

30 conocimientos de la sociedad, a causa de sus necesidades de adaptación a la naturaleza y por la influencia de otros grupos sociales con los que establece contacto.

La fuerza de las costumbres y tradiciones no radica en la frecuencia con que la gente las practique, sino en que

35 la gente comparta auténticamente las ideas y creencias que originaron la costumbre y la tradición.

Las costumbres y tradiciones pierden fuerza cuando la gente cambia sus creencias, su modo de entender el mundo y el sentido de su vida; entonces se procuran nuevas creencias y prácticas, que formarán con el tiempo otras costumbres y tradiciones. 40

Para conocernos mejor como personas y como grupo humano, es importante reflexionar acerca de nuestras costumbres y tradiciones, pensar y dialogar con la comunidad acerca de qué podemos rescatar del 45 legado de nuestros antepasados. También es necesario discutir con qué criterios aceptamos o rechazamos las costumbres y tradiciones de otros pueblos. Podemos aprovechar nuestra herencia cultural si consideramos que las costumbres y tradiciones son lazos que 50 estrechan las relaciones de una comunidad, que le dan identidad y rostro propio, y facilitan proyectar un futuro común.

**FUENTE NÚMERO 2** Esta imagen trata de los nuevos intereses y pasatiempos de los jóvenes. La imagen titulada "Alternativas contemporáneas" ilustra la brecha generacional.

🔊 **FUENTE NÚMERO 3** Esta grabación, "Los jóvenes perpetúan las tradiciones en la Semana Santa de Icod", trata de la continuación de tradiciones en Icod de los Vinos en Tenerife, Las Islas Canarias. En la entrevista una locutora entrevista a jóvenes que trabajan durante la Semana Santa para preservar las tradiciones de la Semana Santa. La selección fue publicada el 20 de abril de 2011 y es una producción de EL DÍA televisión, Grupo de comunicación EL DÍA. La grabación dura aproximadamente dos minutos y medio.

*Estando fiestas muy grande en tu familia*

## Conversaciones

🔊 Esta es una conversación con Josefina Espín, la tía de Julia, una compañera de clase. Vas a participar en esta conversación porque Josefina quiere reunir a todos los primos de la familia y a sus amigos para una fiesta de gala que celebrarán el 4 de diciembre, fecha importante para la familia.

| Josefina Espín | • Te saluda y te pide algo. |
|---|---|
| Tú | • Salúdala y contéstale afirmativamente con detalles. |
| Josefina Espín | • Continúa la conversación y te hace una pregunta. |
| Tú | • Contesta usando un ejemplo específico. |
| Josefina Espín | • Continúa la conversación y te hace una pregunta. |
| Tú | • Contesta con detalle. |
| Josefina Espín | • Reacciona y continúa la conversación. |
| Tú | • Pide una aclaración y más detalle. |
| Josefina Espín | • Te contesta y te hace una pregunta. |
| Tú | • Contesta sin darle una respuesta exacta y despídete. |

## Discursos

### Tema de la presentación:
*¿Qué efecto ha tenido la falta de la tradicional solidaridad familiar en la cultura de tu comunidad?*

*Compara tus observaciones acerca de las comunidades en las que has vivido con tus observaciones de una región del mundo hispanohablante que te sea familiar. En tu presentación, puedes referirte a lo que has estudiado, vivido, observado, etc.*

Familia mexicana en su cocina: ¿Qué relaciones familiares se ven aquí?

## CLASIFICADOS

**ESENCIAL: PARA UNA MEJOR COMPRENSIÓN**

**dispuesto/a**—capaz de hacer algo

**la aparición**—llegada

*IMPORTANTE: PARA UNA MEJOR DISCUSIÓN*

**las linternas**—dispositivos que proyectan una luz

**escondido/a**—fuera de la vista de otros

**ÚTIL: PARA UNA MEJOR EXPRESIÓN**

**con tal de**—expresa la condición por la cual se haría algo

**en seguida**—inmediatamente

**Producto:** Además de las tortugas, ¿qué especies de animales se pueden ver en el Parque Nacional Tortuguero de Costa Rica?

**Práctica:** Explica cómo el Parque Nacional Tortuguero de Costa Rica figura en la práctica de "canjes por deuda externa".

**Perspectiva:** Explica el valor ecológico y económico de las áreas protegidas de Costa Rica.

---

ESENCIAL: PARA UNA MEJOR COMPRENSIÓN

**repartir**—distribuir en partes

**las tapas**—aperitivo o comida que se sirve en pequeñas porciones

**arrancar**—sacar de raíz, sacar violentamente

**IMPORTANTE: PARA UNA MEJOR DISCUSIÓN**

**recaudado (recaudar)**—juntar dinero

**silvestre**—salvaje, sin cultivar

**brota (brotar)**—comenzar a salir, comenzar a crecer

**Producto:** ¿Cuáles son cinco ingredientes básicos de la tortilla española?

**Práctica:** Explica la diferencia entre un pincho de tortilla y una ración de tortilla?

**Perspectiva:** ¿Por qué no suelen comer los españoles tortillas hechas de maíz?

---

*ESENCIAL: PARA UNA MEJOR COMPRENSIÓN*

**afrontar**—enfrentar, confrontar

**los lazos**—conexiones, vínculos, enlaces

**IMPORTANTE: PARA UNA MEJOR DISCUSIÓN**

**adineradas/os**—ricos, de dinero

ÚTIL: PARA UNA MEJOR EXPRESIÓN

**de antemano**—con anticipación, antes

**sacar el máximo provecho de**—obtener beneficio, obtener ganancia, aprovechar

**sacar el máximo partido de**—sacar provecho de

**Producto:** Cuenta la historia del grupo Las Madres de la Plaza de Mayo.

**Práctica:** ¿Qué han hecho Las Madres de la Plaza de Mayo para llevar a cabo su misión?

**Perspectiva:** ¿Por qué Las madres dejaron de manifestarse en La Plaza de Mayo en 2006?

# Las comunidades educativas

**FUENTE NÚMERO 1** **Este texto, "El invierno estudiantil sacude Chile", trata de las protestas de estudiantes universitarios en Chile. El artículo original fue publicado en El País el 21 de agosto de 2011 por Manuel Délano.**

Los padres de Eduardo Zepeda, de 23 años, estudiante de ingeniería en una universidad estatal, destinan el 20% de sus ingresos a pagar la carrera de Eduardo. Otras familias destinan hasta el 50% de sus ingresos a pagar la
5 Universidad.

Su caso es representativo de la crisis de la educación chilena, que asfixia a miles de personas y tiene a estudiantes movilizados con marchas masivas y paros, a los que se sumaron los profesores para pedir al
10 Gobierno un cambio estructural de un sistema que fue diseñado en la dictadura de Pinochet, en los años ochenta. Su demanda recibe apoyo de cerca del 80% de la población, según los sondeos, y es especialmente alto entre las clases medias. El *invierno estudiantil* **tiene en**
15 **jaque al** Gobierno del conservador Sebastián Piñera.

La reforma educativa en la dictadura consistió en el traspaso de los colegios que administraba el Estado a **la gestión** municipal, y en las universidades se abrió la puerta a la creación de privadas **sin fines de lucro,** aunque
20 muy pocas lo han respetado. La privatización contribuyó a elevar el nivel de acceso a la educación, pero no la calidad del sistema, y en general lo hizo más oneroso.

Las universidades estatales chilenas, que reciben muy pocas **aportaciones** del Estado en comparación con
25 otros países, son las más caras de América Latina. El esfuerzo de las familias chilenas para pagar **los aranceles,** considerando los ingresos, "es el más alto de todos los países después de Estados Unidos", señala la Organización de Cooperación y Desarrollo Económico
30 (OCDE).

El aumento de la matriculación en la educación superior, "no ha sido suficiente para revertir la marcada estratificación de las oportunidades en este nivel educativo", afirma Pamela Díaz-Romero, directora
35 ejecutiva de Fundación Equitas. En el 10% más pobre de la población, **la tasa** de acceso a la Universidad es de 16%, mientras que en el 10% más rico es del 61%.

Ante la situación, la movilización estudiantil busca "un cambio de paradigma". "Durante años, se pensó en el
40 financiamiento a los estudiantes sin capacidad de pago. Hoy se reivindica el derecho a la educación pública y gratuita", explica Díaz-Romero.

**Las propuestas** del Gobierno implican, según el ministro de Educación, Felipe Bulnes, un "antes y después" en este sector. Entre ellas figuran reducir **el endeudamiento,** 45 al rebajar del 6% al 2% el interés del crédito para universitarios, y aumentar las becas, de forma que el 60% de los alumnos de familias de menos ingresos y clase media reciban ayudas para la educación superior.

Una tercera **propuesta,** dirigida a la enseñanza 50 secundaria, es fortalecer la educación pública, con un mayor control de los centros y más subvenciones a las escuelas. También Bulnes se ha declarado dispuesto a reformar la Constitución para garantizar la calidad educativa. A lo que no está dispuesto, afirmó, es a dar 55 "educación gratuita a todos los chilenos", porque "los sectores más acomodados no tienen por qué no pagar su acceso a la educación superior". **Las propuestas** del Gobierno han sido rechazadas como "insuficientes" por las organizaciones estudiantiles. 60

**FUENTE NÚMERO 2** **Estos gráficos tratan de factores económicos hechos y proyectados entre los años 2005 y 2010. Vienen de datos recogidos por Reuters (2012), BBC Mundo (2012) y El Mercurio (2011).**

Gráfico 1: Los aranceles para universidades de América Latina

Gráfico 2: Los aranceles como porcentaje del PIB per cápita

D, C, B, B, B, A, C, B, A, C, A

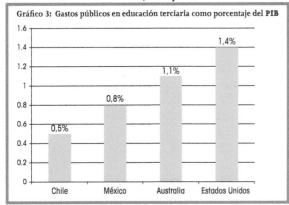

Gráfico 3: Gastos públicos en educación terciaria como porcentaje del **PIB**

Fuentes: Reuters (2012), BBC Mundo (2012), El Mercurio (2011)

**1.** ¿Cuál es el propósito del artículo?
- (A) Proponer soluciones para la crisis de la educación chilena
- (B) Enumerar las razones de la crisis de la educación chilena
- (C) Opinar sobre la crisis de la educación chilena
- (D) Informar sobre la crisis de la educación chilena

**2.** ¿Qué significa "El invierno estudiantil tiene en jaque al Gobierno" (línea 14)?
- (A) Las protestas estudiantiles no han apaciguado al gobierno.
- (B) Las protestas estudiantiles han enojado al gobierno.
- (C) Las protestas estudiantiles han amenazado al gobierno.
- (D) Las protestas estudiantiles han derrocado al gobierno.

**3.** ¿Qué técnica usa el autor para comunicarse en el artículo?
- (A) Emplea una serie de anécdotas personales.
- (B) Explica la causa histórica y sus consecuencias.
- (C) Destaca los planes gubernamentales para resolver la crisis.
- (D) Presenta opiniones desde sólo un punto de vista.

**4.** Según el artículo, ¿cuál es una consecuencia de la falta de financiamiento estatal para las universidades?
- (A) Las universidades no pueden sostener programas innovadores.
- (B) Los chilenos tienen que invertir una porción alta de sus ingresos en la educación.
- (C) Las universidades no pueden aceptar a todos los candidatos.
- (D) Los chilenos tienen que solicitar matrícula en universidades privadas.

**5.** Según el artículo, ¿a qué se debe la inequidad de oportunidad educativa?
- (A) Al aumento de la matriculación en la educación superior
- (B) A la dificultad en pagar los aranceles para los más pobres de la sociedad
- (C) A la garantía de una educación pública y gratuita
- (D) A la falta de calidad pedagógica en los colegios secundarios

**6.** ¿Cuál de las siguientes afirmaciones resume mejor las propuestas del gobierno?
- (A) El gobierno propone aliviar la carga financiera de los chilenos para la educación superior.
- (B) El gobierno propone una combinación de ayuda económica y política.
- (C) El gobierno propone una enmienda a la Constitución que garantiza la educación gratuita.
- (D) El gobierno propone el financiamiento privado y público de las universidades estatales.

**7.** Según el artículo, ¿cómo ha reaccionado el movimiento estudiantil a las propuestas gubernamentales?
- (A) Con una resignación inesperada
- (B) Con protestas desafiantes
- (C) Con un rechazo contundente
- (D) Con una ambivalencia desconfiable

**8.** ¿Cuál de las siguientes afirmaciones resume mejor los tres gráficos?
- (A) Los chilenos gozan de una educación bien financiada.
- (B) Los chilenos pagan más que muchos por la educación universitaria.
- (C) Sólo los Estados Unidos tiene un sistema más costoso que los chilenos.
- (D) La calidad de la educación universitaria en Chile es superior a la de otros países.

**9.** ¿Qué representan los porcentajes en el Gráfico 2?
- (A) La porción de los ingresos que cada ciudadano paga por la educación universitaria
- (B) El porcentaje con que el gobierno contribuye a la educación por ciudadano
- (C) Los países que tienen más inversión pública en el sector educativo
- (D) Los países que producen más servicios y productos

**10.** ¿Qué representan los datos en el Gráfico 3?
- (A) El porcentaje del PIB que contribuye cada país a cada ciudadano
- (B) El porcentaje del PIB que cada país tiene para la educación superior
- (C) El porcentaje del PIB que aporta cada país para educar a su ciudadanía
- (D) El porcentaje del PIB que tiene cada país para prestar a sus universidades públicas

**11.** ¿Cuál de las siguientes afirmaciones resume mejor la relación entre el artículo y los gráficos?
- (A) Los gráficos ilustran las problemáticas citadas en el artículo.
- (B) El artículo contradice los datos expresados en los gráficos.
- (C) El artículo exagera los datos expuestos en los gráficos.
- (D) Los gráficos resaltan datos que no menciona el artículo.

## CÁPSULA CULTURAL: OTRO 11 DE SEPTIEMBRE

No es muy parecido al 11 de septiembre de 2001 en los Estados Unidos. Sin embargo, para los chilenos fue un evento que cambió su vida y la trayectoria de su nación. El 11 de septiembre de 1973 hubo un golpe de estado en Santiago que dio comienzo a 17 años de dictadura bajo Augusto Pinochet.

En 1973 Salvador Allende era el presidente electo y Chile era una de las democracias con más historia de América del Sur. Había grandes problemas económicos que desestabilizaban el país y según muchos Chile sufría de una crisis de liderazgo en el Palacio de la Moneda, la sede presidencial, y afirmaban que no había ningún otro remedio que derrocar al régimen de Allende. Por esto, al mediodía del 11 de septiembre la capital sintió el ruido de aviones y explosiones.

Palacio de la Moneda, Santiago de Chile, 11 de septiembre de 1973

—Juan Molinero, *Blogviaslado, el 11 de septiembre de 2012*

**COMPARACIONES: Durante los últimos quince años, ¿cómo han impactado la vida de tu comunidad los momentos históricos más memorables?**

## Lecturas con Audio

**FUENTE NÚMERO 1** **Este texto, "¿Por qué todavía hay centros no coeducativos?", trata de los beneficios de la educación diferenciada. El artículo original se publicó en blogspot y se atribuye al blogger "articuloscartasycuentos" de Madrid, España.**

El modelo coeducativo se ha establecido gracias a una serie de argumentos que no han sido reflexionados con calma. A la vez que éste, hay otros modelos, como el diferenciado, que caben dentro de nuestro sistema. **A**
5 **continuación** se desarrollan algunos de los beneficios de la educación diferenciada.

La Ley Orgánica de Calidad de la Educación LOCE (2002) y la Ley Orgánica de Educación LOE (2006) son leyes educativas que, más o menos, **tienen en cuenta**
10 la diversidad del alumno. Es decir, **tienen en cuenta** diferencias como la edad, estructurando el sistema por cursos y etapas; las minusvalías, y las deficiencias psíquicas y físicas de los alumnos, mediante la "educación especial" que permite la integración
15 social y académica de los alumnos; las dificultades de **aprendizaje** que sufre un tanto por ciento del alumnado; o las desventajas de los inmigrantes en **el aprendizaje** del castellano o de su religión…

Ahora bien, aunque es alto el grado de atención
20 a las diferencias, aún se puede mejorar, porque nuestro sistema no se esmera mucho en **atender** a las diferencias que existen en el modo de aprender según el género al que pertenezcas. Y esta diferencia influye,

por ejemplo, en el alto fracaso escolar de nuestro país, ya que se educa pensando que todos aprenden igual, 25 cuando el sexo femenino aprende y comprende la realidad de modo diferente al masculino. En resumen la mujer es más intuitiva y el hombre es más lógico.

La coeducación, implantada en todo nuestro sistema público, trata de dar las mismas oportunidades a 30 la mujer y al hombre, ya que el hombre y la mujer son iguales en dignidad como personas, como profesionales. Por tanto han de tener las mismas oportunidades como personas, estudiantes o profesionales. 35

Por eso la educación debe ser individualizada con respecto a las diferencias concretas de cada uno. La educación se encargará por tanto, de consolidar los modos diferentes de ser que tiene cada uno de los sexos en los que se manifiesta la persona humana. 40

La educación que ofrece el modelo coeducativo es tan buena como la que ofrecen todos los modelos que respeten tanto la igualdad de sexos. Pero existen modelos que **atienden** mejor las diferencias que se dan en **el aprendizaje** según el sexo, como es el modelo 45 diferenciado.

El modelo coeducativo es por tanto un modelo más. Y no por auge, o por exaltación de algunos derechos mal entendidos, es un mejor modelo, sino sencillamente, uno más. 50

El modelo de educación diferenciada es otro modelo, que habría que **tener más en cuenta**, porque no tiene ningún efecto secundario, y, sí, muchos efectos positivos en la educación integral del relevo
55 generacional. Pero el principal, y su finalidad, es la de **atender** el modo diferente de aprender de los dos sexos; sin dejar de lado las diferencias a las que **atiende** ya el sistema educativo, para obtener una verdadera educación de calidad.

🔊 **FUENTE NÚMERO 2** **Esta grabación adaptada del artículo "Educación diferenciada, una carta a la Administración en Educación" es de Celia Rodríguez de Almería, España. En la carta la autora protesta por la ley LOE que no provee fondos públicos para la educación diferenciada. Fue escrita el 29 de mayo de 2011. En esta selección una locutora entrevista a Celia Rodríguez y su marido durante una manifestación en Almería. La grabación dura aproximadamente dos minutos y medio.**

1. Según el artículo, ¿a qué tipo de diferencias de aprendizaje entre individuos atienden las leyes educativas vigentes?
   (A) A diferencias que complican el aprendizaje
   (B) A diferencias raciales y étnicas
   (C) A diferencias de interés y de expectativas
   (D) A diferencias que enriquecen el aprendizaje

2. ¿Cuál es la tesis del artículo?
   (A) Que la educación diferenciada ha sido ignorada por la mayoría de los padres
   (B) Que la educación diferenciada debe ser el único modelo educativo para los dos sexos
   (C) Que la educación diferenciada atiende mejor a los modos de aprender según el género
   (D) Que la educación diferenciada asegura la igualdad entre todos los alumnos

3. ¿Cuál de las siguientes afirmaciones resume mejor la actitud del autor hacia la educación actual de España?
   (A) Cree que ha sido un desastre. *disaste*
   (B) Cree que ha sido sólo adecuada. *adequate*
   (C) Cree que ha sido anticuada.
   (D) Cree que ha sido mejorada. *has improved*

4. ¿Qué propone el autor que el sistema diferenciado acepte del sistema coeducativo?
   (A) Todo menos el énfasis en la igualdad de los sexos
   (B) Todo menos la homogeneidad del currículo
   (C) Sólo los objetivos de proveer una buena educación
   (D) Sólo los aspectos que desarrollen las diferencias de género

5. En el audio, ¿qué están protestando los Rodríguez?
   (A) La prohibición de la educación diferenciada
   (B) La ineptitud del sistema educativo
   (C) La discriminación contra la educación coeducativa
   (D) La falta de igualdad de oportunidad de ejercer su voluntad sobre la educación

6. En el audio, ¿por qué cree el marido que son discriminados?
   (A) Porque no puede elegir la educación diferenciada
   (B) Porque tiene que pagar más impuestos por la educación diferenciada
   (C) Porque no hay muchos colegios de educación diferenciada
   (D) Porque tiene que pagar por la educación diferenciada

7. En el audio, ¿cómo justifica la Sra. Rodríguez su creencia en la superioridad de la educación diferenciada?
   (A) Alega que ha habido un incremento de colegios diferenciados.
   (B) Cita estadísticas de porcentajes sobre las notas de los alumnos españoles.
   (C) Afirma que los alumnos de instituciones diferenciadas salen mejor académicamente.
   (D) Critica la socialización mixta.

8. En el audio, ¿qué piden los Rodríguez que haga el gobierno?
   (A) Que provea la educación diferenciada
   (B) Que garantice opciones de selección en la educación
   (C) Que deje de impedir la educación diferenciada
   (D) Que otorgue fondos para desarrollar la educación diferenciada

9. ¿En qué se diferencian las dos fuentes al enfocar el tema?
   (A) El artículo se concentra en las leyes y el audio en el sentido común.
   (B) El artículo señala las deficiencias de las leyes en vigor y el audio sus garantías.
   (C) El artículo pone de manifiesto las diferencias en aprendizaje y el audio en los derechos civiles.
   (D) El artículo afirma la pedagogía y el audio destaca las problemáticas económicas.

10. ¿Cuál de las siguientes metas educativas une mejor las dos fuentes?
    (A) El deseo de promover un nuevo sistema educativo
    (B) El deseo de mejorar el sistema de educación
    (C) El deseo de respaldar el acceso a la educación
    (D) El deseo de refutar a los críticos de la educación diferenciada

## CÁPSULA CULTURAL: UNOS DATOS ACERCA DE LA EDUCACIÓN SECUNDARIA DE ESPAÑA

Los siguientes datos son sólo para indicar ciertas tendencias o pautas. La verdad detrás de cualquier estadística es compleja y siempre cambia de matiz y conclusión. Sin embargo, les presento estos datos para animar la conversación.

DATOS DISPERSOS
Madrid en 2011
Colegios públicos 49,3% con 70.000 alumnos
Colegios privados 50,7% con 30.000 alumnos
Centros segregados por género 24 (18 son del Opus Dei)

España en 2012 (según las Consejerías Regionales de Educación)
60+ colegios subvencionados (reciben fondos públicos y privados)
150 colegios segregados
21% promedio de colegios privados en las regiones

—Juan Molinero, Blogviaslado

Colegio Público de José Luis Poullet en el Puerto de Santa María en Cádiz, España

**COMPARACIONES:** ¿Por qué hay colegios privados, especializados o subvencionados en tu comunidad? Explica lo que los distingue de los colegios públicos.

---

## Audios

🔊 FUENTE  **Esta grabación es un spot que aboga por la educación intracultural, intercultural y plurilingüe para los indígenas bolivianos. Varias voces narran este spot titulado "Consejo educativo amazónico multiétnico" que fue propiciado por la Confederación de Pueblos Indígenas de Bolivia (CIDOB) para las Naciones Indígenas de Tierras Bajas en enero de 2010. La grabación dura casi dos minutos.**

1. ¿Cuál es el propósito de este audio?
   (A) Anunciar la formación de un grupo indígena
   (B) Informar sobre la misión de un grupo a favor de los indígenas
   (C) Protestar la falta de oportunidades para los indígenas
   (D) Resaltar los logros de la comunidad indígena de Bolivia

2. Según el audio, ¿cuál es el enfoque de la misión del CEAM?
   (A) Fomentar marchas de activistas bolivianos
   (B) Abogar por la educación multicultural de los indígenas bolivianos
   (C) Promover la multiculturalidad del Movimiento Indígena
   (D) Rechazar los prejuicios sociales contra los indígenas

3. ¿Qué técnica usa el spot para comunicar su mensaje?
   (A) Cuenta con una lista de estadísticas.
   (B) Da un listado de demandas políticas.
   (C) Cita las afirmaciones de gente importante.
   (D) Utiliza música y voces indígenas.

4. Además de la calidad de la educación, ¿qué espera mantener el CEAM para los indígenas?
   (A) Su multiculturalidad
   (B) Su idioma cultural
   (C) Su artesanía cultural
   (D) Su identidad cultural

5. Según el audio, ¿a qué derecho deben tener acceso los hijos de los indígenas?
   (A) Al derecho de una educación cultural y adecuada
   (B) Al derecho de juntarse con otros grupos indígenas
   (C) Al derecho de promover sus propias leyes educativas
   (D) Al derecho de vivir aislados de otros grupos

## CÁPSULA CULTURAL: BOLIVIA MULTILINGÜE

El otro día un amigo mío me preguntó si sabía qué país latinoamericano tenía más de tres docenas de lenguas oficiales. "Bolivia", me dijo. "La Constitución de Bolivia lo garantiza". Aquí tenemos el mapa de los grupos originarios que hablan estas lenguas.

Según el censo de 2001 los idiomas con más habitantes son:
Quechua (antiguo idioma oficial de los incas) 28%
Aymara (anterior a quechua) 18%
En algunas circunstancias hay sólo unos centenares de personas que hablan uno de los idiomas oficiales. Por ejemplo, hay menos de 300 personas que hablan Tacana.

Al final del día, mi amigo, con una sonrisa sardónica, me preguntó si sabía algo del portuñol. Me explicó que, aunque no es un idioma, es una mezcla entre el español y el portugués y se habla en la frontera de los países como Bolivia que comparten una frontera con Brasil. El portuñol es otro de muchos ejemplos de cómo una cultura se combina con otra para producir algo único y especial. Con tantos grupos y tantos idiomas no es difícil entender la riqueza cultural que tiene Bolivia pero también las luchas en mantener la cohesión del país.

—Juan Molinero para Viajes Viaslado ¡Viaja y conócete!

**COMPARACIONES: ¿Cuáles son las ideas en tu comunidad sobre la denominación de sólo una lengua oficial?**

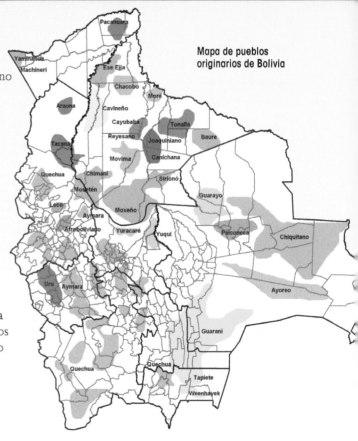

Mapa de pueblos originarios de Bolivia

## Correos Electrónicos

Este mensaje electrónico es de Juan Grullón, Director de Evalmimaestro. Has recibido este mensaje porque eres estudiante de secundaria y el Sr. Grullón está preparando un sondeo sobre la eficacia de los profesores.

**De:** Juan Grullón

**Asunto:** Eficacia de los profesores

Estimado/a estudiante:

Le escribo porque estamos preparando otro sondeo sobre la calidad de educación que Ud. recibe en la secundaria. Hemos seleccionado su nombre aleatoriamente entre estudiantes de clases avanzadas. Nos complacería si Ud. nos mandara un retrato de su profesor o profesora ideal. Por ejemplo, nos gustaría saber las cualidades de carácter, personalidad y preparación que fuesen las más importantes para predecir un impacto positivo e inspirador. A lo mejor Ud. haya tenido la suerte de estar en la presencia de un profesor o profesora de esta índole. ¿Podría contarnos esa experiencia?

Le agradecemos su participación en propiciarnos esta información. Será importante en el desarrollo de nuestro sondeo.

Estamos a la espera de su amable aporte.

Atentamente,
Juan Grullón
Director de Evalmimaestro

## Ensayo

**Tema del ensayo:**

*¿Se debe sancionar la educación en casa como alternativa válida a la educación en los colegios?*

**FUENTE NÚMERO 1** **Este texto, "La educación en casa: una alternativa cada vez más frecuente", trata de los puntos en contra y los puntos a favor de educar a los niños en casa. El artículo original, escrito por David Cortejos, fue publicado el 18 de noviembre de 2010 en Cómete la sopa.**

En la Constitución Española, en su Artículo 27, se reconoce el derecho a la educación y la libertad de enseñanza, igualmente enuncia que la enseñanza básica es obligatoria, pero nunca se habla de que la escolarización
5 sea obligatoria, y otorga a los padres el derecho a elegir la educación de sus hijos. Veamos cuáles son los puntos a favor y en contra de la enseñanza en el hogar.

PUNTOS EN CONTRA
Tenemos varios puntos en contra de educar en casa:
10 – No todos los padres están capacitados para enseñar y/o para educar a sus hijos. En ocasiones los padres no tienen una formación académica adecuada o no han recibido una educación adecuada para poder transmitírsela a sus hijos.

15 – Los horarios: no todos los padres tenemos una disponibilidad horaria adecuada para impartir enseñanza a nuestros hijos. A lo mejor no tenemos el tiempo libre suficiente al cabo del día para dedicarnos a esta fantástica labor de enseñar.

20 – El proceso de socialización: con sus pros y sus contras, la socialización es completamente necesaria e imprescindible, y aunque se puede socializar de otras maneras, hay que reconocer que el colegio y la enseñanza institucionalizada contribuyen a ello.

25 – Denuncias de los estamentos públicos o de parte privada: es muy frecuente por desgracia, que las familias que se decantan por esta opción, reciban denuncias tanto de servicios sociales como de otras familias.

Genera también sus dudas el hecho de cómo conseguir
30 posteriormente títulos oficiales de formación, que atestigüen tales enseñanzas y posibiliten la apertura al mercado laboral.

PUNTOS A FAVOR
La enseñanza se convierte en algo natural, no está
35 sujeta a horarios ni a estrictas normas, fluye en función de una serie de principios o materias básicas

y se desarrolla en función de las necesidades y de la curiosidad del niño.

Podemos atender de forma más directa y personalizada a aquellos de nuestros hijos que necesitan una        40
educación especial por defecto o por exceso.

Podemos inculcar la ideología y los valores que nosotros consideremos y no los que nos vengan impuestos desde la institución.

No sólo se les enseña información, se les enseña dónde        45
y cómo deben buscarla. Se les convierte en pequeños investigadores ya que se les alienta a preguntar, investigar, resolver, contestándoles a sus frecuentes dudas y curiosidades.

Un punto que puede ser a favor o en contra es el        50
tema económico. Aquí influirá la aspiración educativa de cada familia, habrá familias que decidan llevar a sus hijos a colegios privados caros y otras que opten por la enseñanza pública. Habrá familias que opten por educar en casa con un determinado presupuesto        55
económico y otras que no miren gastos. Enseñar en casa puede ser más barato o más caro que la enseñanza institucionalizada.

**FUENTE NÚMERO 2** **Este gráfico trata de las razones por las que algunos encuestados optan por educar a sus hijos en casa. Son estadísticas reunidas el 13 de septiembre de 2012 en el blog Madelen Taxonomía.**

FUENTE: "La opción de educar en casa", 13 de septiembre de 2012 en Madelen Taxonomía

🔊 FUENTE NÚMERO 3 **Esta grabación, "La educación en casa a examen", trata de una familia del País Vasco, España, que espera noticias sobre el progreso de sus hijos después de un año de lecciones académicas en casa. En la entrevista una locutora entrevista a Ketty Sánchez, la madre de cuatro hijos que reciben su educación en casa. La selección fue publicada el 28 de marzo de 2008 y es una producción de Gipuzkoa Telebista Txingudi. La grabación dura aproximadamente dos minutos.**

## Conversaciones

🔊 Esta es una conversación con Luis Argote, representante de Tonhimal, una agencia que ayuda a estudiantes a encontrar la universidad que les complazca. Vas a participar en esta conversación porque has pedido la ayuda de esta agencia.

| Luis Argote | • Te saluda y te hace una pregunta. |
|---|---|
| Tú | • Salúdalo y contesta. |
| Luis Argote | • Reacciona y te hace una pregunta. |
| Tú | • Contéstale. |
| Luis Argote | • Reacciona y te aconseja algo. |
| Tú | • Contesta negativamente y explica por qué. |
| Luis Argote | • Reacciona y te hace una pregunta. |
| Tú | • Contesta. |
| Luis Argote | • Reacciona y continúa la conversación. |
| Tú | • Proponle una alternativa y despídete. |

## Discursos

**Tema de la presentación:**

*En la cultura del colegio de tu comunidad, ¿qué impacto han tenido los asaltos violentos en otras instituciones educativas?*

*Compara tus observaciones acerca de las comunidades en las que has vivido con tus observaciones de una región del mundo hispanohablante que te sea familiar. En tu presentación, puedes referirte a lo que has estudiado, vivido, observado, etc.*

## CLASIFICADOS

PÁGINA **211** Lecturas

PÁGINA **213** Lecturas con Audio

PÁGINA **215** Audios

### ESENCIAL: PARA UNA MEJOR COMPRENSIÓN

**las aportaciones**—las contribuciones
**los aranceles**—tarifas oficiales
**las propuestas**—ofertas, ofrecimientos

### *IMPORTANTE: PARA UNA MEJOR DISCUSIÓN*

**la gestión**—diligencia, trámite, procedimiento, organización y realización de un proyecto
**la tasa**—pago exigido
**el endeudamiento**—obligación financiera

### ÚTIL: PARA UNA MEJOR EXPRESIÓN

**tiene (tener) en jaque a—** amenazar
**sin fines de lucro**—sin objetivo de ganancia
**el PIB (Producto Interior Bruto)**—total de productos y servicios de un país

**Producto:** Describe los modelos disponibles de mochilas escolares en países de habla española.

**Práctica:** ¿Cómo se usan las mochilas escolares?

**Perspectiva:** ¿Qué controversias de salud han surgido a causa del uso de las mochilas escolares?

### ESENCIAL: PARA UNA MEJOR COMPRENSIÓN

**atiende (atender)**—defender, vigilar, cuidar, prestar atención
**el aprendizaje**—acto de aprender

### IMPORTANTE: PARA UNA MEJOR DISCUSIÓN

**avalado/a**—apoyado, justificado
**apueste por (apostar por)—** poner la confianza en algo

### *ÚTIL: PARA UNA MEJOR EXPRESIÓN*

**a continuación—** inmediatamente, después, luego
**tienen en cuenta (tener en cuenta)**—prestar atención, tomar en cuenta, considerar
**ponen de manifiesto (poner de manifiesto)**—resaltar, señalar

**Producto:** ¿Qué es el Opus Dei?

**Práctica:** ¿Cuál es la misión de un colegio asociado con el Opus Dei, por ejemplo, el Colegio Besana en España?

**Perspectiva:** ¿Qué crítica ha habido hacia el Opus Dei en el siglo XX?

### *ESENCIAL: PARA UNA MEJOR COMPRENSIÓN*

**el desarrollo**—avance, mejora, proceso de incremento intelectual, económico, etc.
**la equidad**—imparcialidad, neutralidad

### IMPORTANTE: PARA UNA MEJOR DISCUSIÓN

**comunitario/a**—de la comunidad o del grupo
**los planteamientos—** elaboración, organización de un proyecto

### ÚTIL: PARA UNA MEJOR EXPRESIÓN

**a demanda de**—a petición de

**Producto:** Encuentra información sobre el idioma aymara.

**Práctica:** Describe la celebración de la Pachamama en los países del Cono Sur.

**Perspectiva:** ¿Por qué todavía tiene la Pachamama un papel importante en los países del Cono Sur?

# La estructura de la familia

## Lecturas

**FUENTE** Esta carta fue escrita el 27 de marzo de 1982 por un soldado argentino, el Teniente Roberto Estévez, a su padre antes de la partida de su unidad militar a la guerra contra los ingleses en las Islas Malvinas. La carta ha sido publicada muchas veces en muchos medios.

Querido papá:

Cuando recibas esta carta yo ya estaré **rindiendo** mis acciones a Dios Nuestro Señor. Él, que sabe lo que hace, así lo ha dispuesto:

5 Que muera en cumplimiento de la misión. Pero, fíjate vos ¡qué misión! ¿Te acordás cuando era chico y hacía planes, diseñaba vehículos y armas, todo destinado a **recuperar** las Islas Malvinas y restaurar en ellas Nuestra **Soberanía**? Dios, que es un Padre Generoso, ha querido

10 que éste, tu hijo, totalmente carente de méritos, viva esta experiencia única y deje su vida **en ofrenda a** Nuestra Patria.

Lo único que a todos quiero pedirles es:

Que restaures una sincera unidad en la familia bajo la
15 Cruz de Cristo.

Que me recuerden con alegría y no que mi **evocación** sea apertura a la tristeza, y muy importante,

Que recen por mí.

Papá, hay cosas que, en un día cualquiera no se dicen
20 entre hombres pero que hoy debo decírtelas. Gracias por tenerte como modelo de **bien nacido**, gracias por creer en el honor, gracias por tu apellido, gracias por ser católico, argentino e hijo de sangre española.

Gracias por ser soldado, gracias a Dios por ser como soy
25 y que es el fruto de ese hogar en que vos sos el pilar.

Hasta el reencuentro, si Dios lo permite.

Un fuerte abrazo. Dios y Patria ¡o muerte!

Roberto

**1.** ¿Por qué escribió la carta Roberto?
(A) Porque quería alabar su patriotismo
(B) Porque quería despedirse de su padre
(C) Porque quería expresar su tristeza por su patria
(D) Porque quería protegerse de todo mal

**2.** ¿Qué quería expresar Roberto cuando escribió "estaré rindiendo mis acciones a Dios Nuestro Señor (línea 2)?
(A) Que sabía que tendría que rendirse al enemigo
(B) Que creía que iba a morir en la guerra
(C) Que esperaba que su padre aprobara sus acciones
(D) Que se alegraba de la oportunidad de presentar homenaje a Dios

**3.** ¿Por qué se ha emocionado tanto Roberto por su intervención en las Malvinas?
(A) Porque siempre ha odiado a los británicos
(B) Porque siempre ha creído que ir a las Malvinas sería su destino
(C) Porque siempre ha sabido que su padre habría ido a las Malvinas también
(D) Porque siempre ha esperado un mejor futuro para su familia

**4.** ¿Qué se puede concluir de la familia de Roberto de la información en la línea 14?
(A) Que todos son buenos católicos
(B) Que todos se han alejado del culto a Jesús
(C) Que son muy unidos
(D) Que no visitan la iglesia con frecuencia

**5.** ¿Qué le pide Roberto a la familia?
(A) Que no le consideren arrogante
(B) Que no se preocupen por él
(C) Que no le echen de menos
(D) Que no se entristezcan al acordarse de él

**6.** ¿Qué le agradecía a su padre?
(A) Su herencia
(B) Su apoyo
(C) Su compasión
(D) Su comprensión

**7.** ¿Qué significa "Hasta el reencuentro" (línea 26)?
(A) Roberto espera ver a su padre en el cielo.
(B) Roberto espera ver a su padre en casa.
(C) Roberto cree que Dios va a salvar a su familia.
(D) Roberto cree que su familia va a reanudar su fe.

## CÁPSULA CULTURAL: ¿LAS MALVINAS SON ARGENTINAS?

Una de las disputas territoriales en América del Sur es el contencioso conflicto entre Argentina y el Reino Unido sobre la soberanía de un grupo de islas remotas ubicadas a 434Km de la costa sureña de Argentina. Desde 1833, cuando los ingleses establecieron su hegemonía en las islas al expulsar al gobernador argentino, los argentinos no han dejado de reclamar la soberanía de las Malvinas.

En 1982 los argentinos invadieron las islas pero fueron expulsados por los ingleses poco después. Esta derrota fue un punto decisivo en la historia moderna de Argentina que resultó en el restablecimiento de la democracia después de siete años de dictadura militar.

Bahía en las Islas Malvinas

**COMPARACIONES:** ¿Qué consecuencias ha habido para tu país a causa de disputas territoriales con otras naciones?

## Ilustraciones con Audio

**FUENTE NÚMERO 1** El gráfico y la tabla representan las circunstancias de los jóvenes españoles en 2011. Las estadísticas fueron preparadas por el Consejo de la Juventud de España para su publicación anual en el "Observatorio Joven de la Vivienda".

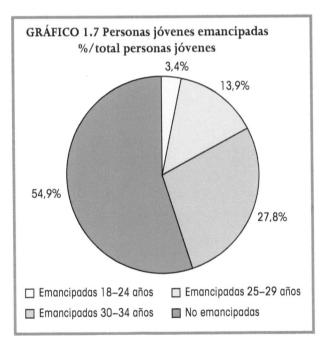

GRÁFICO 1.7 Personas jóvenes emancipadas
%/total personas jóvenes

3,4%
13,9%
54,9%
27,8%

☐ Emancipadas 18–24 años   ☐ Emancipadas 25–29 años
☐ Emancipadas 30–34 años   ☐ No emancipadas

TABLA 1.0

| Población joven emancipada | Total | 18-24 años | 25-29 años | 30-34 años | Hombres | Mujeres |
|---|---|---|---|---|---|---|
| 1. Números de personas | 4.667.477 | 347.757 | 1.443.259 | 2.876.461 | 2.079.014 | 2.588.463 |
| 2. % total población joven | 45,1% | 3,4% | 13,9% | 27,8% | 20,1% | 25,0% |
| 3. **Tasa** de emancipación[2] | 45,1% | 10,2% | 46,7% | 74,7% | 39,5% | 50,9% |
| 4. Variación interanual población emancipada | −4,49% | −11,17% | −3,82% | −3,95% | −5,87% | −3,35% |

Fuente: Consejo de la Juventud de España 2011
[2] % de personas que viven fuera del lugar de origen sobre el total

🔊 **FUENTE NÚMERO 2** Esta grabación, "La emancipación de los jóvenes", trata de la cuestión de los jóvenes que no salen de casa. Susana Luguín, presentadora del programa Sin ir más allá para Aragón TV de España, presenta el tema que luego desarrolla una narradora entrevistando a varios jóvenes y padres el 23 de septiembre de 2011. La grabación dura aproximadamente dos minutos.

1.  En el título de la publicación anual de estadísticas, ¿qué significa "Vivienda"?
    (A) La buena vida
    (B) La vida en casa
    (C) La vida profesional
    (D) La vida de edad joven

2. Según el gráfico y la tabla, ¿cuál de las siguientes afirmaciones resume mejor los datos?

(A) Los más jóvenes son los más inactivos.

(B) Los más viejos son los más inactivos.

(C) La mayoría de los jóvenes vive fuera de casa.

(D) Cuanto más mayor, tanta más posibilidad de vivir fuera de casa

3. En la tabla, ¿qué indica la fila 4 "Variación interanual población emancipada"?

(A) Que este año menos de los de 25-29 años viven fuera de casa

(B) Que desde el año pasado más de cada grupo vive con su familia

(C) Que este año ha aumentado el número de jóvenes que vive fuera de casa

(D) Que el año pasado más personas de entre 30 y 34 años vivían con sus padres que los de entre 18 y 24 años

4. ¿Cuál es el propósito del audio?

(A) Revelar unos datos acerca de la emancipación de los jóvenes

(B) Resaltar las consecuencias de la crisis económica

(C) Argumentar que las estadísticas no revelan todos los aspectos de la independización de los jóvenes

(D) Discutir por qué los jóvenes se quedan más tiempo en casa de los padres

5. Según el audio, ¿qué cambio se ve en la independencia de los jóvenes en los últimos años?

(A) Que ha habido menos jóvenes independientes

(B) Que ser independiente ha producido más dificultades financieras

(C) Que ha habido un descenso en el número de mujeres independientes

(D) Que los padres han empezado a quejarse de la pereza de sus hijos

6. Según los entrevistados en el audio, ¿por qué es más probable que los jóvenes estén en casa más tiempo?

(A) Porque se aprovechan de los padres

(B) Porque no conocen otra posibilidad

(C) Porque viven mejor social y económicamente

(D) Porque se protegen contra los efectos del paro

7. ¿Qué informa el audio a diferencia de la tabla y el gráfico?

(A) El audio plantea la dificultad de pagar la vivienda.

(B) El audio llama la atención a los jóvenes que se quedan en casa de sus padres.

(C) El audio pone énfasis en el hecho que la situación no ha mejorado.

(D) El audio contradice lo que dicen el gráfico y la tabla.

## CÁPSULA CULTURAL: EL MATRIMONIO: CUESTIÓN DE EDAD Y CIRCUNSTANCIAS

¿Me dices que te quieres casar? ¿Me dices que buscas tu príncipe azul o tu princesa bonita? Pues, cuéntame sobre tus circunstancias económicas y te digo cuándo, dónde y cómo vas a contraer matrimonio. Parece que los españoles están postergando el día anticipado hasta el año que viene. Según varios estudios las señoritas esperan hasta su cuarta década para intercambiar alianzas. La crisis gemela de vivienda (el costo) y trabajo (no hay) dificulta la unión y además la viabilidad de tener hijos. De hecho, España con respecto a otros países europeos se queda atrás. En México, sin embargo, la edad promedio de las mujeres para casarse es de 24 años. ¿España o México? Lo decides tú.

—*Juan Molinero Blogviaslado, el 4 de diciembre de 2012*

**COMPARACIONES: En tu comunidad, ¿cuáles son los factores sociales o económicos que influyen en la decisión de casarse por primera vez?**

## Audios

🔊 **FUENTE** Esta grabación es una entrevista sobre los cambios en la estructura de la familia cubana. Jorge López, periodista, entrevista a la doctora Patricia Arés, psicóloga y especialista en la familia cubana. Esta selección se basa en el artículo, "Aumenta la diversidad de la estructura familiar cubana", escrito por Yailin Orta Rivera, periodista del diario cubano Juventud Rebelde. La grabación dura casi tres minutos.

1. ¿Cuál es el propósito de la entrevista?
   - (A) Informar sobre un fenómeno social en transición en Cuba
   - (B) Informar sobre los cambios en la demografía de Cuba
   - (C) Informar sobre los éxitos sociales de la transformación familiar en Cuba
   - (D) Informar sobre la importancia de los abuelos en Cuba

2. ¿Qué utiliza el locutor para destacar los cambios familiares en Cuba?
   - (A) Interpreta unas estadísticas recientes.
   - (B) Cuenta una anécdota histórica.
   - (C) Resalta las causas políticas y demográficas.
   - (D) Describe una foto vieja y amarillenta.

3. Según el audio, ¿qué ha dado impulso a los cambios familiares en Cuba?
   - (A) Una actitud permisiva de los padres hacia los hijos
   - (B) Los intereses egoístas de la generación joven
   - (C) Las dificultades económicas
   - (D) Los cambios en los valores tradicionales de los abuelos

4. Según el audio, ¿cuál ha sido el cambio más notable en la familia cubana?
   - (A) La integración de familias divorciadas
   - (B) El fortalecimiento de las ataduras familiares
   - (C) La disminución de la familia como eje principal social
   - (D) El incremento de familias fragmentadas

5. Según el audio, ¿qué rol tienen los abuelos en la actualidad?
   - (A) Son guardianes de los valores tradicionales.
   - (B) Son conciliadores e intermediarios entre padres e hijos.
   - (C) Son protectores y cuidadores de los niños.
   - (D) Son aliados de los padres contra los jóvenes.

## CÁPSULA CULTURAL: LOS DIARIOS OFICIALES DEL GOBIERNO CUBANO

Aun a riesgo de antagonizar con alguien, presentamos dos diarios que patrocina el gobierno cubano.

**DIARIO GRANMA:** "Órgano oficial del Comité Central del Partido Comunista de Cuba" es un diario que sale todos los días (menos los domingos) y que fue fundado en 1965. El nombre proviene del yate que transportó a Fidel Castro y sus compañeros de México a Cuba en 1956. El periódico incluye noticias tanto nacionales como internacionales.

**DIARIO JUVENTUD REBELDE:** En las palabras de su fundador Fidel Castro es "…un periódico destinado fundamentalmente a la juventud, con cosas que le interesan a la juventud…" Este diario fue fundado en 1965 y está auspiciado por la Unión de Jóvenes Comunistas.

Hay periódicos muy leídos por la comunidad cubana de Miami, Florida, como "La Nueva Cuba" y "El Nuevo Herald".

—Juan Molinero, *Blogviaslado*, 2012

**COMPARACIONES:** ¿Hay una tendencia o un punto de vista político en particular que se note en las páginas de opinión de los periódicos o de otros medios de comunicación de tu comunidad? Explica cuáles son.

# Correos Electrónicos

Este mensaje electrónico es de Catalina Salazar, representante de Sondeotros, una empresa de investigaciones sociales. Has recibido este mensaje porque escribiste un editorial en el periódico de tu colegio sobre la importancia de los padres en el desarrollo de la ética de responsabilidad en sus hijos.

**De:** Catalina Salazar

**Asunto:** Los quehaceres y la ética laboral

Primero, nos gustaría saludarle y desearle un exitoso año escolar. Nos impresionó la comprensión con la cual describió la importancia de los padres en guiar la formación de sus hijos. Nos gustaría saber qué opina Ud. de cómo una familia, adultos e hijos, deben tomar decisiones sobre el reparto de los quehaceres de casa. ¿Podría contarnos una anécdota que muestre bien lo mejor o lo peor de esta típica situación familiar? Creemos que es importante comentar el papel que los hijos juegan a la hora de poner en marcha la realización de los deberes diarios. Finalmente, comente la lección social que los hijos aprenden de este entrenamiento.

Gracias por su atención a nuestra petición. Esperamos incluir sus comentarios en un libro sobre la sabiduría de la juventud en la actualidad. Quedamos a la espera de su valioso aporte.

Atentamente,
Catalina Salazar
Sondeotros

# Ensayo

**Tema del ensayo:**

*¿Se debe casar uno relativamente joven o más tarde en la vida?*

**FUENTE NÚMERO 1** **Este texto, "Matrimonios jóvenes", trata de lo que una pareja debe considerar antes de contraer matrimonio. El artículo original fue escrito y publicado en Internet mexicana por Club Planeta: Amor/matrimonios.**

Dicen que para el amor no hay edad, pero pensar en matrimonio cuando se es muy joven es otra cosa; es algo serio que debe tomarse con calma. Un matrimonio es diferente al noviazgo en que no acepta un "sí" como
5 un impulso o como una alternativa ante determinadas circunstancias.

Aunque en nuestro país la edad legal para casarse es de 14 para ellas y 16 para ellos, no significa que se encuentren en una etapa en la que se puedan tomar ese
10 tipo de decisiones, pues aún son personas que continúan desarrollándose física y mentalmente como para tener que enfrentarse a las circunstancias propias del casamiento.

Cuando los jóvenes somos muy impulsivos, nos dejamos llevar por lo que sentimos en el momento y no nos detenemos a pensar cómo será el después; llegamos 15 al matrimonio y nos enfrentamos a una realidad distinta de lo que habíamos imaginado.

Otra razón del por qué las personas deciden casarse cuando son muy jóvenes es por un embarazo no planeado, así que tienden a cubrir un error con otro. 20

Como una salida fácil ante los problemas familiares es otra de las causas del por qué los chicos se apresuran a casarse. Desde luego que el matrimonio los alejará de algunas situaciones que no les agradan de su familia, pero es seguro que se enfrentarán a otras de las que no 25 podrán escapar, pues ahora tendrán que hacerse cargo de un hogar y una pareja.

La pareja quiere vivir junta y por otro lado los padres no están de acuerdo en la unión libre, así que la única solución que encuentran es casarse. 30

Casarse es algo que debemos decidir libremente y no orillados o presionados por alguna circunstancia.

Si creen que es tiempo de pasar a otro nivel en la
relación, lo mejor es que visiten a un especialista
35   en terapia familiar y de pareja o a un consejero
matrimonial para que les oriente acerca de cómo llevar
un matrimonio, cómo prepararse para tener hijos y
cómo deberán educarlos.

Deben conseguir un trabajo en el caso de que no se
40   tenga o de lo contrario buscar la manera de aumentar
los ingresos, ya que con lo que se ganaba antes
alcanzaba muy bien para sus gastos personales, pero
ahora serán dos.

Como no sólo de amor vive una pareja, tendrán que
45   planear dónde vivir, contemplar gastos de renta,
alimentación y servicios básicos de una casa.

Muchas parejas jóvenes se olvidan de la escuela cuando
se casan. Los gastos y el tiempo que implica el estudio
interfieren con las responsabilidades matrimoniales.

50   Tendrán que organizarse para tener el hogar en buenas
condiciones, por lo que deberán trabajar en conjunto
para su mantenimiento.

Hablar de los hábitos y costumbres de cada uno es otro
punto más a tratar antes de casarse, lo mismo con los
55   defectos para saber si están dispuestos a tolerarlos y
finalmente llegar a un acuerdo que les convenga a los dos.

**FUENTE NÚMERO 2** Estas tablas tratan de la
nupcialidad y la natalidad en España. Cubren los años
2001 y 2011 y se centran en mujeres entre los 25 y 40
años de edad. Estas estadísticas vienen del Instituto
Nacional de Estadística de España en 2012.

Gráfico 1: **Tasas** de Nupcialidad según edad para los años 2001
y 2011

| EDAD | AÑO 2011 | AÑO 2001 |
|---|---|---|
| 25 años | 21,08 | 54,29 |
| 26 años | 26,75 | 61,72 |
| 27 años | 31,39 | 64,26 |
| 28 años | 34,30 | 58,60 |
| 29 años | 34,74 | 50,65 |
| 30 años | 35,02 | 39,98 |
| 31 años | 31,28 | 30,60 |
| 32 años | 27,60 | 23,18 |
| 33 años | 23,79 | 18,16 |
| 34 años | 20,57 | 14,33 |
| 35 años | 17,39 | 11,30 |

| 36 años | 14,65 | 9,14 |
|---|---|---|
| 37 años | 12,46 | 7,45 |
| 38 años | 10,65 | 6,19 |
| 39 años | 9,31 | 4,93 |
| 40 años | 8,25 | 4,48 |

Fuente: Instituto Nacional de Estadística 2012
Unidades: Casados por cada 1.000 habitantes de España

Gráfico 2: **Número de nacimientos según edad de la madre
para los años 2001 y 2011**

| EDAD | 2011 | 2001 |
|---|---|---|
| 25 años | 12.067 | 14.306 |
| 26 años | 14.558 | 17.662 |
| 27 años | 17.350 | 21.739 |
| 28 años | 21.550 | 26.374 |
| 29 años | 26.633 | 30.561 |
| 30 años | 30.639 | 33.367 |
| 31 años | 34.806 | 33.682 |
| 32 años | 37.101 | 32.475 |
| 33 años | 38.292 | 30.972 |
| 34 años | 37.679 | 27.139 |
| 35 años | 35.128 | 23.299 |
| 36 años | 30.430 | 18.709 |
| 37 años | 24.655 | 14.123 |
| 38 años | 19.096 | 10.024 |
| 39 años | 14.600 | 6.929 |
| 40 años | 10.420 | 4.688 |

Fuente: Instituto Nacional de Estadística 2012
Unidades: Por nacimiento

**FUENTE NÚMERO 3** Esta grabación,
"Matrimonio a temprana edad", trata de los retos de
casarse joven en Nicaragua. Un locutor entrevista a
Yahaira, Maylin y Jennifer, tres jóvenes casadas, y al
Dr. Nelson García, un médico psiquiatra. La selección
fue emitida en el programa Abre los Ojos por UNICEF
Nicaragua el 3 de octubre de 2011. La grabación dura
aproximadamente tres minutos.

## Conversaciones

🔊 Esta es una conversación con Mercedes Pardo, una compañera de clase. Vas a participar en esta conversación porque ella necesita tu apoyo.

| Mercedes Pardo | • Te saluda y te pide algo. |
|---|---|
| Tú | • Salúdala y contesta afirmativamente. |
| Mercedes Pardo | • Continúa la conversación. |
| Tú | • Reacciona y ofrece unos consejos. |
| Mercedes Pardo | • Reacciona y continúa la conversación. |
| Tú | • Contesta y explica por qué. |
| Mercedes Pardo | • Reacciona y te hace una pregunta. |
| Tú | • Contesta y proponle una alternativa. |
| Mercedes Pardo | • Reacciona. |
| Tú | • Reacciona y despídete. |

## Discursos

### Tema de la presentación:

*¿Qué efecto ha tenido la mudanza frecuente y fácil en la cohesión de la familia moderna?*

*Compara tus observaciones acerca de las comunidades en las que has vivido con tus observaciones de una región del mundo hispanohablante que te sea familiar. En tu presentación, puedes referirte a lo que has estudiado, vivido, observado, etc.*

Calle Aquilera, Santiago, Cuba

**CLASIFICADOS**

## PÁGINA **220** Lecturas

### ESENCIAL: PARA UNA MEJOR COMPRENSIÓN

**rindiendo (rendir)**—dar, dedicar, someter, vencer
**la soberanía**—autoridad superior

### IMPORTANTE: PARA UNA MEJOR DISCUSIÓN

**recuperar**—volver a tener, adquirir otra vez
**la evocación**—recuerdo, imagen en el pensamiento

### ÚTIL: PARA UNA MEJOR EXPRESIÓN

**en ofrenda a**—en donación a, como regalo a
**bien nacido/a**—se refiere a alguien honorable, que tiene honradez

**Producto:** Explica el uso del apellido paterno y materno en la Argentina.

**Práctica:** Explica lo que propone el Proyecto de Reforma del Código Civil en la Argentina en cuanto a la elección del apellido para los hijos.

**Perspectiva:** ¿Cómo justifican los juristas argentinos la Reforma del Código Civil en cuanto a la elección del apellido para los hijos en la Argentina?

## PÁGINA **221** Ilustraciones con Audio

### ESENCIAL: PARA UNA MEJOR COMPRENSIÓN

**los retos**—objetivos difíciles de realizar, desafíos
**la hipoteca**—contrato que garantiza el pago de un préstamo

### IMPORTANTE: PARA UNA MEJOR DISCUSIÓN

**la tasa**—diferencia entre dos extremos expresada en porcentaje
**el piso**—apartamento

### ÚTIL: PARA UNA MEJOR EXPRESIÓN

**con respecto a**—a lo que se refiere, con referencia a

**Producto:** Describe el abandono escolar entre los jóvenes de España de entre 15 y 18 años.

**Práctica:** ¿Cuál es el efecto social del hecho de que tres de cinco jóvenes españoles abandonan sus estudios?

**Perspectiva:** ¿Por qué abandonan sus estudios?

## PÁGINA **223** Audios

### ESENCIAL: PARA UNA MEJOR COMPRENSIÓN

**los hogares**—donde se vive, casas, viviendas
**sostiene (sostener)**—mantener, apoyar, defender

### IMPORTANTE: PARA UNA MEJOR DISCUSIÓN

**los vínculos**—enlaces, conexiones
**se alían con (aliarse con)**—asociarse para algún fin, unirse

### ÚTIL: PARA UNA MEJOR EXPRESIÓN

**actualmente**—hoy en día, ahora
**personas de la tercera edad**—personas mayores, ancianos

**Producto:** ¿Qué es el Fondo Nacional del Adulto Mayor en Chile?

**Práctica:** ¿Cómo efectúa su misión el Fondo Nacional del Adulto Mayor?

**Perspectiva:** ¿Por qué promulgó el gobierno chileno el Fondo Nacional del Adulto Mayor?

# La ciudadanía global

## Lecturas

FUENTE **Esta selección es un cupón de Médicos Sin Fronteras.**

1. D
2. C
3. B
4. D
5. C

**Invita a tus familiares y amigos a unirse a Médicos Sin Fronteras**

Si conoces a alguien interesado en ser socio o realizar un donativo, entrégale este cupón. Muchas gracias.

**Sí quiero ser socio de MSF Colaborando con:**

○ **10 euros al mes**
Con 10 euros al mes durante un año vacunaremos a 400 niños contra la meningitis

○ _____ **euros al mes**
○ _____ euros al año
○ _____ euros al trimestre
El importe que desees

**En este momento prefiero colaborar con un donativo puntual de:**

○ _____ euros
El importe que desees

**Datos personales**
Imprescindibles para poder enviarte el recibo de tus aportaciones.

NOMBRE
APELLIDOS
SEXO  ○HOMBRE  ○MUJER
FECHA NACIMIENTO
NIF*
PROFESIÓN
TELÉFONO FIJO      MÓVIL
E-MAIL
CALLE
N°    RESTO DIRECCIÓN
C.P.    POBLACIÓN
PROVINCIA    PAÍS

¿EN QUÉ IDIOMA PREFIERES QUE NOS COMUNIQUEMOS CONTIGO?**

○CASTELLANO  ○CATALÁ  ○EUSKARA  ○GALEGO

*(Número de Identificación Fiscal) Imprescindible para deducir el 25% de tus aportaciones en la declaración del IRPF (Impuesto sobre la Renta de las Personas Físicas)
**Atenderemos tus preferencias siempre que sea posible

CF0088 CU167

**FORMA DE PAGO**
Para hacerte socio, sólo domiciliación bancaria.
Para hacer un donativo, al elegir la domiciliación, nos facilitas las tareas administrativas. Muchas gracias.

○ Domiciliación bancaria
Titular cuenta

C.C.C. | | | | | | | | | | | | | | | | | | |
Lo encontrarás en tu libreta o talonario de cheques del Banco o Caja
**No olvides firmar este cupón.**

○ Adjunto un cheque a nombre de Médicos Sin Fronteras
**No olvides rellenar tus datos personales.**

○ Cargo a mi tarjeta
○VISA  ○Otra _____

Tarjeta n° | | | | | | | | | | | | | | |Caducidad | | | |
**No olvides firmar este cupón**

○ Transferencia bancaria a
Banco Santander c.c.c. 0049 / 1806 / 95 / 2811869099
"la Caixa" c.c.c. 2100 / 3063 / 99 / 2200110010
BBVA c.c.c 0182 / 6035 / 49 / 0000748708
Por favor, envíanos el comprobante que te dará el banco

FIRMA      FECHA
Del titular de la cuenta, libreta o tarjeta

La información que voluntariamente nos facilitas será recogida en nuestro fichero, registrado en la Agencia de Protección de Datos con el número 1951780004, para uso administrativo, estadístico y envío de información de MSF. Puedes acceder a tus datos, rectificarlos cancelarlos, dirigiéndote a Médicos Sin Fronteras, C/ Nou de la Rambla 26, 08001 BCN. Tel: 902 250 902. E-mail:sas@msf.es. Si no quieres recibir información de MSF, marca con una X esta casilla: ○

RELLENA Y RECORTA ESTE CUPÓN, HUMEDECE LA PARTE ENGOMADA, Y DEPOSÍTALO EN CUALQUIER BUZÓN DE CORREOS. NO NECESITA SELLO.

1. ¿Cuál es el propósito de este cupón?
   (A) Encontrar médicos que se sumen a Médicos Sin Fronteras
   (B) Informar sobre los servicios de Médicos Sin Fronteras
   (C) Invitar a voluntarios a que trabajen con Médicos Sin Fronteras
   (D) Reclutar donantes para Médicos Sin Fronteras

2. Según el cupón, ¿qué se puede realizar con un donativo de 120€ al año?
   (A) Una curación médica
   (B) Un recibo de donación
   (C) Un mundo mejor
   (D) Una afiliación de un año

3. ¿Cómo se sabe que esta publicidad viene de España?
   (A) Por el uso de palabras como socio y donativo
   (B) Por el uso de palabras como euros y euskara
   (C) Por el uso de palabras como importe y teléfono fijo
   (D) Por el uso de palabras como imprescindible y desees

4. Según el cupón, ¿por qué es necesario escribir los datos personales?
   (A) Para recibir una deducción en el IRPF
   (B) Para hacerse socio de MSF
   (C) Para recibir atención al cliente
   (D) Para confirmar el pago

5. Según el cupón, ¿qué forma de pago apreciaría más MSF?
   (A) Un cheque personal
   (B) Un cargo a tarjeta de crédito
   (C) Un cargo directo a la cuenta bancaria
   (D) Un cargo mensual

## CÁPSULA CULTURAL: MÉDICOS SIN FRONTERAS SUPERANDO BARRERAS

La organización internacional MSF tiene una reputación impecable. Este ganador del Premio Nobel de la Paz en 1999 está libre de cualquier poder económico, religioso o político, cuenta con 5 millones de socios, trabaja en casi 60 países con más de 400 proyectos especiales y lleva más de 40 años desde su fundación en Francia por unos médicos y periodistas conmovidos y angustiados por los desastres humanitarios de la época en África.

Con sede central en Suiza, MSF atiende a poblaciones en países de habla hispana como Argentina, Bolivia, España, México y Honduras. En algunas zonas de Sudamérica realiza proyectos contra el mal de Chagas, una enfermedad parasitaria tropical olvidada y escondida que afecta a más de 8 millones de personas infectadas. Su personal incluye médicos, enfermeros y asistentes. No hay ninguna barrera que los desaliente.

**COMPARACIONES: ¿Cuáles son algunas organizaciones libres de afiliación religiosa, política o económica en tu comunidad y qué fines humanitarios tienen?**

## Lecturas con Audio

**FUENTE NÚMERO 1** **Este texto, "Historia y origen del brindis", trata de varias versiones del origen del brindis. El artículo original se publicó en Protocolo: Protocolo y Etiqueta, el 16 de diciembre de 2011.**

El origen del término **se remonta al** siglo XVI, y tiene como motivo la celebración de una victoria del ejército de Carlos V sobre su oponente. Según relatan los historiadores, el lunes 6 de mayo de 1527, las tropas de

5 Carlos V toman Roma de forma victoriosa y la saquean.

Con motivo de tal victoria, cuenta la historia, que los mandos militares llenaron sus copas de vino, las alzaron al frente y dijeron la frase anteriormente citada: "bring dir's", yo te lo ofrezco. Este hecho, ha dado lugar a la

10 tradición de brindar cuando se celebra algo.

Pero como en todas las historias, hay otras versiones que adelantan mucho más, en el tiempo, los orígenes de los brindis. Estos orígenes lo sitúan en tiempos de los griegos, y tiene que ver con la muestra de confianza

15 que **el anfitrión** ofrecía a sus invitados.

En los grandes banquetes y convites que los más pudientes organizaban para su deleite o en honor de alguien, los criados servían en las copas a todos los invitados y **el anfitrión** alzaba su copa y tomaba **un**

20 **trago**, como señal de que aquella bebida era buena y no tenía veneno alguno. Por aquel entonces, la mejor forma de eliminar a los enemigos era **envenenar** la bebida.

En todo brindis se plantea la cuestión sobre **chocar** o

25 no las copas. Aunque es suficiente con hacer el gesto hacia el resto de los comensales, alzando levemente la copa, hay muchas veces que nos gusta el choque de nuestras copas con la de los vecinos de mesa. Lo más correcto es no hacerlo. Pero **chocar** las copas también

30 tiene su origen.

Uno de los más avalados por la historia, es que el choque de las copas tenía la función de "salpicar" y mezclar el contenido de ambas copas, sobre todo entre los monarcas y los nobles, que utilizaban estos métodos

35 para eliminar rivales, para demostrar que no se ofrecía ningún tipo de bebida **envenenada**. Así, si cualquiera de ambas bebidas contenía veneno, este quedaría repartido en ambas copas. Como vemos, **entra** de nuevo **en juego** una cuestión de confianza y muestra de

40 amistad en el rito de **chocar** las copas.

Otra de las versiones, indica como origen las sociedades romana y griega, donde eran habituales los grandes banquetes y fiestas. Era tal la magnitud de aquellas

fiestas, que los comensales solían levantar y golpear sus copas para llamar la atención de los sirvientes y para que les sirvieran de nuevo más bebida. Esta costumbre 45 pasó al brindis, con que se golpeaban las copas para llamar la atención del resto de comensales para hacer el brindis. Es costumbre también a la hora de brindar decir alguna palabra o expresión como salud, *cheers,* 50 *prost, saúde, salute, santé,* etc.

**FUENTE NÚMERO 2** **Esta grabación, "Fiesta familiar" trata de la historia del brindis y su importancia en las fiestas familiares. Es una producción de Radialistas Apasionadas y Apasionados del 26 de mayo de 2005. La grabación dura aproximadamente 3 minutos.**

1. ¿Cuál es el propósito del artículo?
   - (A) Divertirnos
   - (B) Animarnos
   - (C) Maravillarnos
   - (D) Instruirnos

2. Según el artículo, ¿cuál es el origen más antiguo del término "brindis"?
   - (A) Data de los griegos.
   - (B) Data de los romanos.
   - (C) Data del siglo XVI.
   - (D) No se sabe con certeza.

3. Según el artículo, ¿qué rito se suele practicar en el brindis aunque va en contra de la etiqueta?
   - (A) Salpicar el vino
   - (B) Chocar las copas
   - (C) Decir "salud"
   - (D) Alzar la copa

4. Según el artículo, ¿qué indica el choque de copas?
   - (A) La diversión general en las fiestas
   - (B) La durabilidad de las copas
   - (C) La importancia de los rituales
   - (D) La confianza entre el anfitrión y sus comensales

5. En el audio, ¿por qué se menciona la celebración de la quinceañera?
   - (A) Para resaltar la universalidad del brindis
   - (B) Para indicar la importancia del decimoquinto cumpleaños
   - (C) Para compararla con el cumpleaños de la abuela
   - (D) Para promover más el uso del brindis

**6.** Según el audio, ¿quién generalmente ofrece el brindis?

    (A) La persona más aburrida

    (B) La persona mayor

    (C) La persona más extrovertida

    (D) La persona más importante

**7.** Según el audio, ¿cuál es el motivo original de decir la palabra "salud" en los brindis?

    (A) Mostrar el deseo de ser envenenado

    (B) Indicar que la buena salud es más importante que la felicidad

    (C) Garantizar la buena salud de los invitados

    (D) Contradecir las intenciones malévolas de los anfitriones

**8.** En el audio, ¿por qué dice la locutora que "una fiesta no se consideraba completa sin ellos"?

    (A) Para hacer hincapié en los orígenes del brindis

    (B) Para comprobar la popularidad del brindis

    (C) Para compartir unos brindis distintos

    (D) Para indicar lo divertido que es el brindis

**9.** ¿Qué tienen en común las dos fuentes?

    (A) Cuentan los orígenes del brindis.

    (B) Afirman la importancia popular del brindis.

    (C) Resaltan lo que ocurre cuando se ofrece el brindis.

    (D) Presentan distintos tipos de brindis.

**10.** ¿Cuál es la diferencia de las tácticas de comunicación entre las dos fuentes?

    (A) El audio combina narración y drama; el artículo, no.

    (B) El artículo mezcla hecho y ficción; el audio, no.

    (C) El audio es ligero y frívolo; el artículo, no.

    (D) El artículo es filosófico y pesado; el audio, no.

## CÁPSULA CULTURAL: ¿QUÉ HAY EN UN NÚMERO? CARLOS V Y CARLOS I ERA EL MISMO MONARCA

¿Quién sería este hombre Carlos de Austria, del linaje de los Habsburgo? Era nieto de Isabel y Fernando e hijo de Juana La Loca, y Felipe El Hermoso, todos monarcas de España. Además, era nieto de Maximiliano I, Emperador de Austria. Por eso, cuando se le coronó rey de España en 1516 se le declaró Carlos I. Luego, cuando subió al trono del Sacro Imperio Romano Germánico en 1520 recibió el título de Carlos V. En su época fue el monarca más poderoso de Europa durante la primera mitad del siglo XVI, el renacimiento español, porque rigió la mayor parte de Europa y del Nuevo Mundo. Luchó muchas guerras principalmente en nombre de preservar la hegemonía del catolicismo en el mundo. Abdicó su corona a favor de su hijo Felipe II y se retiró al Monasterio de Yuste. Carlos I de España y Carlos V Emperador del Sacro Imperio Romano murió en 1588.

**COMPARACIONES: Describe el papel público que juegan los monarcas en la era moderna.**

Carlos I de España y Carlos V del Sacro Imperio Romano Germánico

## Audios

🔊 **FUENTE** Esta grabación, "Puerto Pinasco, el pueblo donde nació La Amistad", trata del papel que ha tenido un pueblo de Paraguay en fundar el Día Internacional de la Amistad. Andrea Machain del Centro de Información de la ONU en Asunción entrevista a varios paraguayos, incluso al Presidente del país Fernando Lugo, sobre el Día Internacional de la Amistad. La selección fue producida por Radio Naciones Unidas el 29 de agosto de 2011. La grabación dura aproximadamente tres minutos.

1. ¿Cuál es el propósito de la entrevista?

   (A) Anunciar la promulgación del Día Internacional de la Amistad

   (B) Destacar el papel que han tenido los paraguayos en establecer el Día Internacional de la Amistad

   (C) Entrevistar al presidente de Paraguay sobre el Día Internacional de la Amistad

   (D) Contar la historia de la concepción del Día Internacional de la Amistad

2. Según el audio, ¿cuál de las siguientes afirmaciones describe mejor el pueblo Puerto Pinasco?

   (A) Es un pueblo soñoliento de las afueras de Asunción.

   (B) Es un pueblo pequeño ubicado cerca del Río Paraguay.

   (C) Es un pueblo de almas independientes y orgullosas.

   (D) Es un pueblo religioso y alegre muy lejos de Asunción.

3. Según la entrevista, ¿qué ha producido la aprobación del Día Internacional de la Amistad en los paraguayos?

   (A) Un gran interés turístico

   (B) Un gran prestigio mundial

   (C) Un gran afecto internacional

   (D) Un gran sentido de confianza nacional

4. Según el audio, ¿qué tipo de celebración es el Día Internacional de la Amistad en Puerto Pinasco?

   (A) Es un día de fiestas y siestas.

   (B) Es un día político y religioso.

   (C) Es un día para los niños.

   (D) Es un día folclórico e histórico.

5. Según el Presidente Fernando Lugo, ¿por qué es apropiado que Paraguay sea el país de la amistad?

   (A) Porque Paraguay es un país que no abandona sus valores

   (B) Porque los paraguayos son simpáticos

   (C) Porque Paraguay es un país que no se olvida de sus recuerdos

   (D) Porque los paraguayos apoyan a todos

La Basílica de Caacupé

## CÁPSULA CULTURAL:
### LA VIRGEN DE CAACUPÉ

Puesto que el audio menciona la Virgen de Caacupé, me toca contarles su historia. Es la Santa Patrona de Paraguay. Por esto, hay muchas celebraciones alrededor del 8 de diciembre en su nombre. Unos 5 millones de peregrinos visitan la Basílica dedicada a la Patrona que se encuentra en la ciudad de Caacupé, que en el idioma indígena guaraní de Paraguay se escribe Ka'akupe. La ciudad se ubica en el suroeste de Paraguay.

La leyenda acerca de la Virgen de Caacupé trata de un talentoso escultor indio, José, que un día en el siglo XVIII se encontró amenazado por unos indios enemigos. La Virgen María se le apareció diciéndole que se escondiera tras un árbol muy grande. José le juró que si salía con vida le esculpiría una bella estatua a la Virgen. Ella lo salvó y José talló dos estatuas con la imagen de la Virgen, la más pequeña se la llevó al pueblo de Caacupé. Es por esto que miles de peregrinos van a Caacupé a venerar a la Patrona y Señora Protectora del país.

**COMPARACIONES:** ¿Cuáles son las expectativas y motivos personales de los que participan en las grandes celebraciones religiosas en tu comunidad?

## Correos Electrónicos

Este mensaje electrónico es de Héctor Condotti, director de Socioportes Caribeños, un programa de apoyo social. Has recibido este mensaje porque escribiste una carta en la que te quejaste del programa.

**De:** Socioportes Caribeños

**Asunto:** Su carta

Querido voluntario/a:

Hemos recibido su carta de la semana pasada comentando el viaje que Ud. y sus amigos hicieron con nuestra compañía a la República Dominicana. Lamentamos que no lo haya disfrutado. Nos parece que Ud. suponía que se trataba de otro tipo de viaje. Como Ud. sabe, nuestra misión es dar socorro a los más necesitados de este mundo y preparamos nuestros viajes de servicio social para realizar lo máximo con lo mínimo. Nunca alojamos a nuestros voluntarios en hoteles de gran lujo, ni siquiera de lujo. Las tiendas de campaña siempre nos han servido bien.

Nunca proveemos comida de cinco tenedores tampoco. Si son de un tenedor de un diente es un día glorioso para nuestros voluntarios. Y el postre siempre ha sido un lujo que servimos a otros. Usted se quejó del transporte también. El único Mercedes Benz que tenemos es un bus de segunda mano y, si sólo tenemos que remolcarlo una vez, es una estadía exitosa.

¿No sabe Ud. aguantar las peripecias que pasan todos los días los necesitados del mundo? Creemos que Ud. debe agradecernos la experiencia que le proveímos. Además, Ud. sólo tuvo que pagar $6.000 por la experiencia de una semana bajo el sol caribeño.

¿Podría comunicarnos algunas ideas para mejorar el programa? Recibimos sólo quejas y nadie nos ofrece una solución. ¿Cuándo será la próxima vez que Ud. colabore con nosotros en el intento de mejorar el Caribe?

Un atento saludo,
Héctor Condotti
Director de Socioportes Caribeños

## Ensayo

**Tema del ensayo:**
*¿Se deben promover programas artísticos para facilitar el desarrollo de la tolerancia entre naciones?*

**FUENTE NÚMERO 1** Este texto, "ONU: ¿Relevante para el mundo?", trata de la Organización de Naciones Unidas dentro de un contexto contemporáneo. El artículo original escrito por Colum Lynch fue publicado el 21 de septiembre de 2010 en el Washington Post y traducido por Analucía Cuéllar para el Reporte Índigo.

El presidente estadounidense, Barack Obama, viajará esta semana a Nueva York a la reunión anual de líderes mundiales para reafirmar su compromiso a "la nueva era del multilateralismo". Sin embargo, llegará cuando las Naciones Unidas, la institución mundial más representativa del multilateralismo, batalla para mantener su relevancia en el escenario global. 5

Desde diplomacia nuclear a negociaciones económicas entre las naciones del Grupo de 20 y conferencias de paz en Medio Oriente, diplomáticos de la ONU han sido relegados frecuentemente a jugadores pequeños este último año. Para una institución que cuenta con 10

muchos capítulos de orgullo, estos son tiempos duros. "Muchos asuntos importantes se juegan fuera de las
15 Naciones Unidas", comenta Bruce Jones director del Centro de Cooperación Internacional de la Universidad de Nueva York. "Aquellos días cuando Estados Unidos y los europeos podían arreglar todo en las Naciones Unidas han terminado, y no hemos visto la emergencia
20 de una nueva plataforma de acción o algún consorcio dentro de la ONU".

Jones apunta que la creciente asertividad de poderes emergentes—particularmente China—ha hecho más difícil llegar a un compromiso mundial. Pero
25 las Naciones Unidas se han debilitado por fracasos y distracciones propias. El director saliente de la oficina en contra de la corrupción dio una patada de despedida al secretario general Ban Ki-moon en julio acusándolo de encaminar a las Naciones Unidas hacia una era de
30 decadencia.

Este año el ambiente es favorable para el Presidente Obama que restituyó fondos estadounidenses para las Naciones Unidas, que acabó con el boicot estadounidense del Consejo de Derechos Humanos y
35 que dio nueva vida a los esfuerzos de desarmamiento nuclear de la ONU. Sin embargo, durante los últimos dos años se han visto menos decisiones tomadas en el Consejo de Seguridad, menos que en cualquier momento desde el fin de la Guerra Fría, de acuerdo
40 a un reportaje de Reporte del Consejo de Seguridad, grupo independiente con fines no lucrativos.

Mientras, Estados Unidos y sus aliados europeos se han opuesto a las plegarias de líderes africanos urgiendo el regreso de las Naciones Unidas a Somalia. También
45 el Consejo preparó un esfuerzo débil para prevenir muertes en masa de ciudadanos en Sri Lanka. Por su parte, Rusia bloqueó cualquier discusión sobre el envío de una misión de paz a Kirguistán para frenar la violencia en contra del grupo étnico de los Uzbecos. La
50 Organización de las Naciones Unidas ha aceptado sus errores en Congo, donde no pudo proveer protección adecuada para las víctimas de violación en masa.

Edward Luck, historiador del Instituto Internacional para la Paz y quien actúa como consejero informal
55 de Ban, comentó que los esfuerzos de la ONU se han complicado por una situación geopolíticamente estratégica muy turbia. "La ONU refleja eso", expresó Luck. "El mundo seguirá confundido mientras la ONU siga confundida".

**FUENTE NÚMERO 2** Este gráfico trata de los Juegos Olímpicos que se celebran cada cuatro años en un lugar distinto. Atletas de los cinco continentes se reúnen para competir en deportes variados. Los juegos atraen a millones y millones de telespectadores.

🔊 **FUENTE NÚMERO 3** Esta grabación, "Orquesta Sinfónica Simón Bolívar de gira por 5 ciudades estadounidenses con Gustavo Dudamel", trata de un programa de música iniciado en Venezuela para jóvenes desamparados. Esta selección fue emitida por la Prensa-Embajada Venezolana en Estado Unidos el 29 de noviembre de 2012. La grabación dura tres minutos.

La Orquesta Juvenil de Venezuela bajo la batuta de Gustavo Dudamel

## Conversaciones

🔊 Esta es una conversación con Manuel Ugarte, un amigo del Club de Jóvenes. Vas a participar en esta conversación porque Manuel quiere platicar contigo.

| Manuel Ugarte | • Te saluda y te pide tu opinión. |
|---|---|
| Tú | • Salúdalo y contesta. |
| Manuel Ugarte | • Reacciona y continúa la conversación. |
| Tú | • Contesta afirmativamente con detalles. |
| Manuel Ugarte | • Continúa la conversación y te pregunta algo. |
| Tú | • Contesta negativamente y explica por qué. |
| Manuel Ugarte | • Reacciona y te pregunta algo. |
| Tú | • Contesta y proponle una alternativa. |
| Manuel Ugarte | • Reacciona y te pregunta algo. |
| Tú | • Contesta con detalles y despídete. |

## Discursos

***Tema de la presentación:***

*¿Qué impacto han tenido en tu comunidad los períodos de problemas económicos a nivel internacional?*

*Compara tus observaciones acerca de las comunidades en las que has vivido con tus observaciones de una región del mundo hispanohablante que te sea familiar. En tu presentación, puedes referirte a lo que has estudiado, vivido, observado, etc.*

Protesta contra legislación
laboral en Valladolid, España
el 19 de febrero de 2012

## CLASIFICADOS

**PÁGINA 228** Lecturas

### ESENCIAL: PARA UNA MEJOR COMPRENSIÓN

**un donativo**—entrega de dinero con fines benéficos, caritativos, humanitarios

**vacunaremos (vacunar)**—inocular, inmunizar

**las aportaciones**—contribuciones, aporte

### IMPORTANTE: PARA UNA MEJOR DISCUSIÓN

**realizar**—llevar a cabo, efectuar, hacer

**un socio**—colega, compañero

**imprescindibles**—necesarios

### ÚTIL: PARA UNA MEJOR EXPRESIÓN

**la domiciliación bancaria**—autorización de un pago o de un cobro con cargo a una cuenta de banco

**Producto:** ¿Cuál es la misión de Arquitectos Sin Fronteras?

**Práctica:** ¿Cómo ha mejorado las condiciones de vida en varios países latinoamericanos Arquitectos Sin Fronteras?

**Perspectiva:** Explica el lema de Arquitectos Sin Fronteras: Por un desarrollo humano y sostenible.

**PÁGINA 229** Lecturas con Audio

### ESENCIAL: PARA UNA MEJOR COMPRENSIÓN

**se remonta a (remontarse a)**—datar de, originarse en

**un trago**—porción de una bebida que se toma, bebida, bebida alcohólica

**envenenar**—contaminar con algo que puede hacerle daño a alguien, un producto químico o algo natural que puede producir la muerte

### IMPORTANTE: PARA UNA MEJOR DISCUSIÓN

**el anfitrión**—el que tiene invitados en su casa, dueño de casa que da la fiesta

**chocar**—colisionar, puede causar un accidente

### ÚTIL: PARA UNA MEJOR EXPRESIÓN

**entra en juego (entrar en juego)**—poner en acción, empezar, tomar parte en algo

**Producto:** ¿Qué es la práctica de las arras?

**Práctica:** Explica la práctica de las arras.

**Perspectiva:** ¿Qué simbolizan las arras en la boda?

**PÁGINA 231** Audios

### ESENCIAL: PARA UNA MEJOR COMPRENSIÓN

**surgió (surgir)**—aparecer, presentarse, manifestarse

**las campanas**—instrumento metálico que frecuentemente se encuentra en las alturas de una iglesia y que emite un sonido

### IMPORTANTE: PARA UNA MEJOR DISCUSIÓN

**un acontecimiento**—suceso, evento

**la cuna**—camita para un bebé

### ÚTIL: PARA UNA MEJOR EXPRESIÓN

**dio (dar) origen a**—comenzar, poner en marcha

**acude (acudir) a**—ir o asistir con frecuencia a

**Producto:** ¿Qué es "La Cruzada Mundial de la Amistad"?

**Práctica:** Explica la tradición del amigo invisible en Paraguay.

**Perspectiva:** Según el Dr. Ramón Artemio Bracho, ¿qué importancia tiene la amistad?

# La geografía humana

## Lecturas

**FUENTE** En esta selección abreviada de la introducción de la novela <u>Cuando era puertorriqueña,</u> su autora Esmeralda Santiago trata sobre su experiencia de pertenecer a dos culturas. La novela fue publicada en 1993, primero en inglés, por Random House Publishing en los Estados Unidos y fue traducida al español en 1994.

El título de este libro está en el tiempo pasado: cuando era puertorriqueña. No quiere decir que **he dejado de** serlo, sino que el libro describe esa etapa de mi vida definida por la cultura del campo puertorriqueño.
5 Cuando "brincamos el charco" para llegar a los Estados Unidos, cambié. **Dejé de** ser, superficialmente, una jíbara puertorriqueña para convertirme en una híbrida entre un mundo y otro: una puertorriqueña que vive en los Estados Unidos, habla inglés casi todo el día, **se desenvuelve en** la
10 cultura norteamericana día y noche.

Aquí se me considera Latina o Hispana, con letras mayúsculas. No sé, en realidad, qué quiere decir ser eso. Me identifico así cuando me es necesario: cuando tengo que llenar formularios que no dan otra
15 alternativa, o cuando tengo que apoyar a nuestros líderes en sus esfuerzos para adelantar nuestra situación económica y social en los Estados Unidos. Pero, sí, sé lo que quiere decir, para mí, el ser puertorriqueña. Mi puertorriqueñidad incluye mi vida norteamericana,
20 mi espanglés, el sofrito que sazona mi arroz con gandules, la salsa de tomate y la salsa del Gran Combo. Una cultura ha enriquecido a la otra, y **ambas** me han enriquecido a mí.

Pero muchas veces siento el dolor de haber dejado a
25 mi islita, mi gente, mi idioma. Y a veces ese dolor se convierte en **rabia**, en **resentimiento**, porque yo no seleccioné venir a los Estados Unidos. A mí me trajeron. Pero esa **rabia** infantil es la que alimenta a mis cuentos. La que me hace enfrentar a una página vacía y llenarla
30 de palabras que tratan de entender y explicarle a otros lo que es vivir en dos mundos, uno norteamericano y otro puertorriqueño. Es esa **rabia** la que se engancha a mi alma y guía mis dedos y enseña sus garras entre las sonrisas y las risas que en inglés son tan específicas
35 y en español en dos palabras que necesitan ayuda para expresar, a veces, no el placer, sino el dolor detrás de ellas. Sonrisa dolorida. Risa ahogada. Palabras entre dientes. Y es esa **rabia** la que me ha hecho posible el perdonar quién soy. Cuando niña yo quise ser una
40 jíbara, y cuando adolescente quise ser norteamericana. Ya mujer, soy las dos cosas, una jíbara norteamericana, y llevo mi **mancha** de plátano con orgullo y dignidad.

1. ¿Cuál hubiera sido otro título del libro si la autora hubiera "dejado de serlo" definitivamente (Línea 2)?
   (A) "Cuando sea puertorriqueña"
   (B) "Cuando fui puertorriqueña"
   (C) "Cuando fuera puertorriqueña"
   (D) "Cuando sería puertorriqueña"

2. Según la autora, ¿qué tuvo que hacer para llegar a los Estados Unidos?
   (A) Tuvo que dejar a su familia.
   (B) Tuvo que renunciar a sus orígenes.
   (C) Tuvo que cruzar el Caribe.
   (D) Tuvo que convertirse en camaleón cultural.

3. ¿Por qué confunden a la autora las palabras "Latina" e "Hispana" (Línea 11)?
   (A) Porque en español no se usan mayúsculas para estas palabras
   (B) Porque en Puerto Rico es normal ser hispana o latina
   (C) Porque en los Estados Unidos no hay muchas hispanas ni latinas
   (D) Porque para la autora los términos no tienen sentido personal

4. ¿Cuándo se identifica la autora como hispana o latina?
   (A) Cuando tiene algo que ganar
   (B) Cuando está en Puerto Rico
   (C) Cuando se siente orgullosa de ser puertorriqueña
   (D) Cuando extraña a su islita de origen

5. Para la autora, ¿qué es ser puertorriqueña?
   (A) Es apoyar a los políticos.
   (B) Es identificarse hispana.
   (C) Es vivir en dos culturas.
   (D) Es enriquecer la cultura norteamericana.

6. ¿A qué guarda rencor la autora?
   (A) Al hecho de que otros la llevaron a los Estados Unidos
   (B) Al hecho de que ha tenido que convertirse en norteamericana
   (C) Al hecho de que su puertorriqueñidad es impura
   (D) Al hecho de que ha pasado ratos duros en los Estados Unidos

7. ¿Qué recompensa encuentra la autora por su resentimiento y rabia?
   (A) Le dan momentos de gran alegría.
   (B) Le dan un sentido de serenidad.
   (C) Le dan la oportunidad de apreciar otros mundos.
   (D) Le dan la capacidad de ser creativa.

## CÁPSULA CULTURAL: EL JÍBARO Y LA MANCHA DE PLÁTANO

Esmeralda Santiago, la autora de <u>Cuando era puertorriqueña</u>, se considera "jíbara norteamericana" porque de niña quiso ser jíbara. Aunque hay jíbaros en otras partes de América Latina, el término tiene un significado muy especial para los puertorriqueños. Significa "gente del bosque" en el idioma de los taínos, los habitantes precolombinos de la isla. Aunque tenga una connotación despectiva es una palabra de orgullo también porque se refiere al campesino puertorriqueño quizá no muy bien educado pero astuto, generoso, honorable y valiente y a la vez terco e independiente.

Borinquén es el nombre para la isla de Puerto Rico en arawaco, la lengua de los taínos. También su idioma da el nombre de boricua a los puertorriqueños cuya familia vive en la isla desde hace muchas generaciones.

El verdadero puertorriqueño con mucho orgullo habla de su mancha de plátano que se refiere a un conjunto de características naturales que identifican al legítimo boricua como su tonada del español, sus gestos y su historia. La mancha de plátano describe las señales o marcas oscuras que se encuentran en la cáscara de un plátano o guineo. También es un vocablo que cariñosamente usan los boricuas para referirse a su solidaridad y autenticidad étnica.

—Juan Molinero, Wikilado, el 3 de enero de 2013

Monumento Nacional al Jíbaro Puertorriqueño en Cayey, obra del escultor Tomás Batista

**COMPARACIONES:** ¿Por qué distintos grupos étnicos usan cariñosamente términos especiales para referirse a sí mismos? ¿Conoces otros términos que se usan en algunos países o comunidades?

## Lecturas con Audio

**FUENTE NÚMERO 1** **Este texto, "Cruzada por los idiomas nativos latinoamericanos", trata de la pérdida de idiomas indígenas. El artículo original se publicó en bolpres.com y fue escrito el 19 de junio de 2009 por Isabel Soto Mayedo, especialista en temas de América Latina y el Caribe.**

La Habana (PL).- La pérdida de múltiples idiomas autóctonos latinoamericanos es una de las peores secuelas legadas por el proceso de conquista y colonización desatado desde el siglo XVI y su

5 reforzamiento está en ascenso con el avance de la globalización neoliberal. **Meta** para muchos aventureros y religiosos, llegados entonces al identificado como Nuevo Mundo o las Indias Occidentales, fue extinguir las lenguas nativas y aunque por suerte, no siempre lo lograron,

10 transcurridas varias centurias el peligro cobró vigor.

La reconstrucción de la identidad latinoamericana, tarea a la que están abocadas todas las fuerzas interesadas en transformar de manera radical los destinos de estas naciones, obliga a una mirada retrospectiva al arte

15 gramatical de los primeros pobladores del continente. También, a la reconstrucción de la trayectoria de sus maneras idiomáticas, intento en el cual son pioneros los investigadores cuyos estudios quedaron reflejados en el

libro Paradigmas de la palabra: gramáticas indígenas de los siglos XVI, XVII y XVIII. Escrituras silábicas y glifos

20 ideográficos tallados, pintados o desarrollados con rodillos y sellos en cerámica, piedra, barro, tela, tiras de piel de venado, cortezas de árboles u otros, testimonian la riqueza cultural de las comunidades originarias. Entre ellos **destacan** los amolixes o códices, que datan

25 del siglo XII y prueban la grandeza de la cosmovisión, leyendas, batallas, principales personajes, discursos, e historia en general de algunas de ellas.

Bajo el influjo de la globalización iniciada con la conquista de estos territorios por parte de los europeos

30 y reforzada **a partir de** la internacionalización de los procesos productivos, comerciales, tecnológicos y de todo tipo, a finales del siglo XX, son mayores los desafíos en **el rescate** de estos idiomas. Pese a los daños sociales y culturales iniciados con la conquista, la

35 diversidad lingüística del continente americano todavía hoy representa una "sinfonía maravillosa", al decir del historiador mexicano Miguel León-Portilla. Cada uno de estos idiomas originarios constituyen el "inventario de las culturas" y cada una de ellas son el "parto" de un

40 pensamiento diferente, pues con fonética, gramática y sintaxis particulares dan cauce y orden a una visión del mundo.

Desde el siglo XVI desaparecieron numerosas lenguas
45 americanas, pero la tendencia arreció de forma
alarmante en la vigésima centuria. Especialistas
**coinciden en** que no hay país de la zona donde no haya
lenguas indígenas **amenazadas**. Los investigadores de
la UNESCO **coinciden en** que de los seis mil idiomas
50 existentes en el mundo, más de 200 se extinguieron
en el curso de las tres últimas generaciones, 538 están
en situación crítica, 502 seriamente en peligro, 632 en
peligro y 607 en situación vulnerable.

"La desaparición de una lengua conduce a la
55 desaparición de varias formas de patrimonio cultural
inmaterial y, en particular, del legado invaluable de las
tradiciones y expresiones orales de la comunidad que
la habla", expresó el Director General de la UNESCO,
Koichiro Matsura.

60 Poemas y chistes, proverbios y leyendas, mueren
para futuras generaciones **en medio de** ese proceso,
que atenta al mismo tiempo contra la biodiversidad,
porque las lenguas vehiculan numerosos conocimientos
tradicionales sobre la naturaleza y el universo.

🔊 FUENTE NÚMERO 2 **Esta grabación, adaptada
de "Lingüicidio", trata sobre la desaparición de
lenguas autóctonas. Es una producción de Radialistas
Apasionadas y Apasionados. Un locutor y una
locutora discuten este fenómeno. Este audio fue
emitido el 18 de febrero de 2008. La grabación dura
aproximadamente tres minutos.**

1. ¿A qué público se dirige el texto impreso?
   (A) A los bien educados
   (B) A los políticos latinoamericanos
   (C) Al pueblo autóctono
   (D) A los especialistas en la lingüística latinoamericana

2. Según el artículo impreso, ¿qué acontecimiento
histórico inició la desaparición de los idiomas
autóctonos?
   (A) El dominio del castellano en las Américas
   (B) La colonización de las Américas por los europeos
   (C) El colapso de las civilizaciones precolombinas
   (D) La globalización neoliberal

3. Según el artículo impreso, ¿qué ha caracterizado a los
idiomas indígenas frente a la conquista europea?
   (A) Su fuerza en superar el dominio europeo
   (B) Su suerte en sobrevivir los ataques culturales de los
extranjeros
   (C) Su astucia en adaptar el idioma español
   (D) Su capacidad en integrarse a un idioma impuesto

4. ¿Qué significa "el parto de un pensamiento diferente"
(línea 40)?
   (A) El total de los productos y prácticas de una cultura
   (B) El génesis de la formación única de una cultura
   (C) La diversidad racial de la identidad esencial de una
cultura
   (D) El rol lingüístico de la vida intelectual de una cultura

5. ¿Cuál es el propósito del audio?
   (A) Definir lo que es una lengua legítima
   (B) Corregir unas confusiones sobre el español en
Suramérica
   (C) Abogar por la apreciación de los indígenas
   (D) Llamar la atención sobre la importancia cultural de
los idiomas

6. Según el audio, ¿por qué América Latina no es
homogénea lingüísticamente?
   (A) Por la cantidad de idiomas y el número de personas
que los hablan
   (B) Por su gran variedad de geografía y climas
   (C) Por el dominio de dos lenguas, el español y el
portugués, en la actualidad
   (D) Por la decisión de los conquistadores españoles de
permitir muchas lenguas

7. En el audio, ¿a qué se denomina el "lingüicidio"?
   (A) Al hecho de que a los jóvenes no les interesa
preservar su idioma ancestral
   (B) Al hecho de que ya no se pasan los idiomas
indígenas de una generación a otra
   (C) Al hecho de que a los padres no les gusta hablar el
idioma de sus abuelos
   (D) Al hecho de que el mundo moderno sólo respeta
unas cuantas lenguas dominantes

8. Según el audio, ¿cuándo es posible que desaparezca un
50% de los idiomas?
   (A) Dentro de sólo una década
   (B) Dentro de sólo una generación
   (C) Dentro de sólo un milenio
   (D) Dentro de sólo nuestra vida

9. ¿Cuál es la diferencia en el lenguaje de las dos fuentes?
   (A) El de la fuente impresa es más erudito.
   (B) El de la fuente impresa es más lógico.
   (C) El de la fuente auditiva es más pragmático.
   (D) El de la fuente auditiva es más sardónico.

10. ¿Cuál de las siguientes afirmaciones describe mejor las
dos fuentes?
   (A) El audio refuerza el propósito exhortativo de la
fuente escrita.
   (B) El audio propone una solución que no tiene la
fuente escrita.
   (C) La fuente escrita intenta lograr el mismo tono
intelectual que el audio.
   (D) La fuente escrita expresa la misma actitud fatalista
que el audio.

## CÁPSULA CULTURAL: LOS CÓDICES PREHISPÁNICOS

Se denomina códices a varios manuscritos pictográficos escritos en forma de glifos por escribas mesoamericanos desde tiempos remotos antes de la llegada de los españoles a sus tierras. Cuando llegaron los conquistadores españoles ya había muchos códices pero lamentablemente se hicieron quemar por considerarlos herejes y sólo ha sobrevivido un puñado de ellos.

Los antiguos aztecas y mayas documentaron el conocimiento de su civilización en forma de glifos o pictogramas en los códices. Usaron materiales hechos de maguey, amate, piel de venado y tela de algodón para sus "hojas de papel". En ellos explicaron sus ideas sobre la ciencia de la astronomía y la historia política, social y económica de sus gentes. Se encuentran estos códices restantes en varios museos del mundo (París, Madrid, Dresde y México). Estos bellos manuscritos son tan preciados que sólo ven la luz del día raras veces pero se pueden encontrar fotos escaneadas de ellos en Internet.

—Juan Molinero, Blogviaslado, noviembre de 2012

**COMPARACIONES: ¿Qué recursos usas para estudiar y conocer tu cultura? Describe el contenido de algunos de los libros antiguos que preservan la esencia de la cultura de su época.**

Un panal del Códice de Dresde.
Fuente: research/FAMSI.org (La Fundación para el Avance de los Estudios Mesoamericanos)

## Audios

🔊 FUENTE **Esta grabación, "El poblamiento de América", trata sobre la llegada de antiguos pueblos a Las Américas. Un locutor y una locutora narran la historia de las épocas desde 80.000 AC. Esta selección fue preparada y emitida por Artehistoria de la Consejería de Cultura y Turismo de Valladolid, España, el 9 de enero de 2008. La grabación dura un minuto y treinta y cinco segundos.**

1. ¿A qué público está destinado este audio?

   (A) A turistas que visitan Alaska
   (B) A antropólogos que estudian la geografía humana
   (C) A historiadores especialistas en los orígenes lingüísticos
   (D) A investigadores de enfermedades asiáticas

2. Según el audio, ¿de dónde vinieron los primeros inmigrantes a las Américas?

   (A) Del occidente
   (B) Del oriente
   (C) De Oceanía
   (D) Del Polo Norte

3. Según el audio, ¿qué tuvieron que atravesar los primeros pobladores para llegar al continente americano?

   (A) Un estrecho de agua entre Asia y Norte América
   (B) Un pasillo de hielo entre Asia y Norte América
   (C) Un puente de tierra entre Asia y Norte América
   (D) Una placa de hielo entre Asia y Norte América

4. Según el audio, ¿cómo era el avance de los seres humanos primitivos hacia Sudamérica?

   (A) Era rápido y duro.
   (B) Era difícil y al azar.
   (C) Era fortuito y peligroso.
   (D) Era lento e irregular.

5. Según el audio, ¿cómo se ha podido medir el progreso de las gentes hacia América del Sur?

   (A) A través de los restos de antiguos asentamientos
   (B) A través de muestras de ADN encontradas en pobladores contemporáneos
   (C) A través de huellas fosilizadas en las orillas del mar
   (D) A través de historias orales contadas por gente indígena

**6.** Según el audio, ¿qué otras teorías hay sobre las rutas para llegar a las Américas?

(A) Que varios grupos llegaron desde el Océano Atlántico Sur

(B) Que varios grupos llegaron navegando desde el Océano Pacífico Sur

(C) Que varios grupos llegaron atravesando el Polo Norte

(D) Que varios grupos llegaron viajando desde África

**7.** En un informe que estás preparando sobre el mismo tema que el audio, debes citar una fuente sobre la influencia de las Glaciaciones en la creación de rutas a las Américas. ¿Qué obra sería la más apropiada?

(A) Historia genética de los indígenas de América

(B) Mujeres de las Palmas

(C) Contactos transoceánicos precolombinos

(D) Huellas de los primeros americanos

**8.** Al terminar de escuchar el audio, ¿cuál de las siguientes preguntas sería la más apropiada?

(A) ¿Cómo se sabe que el poblamiento de América comenzó hace entre 60 y 40 mil años?

(B) ¿Por qué viajaron los primeros pobladores durante la última glaciación?

(C) ¿Cómo se llamaban los primeros pobladores de las Américas?

(D) ¿En qué tipo de botes llegaron las oleadas de pobladores?

## CÁPSULA CULTURAL: LOS MOÁIS TE ESPERAN EN RAPA NUI

"Tu roca religiosa fue cortada hacia todas las líneas del Océano" –Pablo Neruda

Considerada la isla más aislada de Suramérica, Rapa Nui es designado "territorio especial" gobernado por Chile. También conocida como la Isla de Pascua, este bello pedazo de tierra es prueba de que polinesios del Pacífico Sur llegaron a la América del Sur antes que los europeos.

Los moáis son enormes estatuas talladas en roca volcánica de la isla. Una teoría propone que las estatuas, de las cuales la más grande pesa ochenta toneladas, representan los antepasados de los polinesios que habitaron la isla entre los siglos XII y XVII. Todavía hay mucha especulación sobre cómo las tallaron, por qué fueron derribadas, cómo las trasladaron y de dónde vinieron los que las construyeron. Estos misterios y los moáis te esperan si quieres viajar a la isla que queda a unos 3.500km del continente.

—Juan Molinero, *Agencia de Viajes Viaslado. ¡Viaja y conócete!*

**COMPARACIONES:** ¿Qué relación tienen las estatuas que se hallan en tu comunidad con su cultura? Explica.

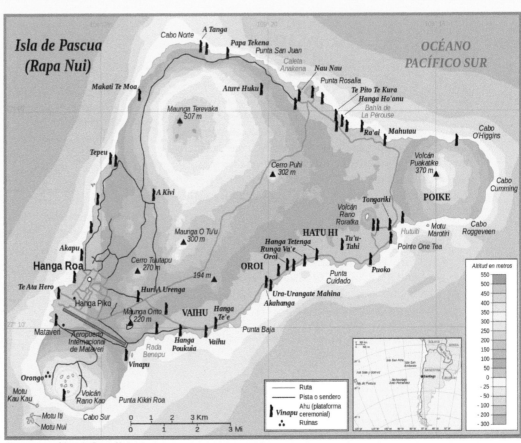

Carta topográfica de Rapa Nui

## Correos Electrónicos

Este mensaje electrónico es del Sr. Augusto Bedel, Director de Cuerpo Laboral. Has recibido este mensaje porque has aceptado representar a tu colegio en la formación de un comité asesor para tu comunidad.

**De:** Augusto Bedel, Director de Cuerpo Laboral

**Asunto:** El Comité Asesor sobre trabajos de verano para jóvenes

Estimado estudiante de conciencia comunitaria:

Quisiera darle la bienvenida a nuestro comité. Como Ud. sabe, se trata de un comité asesor que va a preparar unas recomendaciones para un programa de verano que ofrezca trabajo a jóvenes recién llegados del extranjero a nuestra comunidad. Hay mucho que planear y recomendar. La primera reunión del comité será la semana que viene. ¿Cuál será el día más conveniente para Ud.? Si tuviéramos que reunirnos otro día, explique por qué la primera fecha es inconveniente.

Antes de reunir al comité necesitamos decidir la agenda para nuestro trabajo. Como tenemos que armar un programa de trabajo para jóvenes recién llegados del extranjero, necesitamos su ayuda a la hora de establecer nuestras prioridades. ¿Qué debemos investigar y decidir primero?

Como será nuestra primera reunión, me gustaría presentarle a los demás. ¿Qué quiere Ud. que explique de su interés en la responsabilidad de ofrecer trabajo de verano a los jóvenes recién llegados de otros países?

De antemano le agradecemos su aporte. Para nosotros será un gran gusto trabajar con Ud.

Un cordial saludo,
Augusto Bedel
Director, Cuerpo Laboral

## Ensayo

***Tema del ensayo:***
*¿Se debe considerar la infraestructura del transporte como la clave para el progreso de Latinoamérica?*

FUENTE NÚMERO 1 **Este texto adaptado, "Infraestructura en América Latina y el Caribe: tendencias recientes y retos principales", trata de un estudio hecho por El Instituto del Banco Mundial sobre el desarrollo de la infraestructura en América Latina. El artículo original fue publicado el 31 de agosto de 2005.**

La infraestructura ha mejorado en la mayoría de los países de América Latina y el Caribe (ALC) en la última década, pero una fuerte caída de la inversión en el sector obstaculiza el crecimiento, la reducción de la pobreza y la capacidad de la región de competir con China y otras economías dinámicas de Asia, señala un nuevo informe del Banco Mundial. (5)

Según el informe, el déficit de infraestructura disminuye la productividad y la competitividad de las empresas latinoamericanas y genera una desaceleración del crecimiento económico. Los costos de logística (transporte y almacenamiento) son elevados en ALC, y, en gran medida, esto se debe a una inadecuada infraestructura de transporte. Los costos representan aproximadamente un 10 por ciento del valor del producto en países industrializados, pero en la región varía entre el 15 por ciento en Chile y 34 por ciento en Perú. (10)(15)

Según el estudio, atraer nuevamente al sector privado
20  requerirá de un marco institucional, regulatorio y legal
más sólido, contratos más transparentes y estructuras
financieras innovadoras que hagan que los proyectos
sean menos riesgosos y mejoren el rendimiento de los
inversores. Muchos de los problemas de la intervención
25  del sector privado, incluyendo la renegociación
frecuente de las concesiones, han surgido de arreglos y
controles inadecuados por parte de las instituciones de
gobierno.

"La experiencia reciente en América Latina demuestra
30  que los gobiernos siguen siendo esenciales en cuanto a
la provisión de infraestructura", explicó Mary Morrison,
co-autora de este informe. "El financiamiento público a
veces no sólo es indispensable; el Estado juega un papel
fundamental como socio y supervisor de los operadores
35  privados y como protector de los consumidores".

El estudio presenta una nueva investigación del Banco
Mundial que señala que mejorar la infraestructura de la
región hasta alcanzar el nivel de Corea podría generar
un aumento en el ingreso per cápita anual de 1,4 a
40  1,8 por ciento del PIB, así como una reducción en
la desigualdad del 10 al 20 por ciento. Los pobres se
benefician de la expansión de infraestructura porque
el acceso a agua potable, electricidad y otros servicios
mejora la salud y la calidad de vida y, por otra parte,
45  porque les permite progresar económicamente. El
desarrollo de una infraestructura de caminos, por
ejemplo, significa un mejor acceso a los mercados para
los pequeños agricultores y las comunidades rurales.

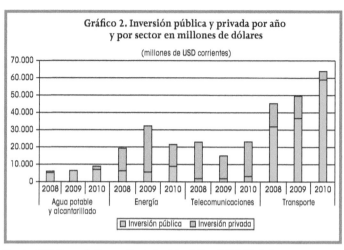

Fuente: CAF, Banco de Desarrollo de América Latina, 2012. "La Infraestructura en el Desarrollo Integral de América Latina"

**FUENTE NÚMERO 3**  **Esta grabación, "Cumbre de las Américas", trata de la Sexta Cumbre de las Américas, que se celebró en Cartagena, Colombia, en abril de 2012. En la entrevista una locutora entrevista a Socorro Ramírez y Ana María Zambrano, dos delegadas a la Cumbre. La selección fue publicada el 15 de marzo de 2012 y es una producción de RTVC de Colombia. La grabación dura aproximadamente tres minutos.**

Calle en obras, Granada, Nicaragua

**FUENTE NÚMERO 2**  **Estos gráficos tratan de la extensión del pavimento y la inversión pública y privada en sectores de la infraestructura en América Latina y el Caribe. Son estadísticas del CAF, Banco de Desarrollo de América Latina 2011 y 2012.**

| Gráfico 1: Indicadores de la red vial de América Latina y el Caribe | |
|---|---|
| Indicador | Promedio América Latina y el Caribe |
| Porcentaje pavimentado (%) | 21,8 |
| Km de carreteras/km² | 0,16 |
| Km de carretera pavimentada/km² | 0,03 |
| Km de carreteras/1,000 habitantes | 5,1 |
| Km de carretera/1,000,000 de PBI | 0,60 |
| Km de carretera/1,000 vehículos | 29,33 |

Fuente: Elaboración propia en base a distintas fuentes: CAF, Banco de Desarrollo de América Latina, 2011

## Conversaciones

🔊 Esta es una conversación con Emilio, un compañero de clase. Vas a participar en esta conversación porque le has dejado el mensaje de que te llame porque quieres invitarle a una cena hondureña.

| | |
|---|---|
| Emilio | • Te saluda y te hace una pregunta. |
| Tú | • Salúdalo, sugiere una hora y da detalles sobre la cena. |
| Emilio | • Continúa la conversación y te hace una pregunta. |
| Tú | • Contesta negativamente y explica por qué. |
| Emilio | • Continúa la conversación y te hace una pregunta. |
| Tú | • Contesta dando detalles. |
| Emilio | • Te contesta y propone una alternativa. |
| Tú | • Contesta afirmativamente y explícale por qué. |
| Emilio | • Reacciona y te hace una pregunta. |
| Tú | • Contesta negativamente y explica por qué y despídete. |

## Discursos

**Tema de la presentación:**

*¿Qué efecto tiene el estatus social a la hora de decidir dónde vivir en tu comunidad?*

*Compara tus observaciones acerca de las comunidades en las que has vivido con tus observaciones de una región del mundo hispanohablante que te sea familiar. En tu presentación, puedes referirte a lo que has estudiado, vivido, observado, etc.*

Estepa, España

**CLASIFICADOS**

**PÁGINA 236** Lecturas

### ESENCIAL: PARA UNA MEJOR COMPRENSIÓN

**el resentimiento**—disgusto causado por falta de consideración, rencor
**la mancha**—señal de algo

### IMPORTANTE: PARA UNA MEJOR DISCUSIÓN

**se desenvuelve (desenvolverse)**—encontrar la manera de comportarse bien, comportarse con soltura y facilidad
**la rabia**—enojo o enfado fuertes

### ÚTIL: PARA UNA MEJOR EXPRESIÓN

**dejé (dejar) de**—terminar de
**ambas/os**—los dos

**Producto:** ¿Quiénes son los chicanos?

**Práctica:** Describe ejemplos de la influencia de los chicanos en las artes de los Estados Unidos.

**Perspectiva:** Explica el concepto de "Aztlán" en los valores y las tradiciones de los chicanos.

**PÁGINA 237** Lecturas con Audio

### ESENCIAL: PARA UNA MEJOR COMPRENSIÓN

**la meta**—fin, objetivo
**el rescate**—salvamento, recuperación
**coinciden (coincidir) en**—estar de acuerdo con alguien, ocurrir al mismo tiempo

### IMPORTANTE: PARA UNA MEJOR DISCUSIÓN

**destacan (destacar)**—enfatizar, poner de relieve, resaltar
**amenazado/a**—presionado/a con miedo
**las jergas**—lengua variada, argot

### ÚTIL: PARA UNA MEJOR EXPRESIÓN

**a partir de**—de ahora en adelante
**en medio de**—entre dos cosas o dos momentos
**apenas**—casi no, por poco no

**Producto:** Encuentra información sobre el idioma quechua.

**Práctica:** ¿Cómo podían los quechuas "escribir" su historia política y social?

**Perspectiva:** ¿Qué nos revela el uso de "evidencialidad" en el quechua sobre la importancia de la verdad y la autenticidad de los eventos?

**PÁGINA 239** Audios

### ESENCIAL: PARA UNA MEJOR COMPRENSIÓN

**las oleadas**—movimiento impetuoso de mucha gente, cantidad grande de personas, de cosas o de sucesos
**los asentamientos**—establecimiento de poblaciones o pueblos

### IMPORTANTE: PARA UNA MEJOR DISCUSIÓN

**provinieron (provenir)**—originarse, venir de
**atravesando (atravesar)**—cruzar

### ÚTIL: PARA UNA MEJOR EXPRESIÓN

**procedentes de**—nativos, originarios, provenientes de

**Producto:** Describe las metas de la arqueología de los pueblos originarios del hemisferio occidental.

**Práctica:** ¿Qué descubrimientos de artefactos han hecho los arqueólogos en los asentamientos de los pueblos originarios en el hemisferio occidental?

**Perspectiva:** ¿Qué teorías sobre los pueblos originarios del hemisferio occidental han desarrollado los arqueólogos debido a los descubrimientos de artefactos?

# Las redes sociales

## Lecturas

**FUENTE NÚMERO 1** Este texto, "Un hospital para la ignorancia", trata de la organización social de los mapuches. El artículo original fue publicado el 13 de noviembre de 2011 en España por el arquitecto Santiago Romero en el blog Escuela Internacional Mapuche.

Un tótem o rewe, símbolo sagrado mapuche, en la Universidad Austral de Chile, en Isla Teja, Valdivia, Chile.

Tradicionalmente, la unidad social en el mundo mapuche se llama lof, que son todas las familias que están agrupadas bajo un mismo tótem o rewe. El rewe representa el espíritu de una fuerza de la naturaleza o
5  animal, que transmite su poder y sabiduría a la familia escogida. Han sobrevivido hasta la actualidad como los apellidos mapuches.

Cada familia estaba regida por **un patriarca**, que tenía bajo su responsabilidad a una o varias mujeres,
10  dependiendo de las que pudiera mantener. Una de ellas era la mujer principal y tenía derecho a volver a casarse al enviudar, **además de** ser su primogénito y el único heredero. **La poligamia** se perdió por la influencia del cristianismo, aunque aún pervive en poblaciones
15  rurales.

Las mujeres son la base de la economía mapuche, pues **además de** ocuparse de las labores de la casa, el cultivo de las tierras y la educación de los hijos, también elaboran variados objetos de artesanía en su tiempo
20  libre, muy valorados en la actualidad. Es por esto que la cantidad de mujeres de un hombre era indicativa de su riqueza. La organización en lofs ha pervivido hasta nuestros días y, en la práctica, es la principal razón por la que la cultura mapuche ha sobrevivido todos los
25  embates de la historia.

Todos **los patriarcas** de un mismo lof **dirimen** sus asuntos en asambleas llamadas kawines, en las que pueden reunirse hasta 200 personas. La decisión más importante es la elección democrática del lonko entre todos **los patriarcas** por sus méritos, fuerza o sabiduría.  30

Excepcionalmente se producían unas asambleas multitudinarias llamadas levos donde se elegía entre todos los lonkos al que sería el toki, el jefe de todos los mapuches en tiempos de guerra, encargado de llevar a los guerreros hacia la victoria contra **las amenazas**  35
exteriores. En los levos se elige también al volguenvoe (jefe religioso) y al ngentoki (jefe en tiempos de paz).

**FUENTE NÚMERO 2** El gráfico trata de la estructura de la sociedad mapuche. El gráfico y el texto fueron publicados en noviembre de 2011 en la red social N-1 por el arquitecto Santiago Romero, en Alicante, España.

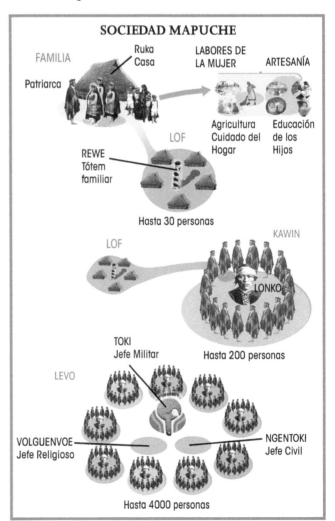

SOCIEDAD MAPUCHE

FAMILIA — Ruka Casa — LABORES DE LA MUJER — ARTESANÍA

Patriarca

Agricultura Cuidado del Hogar — Educación de los Hijos

LOF

REWE Tótem familiar

Hasta 30 personas

LOF — KAWIN — LONKO

TOKI Jefe Militar — Hasta 200 personas

LEVO

VOLGUENVOE Jefe Religioso — NGENTOKI Jefe Civil

Hasta 4000 personas

C B A B D B D C B A C

1. ¿Cuál es el propósito del artículo?

(A) Informar sobre la estructura familiar mapuche
(B) Presentar los hallazgos antropológicos de la sociedad mapuche
(C) Dar una explicación global de la sociedad mapuche
(D) Indagar el desarrollo de la estructura social de los mapuches

2. Según el artículo, ¿qué es un tótem?

(A) Es el jefe supremo de los mapuches.
(B) Es una figura simbólica y protectora.
(C) Es un representante de los apellidos mapuches.
(D) Es el conjunto de familias que compone un lof.

3. Según el artículo, ¿qué rol juega la mujer mapuche actualmente?

(A) Es el miembro de la familia con más responsabilidad económica.
(B) Es el miembro de la familia que cumple las órdenes del patriarca.
(C) Es el miembro de la familia más venerado.
(D) Es el miembro de la familia con más poder.

4. Según el artículo, ¿cómo se medía la riqueza del patriarca mapuche?

(A) Por la cantidad de artesanías que vendía la esposa del patriarca
(B) Por el número de mujeres que mantenía el patriarca
(C) Por el número de hijos varones que tenía el patriarca
(D) Por la extensión de las tierras que poseía el patriarca

5. Según el artículo, ¿a qué se debe la sobrevivencia de la comunidad mapuche?

(A) A la aislación geográfica de los lofs
(B) A la estructura de la familia
(C) A la sabiduría de los lonkos
(D) A la solidaridad comunal

6. Según el artículo, ¿para qué servían las asambleas?

(A) Para resolver disputas y otorgar leyes
(B) Para elegir a los jefes y tomar decisiones sociales
(C) Para preparar a la comunidad para celebraciones comunales
(D) Para proteger a la comunidad contra amenazas exteriores

7. Según el artículo, ¿qué es un lonko?

(A) Es un chamán.
(B) Es un sabio viejo.
(C) Es un patriarca rico.
(D) Es un jefe de jefes.

8. Según el artículo, ¿cuál de las siguientes afirmaciones describe mejor la estructura de la sociedad mapuche?

(A) Se basa en la responsabilidad mutua y comprensiva.
(B) Se basa en la unión de la comunidad y el medio ambiente.
(C) Se basa en la jerarquía y la democracia.
(D) Se basa en el miedo y la amenaza.

9. ¿Cuál es el propósito del gráfico?

(A) Aclarar el poder social de los mapuches
(B) Ilustrar las redes sociales de los mapuches
(C) Mostrar la influencia de los hombres mapuches
(D) Resaltar la eficacia de la sociedad mapuche

10. ¿En qué se basa la organización del gráfico?

(A) En unidades sociales cada vez más numerosas
(B) En ilustraciones cada vez más detalladas
(C) En asambleas cada vez más inclusivas
(D) En imágenes cada vez más ambiguas

11. Al escribir un informe sobre el mismo tema del artículo y del gráfico, ¿cuál de las siguientes publicaciones te serviría apropiadamente?

(A) Derechos de los pueblos indígenas
(B) Mapa de las comunidades mapuches del Neuquén
(C) Pueblos aborígenes chilenos
(D) Historia general de Chile

## CÁPSULA CULTURAL: LA ACTUALIDAD MAPUCHE

Todavía en Chile se oyen los ecos de cacerolas y tambores: el cacerolazo protestando el régimen de Augusto Pinochet en los años 70 y ahora el tamborazo, digamos, protestando las circunstancias de los mapuches en un nuevo milenio. Se estima que hay una población de casi un millón de personas de ascendencia mapuche en Chile y Argentina. Desde las operaciones militares en los dos países en el siglo XIX para ocupar vastos territorios de los mapuches en la Patagonia, los grupos mapuches han intentado recuperar su autonomía reclamando sus territorios ancestrales, estableciendo sus derechos civiles, preservando sus costumbres y su cultura y erradicando la discriminación racial contra ellos. Los censos más recientes de los dos países muestran que un gran número de mapuches viven en la miseria y que los jóvenes están abandonando sus comunidades tradicionales para emigrar a las ciudades. La realidad actual les presenta grandes oportunidades y grandes retos.

—Juan Molinero, Blogviaslado, noviembre de 2012

**COMPARACIONES:** ¿Qué polémicas históricas y sociales persisten hoy en día con respecto a los pueblos originarios de tu país o comunidad?

Lof Mapuche Kuruwinka, Neuquén, Argentina

## Ilustraciones con Audio

C C D A B C B

**FUENTE NÚMERO 1** **Estos gráficos tratan sobre el uso de las redes sociales en América Latina. Las estadísticas fueron recogidas por comScore Networks, una empresa que investiga tendencias de marketing en Internet. Estas cifras vienen de su informe "Estado de las Redes Sociales en América Latina" de junio de 2012.**

Gráfico 1: Destinos de Redes Sociales en América Latina por Visitantes Exclusivos

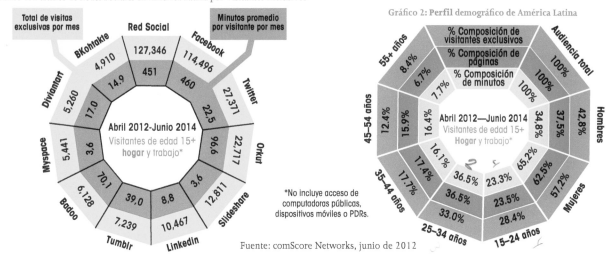

*No incluye acceso de computadoras públicas, dispositivos móviles o PDRs.

Fuente: comScore Networks, junio de 2012

🔊 **FUENTE NÚMERO 2** **Esta grabación, "¡Activagers, la nueva red social para mayores de 40 en español!", trata de una red social para adultos. Una locutora narra las noticias. La selección fue presentada el 6 de mayo de 2009 por Caracol TV, Bogotá, Colombia, y dura aproximadamente un minuto y medio.**

1. ¿Cuál es el propósito de los dos gráficos?
   (A) Informar sobre la diversidad de las redes sociales en América Latina
   (B) Informar sobre la popularidad de las redes sociales en América Latina
   (C) Informar sobre el uso de las redes sociales en América Latina
   (D) Informar sobre cuánto tiempo se malgasta en las redes sociales en América Latina

2. Según el Gráfico Número 1, ¿cuál de las redes sociales tiene un ranking en uso de minutos más alto que su ranking en número de visitantes exclusivos?
   (A) Facebook
   (B) Twitter
   (C) Badoo
   (D) Myspace

3. Según el Gráfico Número 2, ¿cuál de los grupos tiene un ranking en uso de minutos más alto que su ranking en número de visitantes exclusivos?
   (A) Los de entre 15 y 24 años de edad
   (B) Los de entre 25 y 34 años de edad
   (C) Los de entre 35 y 44 años de edad
   (D) Los de entre 45 y 54 años de edad

4. Según el audio, ¿por qué es importante una red social como Activagers?
   (A) Porque en los años después de los 40 se presentan necesidades especiales
   (B) Porque después de los 40 años es difícil encontrar amistades

(C) Porque los más jóvenes de 40 años no hacen caso a los mayores
(D) Porque la década de los 40 es el comienzo de una etapa de madurez y equilibrio

5. Según el audio, ¿por qué es especial la red Activagers?
   (A) Porque es muy popular en América Latina
   (B) Porque dispone de artículos de interés para los mayores de 40 años
   (C) Porque tiene enlaces a otras redes sociales
   (D) Porque pertenece a un grupo sin acceso a redes sociales

6. Después de escuchar estas noticias sobre Activagers, ¿cuál sería una pregunta apropiada para la locutora?
   (A) ¿Es Activagers para adultos mayores de 50 años?
   (B) ¿Es posible ser usuario de Activagers si se tiene menos de 40 años?
   (C) ¿Son los miembros de Activagers de veras muy activos?
   (D) ¿Sigue siendo activa la red Activagers?

7. Si tuvieras que aconsejar a los administradores de Activagers, ¿qué información de los gráficos les darías?
   (A) Que los mayores tienen más interés en otras redes sociales
   (B) Que casi un tercio de los usuarios de redes sociales tiene más de 40 años de edad
   (C) Que los mayores han sido desplazados por las generaciones más jóvenes
   (D) Que hubiera sido mejor montar una red social como Facebook

## CÁPSULA CULTURAL: ¿COINCIDEN ESTAS REDES CON TU PERFIL?

Dada la popularidad creciente del uso de Internet en países iberoamericanos, no sorprende que haya un ascenso en subscripciones a redes sociales. Acá resaltamos dos que han sido fundadas por latinoamericanos para latinoamericanos y españoles. Claro, si piensas en sumarte a ellas, debes investigar su política de privacidad. No las promocionamos.

**Sonico** pertenece a fnbox.com, una empresa online argentina. Está orientada a latinoamericanos y tiene una especialidad en juegos sociales de multijugadores. Además de agregar amigos, se pueden compartir fotos, videos y mensajes instantáneos.

Usuarios registrados (2013): +53 millones

Países con mayor cantidad de usuarios: Brasil, México y Colombia

**Tuenti** es una red social dirigida a los jóvenes de entre 14 y 25 años de edad. Fue fundada en 2006 en España. Además de agregar amigos e intercambiar fotos, videos, mensajes y eventos, proporciona servicios de multichat y videochat. Pertenece a la empresa Movistar y restringe la subscripción a través de la invitación.

Usuarios registrados (2013): +14 millones

Países con mayor cantidad de usuarios: España y recientemente se extiende a los países de Europa y las Américas

—Juan Molinero, Blogviaslado, el 24 de marzo de 2013

**COMPARACIONES: Además de las redes sociales en Internet, ¿cuáles son algunas fuerzas sociales y políticas que ayudan a acabar con barreras culturales?**

## Audios

🔊 FUENTE **Esta grabación, "Las nuevas tecnologías y la familia", trata de la adicción al Internet de los jóvenes. Una locutora entrevista a Sonia Pizcueta, psicóloga, a Josep Martínez, profesor experto en nuevas tecnologías de la Universidad Católica San Antonio de Murcia, España, y a Javier de Pedro, portavoz de la Policía Nacional. La grabación dura aproximadamente tres minutos.**

1. ¿Cuál de las siguientes afirmaciones resume mejor el punto de vista de estas noticias acerca de Internet?
   - (A) El audio condena la Internet por ser dañina en la crianza de los niños.
   - (B) El audio presenta un estudio balanceado sobre el efecto de Internet.
   - (C) El audio pone énfasis en los posibles efectos positivos de Internet.
   - (D) El audio aconseja sobre los peligros de Internet.

2. Según el audio, ¿cuál es un síntoma de la adicción a Internet?
   - (A) La anticipación de no conciliar el sueño
   - (B) La expectativa emotiva al conectarse a Internet
   - (C) La ansiedad de no tener acceso a la computadora o al celular
   - (D) La inseguridad de fracasar en las materias escolares

3. Según el audio, ¿cuándo deben los padres imponer límites en el uso de Internet?
   - (A) Cuando los jóvenes empiezan a llevar el móvil a todas partes
   - (B) Cuando los padres empiezan a quejarse de la conducta de sus hijos
   - (C) Cuando los padres necesitan llevar a sus hijos a ver al psicólogo
   - (D) Cuando los síntomas de adicción llegan a ser hábitos

4. En el audio, ¿qué es "el choque generacional"?
   - (A) La brecha de edad entre padres e hijos
   - (B) La brecha de familiarización tecnológica entre padres e hijos
   - (C) La brecha de sabiduría psicológica entre padres e hijos
   - (D) La brecha de autodisciplina entre padres e hijos

5. Según el audio, ¿cuáles son los peligros de las redes sociales en Internet?
   - (A) Los mismos problemas que se encuentran en las calles
   - (B) Las distracciones sociales que impiden un buen rendimiento en las clases
   - (C) El enfoque en los amigos y no en los libros
   - (D) Las amenazas de los mensajes instantáneos

## CÁPSULA CULTURAL: SURFEANDO LA WEB DESDE UCAM HASTA EL ESTILO CLÁSICO DESORNAMENTADO

Una de las voces que escuchamos en la fuente auditiva es la del profesor en nueva tecnología de <u>UCAM</u>. Si vamos a Internet, abrimos un buscador y encontramos UCAM, sabremos que son las siglas de la Universidad Católica <u>San Antonio</u> de Murcia, una universidad en España que se especializa en las ciencias sociales y la salud. Si buscamos <u>los nombres de otros santos</u>, encontramos el nombre de <u>San Lorenzo</u>.

El Monasterio de San Lorenzo de El Escorial

¿Quién es <u>San Lorenzo</u>? Si buscamos su nombre, encontraremos que es un santo del siglo III. Este hombre religioso originario, quizás, de Valencia, España, fue martirizado en una parrilla por haber desafiado a las autoridades de Roma. Trece siglos más tarde el rey Felipe II de España, para celebrar su victoria sobre los franceses en 1557, hizo construir el Monasterio de San Lorenzo de <u>El Escorial</u> en las afueras de Madrid.

¿Qué hay de importante de El Escorial? Primero, la fundación del gran edificio representa la forma de una parrilla. Segundo, ahí están los restos de todos los monarcas españoles desde Carlos V. Por último, en esta maravilla arquitectónica se ve la transición de una España renacentista (estilo <u>plateresco</u>) a una España moderna (estilo <u>clásico desornamentado</u>).

¿Cuál es la diferencia entre el estilo plateresco y el estilo clásico desornamentado? Pues, tendremos que acudir a Internet una vez más para enterarnos. En realidad, es fabuloso poder encontrar tanta información sobre muchos sitios en un solo lugar. ¿Adicción o curiosidad? Prefiero pensar que surfear por la Web es un viaje escolar.

—Juan Molinero, Blogviaslado, 10 de agosto de 2012

**COMPARACIONES:** Traza un viaje de descubrimiento histórico y estético que puedas hacer en Internet desde una institución en tu comunidad hasta llegar a un conocimiento de la cultura que lo rodea, como el viaje que acabamos de hacer en esta Cápsula.

## Correos Electrónicos

Este mensaje electrónico es de Guillermo Haro, un asistente para Sociedad de Futuros Empresarios y Empresarias. Has recibido este mensaje porque al azar abriste una página web que ahora no recuerdas.

**De:** Guillermo Haro

**Asunto:** ¿Tiene Ud. ganas de ganar?

¡Hoy estamos anunciando una nueva red social! ¿Quiere Ud. conocer a otros jóvenes que tienen unas ganas locas de ganar dinero como Ud.? ¿Quiere Ud. aprender a invertir su dinero sobrante en acciones internacionales? ¿Quiere Ud. prepararse para un futuro lleno de felicidad y éxito?

Es fácil sumarse a la red social más popular para empresarios jóvenes. PERO—esta oportunidad no es para todos. Habrá un período de prueba. Por favor, responda a este mensaje con una declaración de sus motivos para juntarse a otros jóvenes que desean un futuro seguro. ¿Ha tenido Ud. experiencia con otras redes en Internet? ¿Cómo podría ayudar a otros con el mismo interés en mantener contacto con los empresarios y las empresarias del futuro?

Al ser aprobado por inscribirse en nuestra Sociedad de Futuros Empresarios y Empresarias, Ud. recibirá una contraseña personal y privada, un certificado de autenticidad y nuestro agradecimiento. Estamos pendientes de su solicitud.

Un cordial saludo,
Guillermo Haro
Asistente

## Ensayo

***Tema del ensayo:***

*¿Hasta qué punto posibilitan las redes sociales en Internet la integración social entre los usuarios?*

**FUENTE NÚMERO 1** **Este texto, "Las redes sociales comunican pero integran poco a la gente", trata de estudios sobre el uso de redes sociales como Facebook y Twitter. El artículo original apareció en Clarín, periódico de Buenos Aires, Argentina, el 23 de mayo de 2011.**

Las redes sociales son una herramienta de contacto entre la gente que revela dos realidades: si bien la mayoría de los usuarios cree que al utilizarlas está más comunicado, por el contrario considera que eso no va
5 acompañado de una mayor integración a círculos sociales. La información surge de una encuesta exclusiva a la que tuvo acceso Clarín entre usuarios de la Capital y el Gran Buenos Aires.

Casi el 70% de los encuestados, todos mayores,
10 es usuario de Facebook o de Twitter. Y de ellos, el 66% considera que las redes sirven para mejorar la comunicación con la gente. Sin embargo, seis de cada diez reconocen que las redes no los han ayudado a sentirse más integrados a un grupo social: sólo el 25
15 % dice que para ellos fueron también una herramienta de integración "persona a persona" y el 16% que sólo en parte. La encuesta arroja otro dato llamativo: al contrario de lo que se podría pensar a priori, la mayoría (58%) aprueba que no se permita el uso de las redes
20 sociales en el ámbito laboral.

La investigación fue llevada a cabo por las consultoras Carlos Fara y Asoc. e ICC Baraldo. Martín Baraldo, uno

de los expertos, explicó a **Clarín** que los encuestados mostraron que con Facebook se llenan de amigos pero que se trata de una amistad ficticia. "En general la gente
25 no establece nuevas relaciones y se sigue moviendo en su círculo de conocidos", indicó Baraldo. Igual afirma que, más allá de estas limitaciones, los nuevos entornos virtuales sí ayudan a quienes tienen dificultades para socializar persona a persona.
30

Laura Orsi, psicoanalista de la Asociación Psicoanalítica Argentina (APA), va un poco más allá. En su opinión las redes sociales en muchos casos ni siquiera mejoran la comunicación. "Puede ser que con ellas uno esté más en contacto, lo que no quiere decir más comunicado;
35 en las redes sociales uno pone fotos, mensajes, pero en ese entorno es más factible que se den monólogos más que verdaderos diálogos", señala Orsi.

Juan Manuel Damia, cofundador de SocialMetrix, una empresa que analiza los contenidos de —entre otros
40 sitios— redes sociales, señala que sus observaciones no concuerdan con el trabajo realizado por Fara y Baraldo. Lo que él ve es que la gente se relaciona cada vez más en las redes sociales. Y argumenta que en la encuesta hay un 40% que responde que las redes sociales sí
45 mejoraron su integración social. Y él cree que es posible que entre el otro 60 % haya quienes no perciban beneficios a los que sí accedieron.

La encuesta abarca sólo a mayores de 18 años, pero Marcela Czarny, presidenta de Civil Chicos.net, estima
50 que entre los más chicos el panorama es similar: "Los chicos necesitan tener un montón de amigos en las redes sociales, aceptan a cualquiera; pero en general Facebook los usan para continuar relaciones del mundo real".

**FUENTE NÚMERO 2** **Este gráfico de "IV Estudio Anual Redes Sociales" trata sobre el uso de Internet en España. Son estadísticas compuestas por IAB Research con la colaboración de Elogia Marketing, empresas españolas que dan seguimiento a información sobre el uso de la Web, en enero de 2013.**

| ACTIVIDADES EN LAS REDES SOCIALES | | | |
|---|---|---|---|
| Enviar mensajes (privados y/o públicos a mis contactos | 35% | 31% | 34% |
| Revisar actividad (fotos, videos, noticias, etc.) | 33% | 33% | 34% |
| Ver videos, música | 20% | 33% | 47% |
| Chatear | 26% | 25% | 49% |
| Publicar contenidos (fotos, videos, noticias, música, etc.) | 14% | 29% | 57% |
| Conocer gente/hacer nuevos amigos | 11% | 23% | 66% |
| Jugar online (en la red social) | 13% | 18% | 69% |
| Para fines profesionales o de estudio | 10% | 17% | 73% |

Muy frecuente
Bastante frecuente
Espectador/Interactúa con chat 4%

0    20    40    60    80    100

**FUENTE NÚMERO 3** Esta grabación, "Las redes sociales y los jóvenes", trata sobre las ventajas de usar las redes sociales. Esta selección fue publicada el 30 de noviembre de 2009 por Telexterior de España. La grabación dura aproximadamente dos minutos.

## Conversaciones

Esta es una conversación con Julio, un compañero de clase. Vas a participar en esta conversación porque Julio no es una persona muy sociable pero se fía de ti.

| Julio | • Te saluda y te hace una pregunta. |
|-------|-------------------------------------|
| Tú | • Salúdalo y contesta. |
| Julio | • Continúa la conversación y te hace una pregunta. |
| Tú | • Contesta y explica con detalles. |
| Julio | • Reacciona y te hace una pregunta. |
| Tú | • Contesta. |
| Julio | • Reacciona y te pregunta algo. |
| Tú | • Contesta y explica. |
| Julio | • Reacciona y te hace una pregunta. |
| Tú | • Reacciona y despídete. |

## Discursos

**Tema de la presentación:**
*¿Qué efecto han tenido los grupitos sociales exclusivos en tu colegio?*

*Compara tus observaciones acerca de las comunidades en las que has vivido con tus observaciones de una región del mundo hispanohablante que te sea familiar. En tu presentación, puedes referirte a lo que has estudiado, vivido, observado, etc.*

## CLASIFICADOS

**PÁGINA 245** Lecturas

### ESENCIAL: PARA UNA MEJOR COMPRENSIÓN

**un patriarca**—dirigente, jefe
**dirimen (dirimir)**—resolver discutiendo, deshacer, disolver

### IMPORTANTE: PARA UNA MEJOR DISCUSIÓN

**la poligamia**—régimen familiar en el cual generalmente el hombre tiene varias esposas
**las amenazas**—indicios de lo malo que va a ocurrir

### ÚTIL: PARA UNA MEJOR EXPRESIÓN

**además de**—adicionalmente, aparte de

**Producto:** ¿Qué es el chamal mapuche tradicional?

**Práctica:** ¿Cómo se confecciona el chamal mapuche tradicional?

**Perspectiva:** ¿Cómo ha influido en la moda de ropa contemporánea el chamal mapuche tradicional?

**PÁGINA 247** Ilustraciones con Audio

### ESENCIAL: PARA UNA MEJOR COMPRENSIÓN

**el hogar**—lugar donde vive la familia
**el perfil**—conjunto de características que identifican a una persona o cosa
**dispone (disponer) de**—tener, poseer

### IMPORTANTE: PARA UNA MEJOR DISCUSIÓN

**surgen (surgir)**—manifestarse, mostrarse, aparecer
**desplazados/as**—incómodos, fuera de lugar

### ÚTIL: PARA UNA MEJOR EXPRESIÓN

**sin embargo**—pero, no obstante

**Producto:** Explica la palabra "Tuenti" y su origen.

**Práctica:** Compara la función y los objetivos de Tuenti y Facebook.

**Perspectiva:** ¿Por qué Tuenti presta más atención a la privacidad y a la personalización que otras redes sociales?

**PÁGINA 248** Audios

### ESENCIAL: PARA UNA MEJOR COMPRENSIÓN

**intentar**—tratar de, pretender, procurar
**el choque**—golpe, conflicto, impacto violento

### IMPORTANTE: PARA UNA MEJOR DISCUSIÓN

**los fracasos**—algo sin éxito, malogro
**se quejan (quejarse)**—expresar disgusto, comunicar que no le gusta

### ÚTIL: PARA UNA MEJOR EXPRESIÓN

**de moda**—de acuerdo con los gustos del momento, gusto actual, forma de vestir

**Producto:** ¿Qué es MercadoLibre.com?

**Práctica:** ¿Cómo difiere MercadoLibre de Ebay?

**Perspectiva:** ¿Por qué le ha impresionado MercadoLibre a Fortune Magazine?

# LA BELLEZA Y LA ESTÉTICA

| La arquitectura | Las definiciones de la belleza | Las definiciones de la creatividad | La moda y el diseño | El lenguaje y la literatura | Las artes visuales y escénicas |

DONDE SE REÚNEN LOS MERO MERO

## Luz Verde APPLE Se Establece En el Edificio de Tío Pepe

PÁGINA **257**

UN TACÓN PARA CADA OCASIÓN

## CONSEJOS PARA ELEGIR ZAPATOS

PÁGINA **265**

Desde "Los cuentos de La Alhambra" hasta los conciertos del rock

## LA ALHAMBRA – CASTILLO ROJO

PÁGINA **271**

Ir a contracorriente y huir de los convencionalismos desde sus inicios

## PACO RABANNE, POETA DEL METAL

PÁGINA **278**

EN SOMBRA, EN NADA

## MIENTRAS POR COMPETIR CON TU CABELLO – GÓNGORA

PÁGINA **262**

JORGE LUIS BORGES – EL DE LAS MILONGAS Y JULIO CORTÁZAR – EL DEL JAZZ

## LA INFLUENCIA DE LA MÚSICA SOBRE LOS ESCRITORES

PÁGINA **294**

### ÍNDICE ESPAÑOL

**CÁPSULAS CULTURALES**
(PÁGINAS 255, 256, 257, 262, 264, 265, 270, 272, 273, 277, 279, 280, 285, 286, 287, 293, 294, 295)

**CLASIFICADOS CON VOCABULARIO Y PREGUNTAS CULTURALES**
(PÁGINAS 261, 268, 276, 283, 290, 298)

¿ES ARTE ESTO?

# La arquitectura

## Lecturas

FUENTE **Esta selección, "Adobe para mujeres: Proyecto 2011", es un texto sobre un proyecto humanitario en México. Se originó en el blog "Adobe para mujeres".**

**S**e pretende desarrollar nuevamente el proyecto. Esta vez el proyecto de la Adobe para mujeres será en México, ayudando a 20 mujeres, en el poblado indígena de San Juan Mixtepec, estado de Oaxaca. Esta región
5  sigue siendo considerada como una de las más pobres del país y necesita iniciativas como ésta para asegurar la disponibilidad de viviendas decentes. **A pesar de** ser un pequeño proyecto, podrá ser replicado fácilmente en otras regiones de México y el Mundo.

10  Las casas son eficientes energéticamente y construidas con materiales locales, como adobe y bambú. Las casas son eficientes energéticamente y son construidas por las propias mujeres con materiales locales como adobe y bambú. La mitad de las personas **involucradas** están aquí,
15  así se consigue asegurar la supervisión de los procesos y enseñar nuevas técnicas de construcción en comunidad.

**OAXACA**
San Juan Mixtepec

Veinte años después del inicio del proyecto, 60% de los hombres, principalmente jóvenes y jefes de familia entre 15 y 24 años (cerca del 50,8%) continúan
20  emigrando a Estados Unidos. El 84,3% no regresan a México. Además de quedarse solas, la mayoría de las mujeres tiene en media más de 3 hijos para criar, al mismo tiempo que tienen dificultad en tener acceso a servicios médicos (85% de la población). Estas mujeres
25  continúan luchando por un lugar en la sociedad y una vida digna, en una entidad que tiene el tercer peor índice de **analfabetismo** del País. El 80% de la población femenina continúa sin saber leer o escribir y sin recibir una enseñanza básica completa.

**Educación Femenina en San Juan Mixtepec**
- 47,4% Población femenina sin escolaridad
- 36,3% Población femenina con Educación Básica Incompleta
- 8,6% Población femenina con Educación Básica Completa
- 7,7% Población femenina con Educación Pos-Básica

La casa, de planta simple y rectangular, está formada por dos núcleos: uno privado y otro público.  30

Cada uno está formado por dos arcos que se encuentran al centro aumentando así la noción de espacio y marcando cada una de las actividades a desarrollar en cada área. Esto permite espacios amplios a pesar de la  35
reducida área total.

**El alpendre** se presenta como un prolongamiento de la casa, estando directamente conectado a la cocina.

Es soportado por una estructura de madera revestida por carrizos, dispuesta de modo a hacer las paredes  40
translúcidas. El alpendre se abre así para la naturaleza vibrante envolvente, constituyendo un espacio privilegiado de **convivencia**.

1. Según el blog, ¿por qué hay tantos problemas graves en Mixteca?
   - (A) Por la inmigración
   - (B) Por la pobreza
   - (C) Por las familias grandes
   - (D) Por la falta de asistencia del gobierno

2. ¿Cuál es el propósito de este blog?
   - (A) Promover el turismo en México
   - (B) Apoyar a la cabeza de la familia y a sus hijos
   - (C) Ayudar al arquitecto con los planos
   - (D) Informar al público sobre las regiones de México

3. Según el blog, ¿por qué es importante concentrarse en las mujeres?
   - (A) Son ellas las que se quedan con los niños.
   - (B) Es importante que asistan a la universidad.
   - (C) No saben cómo preparar una comida saludable.
   - (D) A ellas les toca la limpieza.

4. Según el blog, ¿por qué se usa el "adobe" para construir las casas del proyecto en San Juan Mixtepec?
   - (A) Porque es difícil encontrar ladrillos en esta parte del mundo
   - (B) Porque es una materia prima de la región
   - (C) Porque es el material más apto para casas pobres en México
   - (D) Porque sólo viene de México

5. Según el blog, ¿quiénes son las personas que tienen más formación en San Juan Mixtepec?
   - (A) Los niños
   - (B) Los hombres que van a los EE.UU.
   - (C) Un porcentaje minúsculo de las mujeres de la región
   - (D) La mayoría de las madres de San Juan Mixtepec

6. ¿A quiénes se dirige esta información?
   - (A) Sólo a las mujeres
   - (B) Sólo a los gobiernos del mundo
   - (C) Sólo a los ciudadanos del futuro
   - (D) A los lectores en general

## CÁPSULA CULTURAL: REGALOS Y SAL

El dos de noviembre se celebra El Día de los Muertos en varios países hispanos. En México, las familias colocan un altar en un lugar prominente de su hogar en el que ponen ofrendas para honrar, celebrar e incluso atraer a los difuntos. Al armar una ofrenda se puede colocar en el altar fotos de los difuntos, velas, flores, sal, incienso, papel picado, calaveras, comida, bebida o cualquier objeto del gusto del difunto. Se supone que en dondequiera que estén, los muertos siguen disfrutando de las mismas cosas que cuando estuvieron vivos.

El primero de noviembre se celebra El Día de Todos los Santos y ese día se acostumbra regalar a los parientes y a los amigos una muestra de las ofrendas.

Durante los primeros dos días de noviembre también es costumbre en algunos países que se presenten comparsas, es decir, un grupo de músicos que canta y reza ante cada altar.

—*Púa de Molinero, Diario Andrés Viaslado, 31 de octubre, 2012.*

**COMPARACIONES:** ¿Cuál es una celebración en tu país que se parece a la de El Día de los Muertos? Describe varios aspectos de esta celebración.

## Lecturas con Audio

**FUENTE NÚMERO 1** **Esta lectura, "Una arquitecta para 1.000 millones de personas", trata sobre una arquitecta atípica, Joan MacDonald. El trabajo de esta chilena trata de mejorar las viviendas de las personas que viven en los tugurios del mundo. La lectura se originó en el periódico El País Semanal el 15 de mayo de 2011.**

Joan MacDonald eligió el camino atípico de los clientes que no tienen con qué pagar. Fue una rara avis en la Escuela de Arquitectura hasta que el profesor Fernando Castillo le dijo que quizá ella se estaba centrando en lo que
5 debe ser. Y la apoyó. Desde joven ha combinado el trabajo en **los tugurios** con la teoría. Pero fue la fundación laica SELAVIP (Servicio Latinoamericano, Africano y Asiático de Vivienda Popular) la que la llevó a viajar por el mundo para ayudar a mejorar las viviendas de los más pobres.

10 Su abuelo alemán, geólogo, fue uno de los fundadores de la Universidad de Chile. "Yo llego a Mongolia y **me ubico**. No creo que fuera tan fácil sin una formación amplia", cuenta. Asegura que darle techo a una familia da más satisfacción que levantar un rascacielos.

15 Cumplidos los setenta, la arquitecta chilena Joan MacDonald viaja por el planeta tratando de arreglar las viviendas más pobres de África, Asia y América del Sur. Fue durante la dictadura de Pinochet cuando decidió trabajar en los tugurios. Con la llegada de la
20 democracia se convirtió en viceministra de la vivienda y hoy, como presidenta de la organización **laica** SELAVIP, sustentada con los intereses que produce la

herencia del jesuita belga Josse van der Rest, decide qué proyectos de asentamientos urbanos urge ayudar. Se trata de dar tiza para marcar el territorio, plásticos 25 para resguardarse de la lluvia o la primera letrina para mejorar un campamento. Los 1.000 millones de pobres del mundo son los clientes de esta arquitecta que, frente a la concesión de un subsidio de vivienda para los necesitados, defiende la autoconstrucción que mantiene 30 la dignidad humana.

Según MacDonald no hay gente sin casa en el mundo. Dice que todos viven debajo de algo, un plástico, un cartón. En tugurios hay 1.000 millones de personas. Además están los desplazados, los refugiados y los 35 **allegados**, que son los que no tienen casa y duermen en las de familiares. Sin embargo, eso destruye las familias. Uno se aferra a sus hijos, al progreso y a la educación que les quiere dar. Eso hace que necesitemos independencia y espacio. En los ambientes en los que 40 la preocupación es sobrevivir, la familia extensa es una posibilidad. Pero en las grandes ciudades las familias son núcleos cerrados competitivos hacia los demás y solidarios hacia el interior. La ciudad es el vehículo que encuentran los pobres para salir de la pobreza. Cuando 45 sube la organización, baja la pobreza. Las posibilidades están también en ciudades medianas. Hay más pobreza en el campo que en la ciudad. El mito de la gallinita que va a evitar que el pobre se muera de hambre no es cierto. Gran parte de los bienes y servicios que requerimos para 50 sobrevivir hay que adquirirlos. No te sirve la gallinita para pagar el colegio. Y el dinero no está en el campo.

🔊 **FUENTE NÚMERO 2** La entrevista con Joan MacDonald emitida por Radio Araucano explora las ideas de esta arquitecta formidable. La entrevista fue sugerida por un artículo que se originó en El País Semanal de Chile el 15 de mayo de 2011. La grabación dura aproximadamente tres minutos.

1. ¿Cuál es el propósito del artículo?
   (A) Presentar a una arquitecta y sus ideas
   (B) Dar una visión sobre la vida personal de una mujer famosa y sus ideas
   (C) Discutir sobre Chile y sus problemas
   (D) Definir la pobreza en Chile

2. Según el artículo, ¿qué suceso le dio a MacDonald comprensión internacional de la pobreza?
   (A) De niña vivía con su abuelo que ayudó a fundar la Universidad de Chile
   (B) Trabajó en los tugurios durante la dictadura chilena
   (C) Estudió la arquitectura con un profesor de fama internacional
   (D) Un programa internacional le facilitó un viaje por el mundo

3. ¿Cómo puede viajar esta arquitecta por todo el mundo ayudando a la gente?
   (A) Nació muy rica.
   (B) Tiene el apoyo de su abuelo.
   (C) Es presidenta de una organización privada.
   (D) Recibió una beca de la universidad.

4. Según el artículo, ¿qué quiere decir Joan MacDonald cuando dice "no hay gente sin casa en el mundo" (Línea 32)?
   (A) Ya no existe la pobreza.
   (B) Una casa no sólo es de madera y ladrillos.
   (C) Todos viven en casas con techos.
   (D) Depende de cómo se define "el mundo".

5. Según la fuente auditiva, ¿cuál es la opinión de la arquitecta sobre la ciudad y su impacto en la pobreza?
   (A) Es más importante vivir en los pueblecitos.
   (B) La ciudad ofrece oportunidades importantes.
   (C) Hay demasiado peligro en las regiones urbanas.
   (D) No hay suficiente espacio en las ciudades.

6. Según la fuente auditiva, ¿cómo se enfrentó América Latina al problema de la pobreza y de la injusticia?
   (A) Lo ha hecho muy bien pese a todos estos problemas.
   (B) Está evitando los problemas sólo en las ciudades grandes.
   (C) No muy bien porque los problemas siguen creciendo.
   (D) Les ha dado más poder a los pobres para resolver todo.

7. Según la fuente auditiva, ¿cuál es la definición de una casa?
   (A) No tiene que ser un edificio sino las personas que forman la familia.
   (B) Es un lugar con cuatro paredes y un techo.
   (C) Son tiendas de acampar con plásticos.
   (D) Algo que cuesta más de $1.000.

8. Según la fuente auditiva, ¿qué quiere decir "es importante tomarse un vaso de agua, que puede estar contaminada, con alguien"?
   (A) Es importante compartir los problemas de otros.
   (B) Es necesario adquirir una inmunidad a las enfermedades.
   (C) No hay mucha agua potable en el mundo.
   (D) La mayoría de la gente en América Latina sólo tiene agua y ningún otro alimento.

9. ¿Cuál es el tono de las dos fuentes?
   (A) La fuente auditiva es más seria.
   (B) El artículo es más serio.
   (C) Las dos tienen el mismo tono y se apoyan.
   (D) La fuente auditiva no tiene nada que ver con el artículo.

10. ¿Cuál sería el mejor ejemplo de una fuente que contradiga las ideas propuestas en las dos fuentes?
    (A) Una fuente que niegue la importancia de servicios sociales
    (B) Una fuente que apoye la vida lujosa
    (C) Una fuente que diga que tener una casa de adobe es lo más importante
    (D) Una fuente que sugiera que el gobierno no tiene la responsabilidad

## CÁPSULA CULTURAL: NIÑOS EN "LA MINA", UNO DE LOS MAYORES BASUREROS DE GUATEMALA

Los padres llevan a sus hijos al basurero que se llama "La Mina" para que también aprendan el oficio de buscar metales y así puedan tener un trabajo para sobrevivir cuando crezcan y se puedan mantener ellos mismos.

**COMPARACIONES: Compara este tipo de trabajo y formación con algo parecido en tu comunidad o país. ¿Existe o no, o tal vez existe en otra parte? ¿Cómo debemos proteger a los niños de este tipo de explotación?**

## Audios

🔊 FUENTE **Este podcast emitido por Radio Araucano trata de una polémica social acerca del edificio de Tío Pepe, una fachada bien conocida en la Puerta del Sol en Madrid. El texto para la grabación se originó en un artículo, "Luz verde para que Apple se establezca en el edificio de Tío Pepe de Madrid", publicado en Cinco Días, un periódico digital de Madrid. La grabación dura aproximadamente dos minutos y medio.**

1. ¿Cuál es el propósito del podcast?
   (A) Dar un panorama de la arquitectura de Madrid
   (B) Presentar una idea controversial
   (C) Anunciar una compañía nueva en la Puerta del Sol
   (D) Discutir los cambios en los planes arquitectónicos

2. Según el podcast, ¿por qué puede Apple seguir con sus planes de establecerse en el Edificio Tío Pepe?
   (A) Porque el Pleno del Ayuntamiento de Madrid ha aprobado la petición de Apple
   (B) Porque un referéndum en Madrid ha aprobado la petición de Apple
   (C) Porque la Comisión de Protección del Patrimonio Histórico ha aprobado la petición de Apple
   (D) Porque las Cortes Españolas han aprobado la petición de Apple

3. ¿Qué pregunta sería más apropiada para formular al Patrimonio Histórico de la ciudad de Madrid?
   (A) ¿Por qué han aprobado la ubicación de una tienda extranjera en un edificio histórico?
   (B) ¿Por qué es importante que venga Apple a la capital?
   (C) Si no aprobaran Uds. el establecimiento de Apple en el edificio Tío Pepe, ¿qué dirían los madrileños?
   (D) ¿Hay ventajas de establecer una tienda de computadoras en el centro comercial?

4. ¿Cuáles son algunas condiciones inmobiliarias del establecimiento de Apple en el Edificio Tío Pepe?
   (A) Apple tiene que renovar la fachada original del edificio.
   (B) Apple tiene que dejar la propaganda original de Tío Pepe.
   (C) Apple tiene que abandonar su deseo de poner su nombre en el exterior del edificio.
   (D) Apple tiene que preservar la fachada exterior del edificio.

5. ¿Qué afirmación resume mejor el podcast?
   (A) La crisis económica española ha permitido la destrucción de un edificio histórico.
   (B) Para establecerse en un distrito histórico en Madrid hay mucho trámite.
   (C) Todavía hay mucho interés en productos tecnológicos en Madrid.
   (D) El ambiente y la cultura de la Puerta del Sol están cambiando.

## CÁPSULA CULTURAL: LA NOCHE VIEJA

Como marca la tradición, las campanadas de la madrileña Puerta del Sol y las doce uvas nos dan la bienvenida al nuevo año. La céntrica plaza es un conocido punto de encuentro. Además cada 31 de diciembre desde 1961 TVE televisa la celebración de Año Nuevo. ¡Próspero año nuevo, madrileños! Hoy día la fiesta es en torno al más televisivo de los relojes, cuya imagen difunde TVE cada 31 de diciembre desde 1961.

**COMPARACIONES: Compara las tradiciones de celebrar la noche vieja en tu país con las de Madrid, España, y con las de otros países de habla española.**

El edificio Tío Pepe en la Puerta del Sol, Madrid, España

Una uva para cada toque de las campanas a medianoche del Año Nuevo. ¡Cuéntalas!

## Ensayo

**Tema del ensayo:**

*¿Se debe construir un edificio de importancia artística aunque su estética esté en conflicto con los gustos o las necesidades sociales de sus contornos?*

**FUENTE NÚMERO 1** Este texto, "Obras maestras teñidas de polémica", trata de varios puntos de vista sobre el arte y la arquitectura. El artículo original fue publicado el 11 de febrero de 2006 en el Correo Gallego de España.

Los grandes edificios de la historia de la arquitectura casi siempre se han levantado sobre cimientos sembrados de polémica y hostilidad. Ningún proyecto importante se libra de la controversia periodística y del
5   consabido escándalo político. Tanto la torre Eiffel como el centro Pompidou o el Guggenheim de Bilbao fueron recibidos con el mismo estrépito que la Cidade da Cultura en Galicia, España, un complejo faraónico que quizás llegue a convertirse en la obra maestra de su creador,
10   Peter Eisenman.

Ni el mismísimo Gustave Eiffel podría imaginar que, después de un siglo, la titánica estructura que diseñó con motivo de la Exposición Universal de París de 1889 recibiría una media diaria de 30.000 visitantes, lo que
15   se traduce en más de seis millones de turistas cada año. Aunque la torre fue construida en controversia con los artistas de la época, que llegaron a tildar la obra como un monstruo de acero, se ha convertido en el símbolo indiscutible de Francia y uno de los monumentos más
20   visitados del mundo.

Tampoco nacía precisamente con el beneplácito de los críticos de la época el museo Guggenheim de Nueva York, uno de los primeros centros de arte moderno de la Fundación Solomon R. Guggenheim. La estructura
25   en sí misma se convirtió en obra de arte. Precisamente, la excentricidad del complejo ha alimentado los argumentos más demoledores, ya que los críticos consideran que el propio edificio ensombrece las obras allí expuestas.

30   En 1997, la fundación inauguraba otro museo Guggenheim en Bilbao que tampoco quedaba exento de polémicas, especialmente por cuestiones relativas a la financiación del edificio diseñado por Frank Gehry.

La naturaleza experimental que caracteriza los edificios
35   de la Fundación Guggenheim propicia habitualmente polémicos debates, casi siempre acallados con el inesperado éxito que alcanzan los centros a nivel internacional.

**FUENTE NÚMERO 2** Estas fotos del Museo Guggenheim fueron sacadas en Bilbao, España, y muestran el museo en sus contornos.

El Museo Guggenheim en Bilbao, España, fue diseñado por Frank Gehry.

Bilbao, España, con el Museo Guggenheim en primer plano.

**FUENTE NÚMERO 3** La grabación, "Puente de Mayo, Destino Bilbao", trata de las visitas de varios turistas a la ciudad de Bilbao. En la entrevista una locutora de Telebilbao entrevista a varios turistas en la calle cerca del Museo Guggenheim en Bilbao, España, el 30 de abril de 2012. La grabación dura aproximadamente dos minutos.

## Correos Electrónicos

Has recibido este mensaje de una agencia de empleo para un trabajo de verano. Has solicitado un trabajo para construir una residencia canina especial en tu comunidad.

**De:** Agencia Ayuda Ahora (AAA)

**Asunto:** Trabajo de verano

Estimado/a Candidato/a:

Muchas gracias por su interés en este especial y novedoso proyecto. Como sabe Ud. esta residencia es para perros exóticos y muy preciosos. Los perros disfrutarán de mucho espacio y podrán verse y ladrar todo lo que quieran. Hay dos tipos de alojamientos con elevaciones de parquet para dormir y bebederos automáticos con agua fresca y limpia.

En primer lugar, ¿por qué quiere Ud. trabajar construyendo un hotel para perros de razas mini y grande? ¿Le gustan a Ud. los animales? Por favor, cuéntenos una historia muy breve sobre una conexión con un perro especial.

Construirá habitaciones de obra de 8 m2, con techos aislantes de madera e interior alicatado de fácil desinfección. Por favor, descríbanos la experiencia que ha tenido con este tipo de trabajo. ¿Sabe Ud. usar herramientas como sierras, martillos y lijadoras eléctricas?

Adoramos a las mascotas y les ofreceremos un servicio de hotel de lujo. Le rogamos que nos mande su currículo lo más pronto posible y la información que le hemos pedido.

Un ladrido afectuoso,

Delia Dolorosa
Directora de Programas
Residencia NOLA AAA

## Conversaciones

Esta es una conversación con Flavia, una amiga tuya. Vas a participar en esta conversación porque Flavia quiere que vayas con ella a Guatemala. Uds. van a ayudar con un programa especial que se llama Camino Seguro.

| Flavia | • Te saluda y te hace una pregunta. |
|--------|-------------------------------------|
| Tú | • Salúdala, contesta y hazle una pregunta. |
| Flavia | • Continúa la conversación. |
| Tú | • Reacciona. |
| Flavia | • Te hace varias preguntas. |
| Tú | • Contesta y proponle algo al respecto. |
| Flavia | • Reacciona y te hace una pregunta. |
| Tú | • Contesta y ofrece detalles. |
| Flavia | • Te hace una pregunta. |
| Tú | • Dale tus disculpas, proponle otra posibilidad y despídete. |

## Discursos

***Tema de la presentación:***

*¿Cómo afecta la arquitectura moderna a un barrio histórico?*

*Compara tus observaciones acerca de las comunidades en las que has vivido con tus observaciones de una región del mundo hispanohablante que te sea familiar. En tu presentación, puedes referirte a lo que has estudiado, vivido, observado, etc.*

Casa Milà diseñada por Antoni Gaudí, Barcelona, España (1906–1910)

## CLASIFICADOS

**PÁGINA 254** Lecturas

**PÁGINA 255** Lecturas con Audio

**PÁGINA 257** Audios

### ESENCIAL: PARA UNA MEJOR COMPRENSIÓN

**involucrado/a**—incluido, abarcado

**el analfabetismo**—falta de instrucción elemental

**el alpendre**—techo, cobertizo

*IMPORTANTE: PARA UNA MEJOR DISCUSIÓN*

**la convivencia**—vivir juntos

#### ÚTIL: PARA UNA MEJOR EXPRESIÓN

**a pesar de**—no obstante

**Producto:** Dibuja una casa de adobe.

**Práctica:** ¿Cómo se prepara el adobe?

**Perspectiva:** Explica la utilidad ambiental del adobe.

### ESENCIAL: PARA UNA MEJOR COMPRENSIÓN

**los tugurios**—las chozas, barrios pobres, viviendas precarias

**allegado/a**—pariente, amigo

**las cañas**—parte de una planta

**la viuda**—sin esposo (fallecido)

**la pereza**—negligencia, no tener ganas de trabajar

#### IMPORTANTE: PARA UNA MEJOR DISCUSIÓN

**me ubico (ubicarse)**—situarse

**desdibujarse**—perder la claridad

**inmobiliario/a**—pertenece a la venta, al alquiler, a la construcción y a la administración de viviendas y de terrenos

**engaña (engañar)**—decirle algo falso a alguien, aprovecharse de la confianza de otro

**Producto:** ¿Cuál es la definición de "tugurio" según las Naciones Unidas?

**Práctica:** ¿Qué porcentaje de la población latinoamericana vive en tugurios y cuáles son las razones de esta situación?

**Perspectiva:** Explica por qué en este momento Chile está a un paso de erradicar la pobreza en el futuro.

### ESENCIAL: PARA UNA MEJOR COMPRENSIÓN

**la fachada**—parte frontal exterior de un edificio

**el inmueble**—edificio, construcción, casa, vivienda

**las bóvedas**—cúpulas, construcción que sirve para cubrir el espacio entre muros o pilares

#### IMPORTANTE: PARA UNA MEJOR DISCUSIÓN

**corona (coronar)**—glorificar, poner una corona en la cabeza

**el hueco**—parte abierta, agujero

**la aprobación**—aceptación

#### ÚTIL: PARA UNA MEJOR EXPRESIÓN

**llevar a cabo**—hacer, completar, realizar

**Producto:** ¿Qué edificios y/o estatuas se encuentran en La Puerta del Sol?

**Práctica:** ¿Qué manifestaciones importantes han tenido lugar en La Puerta del Sol y por qué eligieron los españoles hacerlas allí?

**Perspectiva:** ¿Por qué es La Puerta del Sol un ícono cultural?

# Definiciones de la belleza

## Lecturas

**FUENTE** Este poema, "Mientras por competir con tu cabello", escrito por Luis de Góngora (1561–1627), describe la fragilidad de la belleza.

Mientras por competir con tu cabello,
oro **bruñido** al sol relumbra en vano;
mientras con **menosprecio** en medio el llano
mira tu blanca frente el lilio bello;

5 mientras a cada labio, por cogello,
siguen más ojos que al **clavel** temprano;
y mientras triunfa con **desdén lozano**
del luciente cristal tu gentil cuello:

**goza** cuello, cabello, labio y frente,
10 antes que lo que fue en tu edad dorada
oro, lilio, **clavel**, cristal luciente,

no sólo en plata o viola troncada
se vuelva, mas tú y ello juntamente
en tierra, en humo, en polvo, en sombra, en nada.

1. ¿Cuál es la importancia de la palabra "mientras"?
   (A) Tiene que ver con la rima del poema.
   (B) Es un ejemplo de anáfora.
   (C) Sólo se refiere a un tiempo pasado.
   (D) Es típico de un soneto.

2. ¿Cuál es el enfoque del poema?
   (A) La juventud
   (B) La niñez
   (C) El proceso de envejecimiento
   (D) El pelo

3. Según el poema, ¿qué quiere decir "edad dorada"?
   (A) Se refiere a un color favorito del poeta.
   (B) Tiene que ver con la vejez.
   (C) Se refiere a cuando uno era joven.
   (D) Representa el futuro de la persona.

4. ¿A qué se refiere el verbo "goza"?
   (A) Disfruta del momento
   (B) Rechaza la idea
   (C) Ignora los cambios
   (D) Declara la independencia

5. ¿Por qué utiliza el poeta la palabra "competir"?
   (A) Hay una competición entre los jóvenes y los viejos.
   (B) Se refiere al hecho de que la naturaleza no es tan importante como la belleza de esta persona.
   (C) La vida es un juego.
   (D) No se puede ganar.

6. ¿Qué significa la metáfora "en nada" (Verso 14)?
   (A) La muerte
   (B) La esperanza
   (C) La desesperación
   (D) El desprecio

## CÁPSULA CULTURAL: LA MODA DEL SIGLO XVI EN ESPAÑA

- las mangas abultadas
- la gorguera rizada en el cuello
- las faldas y sobrefaldas
- el uso de colores oscuros
- la ropa sin arrugas y bien ceñida

**COMPARACIONES: ¿Cómo influyen los estilos de moda antiguos en los de hoy día?**

El siglo XVI

El siglo XXI

## Lecturas con Audio

**Esta lectura trata sobre una línea de productos de belleza que creó Patricia Velásquez, una actriz y modelo venezolana. Este texto fue publicado por Editorial San Diego el 11 de marzo de 2011.**

La actriz y modelo Patricia Velásquez da un paso más en su carrera profesional con una línea de productos de belleza con los que la venezolana, de origen indígena, comparte secretos y fórmulas naturales **heredados** de
5  generación en generación.

"Taya significa 'Yo Soy' en la lengua Wayuu, etnia a la cual pertenezco. Yo pasé mucho tiempo con los indígenas mientras estaba creciendo y aprendí muchas de estas recetas que están hechas 100% con productos
10  naturales. Viendo los increíbles resultados que le **aportaban** a mi cabello y a mi piel siempre tuve el deseo de compartirlas con el mundo de una manera que resultara práctica y accesible", dijo a Efe la actriz, quien encarnó el rol de "Ank esn amon" en las películas
15  "La Momia 1 y 2".

"Después de mucho trabajo, años de investigaciones y esfuerzo, finalmente hemos **logrado** concretar esta iniciativa y el pasado mes de febrero pusimos a disposición del público 'Taya Beauty' que es en esencia
20  la sabiduría de nuestros pueblos indígenas que fusionan la naturaleza y la belleza dentro de la más perfecta armonía", agregó.

Lo que antes eran preparaciones caseras, libres de químicos, hechas con ingredientes tan diversos
25  como aguacate, **moriche**, nuez, perejil, así como minerales extraídos de los ríos, entre otros insumos naturales, llegan ahora envasados en llamativas y aromáticas presentaciones dirigidas en un primer paso a embellecer el cabello, gracias a una alianza entre la
30  actriz y HSN (Home Shopping Network).

Cinco productos forman parte de la línea que incluye el champú, acondicionador, la crema para dar estilo, la máscara para el cabello y un espray.

"Lo más hermoso de todo esto es que todos los
35  ingredientes principales de la línea de Taya son producidos **a través de** programas buenos para la atmósfera, ambientalmente amigables y como parte de un programa autosustentable que beneficia directamente a las comunidades indígenas que los
40  cultivan", dijo la venezolana.

"Taya refleja el gran amor y el respeto que tengo por los pueblos indígenas", agregó la también presidenta de la Fundación Wayuu Taya, organización que creó en 2002 para proveer asistencia médica, educacional y de vivienda a las comunidades wayuu que viven en la frontera entre Venezuela y Colombia.

45

**Esta entrevista emitida por Radio ONU describe la Fundación Wayúu establecida por Patricia Velásquez. Laura Kwiatkowski entrevista a la fundadora el 8 de septiembre de 2011. La grabación dura aproximadamente tres minutos.**

1. ¿Cuál es el propósito del artículo?
   (A) Vender los productos de las peluquerías
   (B) Promocionar una película nueva
   (C) Promover unos productos que ayudan varias causas
   (D) Presentar a una actriz indígena y los productos que promociona. -

2. Según el artículo, ¿cómo han cambiado los productos del cabello que usaron los indígenas en casa?
   (A) Han cambiado mucho.
   (B) Sólo tienen una nueva apariencia.
   (C) Ahora contienen algunos químicos.
   (D) Ahora contienen más productos naturales que antes.

3. Según el texto impreso, ¿dónde se usan los productos de belleza que ha creado Patricia Velásquez?
   (A) Se usan solamente en Venezuela.
   (B) Todavía no se han puesto a la venta.
   (C) Se usan en los pueblos indígenas.
   (D) Se pueden comprar internacionalmente.

4. En el artículo, ¿cuál es el significado de la frase "... fusionan la naturaleza y la belleza dentro de la más perfecta armonía..." (Líneas 20–22)?
   (A) Que los productos de belleza respetan el medio ambiente
   (B) Que la gente indígena ha combinado los productos con cosas muy naturales
   (C) Que fue un proceso bastante fácil
   (D) Que a los pueblos indígenas no les interesan los productos de belleza

5. Según la fuente auditiva, ¿cuál de las siguientes afirmaciones sobre la Fundación Wayúu Tayá representa mejor la actitud de Patricia Velásquez?
   (A) Quiere mejorar las vidas de todas las personas en Venezuela.
   (B) Quiere promocionar el turismo en los pueblos indígenas.
   (C) Es importante mejorar la vida de la gente indígena de varios países.
   (D) Está creando un conocimiento de todos los que sufren en varios países.

**6.** En la fuente auditiva, ¿por qué decidió finalmente la actriz que podría tener un impacto enorme en la vida de los wayúu?

   (A) Porque no tendría que gastar su propio dinero
   (B) Porque se dio cuenta de que podría usar su fama para realizar cambios importantes
   (C) Porque alguien le sugirió que pensara en sus raíces
   (D) Porque empezó a reflexionar sobre su propia niñez

**7.** En la fuente auditiva, ¿por qué es difícil ayudar a la gente wayúu según la actriz?

   (A) Porque la gente indígena no quiere ayuda
   (B) Porque los wayúu viven vidas itinerantes
   (C) Porque es muy peligroso ayudarlos
   (D) Porque el gobierno no permite que nadie los ayude

**8.** Según la fuente auditiva, ¿cómo funciona el centro para mujeres wayúu?

   (A) Las madres han elejido por quedarse en casa trabajando y cuidando a los niños.
   (B) Las mujeres trabajan elaborando bolsos tradicionales y reciben consejo a la vez.
   (C) Las madres llevan a sus niños a un lugar central para trabajar.
   (D) La idea no funciona bien sin el apoyo de los hombres.

**9.** ¿Qué tienen en común las dos fuentes?

   (A) La importancia de las personas famosas
   (B) La idea de ayudar a otros
   (C) El poder de la propaganda
   (D) La mención del dinero y su importancia

**10.** ¿Qué se puede afirmar sobre las dos fuentes?

   (A) La fuente auditiva concuerda con la impresa en el hecho de que una persona famosa puede hacer algo con su poder.
   (B) La fuente impresa refuta las buenas ideas de la auditiva.
   (C) La fuente auditiva representa algo que hizo la actriz después de terminar su trabajo con los productos de belleza mencionados en la fuente impresa.
   (D) La fuente impresa presenta dudas sobre la importancia de los wayúu y la auditiva destaca lo contrario.

## CÁPSULA CULTURAL: AFÍN A SU NATURALEZA – LAS ALPARGATAS

**"De la bota de potro, típica del gaucho, a la alpargata del paisano"**

Habituado a la rapidez del juego de la "pelota vasca", al baile ágil y saltarín y al terreno montañoso, resulta lógico que el vasco tuviera a la alpargata o "abarka" como parte fundamental de su indumentaria. Este calzado, que se confeccionaba con suela de cáñamo, llevaba, en su parte exterior de tela, unas cintas apropiadas para atárselas a los tobillos. Al parecer, fue la liviandad de la alpargata el motivo por el cual, en especial los "pelotaris" y los "danzaris" la tuvieran tan en cuenta para su atuendo.

Hay quienes suponen que, imitando a los inmigrantes vascuences que vinieron a vivir en la Argentina, y percatándose el gaucho de la comodidad de la alpargata, el gaucho le sacó las cintas y la hizo suya como prenda de rigor.

Hoy en día, cada vez que se compran un par de alpargatas, o sea un par de TOMS, donarán un par de zapatillas nuevas a un niño que lo necesite. (Este blog fue publicado en La Nación en Buenos Aires, Argentina, el 25 de mayo de 2011.)

**COMPARACIONES:** Compara un proyecto humanitario como el de Patricia Velásquez en la fuente auditiva o el de TOMS con un proyecto parecido en tu comunidad.

## Audios

🔊 Esta selección, "Consejos para elegir zapatos", trata de la elección de un zapato. Este spot se originó en Perfumerías Rouge, una empresa de accesorios para mujeres en Buenos Aires, Argentina. Una locutora introduce el spot y una representante de Rose Rose habla sobre cómo elegir el tacón más apropiado. La grabación dura aproximadamente dos minutos y quince segundos.

1. ¿Cuál es el propósito del audio?
   - (A) Decirles a las mujeres dónde deben ir para comprar zapatos
   - (B) Darle consejos a la gente sobre cómo comprar zapatos
   - (C) Explicarles a las consumidoras los estilos de zapatos que están disponibles para comprar
   - (D) Proveer sugerencias de tacones que hacen juego con ciertas prendas y con los estilos de vida

2. ¿Qué revela la narradora sobre el tacón?
   - (A) Hay varios estilos y niveles de comodidad.
   - (B) Cuando se elige el zapato, no importa la ropa que se lleva.
   - (C) Dice que los tacones son muy caros.
   - (D) Es difícil encontrar este zapato especial.

3. Según el audio, ¿cuál es el tacón más fino?
   - (A) El de aguja
   - (B) El plano
   - (C) El medio
   - (D) El ancho

4. ¿Qué quiere decir la representante de Rose Rose cuando dice "atrévete a llevarlo con una minifalda"?
   - (A) Debes evitar llevar tacones con la minifalda.
   - (B) Si tienes ganas de llevar tacones con una minifalda, debes hacerlo.
   - (C) No compres nunca tacones para cualquier falda.
   - (D) Debes reemplazar el tacón con otro estilo de zapato.

5. ¿Cuál de las siguientes afirmaciones resume mejor la fuente auditiva?
   - (A) Los tacones son para todo tipo de ropa.
   - (B) Las zapatillas de piso son más cómodas y prácticas que los tacones.
   - (C) El precio de los zapatos nos influye mucho cuando vamos de compras.
   - (D) No se debe gastar dinero en los tacones.

## CÁPSULA CULTURAL: LA INDUSTRIA DEL CALZADO ES MUY IMPORTANTE EN ESPAÑA

Según un artículo que leí, uno de cada cuatro zapatos fabricados en Europa viene de España, donde producen más de 86,6 millones de pares de zapatos de piel cada año. El calzado de señora en piel representa el 36% del volumen de la producción de calzado de piel (45,8 millones de pares) y cerca de la mitad del valor de este tipo de producción (1.000 millones de euros). Zarenza. es representa el sitio número uno para compras online. Brinde más de 509 marcas de zapatos.

Un tipo del calzado de señora es el tacón. Según los expertos, el origen de los zapatos de tacón se remonta al siglo XV cuando el uso de los estribos hacía necesario que el pie encajara en el estribo durante las maniobras con caballos. Este es el fundamento de las botas de estilo vaquero de la actualidad.

—Púa de Molinero, *Blogviaslado*

**COMPARACIONES:** Al pensar en tu barrio o tu país, describe un producto que represente tu localidad como el calzado representa un producto español. ¿Siempre ha tenido este producto el mismo origen que el de hoy día o empezó con otro propósito? Explica tu respuesta.

## Ensayo

*Tema del ensayo:*
*¿Se debe definir el ideal de belleza femenino por la apariencia y el peso?*

**FUENTE NÚMERO 1** Este texto, "La moda y el ideal de belleza femenino, ¿delgadez extrema o curvas?", trata de varios puntos de vista sobre la belleza femenina. El artículo original fue publicado en En femenino el 17 de enero de 2009.

La moda y el ideal de belleza femenino, ¿delgadez extrema o curvas?

En el siglo XIX y la primera mitad del siglo XX Renoir y otros artistas impresionistas retrataban mujeres
5  voluminosas. Lucir "bien-alimentado" era un signo de salud y de bienestar, también lo era de belleza.

Podría afirmarse que el ideal de belleza femenino se ha modificado bruscamente en los últimos 50 años, antes parecía admirarse un cuerpo con curvas, hoy en día la
10  silueta que parece triunfar en la moda y las pasarelas es una mujer carente de ellas.

Los cánones de belleza cambian con los tiempos, pero la tendencia que últimamente se ha tomado dista mucho de ser la más saludable. El mejor método que
15  actualmente tenemos para calibrar el peso adecuado de una persona es el índice de masa corporal (IMC), su cálculo es muy sencillo y gracias a él puede saberse el peso ideal de cada persona.

IMC= peso (en Kg)/ altura * altura (en metros)
20  (Ejemplo: Una chica de 55 kg de peso y 1.65 m: 55/(1.65*1.65)=20.2 )

La interpretación que tiene el IMC es la siguiente:
-Peso inferior al recomendado: 18.0 o menos
-Peso normal (medio-bajo): 18.0 – 20.9
25  -Peso normal (medio-alto): 21.0 – 23.9
-Sobrepeso: 24 – 29.9
-Obesidad: 30 o más

"Las mujeres excesivamente delgadas que aparecen en televisión y en muchos de los medios de comunicación
30  sólo ocasionan que muchas muchachas pierdan el control de su peso, sometiéndose a dietas que muchas veces no son supervisadas por un médico y que pueden provocarles una grave enfermedad y en algunos casos, hasta la muerte". Hoy en día lo que se considera belleza
35  es un cuerpo sin nada de grasa, cuando por naturaleza el organismo requiere de ésta para mantener algunas de sus funciones básicas, tal como necesita de otras sustancias.

¿Es la delgadez extrema atractiva? Mujeres que están en su peso (con un IMC entre 20 y 21) como Salma Hayek, Monica Bellucci, Jennifer López, Britney Spears o
40  Beyonce Knowles serían rechazadas por la industria de la moda hoy en día por estar demasiado "rellenas" y en cambio gozan de un innegable atractivo para el sector masculino, precisamente gracias a que, además de estar en su peso ideal, tienen curvas. Algunos investigadores
45  incluso sugieren que precisamente el IMC es el mejor predictor del atractivo físico que tiene una mujer para un hombre, y sorprendentemente el rango de valores que suele ser más seductor está entre 19 y 22. Hoy la gran mayoría de las modelos de las pasarelas tiene un
50  IMC que oscila entre 17 y 18 y pesan entre 5 y 10 kilos menos de lo que sería su peso ideal.

**FUENTE NÚMERO 2** Este texto trata de los IMC (Índices de Masa Corporal) de mujeres famosas del presente y del pasado. Son estadísticas de "La moda y el ideal de belleza femenino, ¿delgadez extrema o curvas?" publicadas en En Femenino el 17 de enero de 2009.

Marilyn Monroe 21.6
Britney Spears 21.3
Jennifer Lopéz 21.2
Salma Hayek 21.0

Monica Bellucci 20.4
Beyonce Knowles 20.4
Sofía Loren 20.2
Laetitia Casta 20.1

Angelina Jolie 19.3
Claudia Schiffer 18.7
Penélope Cruz 18.2

Giselle Bundchen 17.6 (peso inferior al recomendado)
Jennifer Garner 17.3 (peso inferior al recomendado)
Nicole Kidman 17.2 (peso inferior al recomendado)
Calista Flockart [Alley McBeal] 16.5 (peso muy inferior al recomendado)

🔊 **FUENTE NÚMERO 3** Esta grabación trata de varias definiciones de la belleza a través de los años. La selección, "La evolución del ideal de belleza femenino a lo largo de la historia del arte", es del blog Footprints in the Sand de Alba Gutiérrez-Martínez, escrito el 9 de julio de 2012. La grabación dura aproximadamente tres minutos.

## Correos Electrónicos

Has recibido este mensaje porque una revista de moda sabe sobre tu interés en un trabajo como fotógrafo/a.

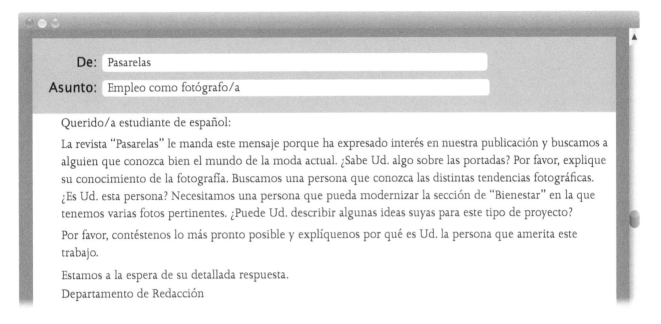

**De:** Pasarelas

**Asunto:** Empleo como fotógrafo/a

Querido/a estudiante de español:

La revista "Pasarelas" le manda este mensaje porque ha expresado interés en nuestra publicación y buscamos a alguien que conozca bien el mundo de la moda actual. ¿Sabe Ud. algo sobre las portadas? Por favor, explique su conocimiento de la fotografía. Buscamos una persona que conozca las distintas tendencias fotográficas. ¿Es Ud. esta persona? Necesitamos una persona que pueda modernizar la sección de "Bienestar" en la que tenemos varias fotos pertinentes. ¿Puede Ud. describir algunas ideas suyas para este tipo de proyecto?

Por favor, contéstenos lo más pronto posible y explíquenos por qué es Ud. la persona que amerita este trabajo.

Estamos a la espera de su detallada respuesta.

Departamento de Redacción

## Conversaciones

🔊 Esta es una conversación con Laura, una amiga tuya. Vas a participar en esta conversación porque Laura tiene que hacer un proyecto sobre lo que define a la gente bella y busca tu ayuda.

| Laura | • Te saluda y te hace una pregunta. |
|-------|--------------------------------------|
| Tú | • Salúdala y contesta. |
| Laura | • Continúa la conversación. |
| Tú | • Reacciona. |
| Laura | • Te hace varias preguntas. |
| Tú | • Contesta con detalles. |
| Laura | • Reacciona y te hace una pregunta. |
| Tú | • Contesta con detalles. |
| Laura | • Termina la conversación. |
| Tú | • Dale tus disculpas y despídete. |

## Discursos

**Tema de la presentación:**

*¿Cómo han afectado los sitios históricos y las atracciones turísticas la cultura en tu comunidad?*

*Compara tus observaciones acerca de las comunidades en las que has vivido con tus observaciones de una región del mundo hispanohablante que te sea familiar. En tu presentación, puedes referirte a lo que has estudiado, vivido, observado, etc.*

## CLASIFICADOS

**PÁGINA 262** Lecturas

**PÁGINA 263** Lecturas con Audio

**PÁGINA 265** Audios

### ESENCIAL: PARA UNA MEJOR COMPRENSIÓN

**goza (gozar)**—aprovechar, disfrutar

**bruñido/a**—reluciente, brillante

**lozano/a**—vigoroso, altivo, vivo

### IMPORTANTE: PARA UNA MEJOR DISCUSIÓN

**el menosprecio**—indiferencia, desprecio

**el clavel**—tipo de flor

### ÚTIL: PARA UNA MEJOR EXPRESIÓN

**el desdén**—falta de interés, indiferencia

**Producto:** ¿Qué tipo de maquillaje usan las mujeres?

**Práctica:** ¿Cómo usaban el colorete las mujeres del siglo XVII en España?

**Perspectiva:** ¿Cómo cambia la perspectiva de Góngora hacia la boca de la mujer en su soneto "La dulce boca que a gustar convida"?

---

### ESENCIAL: PARA UNA MEJOR COMPRENSIÓN

**heredado/a**—recibir bienes de un familiar o de otro origen

**el moriche**—árbol de la familia de las palmas

### IMPORTANTE: PARA UNA MEJOR DISCUSIÓN

**dañino/a**—desfavorable, adverso

**aportar**—dar, contribuir

**darse cuenta de**—notar, observar

**el matriarcado**—predominio de la madre en la sociedad

### ÚTIL: PARA UNA MEJOR EXPRESIÓN

**a medida que**—al mismo tiempo que, a la vez que

**Producto:** ¿Cómo es una bolsa o mochila susú? Nombra 5 tipos de estas bolsas.

**Práctica:** Explica el uso específico de cada tipo de susú.

**Perspectiva:** Explica el significado sociocultural del refrán wayúu: "Ser mujer es saber tejer".

---

### ESENCIAL: PARA UNA MEJOR COMPRENSIÓN

**el tacón**—

**el tacón de aguja**— tacón alto y muy fino

### IMPORTANTE: PARA UNA MEJOR DISCUSIÓN

**las pinzas**— pliegue, doblez en una tela

### ÚTIL: PARA UNA MEJOR EXPRESIÓN

**de acuerdo a**—en conformidad con

**Producto:** Describe los zapatos que fabrica la empresa española Victoria.

**Práctica:** A pesar de la crisis económica, ¿cuántos pares de zapatos al año compran los españoles?

**Perspectiva:** ¿Por qué ha aumentado la venta del calzado español en años recientes?

# Definiciones de la creatividad

## Lecturas

**FUENTE NÚMERO 1** **Este texto, "Instrumentistas mapuches llegan a deslumbrar escena santiaguina", fue publicado el 14 de diciembre de 2011 por La Nación de Buenos Aires, Argentina.**

Sobre el escenario estarán los reconocidos estudiosos de la cultura, Joel Maripil y Lorenzo Aillapán. Tocarán instrumentos originarios pocas veces vistos. Se trata de un repertorio recopilatorio de las comunidades lafkenche del
5 Lago Budi.

Sus organizadores hablan de una cita única en su tipo. Será en Santiago, este jueves 16 de diciembre, a las 20:30 horas, en el Centro Cultural Perrera Arte ubicado en el bonito Parque de los Reyes. Se trata de la presentación
10 poético musical Awkin Budi o Ecos del Budi, **a cargo de** dos reconocidos y premiados cultores mapuche.

Es la interpretación de un repertorio recopilatorio de las comunidades lafkenche del Lago Budi por parte de Joel Maripil, músico y formador de la orquesta de niños
15 mapuche de Tirúa, Altazor 2008 y Lorenzo Aillapán, Hombre Pájaro, investigador, músico, poeta y actor ganador premio de poesía Casa de las Américas, Cuba 1995.

Durante el espectáculo los artistas **ejecutan** variados instrumentos mapuche, algunos de ellos totalmente
20 desconocidos para la mayoría del público. También ofrecerán una **puesta en escena** visual inspirada en los territorios de donde proviene esta música.

Para la jornada además **se estrenan** 4 videoclips realizados para el primer disco de Joel Maripil Akun
25 Awkin, La llegada del Eco (2011), filmados en la comunidad de donde Joel proviene y que podrás apreciar.

Para los interesados en esta **puesta en escena**, la entrada es gratuita.

Tras el espectáculo está una productora de Concepción con casi una década de trabajo junto a varios
30 cultores mapuche. En esa misión han editado libros, documentales y discos de música mapuche. "Su interés es retirar de la marginalidad en la que queda toda producción o arte mapuche, creando productos y obras que sean de gran calidad en todo ámbito y luego
35 difundirlas por los medios adecuados", dice Javier Gallardo Prosser.

Como la línea editorial de la productora es **"rescatar** sabiduría ancestral", el llamado conflicto mapuche no es **abordado**. Sin embargo, advierten que "sí, se puede
40 entender a través de cada obra el por qué del conflicto, enfatizando más bien con la percepción de la realidad del pueblo mapuche, con su manera de comprender la pertenencia de los territorios y su conciencia ecológica
45 inherente a su cultura."

**FUENTE NÚMERO 2** **Las imágenes son de instrumentos de los mapuches y de su artesanía típica.**

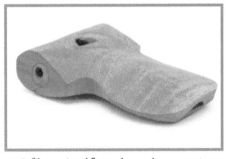

Pifilca – **Aerófono** de madera que tiene un orificio en cada extremo, siendo más grande el de la parte superior.

Wada o Huada – **Idiófono** que está hecho de calabaza seca y dentro de ésta se le ponen semillas y piedras.

1. ¿Cuál es el propósito del artículo?

   (A) Discutir los problemas de los mapuches
   (B) Anunciar una función sobre la música mapuche
   (C) Entender mejor la cultura mapuche por medio de la música
   (D) Investigar la dificultad de comprender la letra musical

2. ¿Qué tipo de discurso usa el autor para comunicarse?

   (A) Promocional
   (B) Chistoso
   (C) Científico
   (D) Motivador

3. Según el artículo, ¿quiénes van a presentar el concierto?

   (A) Dos premiados músicos mapuches
   (B) Dos reconocidos antropólogos chilenos
   (C) Dos famosas estrellas de música
   (D) Dos premiados poetas mapuches

4. Según el artículo, los instrumentos mapuches son…

   (A) muy modernos.
   (B) antiguos y conocidos para algunos.
   (C) populares por todo el mundo.
   (D) desconocidos por muchos.

5. Durante el espectáculo, los espectadores disfrutarán de…

   (A) la comida típica de la región.
   (B) la música moderna de la región.
   (C) imágenes visuales de la región.
   (D) talleres sobre la construcción de los instrumentos de la región.

6. ¿Qué quiere decir "el llamado conflicto mapuche no es abordado" (líneas 39 y 40)?

   (A) El concierto se concentra mucho en el conflicto.
   (B) El concierto no enciende la lucha.
   (C) El concierto se enfoca en problemas legales.
   (D) Todavía no hay nombre para el conflicto.

7. Según el artículo, ¿qué se puede entender a través de la música mapuche?

   (A) Cómo los mapuches se divierten.
   (B) Cómo los mapuches soportan los prejuicios raciales.
   (C) Cómo los mapuches conviven con el medio ambiente.
   (D) Cómo los mapuches procuran integrarse a la cultura mayoritaria.

8. ¿Qué tipo de información nos presentan las imágenes?

   (A) Recuerdos turísticos
   (B) Artefactos culturales
   (C) Avances musicales
   (D) Juguetes para niños

9. Según la fuente número dos, ¿de qué son los instrumentos mapuches?

   (A) Son de materiales naturales.
   (B) Son de una combinación de madera y de plástico.
   (C) Son totalmente de madera.
   (D) Son de carbón.

10. Según las imágenes, ¿cómo es la civilización mapuche?

    (A) Guerrera
    (B) Pasiva
    (C) Introspectiva
    (D) Ingeniosa

11. ¿Cuál sería un título apropiado para otra fuente que desarrollara el mismo tema?

    (A) *Los Mapuches – una civilización perdida*
    (B) *Los Mapuches – belicosos y repugnantes*
    (C) *Los Mapuches – músicos hábiles y listos*
    (D) *Los Mapuches – una interpretación de su vida a través de la música*

## CÁPSULA CULTURAL: LAS TUNAS DE ESPAÑA

Una tuna es una hermandad de estudiantes universitarios en España que visten una combinación de ropas antiguas y que tocan música folclórica con instrumentos de cuerda. Según los historiadores, las tunas en la  actualidad se suelen clasificar según la facultad universitaria a la que pertenecen sus miembros. La indumentaria del tuno está compuesta de varias piezas como por ejemplo, la beca. Los colores de la beca tienen mucha importancia. Por ejemplo: rojo para Derecho, azul turquí para Ciencias, amarillo para Medicina, azul celeste para Filosofía y Letras, morado para Farmacia, naranja para Empresariales.

—*Púa de Molinero, Diario Viaslado, el 25 de noviembre de 2012*

**COMPARACIONES:** ¿Qué importancia tiene la música en tu colegio, en tu barrio, en tu ciudad? Compara el papel de los músicos de hoy con los de los tiempos medievales en España.

## Ilustración con Audio

**FUENTE NÚMERO 1** Estas imágenes son de La Alhambra de Granada, España. El nombre Alhambra tiene sus orígenes en una palabra árabe que significa "castillo rojo". La Alhambra es el único ejemplo de arquitectura musulmana medieval que ha llegado intacto hasta nuestros días.

El Patio de los Arrayanes

Las columnas del Patio de los Leones

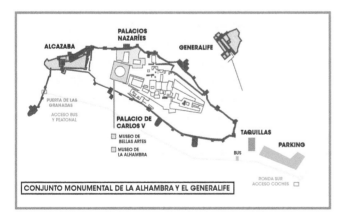

CONJUNTO MONUMENTAL DE LA ALHAMBRA Y EL GENERALIFE

**FUENTE NÚMERO 2** Esta grabación trata de La Alhambra de Granada, España. Un locutor y una locutora describen los edificios y la historia de la Alhambra. El audio fue publicado en Artehistoria. com el 24 de enero de 2008. La grabación dura aproximadamente dos minutos y medio.

1. Según la imagen del plano, ¿cómo es La Alhambra?
   - (A) Es un lugar sencillo.
   - (B) Es un palacio lujoso.
   - (C) Es una ciudad amurallada.
   - (D) Es un barrio de muchos colores.

2. Según las imágenes, ¿por qué se destaca La Alhambra?
   - (A) Por el diseño detallado de los edificios
   - (B) Por el paisaje
   - (C) Por la flora y la fauna
   - (D) Por la ubicación

3. ¿Cómo se define mejor el estilo arquitectónico de la Alhambra?
   - (A) Por sus múltiples líneas rectas
   - (B) Por sus agujas altas y delgadas
   - (C) Por sus arcos y por su simetría
   - (D) Por sus tres pisos con frescos de figuras humanas

4. Según el audio, ¿para qué se usaba la parte más antigua de La Alhambra, la Alcazaba?
   - (A) Para proteger los alrededores
   - (B) Para vivienda
   - (C) Para depósito
   - (D) Para entrada principal

5. Según el audio, ¿qué propósito tenía el agua en el Patio de los Arrayanes?
   - (A) No tenía un propósito estético sino útil.
   - (B) Daba una sensación de espejismo.
   - (C) Era para los peces del sultán.
   - (D) Servía para regar las plantas.

6. Según el audio, ¿para qué usaba el sultán los edificios pegados al Patio de los Leones?
   - (A) Para sus propias habitaciones y para sus mujeres
   - (B) Para la preparación de la comida
   - (C) Para los animales domesticados
   - (D) Para recibir a los huéspedes

7. Cuando conquistaron los cristianos a los musulmanes, ¿cómo afectó la conquista a La Alhambra?
   - (A) Los cristianos empezaron a construir edificios de otro estilo arquitectónico dentro de sus confines.
   - (B) Los cristianos destruyeron todas las partes musulmanas.
   - (C) Los cristianos no cambiaron nada.
   - (D) Los cristianos y los musulmanes vivieron juntos sin problemas.

## CÁPSULA CULTURAL: LA PRESENCIA ÁRABE EN LA LENGUA ESPAÑOLA

Los árabes y musulmanes estuvieron instalados en la península desde el año 711 hasta el año 1492. Según los expertos, hay más de 4.000 palabras árabes en la lengua española. Algunos ejemplos son: ***Ojalá*** – In Sha Allah, = Si Dios quiere; **las palabras que empiezan con "al"** – la almohada, la alberca, las albóndigas, …("Al" en árabe es equivalente a los artículos de español "el" o "la". Cuando está antes de la "z" – se asimila. Así tenemos: **la azafata, el azafrán, el azar.**

**COMPARACIONES: ¿Cómo influyen otras lenguas y culturas en el léxico del idioma dominante en tu país?**

## Correos Electrónicos

Has recibido este mensaje porque el periódico del colegio quiere entrevistarte sobre tu último proyecto para la clase de superdotados.

**De:** Editorial Silo

**Asunto:** La creatividad

Querido/a estudiante de español:

Buscamos alumnos como Ud. que tengan interés en desarrollar la creatividad. Su maestra nos ha comunicado que Ud. acaba de terminar un proyecto muy complicado y creativo para la clase de superdotados en nuestro colegio. ¿Le gustaría ayudarnos?

¿Cómo eligió Ud. el proyecto para la clase? ¿Cuál es el título de su proyecto? Si pudiera hacerlo de nuevo, ¿qué haría y por qué? ¿Por qué cree Ud. que su maestra lo recomendó para este artículo?

Si le quedan preguntas pendientes acerca de nuestra petición, estamos a su disposición.

Espero recibir noticias suyas pronto para discutir este asunto.

La directora de redacción
Carolina Whalen

## Audios

 **FUENTE** Esta entrevista, "El arte de mi padre refleja su alegría de vivir", describe el arte y la vida de Fernando Botero según el punto de vista de su hijo. Se originó en un artículo escrito por Margarita Vidal en el periódico colombiano El Tiempo el 28 de noviembre de 2011. La grabación dura aproximadamente tres minutos.

1. ¿Cuál es el propósito de la entrevista?
   - (A) Discutir la obra del famoso pintor Fernando Botero
   - (B) Conocer mejor al autor del libro
   - (C) Resaltar la importancia de los artistas que influyeron a Botero
   - (D) Degradar la calidad del trabajo del escultor

2. Según su hijo, ¿cuál de las siguientes afirmaciones describe mejor a Fernando Botero como padre?
   - (A) Juguetón
   - (B) Distante
   - (C) Estricto
   - (D) Generoso

3. Según su hijo, ¿cuál es la esencia de sus obras de intención crítica?
   - (A) La humillación
   - (B) La venganza
   - (C) La pretenciosidad
   - (D) La ridiculización

4. Según la entrevista, ¿cuál es la importancia de la gordura en su trabajo?
   - (A) Es un tema principal.
   - (B) Es una forma estética.
   - (C) Es un enfoque de su sátira.
   - (D) Es la esencia de su visión mundial.

5. Según la entrevista, ¿cómo denominamos mejor el estilo boteriano?
   - (A) Un estilo que satiriza los apetitos groseros de la humanidad
   - (B) Un estilo en el que la voluptuosidad despierta nuestras sensaciones
   - (C) Un estilo influido por el cubismo y el surrealismo
   - (D) Un estilo lleno de figuras estilizadas y bonitas

## CÁPSULA CULTURAL: LA BELLEZA DE LO VOLUMINOSO

Fernando Botero nació en Colombia en 1932. Es escultor y pintor. Sus trabajos están expuestos por todas partes del mundo. Según Juan Carlos Botero, el hijo de Fernando Botero, lo interesante es que su arte es una sátira que no insulta ni ofende, pero no por eso renuncia a ofrecer una crítica social picante, como se observa en sus cuadros de dictadores militares y prelados de la Iglesia.

—Púa de Molinero en su blog, *Diario Viaslado*

Estatua creada por Fernando Botero

**COMPARACIONES:** Compara el arte de Botero con el de un artista o escultor de tu país.

## Ensayo

***Tema del ensayo:***

*¿Se debe aceptar igualmente todo ejemplo de creatividad artística como obra de arte?*

**FUENTE NÚMERO 1** **Este texto trata de tatuadores y tatuados que fundamentan su afición a esta forma de expresión artística. El artículo, "Arte y significaciones perpetuadas en la piel", escrito por Trilce Lovisolo, fue publicado en El Tribuno de Salta, Argentina, el 4 de agosto de 2012.**

Los tatuajes han existido casi desde siempre, pero sus usos y sentidos se han ido modificando con el tiempo. Para muchos, la decisión de hacerse un tatuaje, tiene que ver con un suceso personal significativo. Cada tatuaje

5 resume una historia fantástica y es que muchos de los que se hacen tatuajes también tienen historias apasionantes que contar sobre ellos.

Mario Cruz lleva 15 años haciendo tatuajes. Empezó a los 10 y son incontables los diseños que realizó

10 en toda su vida. A los 13 años comenzó a dedicarse plenamente a este arte que lo llevó a viajar por muchos lugares porque por esos años no había quien enseñara a hacerlos, ni demasiada información circulando por internet; por ejemplo Martín Padilla, Javier Escandell

15 y Adrián Lovino trabajan con Mario en su local, en Urquiza. Desde allí exploran su creatividad. Son tatuadores y tatuados, pero también son artistas.

Los tatuajes son una expresión del arte. Mario coincide con esto y compara lo que hace con el arte plástico,

20 la pintura fundamentalmente. "Es como hacer un cuadro, pero en vez de hacerlo en un lienzo, nosotros lo hacemos sobre la piel", argumenta. Los tatuajes, así, son como cuadros vivientes, que las personas llevan consigo. Y es que las significaciones que tienen estas

25 obras vivas han ido cambiando en las diferentes culturas y a lo largo de la historia.

Hoy mucha gente decide "imprimir" en su propio cuerpo una vivencia que le ha transformado emocionalmente y que le motiva a modificar, de manera permanente, su piel, que se vuelve el 30 recuerdo perpetuo e indeleble de algún suceso muy trascendental. Claro que también están quienes solo se tatúan para decorarse, con un fin puramente estético. Y están los que lo piensan mucho y los que impulsivamente un día pasan por el local y ¡listo!, 35 entran y se tatúan.

¿Qué tipos de diseños son los que la gente más pide? Ellos dicen que depende de si el cliente los conoce o no. Muchos ya conocen qué tipos de diseños identifican a esa casa de tatuajes y optan por diseños que guarden 40 una relación con ese estilo. Otros, en cambio, solo piden diseños sencillos, como letras chinas o frases escritas en letra cursiva, que están de moda. El tema de los diseños que eligen quienes deciden tatuarse ha ido evolucionando con el tiempo. 45

Mario dice que en los últimos años han notado que la gente se anima a diseños mucho más elaborados. "Hace un tiempo quizás entraban cinco personas al local y las cinco se hacían letras chinas, o flores, o mariposas… Ahora es mucho más variado. Ahora vienen y quieren 50 tatuarse el brazo completo con algún diseño oriental o maorí", dice Mario, quien se dedica al realismo, un estilo que también tiene cada vez más seguidores.

"No se puede ignorar que el hombre ha sentido siempre, por un motivo u otro, la imperiosa necesidad 55 de cambiar su cuerpo. De hecho, las modificaciones corporales pueden ser consideradas como una forma más de escapar a la muerte mediante algo que tenemos tan a mano como la extrema conciencia de nuestra propia anatomía", dice Pedro Duque en el libro 60 "Tatuajes". El cuerpo decorado, anillados 'piercings' y otras modificaciones de la carne". Más adelante plantea: "Por otro lado, tomar conciencia de nuestra carne a través de los tatuajes u otra forma de remarcación física puede reflejar un intento de preservar la propia 65 individualidad, personificándola, frente a la alienación de los homogeneizados estereotipos impuestos por el estado, los "media" o nuestro conocido carácter gregario. También puede darse el extremo opuesto, la agradable sensación de pertenencia a un colectivo, 70 la impresión de ingresar en un selecto club al que pertenecen personas a las que admiramos o que mantienen ideas que compartimos".

**FUENTE NÚMERO 2** Esta foto nos muestra un ejemplo de arte infantil.

**FUENTE NÚMERO 3** Esta grabación trata de la artesanía del Ecuador. La entrevista, "Reportaje Artesanías del Ecuador", es una producción de Punto Cero que fue producida en septiembre de 2009. Un locutor entrevista a varias personas sobre la artesanía del Ecuador. Es una producción de Radioteca. La grabación dura tres minutos.

## Conversaciones

Esta es una conversación con la presidente de una tienda de artesanía. Vas a participar en esta conversación porque quieres un trabajo como diseñador/a de sus vitrinas para la temporada navideña.

| Sra. Torgueson | • Te saluda y te hace una pregunta. |
|---|---|
| Tú | • Salúdala y contesta. |
| Sra. Torgueson | • Te hace una pregunta. |
| Tú | • Contesta. |
| Sra. Torgueson | • Te hace varias preguntas. |
| Tú | • Contesta. |
| Sra. Torgueson | • Reacciona y te hace otras preguntas. |
| Tú | • Contesta con detalles. |
| Sra. Torgueson | • Reacciona y te hace una pregunta. |
| Tú | • Dale tus disculpas, proponle otra posibilidad y despídete. |

## Discursos

**Tema de la presentación:**

*¿Cuál es la influencia de la generación actual sobre la creatividad en tu comunidad?*

*Compara tus observaciones acerca de las comunidades en las que has vivido con tus observaciones de una región del mundo hispanohablante que te sea familiar. En tu presentación, puedes referirte a lo que has estudiado, vivido, observado, etc.*

## CLASIFICADOS

PÁGINA **269** Lecturas

### ESENCIAL: PARA UNA MEJOR COMPRENSIÓN

**la puesta en escena**—realización de un guión o presentación de una obra

**se estrenan (estrenarse)**—inaugurar, usar por la primera vez

**abordado/a (abordar)**—afrontar, discutir, encarar o presentar un tema

### *IMPORTANTE: PARA UNA MEJOR DISCUSIÓN*

**ejecutan (ejecutar)**—hacer, realizar

**rescatar**—liberar de un peligro, recuperar

### ÚTIL: PARA UNA MEJOR EXPRESIÓN

**a cargo de**—al cuidado de

**Producto:** Describe el kultrun.

**Práctica:** Explica el aspecto ritual del kultrun.

**Perspectiva:** ¿Cuál es la relación del machi con su kultrun?

PÁGINA **271** Ilustración con Audio

### ESENCIAL: PARA UNA MEJOR COMPRENSIÓN

**el recinto**—un espacio o lugar cerrado

**la alberca**—una piscina

### IMPORTANTE: PARA UNA MEJOR DISCUSIÓN

**surgir**—aparecer, emerger

**el arrayán**—un arbusto muy fragante

**citado/a (citar)**—nombrar, mencionar

### ÚTIL: PARA UNA MEJOR EXPRESIÓN

**a modo de**—como, a manera de

**Producto:** Dibuja algunos estilos de azulejos.

**Práctica:** ¿Qué papel importante tiene el azulejo en el diseño y la función de La Alhambra?

**Perspectiva:** ¿Por qué no hay azulejos ni representaciones de la figura humana en el arte musulmán que se encuentra en La Alhambra?

PÁGINA **273** Audios

### *ESENCIAL: PARA UNA MEJOR COMPRENSIÓN*

**hojeen (hojear)**—leer rápidamente

**se ha burlado de (burlarse)**—reírse de, poner en ridículo

### IMPORTANTE: PARA UNA MEJOR DISCUSIÓN

**enterado/a**—informado/a, instruido/a

### ÚTIL: PARA UNA MEJOR EXPRESIÓN

**sin duda**—por supuesto, con seguridad

**Producto:** Dibuja una escultura típica de Botero.

**Práctica:** ¿Por qué fue fácil para Botero pasar de la pintura a la escultura?

**Perspectiva:** Interpreta la idea de "volumetrista" en las obras de Botero.

# La moda y el diseño

## Lecturas

FUENTE La selección es una carta de solicitud a los dirigentes de una empresa de moda. La carta fue escrita por Rosa de Molinero en abril de 2013.

Estimados señores Costa:

Respetuosamente, **me dirijo** a su prestigiosa organización con el objetivo de ofrecerles mi nueva línea de moda para que sea expuesta en **el certamen**
5  que tendrá lugar en el año 2014. Siempre **he soñado con** mostrar mis creaciones en un evento internacional y este evento promete ser inigualable dada la participación mundial. En mi más reciente colección todos los diseños se inspiran en mis experiencias
10  recorriendo las vastas regiones andinas y amazónicas. Como podrán notar, las tonalidades obedecen al prisma de la naturaleza y reflejan la fluidez de los ríos.

Las telas forman parte de la sabia tradición del algodón y mantienen un equilibrio perfecto entre comodidad y
15  elegancia.

Esta creatividad ha sido notada anteriormente por muchos clientes de nuestro país. **Adjunto** un catálogo de mis prendas recientes que ha tenido una distribución nacional. Espero que sea de su agrado y quedo a su disposición.

20  Agradeciendo de **antemano** su ayuda, reciban un cordial saludo,

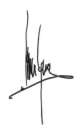

Rosa de Molinero

1. ¿Por qué escribe la carta la Sra. Molinero?
   (A) Quiere visitar la región de los Andes.
   (B) Quiere que los Sres. Costa compren sus productos.
   (C) Desea que el mundo conozca mejor su ropa.
   (D) Le gustaría comprar la tela original.

2. Según la carta, ¿qué tipo de acontecimiento internacional habrá?
   (A) Una competición
   (B) Una convención de moda mundial
   (C) Un viaje turístico
   (D) Una carrera

3. Según la carta, ¿qué le influye más a la diseñadora?
   (A) La ropa antigua
   (B) El tejido indígena
   (C) El paisaje
   (D) Los sastres modernos

4. ¿Cuál de las siguientes características describe mejor a la Sra. Molinero?
   (A) Ingenua
   (B) Segura de sí misma
   (C) Deprimida
   (D) Agresiva

5. Según la carta, ¿cómo es la ropa de esta diseñadora?
   (A) Son prendas cómodas y bonitas.
   (B) Es ropa bastante pesada.
   (C) Tiene un estilo muy indígena.
   (D) Siempre hay cambios según la temporada.

6. Según la carta, ¿es la Sra. de Molinero una diseñadora famosa?
   (A) No, sería su primer estreno.
   (B) No, sólo la conocen en su país.
   (C) Sí, la conocen en toda América Latina.
   (D) Sí, la conocen por todo el mundo.

## CÁPSULA CULTURAL: LA ROPA HABLA

La vestimenta ayuda a proteger al cuerpo humano. La ropa también se usa como medio de representación de ideas culturales, sociales y religiosas. Las personas se visten de diferente manera de acuerdo a la ocasión, el clima y su estado de ánimo.

—Púa de Molinero, Blogviaslado, 2013

**COMPARACIONES:** ¿Describe las fuerzas culturales que cambian y definen la moda?

## Lecturas con Audio

**FUENTE NÚMERO 1** Este texto, "Paco Rabanne, poeta del metal", trata del famoso diseñador. El artículo original se publicó en <u>Solo Moda</u> en Madrid y fue escrito por Vicky Bolaños el 27 de julio de 2011.

Sus **atrevidas** creaciones y sus perfumes han marcado la historia de la moda y continúan inspirando. El diseñador Paco Rabanne se ha caracterizado por ir a contracorriente
5 y por huir de los convencionalismos desde sus inicios. Es el protagonista del nuevo reportaje del programa de La 2 <u>Solo Moda</u>.

El periodista experto en moda Jesús María Montes-Fernández nos acerca a la trayectoria del diseñador
10 de origen vasco afincado en Francia: a su universo ecléctico, a su gusto por los volúmenes y materiales inéditos, a su trabajo y a sus éxitos.

### Rabanne, criado en la moda y en el exilio

El diseñador nació en San Sebastián en 1934. Su madre
15 era **costurera** jefa en el taller de Balenciaga; su padre era un general del ejército republicano que tras la guerra civil fue fusilado. Se exilió con su familia a París en 1939 y comenzó estudios de Arquitectura en la Escuela de Bellas Artes de París entre 1951 y 1963.

20 En esos años demostró tener facilidad para el dibujo, pero siempre sintió atracción hacia el mundo de la moda, debido a la profesión de su madre. Esbozaba diseños de accesorios para el fabricante de artículos de **marroquinería**, Roger Model, y el diseñador de
25 zapatos, Charles Jourdan.

También fabricaba de forma artesanal accesorios de fantasía que sedujeron a grandes modistos de los 60 como Givenchy, Nina Ricci, Balenciaga o Philippe Venet, entre otros.

### 30 Materiales atípicos

En 1964, con la eclosión de la cultura pop creó accesorios como pendientes, brazaletes, gafas y zapatos con materiales alejados del textil. Un año después presentó sus primeros vestidos, para los que utilizó
35 plástico. Siguió por el camino de usar materiales alternativos: aluminio, **caucho**, abalorios de piedras... fue pionero en el uso del vinilo y los sintéticos.

En 1966 creó 12 vestidos "imposibles de llevar fabricados en materiales contemporáneos". Así fue
40 definida su primera colección presentada en los salones del hotel George V de París por maniquíes que desfilaron desnudos. Su audacia fue alabada por el maestro Salvador Dalí, quien le definió como el "segundo genio de España".

Paralelamente a su trabajo en moda, que llegó a
45 estar expuesto en el MOMA de Nueva York, continuó trabajando piezas únicas, vanguardistas del reciclado y ropa **efímera**, desde botones de mercería hasta discos láser y botellas de plástico pasando por pañuelos, fulares o unos calcetines aprovechados para hacer las
50 mangas de un suéter.

### La aventura del perfume

A finales de los 60, los hermanos Puig de Barcelona, los pioneros de la distribución de perfume francés en España, eligieron a Rabanne para fundar una nueva
55 marca con su nombre. Así nació Calandre, su primer perfume. Le siguieron, en los 80, Paco Rabanne pour Homme, Métal, La Nuit, Sport o Ténéré. Ya en los 90 XS, Black XS, Paco o Ultraviolet.

### El Rabanne pensador

60 "Prefiero ser el número diez y hacer mi vida que no el número uno y ser un neurótico", declaró a la revista Época en 1999. Y es que aparte de diseñador, Paco Rabanne también es escritor. El modisto también ha estado interesado por la espiritualidad y las eternas
65 preguntas del ser humano. Ha publicado varios ensayos: Trayectorie, La fin des temps, Feu du Ciel.

**◀)) FUENTE NÚMERO 2** Esta selección, "Paco Rabanne, el modista vasco", está basada en una grabación hecha para RTVE.es. de España el 30 de julio de 2011. El locutor habla de la obra y vida de Paco Rabanne, el modista vasco. La grabación dura aproximadamente 3 minutos.

1. ¿Cuál es el propósito del artículo?
   (A) Vender los productos del diseñador
   (B) Describir el camino a la fama de este hombre
   (C) Promover el perfume
   (D) Discutir la vida de una familia durante la guerra civil

2. Según el artículo, ¿qué estilo describe mejor al de Paco Rabanne?

   (A) Tradicional
   (B) Vanguardista
   (C) Orgánico
   (D) Renacentista

3. Según el artículo, ¿por qué decidió seguir la carrera de diseño el Sr. Rabanne?

   (A) No tuvo más remedio.
   (B) Quería escaparse de la vida real.
   (C) Desde niño tenía ganas de estar en el mundo del diseño como su madre.
   (D) Quería ganar mucho dinero.

4. Según el artículo, ¿cuál de las siguientes afirmaciones describe mejor la filosofía de Paco Rabanne?

   (A) Le importa mucho la fama.
   (B) Ganar dinero es tener éxito.
   (C) La vida lujosa es la mejor.
   (D) Una vida llena y exitosa vale más que ser el mejor diseñador.

5. Según el audio, ¿qué impacto tiene Paco Rabanne sobre muchas personas?

   (A) Tiene una influencia mínima.
   (B) Les impresionó mucho y sigue impresionándoles.
   (C) No hay muchos que lo conocen.
   (D) Sólo tiene un impacto en España.

6. ¿Cómo describe el audio la vida del Sr. Rabanne cuando era niño?

   (A) Muy lujosa
   (B) Muy típica de esa época
   (C) Difícil a causa de varias razones
   (D) Una víctima del divorcio

7. Según el audio, ¿qué papel tuvo Francia en la vida de Paco Rabanne?

   (A) Los años en Francia representaron los peores en su vida.
   (B) Francia afectó muy poco al Sr. Rabanne.
   (C) La vida en Francia moldeó su personalidad.
   (D) Paco Rabanne surgió en el momento que llegó a Francia.

8. Según el audio, ¿cómo aprendió tanto sobre el mundo del diseño y del arte?

   (A) Volvió a España para estudiar con los mejores diseñadores.
   (B) Habló con la gente en la calle.
   (C) Siguió con una formación formal en Francia.
   (D) Aprendió sólo a través de los libros.

9. ¿Qué tienen en común las dos fuentes?

   (A) Describen la vida y la carrera de un hombre.
   (B) Nos dan detalles sobre la vida de un hombre famoso dedicado al servicio comunitario.
   (C) Las dos fuentes tienen mucho que ver con la política.
   (D) Se concentran en la importancia de la familia.

10. Según las dos fuentes, ¿cómo es Paco Rabanne?

    (A) Es un hombre diverso.
    (B) Es intolerante.
    (C) Le importa Francia tanto como España.
    (D) Tiene más fama por el perfume que por la moda.

## CÁPSULA CULTURAL: LOS EXILIADOS DE LA GUERRA CIVIL ESPAÑOLA (1936 – 1939)

Muchos famosos tuvieron que salir de España durante la Guerra Civil Española: escritores como Rafael Alberti, Pedro Salinas, Emilio Prados; cineastas como Luis Buñuel; artistas como Pablo Picasso, y filósofos como Juan David García Bacca. Estos y muchos otros o murieron o no pudieron regresar a su tierra hasta la restauración de la democracia en el año 1977.

Quizás el más famoso de los exiliados, Pablo Picasso pintó La Guernica en París entre los meses de mayo y junio de 1937 y el pintor estipuló que nunca volvería a España hasta que se establecieran nuevamente las instituciones demócratas en su país natal. El título alude al bombardeo del pueblo Guernica que ocurrió el 26 de abril de 1937 en el nordeste de España. Ahora el famosísimo cuadro tiene un sitio prominente en el Museo Nacional Centro de Arte Reina Sofía en Madrid.

Guernica, Pablo Picasso, 1937

—Púa de Molinero, Blogviaslado, 2012

**COMPARACIONES:** Compara un tiempo triste en tu país con lo ocurrido en los años de 1936 a 1939 en España. ¿Salió algo artístico o musical inolvidable de esta época, por ejemplo, una obra de arte como "Guernica" o unas canciones conocidas?

## Audios

🔊 **FUENTE** Esta grabación, "Vitrinas venezolanas al día", trata de los muebles y de la decoración de la casa. Se basa en un artículo escrito por Efraín Castillo y fue publicado en Estampas, una revista de moda de El Universal de Venezuela, el 19 de noviembre de 2007. Una locutora habla del diseño venezolano. La grabación dura casi tres minutos.

1. Según el audio, ¿cómo se conoce el diseño venezolano?
   - (A) Un imitador de los grandes de Nueva York y otras partes
   - (B) Sin sentido de orientación
   - (C) Muy bien conocido por todo el mundo
   - (D) Pesado y sin creatividad

2. Según el audio ¿a quiénes les gustaría el estilo de Bo Concept?
   - (A) A los clientes con poco dinero para gastar
   - (B) A la gente sin mucho espacio
   - (C) A las personas del campo
   - (D) A los clientes que no les encantan los colores

3. Según el audio, ¿cómo es el centro Galea?
   - (A) Tiene muebles distintos y accesorios variados.
   - (B) Es un lugar frío y cerrado.
   - (C) Es una mueblería sólo para valientes.
   - (D) Hay muebles muy formales y nada más.

4. Según el audio, ¿qué piensa el centro Galea sobre el uso del color blanco?
   - (A) No es práctico.
   - (B) Lo evita.
   - (C) Ofrece un elemento de luminosidad.
   - (D) No combina bien con otros colores.

5. Según el audio, ¿por qué la gente va de compras en la tienda Muebles Bima?
   - (A) Porque a la gente no le importa el precio
   - (B) Porque cada mueble es único
   - (C) Porque se puede gastar menos que en las otras mueblerías
   - (D) Porque está abierta las 24 horas

## CÁPSULA CULTURAL: LAS CAMAS – MUEBLES PARA TODOS Y PARA TODOS LOS GUSTOS

- ▲ Individual
- ▲ Matrimonial
- ▲ Cama doble/de dos plazas
- ▲ Cama matrimonial extra grande
- ▲ Litera – (compuesta de dos camas, una encima de la otra)
- ▲ Cama plegable – (cama que se extrae de un mueble en el que se guarda durante el día)
- ▲ Sofá cama
- ▲ Cama de agua
- ▲ Cuna – (para los bebés)
- ▲ Cama nido – (cama individual estándar y otra de patas plegables que se guarda debajo)
- ▲ Cama elástica – (Se utiliza para dar saltos de diversión.)

La cama es un mueble ubícuo. Se encuentra en cada domicilio porque principalmente se usa para dormir, actividad imprescindible. Hay camas de muchos estilos para satisfacer los gustos y las necesidades de sus dueños. La cama es realmente el mueble para todo el mundo. Para embellecer la cama hay un sinfín de sábanas, sobrecamas, almohadas y pies de cama. Para muchos es su mueble favorito. No hay nada como la cama.

—*Púa de Molinero, abril de 2013*

**COMPARACIONES: La siesta es un descanso reparador para muchas personas. ¿Qué oportunidades para descansar y mantenerse en buena forma proveen los lugares de estudio y trabajo en tu comunidad?**

## Ensayo

**Tema del ensayo:**

*¿Qué debe considerar el consumidor cuando va a comprar ropa?*

**FUENTE NÚMERO 1** Este texto, "El alto precio de la moda", escrito por Josefina Strahovsky trata de la obsesión por comprar ropa. Fue publicado en La Tercera - Revista Mujer de Santiago, Chile, el 11 de noviembre de 2012.

Setenta y una blusas, veinte suéteres, quince cárdigans, sesenta poleras, veinticuatro vestidos, trece jeans, dieciocho cinturones, veinte pares de zapatos, catorce chaquetas y la misma cantidad de shorts. En total la
5  periodista Elizabeth L. Cline tenía 354 prendas. Para contarlas y clasificarlas despejó dos clósets, una bodega y cuatro cajas que guardaba bajo su cama. En el proceso demoró tres semanas. "Ahí me di cuenta de que tenía más ropa que cualquier otra cosa, pero que no conocía
10  nada sobre ella. Chequeaba cada uno de los ítems de la tabla nutricional de los huevos que compraba, pero nunca se me había ocurrido mirar las etiquetas de mi ropa", asegura en el primer capítulo de su libro 'Sobrevestidos, el sorprendente alto precio de la moda barata", publicado en
15  junio de este año.

Ella era una adicta confesa a las liquidaciones, y esta auditoría a su armario fue desencadenada precisamente por una sesión impulsiva de compras. Una tarde, después de un estresante día de trabajo, salió de un mega
20  supermercado con siete pares de zapatos (del mismo modelo pero en diferentes colores) que había encontrado en oferta. Meses después, cuando se dio cuenta de que solo había usado dos pares, decidió hacer un cambio de vida. "Mi clóset estaba sobrecargado, compraba cosas
25  y a veces no las usaba. Comprendí que había gastado dinero de más y que estaba enviando kilos de desecho al medioambiente. Eso me motivó no solo a limpiar mi clóset sino también a comenzar esta investigación que transformó mi manera de relacionarme con la moda",
30  cuenta al teléfono desde Nueva York.

Demoró tres años en escribir este libro paralelamente mantuvo su trabajo como editora en la cadena de televisión AMC, en el que intenta, desde el punto de vista del consumidor, descifrar cómo funciona la
35  industria minorista al detalle a gran escala. "Quería entender el cambio del mercado y por qué nuestros abuelos y bisabuelos podían conseguir ropa bien confeccionada a un costo razonable. Y no solo eso: ellos la valoraban y cuidaban independiente de su precio.
40  Para nosotros, en cambio, el vestuario es un bien desechable".

**FUENTE NÚMERO 2** Este texto trata de varias cifras sobre el precio de producción de ropa según el costo de los materiales. Fue publicado por Latinpedia el 31 de octubre de 2012.

Costo de producción (Peso – Peso Dominicano)
Materiales

| | |
|---|---|
| Tela | 75.00 |
| Forro | 35.00 |
| Hilo | 20.00 |
| Elástico | 20.00 |
| Adornos | 80.00 |
| Lentejuelas | 65.00 |
| Nilón | 40.00 |
| Agujas | 5.00 |
| Mano de obra | 250.00 |
| Margen de beneficio – 30% (307.50) | |

**FUENTE NÚMERO 3** Esta grabación, "Crónica: el alto precio de la moda", se originó en un artículo escrito por Josefina Strahovsky en La Tercera – Revista Mujer de Santiago, Chile. La grabación dura aproximadamente dos minutos.

## Correos Electrónicos

Has recibido este mensaje porque hace un mes que contactaste con una agencia de viajes para estudiantes. La agencia ofrece una oferta en la que hay un viaje a Valencia, España, que incluye una visita a la fábrica de Lladró. También hay varias otras excursiones por la Comunidad de Valencia y por Murcia. Te interesan el horario y el programa. Sobre todo, te interesa aprender más castellano.

**De:** Viajes Estudiantiles

**Asunto:** Visita a Valencia y sus alrededores

Querido/a estudiante de español:

"Viajes Estudiantiles" le manda este mensaje porque ha expresado interés en nuestro programa y visita a Valencia. Es un programa muy selectivo, así que tengo algunas preguntas para Ud.

¿Por qué quiere visitar una fábrica de cerámica como la de Lladró? ¿Qué otros intereses tiene? Descríbame más, ¿por qué tiene ganas de mejorar su español? ¿Le interesaría recibir información sobre las becas que ofrecemos?

Finalmente, si pudiera conocer a un torero de Valencia, ¿qué le diría?

Estamos en espera de su respuesta. Le comunicaremos nuestra decisión una vez que recibamos su respuesta.

Señorita Ramos
Vice Presidenta

## Conversaciones

Esta es una conversación con Elena, una amiga tuya. Ella te invita para ir de compras a una tienda de descuento. Tiene que comprar un vestido para una quinceañera y quiere tu ayuda.

| Elena | • Te saluda y te hace una pregunta. |
|-------|-------------------------------------|
| Tú | • Salúdala, reacciona y contesta. |
| Elena | • Continúa la conversación. |
| Tú | • Contesta con varias ideas. |
| Elena | • Te hace una pregunta. |
| Tú | • Contesta. |
| Elena | • Reacciona y te hace una pregunta. |
| Tú | • Discúlpate y proponle otra posibilidad. |
| Elena | • Te hace una pregunta. |
| Tú | • Contesta, ofrécele algunas posibilidades y despídete. |

## Discursos

**Tema de la presentación:**

*¿Qué importancia tiene el gusto personal del vestir para diferenciarse de los distintos grupos sociales de tu comunidad?*

*Compara tus observaciones acerca de las comunidades en las que has vivido con tus observaciones de una región del mundo hispanohablante que te sea familiar. En tu presentación, puedes referirte a lo que has estudiado, vivido, observado, etc.*

## CLASIFICADOS

**PÁGINA 277** Lecturas

**PÁGINA 278** Lecturas con Audio

**PÁGINA 280** Audios

### ESENCIAL: PARA UNA MEJOR COMPRENSIÓN

**el certamen**—concurso abierto

**adjunto (adjuntar)**—unir o incluir

### IMPORTANTE: PARA UNA MEJOR DISCUSIÓN

**me dirijo (dirigirse)**—poner dirección hacia algo o alguien, encaminarse, decir por escrito

**antemano**—anteriormente, por adelantado

### ÚTIL: PARA UNA MEJOR EXPRESIÓN

**ha soñado (soñar) con**—imaginar o desear algo que no se tiene

**Producto:** Describe el paisaje andino.

**Práctica:** ¿Cómo influye el paisaje en el estilo del arte y de la moda?

**Perspectiva:** ¿Cómo ha afectado el paisaje la vida contemporánea?

### ESENCIAL: PARA UNA MEJOR COMPRENSIÓN

**atrevido/a**—aventurero, arriesgado

**costurero/a**—se refiere al arte de coser o de trabajar con aguja e hilo

**la huella**—impresión duradera hecha por el pie, seña que deja alguien o algo

### IMPORTANTE: PARA UNA MEJOR DISCUSIÓN

**el caucho**—sustancia elástica

**efímero/a**—que dura poco tiempo, breve

**la marroquinería**—objetos de cuero

**se empapa (empaparse)**—llenarse, quedarse totalmente involucrado en algo

**Producto:** Busca el diseño de la botella del perfume de Paco Rabanne.

**Práctica:** ¿Para qué usaban los musulmanes el perfume durante la ocupación de España?

**Perspectiva:** ¿Por qué es tan popular comprar perfumes en España?

### ESENCIAL: PARA UNA MEJOR COMPRENSIÓN

**el toque**—detalle

**armar**—juntar las piezas

### IMPORTANTE: PARA UNA MEJOR DISCUSIÓN

**la pauta**—un modelo o norma

**el remanso**—lugar o situación tranquila

**Producto:** ¿Qué se aprende en un curso que se titula "El escaparatismo"?

**Práctica:** Explica por qué se considera al escaparate "El vendedor silencioso".

**Perspectiva:** ¿Cómo influye el afán por el paseo en España en la calidad del montaje de los escaparates?

# El lenguaje y la literatura

## Lecturas

**FUENTE** Este fragmento del poema, "Hay un país en el mundo", escrito por Don Pedro Mir (1913-2000), fue publicado el 27 de mayo de 2008 en el sitio de red Educando. Describe minuciosamente la geografía del país y la laboriosidad de sus gentes dedicadas al cultivo de la caña de azúcar que viven en la pobreza y la resignación.

Hay un país en el mundo
colocado
en el mismo trayecto del sol,
oriundo de la noche.
5  Colocado
en un inverosímil archipiélago
de azúcar y de alcohol.

Sencillamente liviano,
como un ala de **murciélago** apoyado en la brisa.
10 Sencillamente claro,
como el rastro del beso en las solteras antiguas.
o el día en los tejados.

Sencillamente frutal, fluvial. Y material. Y sin embargo
sencillamente **tórrido** y pateado
15 como una adolescente en las caderas.
Sencillamente triste y oprimido.
Sinceramente agreste y despoblado.
En verdad.
Con dos millones suma de la vida
20 y entre tanto cuatro cordilleras cardinales
y una inmensa bahía y otra inmensa bahía,
tres penínsulas con islas adyacentes
y un **asombro** de ríos verticales
y tierra bajo los árboles y tierra
25 bajo los ríos y en la falda del monte
y al pie de la colina y detrás del horizonte
y tierra desde el cantío de los gallos
y tierra bajo el galope de los caballos
y tierra sobre el día, bajo el mapa, alrededor
30 y debajo de todas las huellas y en medio el amor.
Entonces es lo que he declarado.
Hay un país en el mundo
sencillamente **agreste** y despoblado.
Algún amor creerá
35 que en este fluvial país en que la tierra brota,
y se derrama y cruje como una vena rota,
donde el día tiene su triunfo verdadero,
irán los campesinos con asombro y **apero**
a cultivar, cantando su franja propietaria.
40 Este amor
quebrará su inocencia solitaria.
Pero no.
Y creerá que en medio de esta tierra recrecida,
donde quiera, donde ruedan montañas por los valles

como frescas monedas azules, donde duerme          45
un bosque en cada flor y en cada flor de la vida,
irán los campesinos por la loma dormida
a gozar forcejeando con su propia cosecha.
Este amor
doblará su luminosa flecha.                          50
Pero no.
Y creerá
que donde el viento asalta el íntimo **terrón**
y lo convierte en tropas de cumbres y praderas,
donde cada colina parece un corazón,               55
en cada campesino irán las primaveras
cantando entre los **surcos** su propiedad.

1.  ¿Qué efecto tiene el uso de la palabra "sencillamente" en los distintos versos del poema?
    (A) Plantea una idea de la realidad del país.
    (B) Describe la riqueza del país.
    (C) Se refiere a la belleza del país.
    (D) No tiene importancia.

2.  En el verso 18, ¿por qué utiliza el poeta la frase "en verdad"?
    (A) Descarta el paisaje idealizado de los versos anteriores.
    (B) Dice que los versos anteriores son una mentira.
    (C) Es otra manera de decir "Es verdad".
    (D) Es una negación del verso anterior.

3.  En los versos 42 y 51, ¿qué motivo poético tiene "Pero no"?
    (A) Dar un ritmo inesperado al poema
    (B) Resaltar la realidad que aflige al país
    (C) Reflejar la ambigüedad emocional del poeta
    (D) Expresar la falta de amor en el país

4.  ¿Para qué utiliza el poeta los tiempos verbales en el futuro? (Versos 34 – 57)
    (A) Para expresar la certeza de acciones futuras
    (B) Para cambiar la estructura rítmica del poema
    (C) Para presentar probabilidades imprácticas
    (D) Para representar la esperanza de un futuro mejor

5.  En el poema, ¿cómo se describe al campesino del país?
    (A) Como un hombre oprimido y resignado
    (B) Como un trabajador sin ganas de mejorarse
    (C) Como un inquilino que cosecha y nada más
    (D) Como un soñador

6.  ¿Cuál es el propósito principal de este fragmento de poesía?
    (A) Reflejar el dolor del campesino
    (B) Expresar el lujo de la vida de la gente
    (C) Discutir la geografía del paisaje
    (D) Mostrar la vida sencilla

## CÁPSULA CULTURAL: WALT WHITMAN (1819–1892), INFLUENCIA POÉTICA EN TODAS LAS AMÉRICAS

Considerado el padre de la poesía moderna estadounidense por muchos críticos, su influencia fuera de ese país, especialmente en Sudamérica, ha sido amplia también. Entre los escritores que han sido marcados por su obra figuran Rubén Darío ("Walt Whitman"), Federico García Lorca ("Oda a Walt Whitman"), Jorge Luis Borges ("El otro Whitman"), Pablo Neruda ("Oda a Walt Whitman") y Pedro Mir ("Contracanto a Walt Whitman") entre otros.

escritores@viaslado.com

**COMPARACIONES:** ¿Cómo se reconoce públicamente a los grandes poetas de tu comunidad? Describe la importancia que tienen en tu comunidad y explica por qué ocupan este puesto en la conciencia pública.

Walt Whitman, 1887

## Ilustración con Audio

**FUENTE NÚMERO 1** **Este diagrama trata sobre las principales propiedades creativas del cerebro. El mismo es una simplificación de procesos y capacidades complejos y puede servir para una discusión más a fondo sobre cómo funciona el cerebro en instancias de la creatividad. El gráfico es una producción de Diario Viaslado del 24 de enero de 2013.**

CÓMO ESTÁ ORGANIZADO EL CEREBRO

Control de la mano derecha (diestro)   Control de la mano izquierda (zurdo)

Pensamiento lineal — Pensamiento holístico
Unas características de la creatividad — Unas características de la creatividad

Cuantitativo — Cualitativo
Lógico — Intuitivo
Racional — Fantástico
Cualitativo — Subjetivo
Objetivo — Simultáneo
Literal — Simbólico

Hemisferio izquierdo — Hemisferio derecho

**FUENTE NÚMERO 2** **La grabación, "Jorge Volpi: Leer la mente", trata sobre el efecto que produce la lectura de novelas en el lector. En esta presentación el autor Jorge Volpi da una conferencia durante la Feria Nacional del Libro en Guanajuato, México, el 15 de mayo de 2011. La grabación dura tres minutos.**

1. Según el gráfico, ¿cuál es el hemisferio más dotado para comprender una novela romántica?
   (A) El derecho
   (B) El izquierdo
   (C) Los dos
   (D) Ninguno

2. Según el gráfico, ¿cuál es el hemisferio que controla la capacidad de efectuar ejercicios de aritmética?
   (A) El derecho
   (B) El izquierdo
   (C) Los dos
   (D) Ninguno

3. Según el gráfico, ¿qué tipo de autor probablemente escribiría una novela?
   (A) Un autor diestro
   (B) Un autor zurdo
   (C) Un autor en el que domina el hemisferio izquierdo
   (D) Un autor ambidiestro

4. Según la fuente auditiva, ¿quién es el señor que habla?
   (A) Un profesor que dicta clases de literatura
   (B) Un adicto a la literatura
   (C) Un autor de novelas de ficción
   (D) Un comentarista de efectos literarios

5. Según la fuente número dos, ¿cómo se define la ficción?
   (A) Como algo imaginado por cada lector
   (B) Como un género complejo y onírico
   (C) Como una combinación de mitos y leyendas
   (D) Como algo parecido a la vida cotidiana

**6.** Según el audio, ¿qué representa el yo?

(A) Representa las ideas del individuo y su propia experiencia.

(B) Representa los deseos y esperanzas del lector.

(C) Representa las mentiras del cuentista mítico de la cueva.

(D) Representa las ficciones de los novelistas.

**7.** ¿Cuál de las siguientes afirmaciones explica mejor lo que tienen en común las dos fuentes?

(A) Las dos fuentes presentan resultados de investigaciones científicas sobre la creatividad.

(B) Las dos fuentes se enfocan en la capacidad del cerebro de producir literatura.

(C) Las dos fuentes juntas producen un informe sobre las facultades del cerebro y sus efectos creativos.

(D) Las dos fuentes resaltan los beneficios de escribir y leer novelas.

## CÁPSULA CULTURAL: LOS NIÑOS BILINGÜES SACAN PARTIDO DE SU CONOCIMIENTO

Siempre ha sido una ventaja hablar varios idiomas, pero la crianza de niños bilingües en países extranjeros a veces presenta dificultades para los padres que quieren mantener el uso de la lengua materna en su casa. El método más seguro para criar un niño bilingüe es hablarle en el idioma materno desde que nace. Por ejemplo, según los logopedas, "si el padre, por ejemplo, tiene el idioma español como lengua materna y el idioma de la madre es el inglés, siempre es recomendable que utilicen su propio idioma con los hijos, y aunque los padres quieran hablarles en inglés, los mismos deben mantenerse firmes en su lengua nativa". A veces hay problemas, o sea, confusión, para los nenes que hablan más de una lengua. Sin embargo, hay estudios que demuestran que los bilingües disfrutan de una ventaja verbal que pocos aprovechan.

—Púa de Molinero en su blog, *Diario Viaslado*

**COMPARACIONES:** ¿Cuál es la ventaja de saber castellano en tu país?

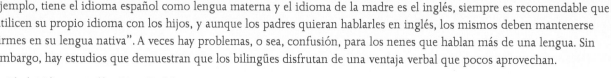
## Audios

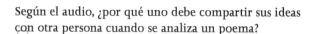

🔊 **FUENTE** **Esta grabación trata de cómo analizar poemas. Este spot, "Guía para analizar poemas", fue publicado por Educando – El portal de la educación dominicana el 16 de junio de 2011. La grabación dura casi tres minutos.**

**1.** ¿Cuál es el propósito de este spot?

(A) Presentar al poeta Don Pedro Mir

(B) Ayudar a escribir poesía

(C) Mostrar las etapas importantes en el análisis de los poemas

(D) Conocer mejor la literatura

**2.** Según el audio, ¿por qué se deben aprender las técnicas básicas de la poesía?

(A) Porque ayuda con el aprendizaje en general

(B) Porque no se puede evitar el estudio de poesía en las escuelas

(C) Porque es un requisito en los colegios

(D) Porque para escribir un ensayo hay que saber las técnicas poéticas

**3.** Según el audio, ¿por qué uno debe compartir sus ideas con otra persona cuando se analiza un poema?

(A) Porque uno desarrolla ideas interesantes

(B) Porque es posible que uno sepa más que otro

(C) Porque estudiar con otra persona es mejor que estar solo

(D) Porque es importante discutir en voz alta para recordar detalles

**4.** Según el audio, ¿por qué es difícil escribir poesía?

(A) Porque hay demasiados estilos de poemas

(B) Porque hay muchas reglas

(C) Porque hay que aprender de memoria la gramática para escribirla

(D) Porque hay que saber cómo separar las reglas de la escritura común de las del lenguaje poético

**5.** Según el audio, ¿por qué se analiza un poema?

(A) Para escribir mejor la prosa

(B) Para entender mejor los veinte pasos del audio

(C) Para entender el poema más a fondo

(D) Para ignorar las reglas de la buena escritura ya aprendidas

## CÁPSULA CULTURAL: ¿CUÁL ES TU POEMA FAVORITO? VOTA:

- "Me gustas cuando callas" (Pablo Neruda)_____
- "Poema XX" (Pablo Neruda)_____
- "¿Qué es poesía?" (Gustavo Adolfo Bécquer)_____
- "Volverán las oscuras golondrinas" (Gustavo Adolfo Bécquer)_____
- "La canción del pirata" (José Espronceda)_____
- "A un olmo seco" (Antonio Machado)_____
- "Piedra de sol" (Octavio Paz)_____
- "Retrato" (Antonio Machado)_____
- "Tú me quieres blanca" (Alfonsina Storni)_____
- "Una rosa y Milton" (Jorge Luis Borges)_____
- "Cenicientas las aguas, los desnudos" (Rosalía de Castro)_____

**COMPARACIONES:** ¿Qué importancia académica tiene la poesía en tu escuela o en tu comunidad?

## Correos Electrónicos

Has recibido este mensaje de la biblioteca de tu comunidad. Has solicitado un trabajo en el programa "Horas de cuentos" para leerles a los niños.

**De:** Señora Harvey

**Asunto:** Donar tiempo

Estimado/a candidato/a:

Recibí su carta y nos interesa mucho su entusiasmo por nuestro programa voluntario. Buscamos personas dispuestas a aceptar la responsabilidad de coordinar el programa de "Horas de cuentos" para los niños de 8 años. ¿Por qué le interesa este tipo de programa? Los niños tienen mucha energía, ¿cuáles son algunas estrategias que usaría para evitar problemas de comportamiento?

También buscamos a alguien que pueda ayudar a planificar y llevar a cabo actividades de publicidad. ¿Qué tipo de experiencia tiene Ud. en este tipo de trabajo? Si no tiene ninguna experiencia en publicidad, ¿cómo realizaría Ud. algunas actividades publicitarias?

Después de recibir su respuesta, le comunicaremos nuestra decisión.

Atentamente,

Linda Harvey
Bibliotecaria Principal

## Ensayo

**FUENTE NÚMERO 1** **Este texto, "El lenguaje, concepto y definición", trata de cómo definir el lenguaje. Esta selección, escrita por Julián Yanover de Argentina, es del blog La Guía 2000 y fue publicada el 23 de noviembre de 2006.**

El lenguaje, ¿qué es? Por lenguaje, se considera a los procedimientos realizados por cualquier animal con el fin de comunicarse. Esto incluye al ser humano, quien posee el lenguaje más sofisticado entre los animales. Sin
5 embargo, hay escuelas lingüísticas que consideran el lenguaje como único del hombre. Lo importante, más allá de definiciones, es saber que hay importantes diferencias entre nuestro lenguaje y el de los demás animales. Estas diferencias que nos separan son:

10 - *Tenemos sistemas gramaticales: oral y gestual*
   - *Tenemos un objetivo*
   - *Podemos hablar de otros tiempos: pasado, presente o futuro*
   - *Transmitimos nuestro idioma de generación en generación*
   - *Separamos el contenido y su forma*
15 - *Intercambiamos nuestro discurso hablado con lo que escuchamos*
   - *Advertimos sucesos nuevos*

La ontogenia y la filogenia se encargan del estudio del lenguaje. La ontogenia se ocupa de analizar el proceso por el cual el ser humano adquiere ese lenguaje, y la
20 filogenia se encarga de estudiar la evolución histórica de una lengua.

El lenguaje requiere de ciertos elementos para lograr entablar una buena comunicación.

Existen unos requisitos mínimos que debemos cumplir
25 para que se dé el lenguaje. Estos factores indispensables son de tipo fisiológico, gramatical y semántico: debemos tener los medios físicos para emitir sonidos o gesticular lo que queremos decir, necesitamos generar una estructura donde se ampare nuestro discurso, y
30 tenemos que ser capaces de entenderlo.

A pesar de su aparente homogeneidad, el lenguaje puede subdividirse en tipologías, atendiendo a sus características. Considerando el grado de artificialidad y convencionalidad que interviene en la construcción
35 de símbolos o signos del lenguaje, éste puede ser, únicamente, natural o artificial.

**FUENTE NÚMERO 2** **Este texto trata de los anglicismos que reconoce la Real Academia Española. Es del Diario Viaslado y fue escrito por Púa de Molinero el 31 de octubre de 2012.**

| Anglicismos en la ropa | Anglicismos en la tecnología |
|---|---|
| • el biquini | • el blog |
| • el mocasín | • chatear |
| • el pijama | • el escáner |
| • los shorts | • Internet |
| **Anglicismos en los negocios** | **Anglicismos en el ocio** |
| • el bróker | • el best seller |
| • el catering | • chutar (en fútbol) |
| • el mánager | • el gol (en fútbol) |
| • el marketing | • el hobby |
| | • las películas de gangsters |

**FUENTE NÚMERO 3** **Esta grabación, "El silbo de la Gomera", trata de cómo la gente mantiene la tradición de comunicarse por medio del silbido en La Gomera de las Islas Canarias. Es un reportaje del Canal Discovery del 31 de mayo de 2010. La grabación dura tres minutos.**

Los Roques, La Gomera, Islas Canarias, España

## Conversaciones

🔊 Esta es una conversación imaginaria con el escritor Jorge Luis Borges. Vas a participar en esta conversación porque has ganado una rifa que te permite hablar con este autor muy conocido.

| | |
|---|---|
| Borges | • Te saluda y te hace una pregunta. |
| Tú | • Salúdalo y contesta. |
| Borges | • Te hace una pregunta. |
| Tú | • Contesta. |
| Borges | • Te hace varias preguntas. |
| Tú | • Contesta. |
| Borges | • Reacciona y te hace otra pregunta. |
| Tú | • Contesta. |
| Borges | • Reacciona y te hace una pregunta. |
| Tú | • Dale tus sugerencias y despídete. |

## Discursos

**Tema de la presentación:**

*¿Cuál es la importancia de aprender otro idioma en tu comunidad?*

*Compara tus observaciones acerca de las comunidades en las que has vivido con tus observaciones de una región del mundo hispanohablante que te sea familiar. En tu presentación, puedes referirte a lo que has estudiado, vivido, observado, etc.*

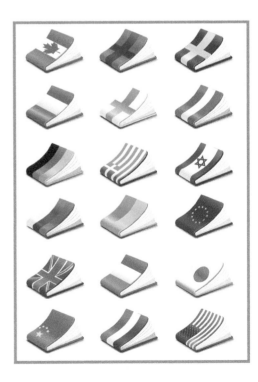

## CLASIFICADOS

| | | |
|---|---|---|
| **PÁGINA 284** Lecturas | **PÁGINA 285** Ilustración con Audio | **PÁGINA 286** Audios |

### ESENCIAL: PARA UNA MEJOR COMPRENSIÓN

**el asombro**—gran admiración

**agreste**—referente a tierra no cultivada

**el apero**—conjunto de instrumentos de labranza

**tórrido/a**—muy caloroso, sofocante

### IMPORTANTE: PARA UNA MEJOR DISCUSIÓN

**el murciélago**—mamífero de hábitos nocturnos

**el terrón**—masa pequeña de tierra compacta

**el surco**—un canal en la tierra, zanja

**Producto:** ¿Cuáles son los temas principales de la poesía de don Pedro Mir?

**Práctica:** Qué recursos poéticos utiliza el poema de Mira para comunicar los temas?

**Perspectiva:** ¿Qué información nos revela sobre la cultura dominicana la poesía de Mir?

### ESENCIAL: PARA UNA MEJOR COMPRENSIÓN

**zurdo/a**—más capaz con la mano izquierda

**la herramienta**—instrumento o utensilio para arreglar algo

### IMPORTANTE: PARA UNA MEJOR DISCUSIÓN

**los chismes**—rumores, comentarios sobre otros

**la cueva**—cavidad en la tierra o en una roca

### ÚTIL: PARA UNA MEJOR EXPRESIÓN

**en lugar de**—en su sustitución, en vez de

**Producto:** Cuenta el cuento de "El Ratoncito Pérez".

**Práctica:** ¿Qué hace el Ratoncito Pérez?

**Perspectiva:** Compara la tradición del Ratoncito Pérez con la de "the tooth fairy".

### ESENCIAL: PARA UNA MEJOR COMPRENSIÓN

**el paso**—un avance

### IMPORTANTE: PARA UNA MEJOR DISCUSIÓN

**insigne**—famoso

**se conceden (concederse)** —darse

### ÚTIL: PARA UNA MEJOR EXPRESIÓN

**de acuerdo con**—conforme con la misma opinión

**sí mismo**—uno mismo

**teniendo (tener) en cuenta**— prestar atención, considerar, tener presente

**pasadas/os (pasar) por alto**— hacer caso omiso, no prestar atención

**Producto:** Describe la personificación en un poema.

**Práctica:** En el poema, "Me gustas cuando callas", de Pablo Neruda, explica la personificación en los versos, "Eres como la noche, callada y constelada. Tu silencio es de estrella, tan lejano."

**Perspectiva:** ¿Por qué usa Neruda la personificación en el poema, "Me gustas cuando callas"?

# Las artes visuales y escénicas

## Lecturas

**FUENTE NÚMERO 1** **Este texto contiene información sobre el museo nacional de España y direcciones para llegar a otros dos sitios turísticos. Se originó en Mapquest de España y en el sitio oficial del Museo del Prado.**

Museo del Prado
Paseo del Prado 7, Madrid, Comunidad de Madrid
28014 España +(34) 91 330 2928

Horario:
5    Abierto
De martes a domingo: 9.00 - 20.00 h.
Cerrado
Todos los lunes del año (incluso festivos) y los días 1 de enero, Viernes Santo, 1 de mayo y 25 de diciembre

10    Horario reducido
6 de enero, 24 y 31 de diciembre: 9.00 - 14.00 h.

Horario de taquillas
9.00 - 19.30 h. *Acceso al Museo hasta 30 minutos antes del cierre (el desalojo de las salas comienza 10 minutos antes del cierre)*

15    • Con casi 4.900 cuadros, el Museo del Prado posee la más amplia y valiosa colección de pintura española existente hoy en el mundo, desde el Románico hasta el siglo XIX. Obras maestras de Bartolomé, Bermejo, Pedro Berruguete, Sánchez Coello, El Greco, Ribera,
20    Zurbarán, Murillo, Alonso Cano, Velázquez, Goya, Vicente López, Fortuny, Carlos de Haes, los Madrazo, Rosales y Sorolla conforman un conjunto inigualable.

• El Museo del Prado está universalmente reconocido.

| | | **INDICACIONES PARA LLEGAR AL RESTAURANTE BOTÍN** | |
|---|---|---|---|
| ● | 1. | Tome dirección sur en Paseo del Prado. | 0.1 km |
| ➦ | 2. | **Gire** a la derecha **hacia** Plaza de Platería de Martínez. | 0.03 km |
| ↑ | 3. | Plaza de Platería de Martínez se convierte en Calle de las Huertas. | 0.02 km |
| ↰ | 4. | **Gire** a la izquierda **hacia** Plaza de Platería de Martínez. | 0.02 km |
| ➦ | 5. | **Gire** a la derecha **hacia** Calle de Moratín. | 0.4 km |
| ↰ | 6. | **Gire** a la izquierda. | 0.02 km |
| ➦ | 7. | **Gire** a la derecha **hacia** Calle de Atocha. | 0.03 km |
| ◤ | 8. | **Gire** ligeramente a la izquierda **hacia** Plaza de Antón Martín. | 0.05 km |

| | | | |
|---|---|---|---|
| ↑ | 9. | Siga **recto** para ir **hacia** Calle de la Magdalena. | 0.3 km |
| ↰ | 10. | **Gire** a la izquierda **hacia** Calle de Lavapiés. | 0.01 km |
| ➦ | 11. | **Gire** a la derecha **hacia** Plaza de Tirso de Molina. | 0.1 km |
| ➦ | 12. | **Gire** a la derecha **hacia** zona peatonal. Diríjase al noroeste. | 0.05 km |
| ◤ | 13. | **Gire** ligeramente a la izquierda **hacia** Plaza de Tirso de Molina. | 0.02 km |
| ↑ | 14. | Siga **recto** para ir **hacia** Calle de la Colegiata. | 0.2 km |
| ↑ | 15. | Calle de la Colegiata se convierte en Plaza de Segovia Nueva. | 0.04 km |
| ↑ | 16. | Siga **recto** para ir **hacia** Calle de los Tintoreros. | 0.04 km |
| ➦ | 17. | Gire a la derecha **hacia** Calle de los Cuchilleros. | 0.02 km |
| ■ | 18. | CALLE DE LOS CUCHILLEROS 17. | |

1.51 kilómetros

**Ⓑ** EL BOTÍN

Calle de los Cuchilleros 17, Madrid, Comunidad de Madrid    25
28005 España

• +(34) 91 366 4217

**(NB) Después de comer, es importante visitar la famosa Plaza Mayor donde se puede tomar un cafecito.**    30

| | | **INDICACIONES** | |
|---|---|---|---|
| ● | 1. | Tome dirección norte en Calle de los Cuchilleros hacia Calle del Maestro Villa. | 0.09 km |
| ➦ | 2. | **Gire** a la derecha **hacia** Calle de la Escalerilla de Piedra. | 0.04 km |
| ↑ | 3. | Calle de la Escalerilla de Piedra se convierte en Plaza Mayor. | 0.08 km |
| ➦ | 4. | **Gire** a la derecha para mantenerse en Plaza Mayor. | 0.09 km |
| ■ | 5. | PLAZA MAYOR y EL BOTÍN. | |

**FUENTE NÚMERO 2** Este texto es un plano del centro de la ciudad de Madrid. Es del álbum de recortes del Sr. Molinero del 13 de marzo de 2005.

1. ¿Cuál es el propósito principal de la Fuente Número 1?
   (A) Dar información sobre una visita al Museo del Prado
   (B) Sugerir un restaurante bien conocido
   (C) Ayudar a planear un día lleno de actividades
   (D) Demostrar cómo usar un mapa

2. Según el horario, ¿cuándo se pueden visitar las varias colecciones?
   (A) Todos los días del año
   (B) Cada 10 minutos y sólo con un grupo con guía
   (C) Seis días a la semana
   (D) Durante la Semana Santa

3. Según la información del museo, ...
   (A) el arte es conocido por todo el mundo.
   (B) las exhibiciones siempre cambian.
   (C) los artistas son de distintos barrios de la ciudad de Madrid.
   (D) es un lugar muy pequeño y muy fácil de visitar en media hora.

4. Según las indicaciones de Mapquest, ¿cómo se puede ir al restaurante desde el museo?
   (A) No es posible llegar a pie.
   (B) Uno tiene que usar el metro.
   (C) Se tiene que tomar un taxi.
   (D) Se puede llegar caminando.

5. ¿Qué afirman las indicaciones para llegar a El Botín?
   (A) Es una ruta recta sin muchos desvíos.
   (B) Hay varios atajos.
   (C) Hay que prestar atención a los letreros de las calles.
   (D) Hay varias opciones de paradas del metro.

6. Según la información de la primera fuente, ¿qué es El Botín?
   (A) Un lugar para tomar café
   (B) Una cueva en La Plaza Mayor
   (C) Una tienda de cuchillos
   (D) Un restaurante

7. Según el plano, ¿es fácil llegar a otros sitios turísticos desde la Plaza Mayor?
   (A) Sí, se puede llegar cómodamente.
   (B) No, sólo se puede llegar por tren.
   (C) No, no hay sitios de interés muy cerca.
   (D) No, sólo se puede llegar por metro.

8. Para planear un día lleno de visitas turísticas en Madrid, ¿qué desventajas tiene este plano?
   (A) No ubica bien las paradas del metro.
   (B) No tiene descripciones de los lugares turísticos.
   (C) No muestra bien la distancia relativa entre los sitios turísticos.
   (D) No indica dónde están los mejores hoteles y restaurantes.

9. Según el plano de Madrid, ¿cuál es la parada del metro que está más cerca del Palacio Real?
   (A) Atocha
   (B) Santo Domingo
   (C) Ópera
   (D) Plaza de España

**10.** Según el plano, ¿hay espacios al aire libre?

    (A) Sí, hay muchos parques y paseos.
    (B) No, no es una ciudad ecológica.
    (C) Sí, pero sólo en los estadios de fútbol.
    (D) No es evidente según el plano.

**11.** Si uno quisiera visitar Madrid por tres días, ¿cuál de los siguientes enlaces sería el más útil?

    (A) YouTube en español
    (B) Mapquest de España
    (C) Wikipedia.org
    (D) La Guía Turística para Móvil: APP Madrid

## CÁPSULA CULTURAL:
### NÚMEROS Y MÁS NÚMEROS

- Para llamar a la policía en Madrid, se tiene que marcar 112.
- Para llamar a los bomberos en Madrid, se tiene que marcar 112.
- Para llamar a la ambulancia en Madrid, se tiene que marcar 112.

- "Cinco tenedores" representan los mejores restaurantes de España.
- Un restaurante de "3 tenedores" cuesta un promedio de 90 euros.

**COMPARACIONES:** Compara la manera de ponerse en contacto con servicios de emergencia en tu comunidad con la de la comunidad madrileña. También compara las señales turísticas de tu país o comunidad con las de España.

## Ilustración con Audio

**FUENTE NÚMERO 1** Esta foto es de María Martorell delante de una pintura suya de acrílico sobre tela de los años sesenta. Proviene de su colección privada en Buenos Aires.

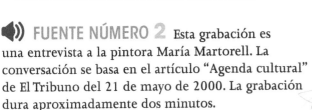 **FUENTE NÚMERO 2** Esta grabación es una entrevista a la pintora María Martorell. La conversación se basa en el artículo "Agenda cultural" de El Tribuno del 21 de mayo de 2000. La grabación dura aproximadamente dos minutos.

**1.** Según la pintura de María Martorell, ¿cuál de los siguientes estilos describe mejor el de la artista?

    (A) Formal
    (B) Real
    (C) Abstracto
    (D) Conceptual

**2.** Según la foto, ¿cómo se describe mejor el diseño dentro del cuadro?

    (A) Ondulado
    (B) Redondo
    (C) Cuadrado
    (D) Geométrico

**3.** Según la conversación, ¿cómo se consideraba a la artista en su época?

    (A) Una mujer conformista
    (B) Una mujer provincial
    (C) Una mujer rebelde
    (D) Una mujer innovadora

**4.** Según la entrevista, ¿qué descripción explica mejor la trayectoria de su carrera artística?

    (A) Muy conservadora
    (B) Muy dura
    (C) Muy variada
    (D) Muy solitaria

**5.** Según la conversación, ¿por qué viajó la Sra. Martorell?

    (A) Porque intentó escapar de su país por razones personales
    (B) Porque tenía ganas de criar a sus hijos en otros países
    (C) Porque quería conocer Europa
    (D) Porque se dio cuenta de que debía ampliar sus horizontes

**6.** Según las dos fuentes, ¿qué se puede decir sobre esta pintora famosa?

    (A) Era una mujer introvertida.
    (B) Era una mujer muy ingenua.
    (C) Era una mujer inquieta.
    (D) Era una mujer cínica.

**7.** Si pudieras escribir una biografía sobre la vida de María Martorell, ¿cuál sería un título creativo y apropiado?

    (A) "Una vida de aprendizaje"
    (B) "Una vida improvisada"
    (C) "El arte con fronteras"
    (D) "El arte enjaulado"

## CÁPSULA CULTURAL: JUAN CARLOS DÁVALOS, POETA SALTEÑO

Juan Carlos Dávalos (1887-1959) es un escritor argentino de la región de Salta. Sus obras tienen temas sobre el paisaje, las costumbres regionalistas y el folclore.

DESDE LA CUMBRE DEL SAN BERNARDO

Bien está que se acuerde
con la hondonada quieta
y su silencio verde
tu soledad, poeta.
¡Qué de variados trinos!
¡Qué de flores y aromas!
Y lentos y cansinos
arrullos de palomas.
Mariposas errantes
como tus pensamientos
bajo el sol estival.
Cerca, sus consonantes
medidas da a los vientos
un zorzal.

**COMPARACIONES: Compara las imágenes de la naturaleza en este poema con el paisaje y el ambiente en tu comunidad.**

Iglesia de San Francisco, Salta, Argentina

## Audios

🔊 FUENTE **Este podcast adaptado del artículo "Julio Cortázar, el del jazz" trata de la influencia del jazz en la obra de Julio Cortázar, autor argentino de la novela <u>Rayuela</u>. En este audio el locutor da una reseña del cuento de Cortázar "El perseguidor". El artículo, escrito por René Vargas Vera, se originó en el diario bonaerense La Nación el 4 de enero de 1999. La grabación dura aproximadamente tres minutos.**

1. ¿Cuál es el propósito del podcast?
   (A) Discutir la importancia de los autores latinoamericanos
   (B) Dar un vistazo al estilo de escritura de Cortázar
   (C) Explicar la importancia del estudio de la música
   (D) Explorar la influencia del jazz de Norteamérica

2. Según el podcast, ¿qué obra de Cortázar es el mejor ejemplo del mundo de jazz?
   (A) El cuento "El perseguidor"
   (B) La novela <u>Rayuela</u>
   (C) El libro <u>La vuelta al día en ochenta mundos</u>
   (D) El libro de Bruno sobre Johnny Carter

3. Según el podcast, ¿cuál de las siguientes frases describe mejor a Jorge Luis Borges?
   (A) Era mejor músico que Cortázar.
   (B) Empleaba los ritmos del tango en sus obras.
   (C) Insertaba el ritmo y el sonido en los juegos de palabras.
   (D) Era sordo para cualquier ritmo o sonido de la música.

4. Según el podcast, ¿cuándo le empezó a interesar la música a Cortázar?
   (A) De viejo
   (B) De joven
   (C) Nunca tocó un instrumento musical.
   (D) Cuando visitó el Teatro Colón con su abuela

5. Según Cortázar, ¿cuál de las siguientes afirmaciones describe mejor el tema de su cuento "El perseguidor"?
   (A) La relación entre crítico y artista
   (B) La vida de adicción del artista
   (C) La influencia de la música en la literatura
   (D) Las formas improvisadas de la música jazz

## CÁPSULA CULTURAL:
### EL CORAZON DEL TANGO

La Calle Caminito está ubicada en el barrio de La Boca en Buenos Aires, Argentina. Esta calle inspiró la música del famoso tango "Caminito" de Carlos Gardel (¿1887?-1935).

**COMPARACIONES: Compara esta calle con una calle en tu barrio o tu país. ¿Por qué es importante esta calle? Comenta sobre su estética.**

Calle Caminito

Carlos Gardel

# Correos Electrónicos

Has recibido este mensaje porque hace un mes que contactaste a un programa de teatro de verano en Panamá. Quieres participar en su programa de teatro para niños. El teatro ofrece un puesto de aprendiz que brinda la oportunidad de trabajar con estudiantes de ocho años de edad en adelante.

**De:** TAP (Teatro AProbado)

**Asunto:** Aprendiz de verano

Querido/a estudiante de español:

TAP le manda este mensaje porque ha expresado interés en nuestro programa de teatro. Es un programa muy especial y buscamos una persona que tenga talento y que sea buen actor.

Por esta razón, nos gustaría que nos contara lo siguiente: ¿Por qué quiere trabajar con los niños? ¿Qué experiencia tiene en el mundo escénico? ¿Qué otros intereses tiene? Por favor, explíquenos cuál es su reacción personal a esta declaración: "La expresión del estudiante es una fuente inagotable de potencial para su desarrollo integral".

Muchas gracias por su interés y estamos en espera de su respuesta.

Director F. G. Lorca

## Ensayo

**Tema del ensayo:**

*¿Es válido juzgar la importancia artística de un cuadro por su valor monetario?*

**FUENTE NÚMERO 1** Este texto, "Arte Moderno, entre la experiencia interior y la revolución", escrito por María Teresa de la Calle trata del arte moderno. Fue publicado en Istmo el 8 de diciembre de 2012, en la sección Coloquio, Edición 293.

El Arte Moderno ha generado miles de páginas de reflexión y crítica, los estudiosos y expertos difícilmente se ponen de acuerdo en lo que significa. Sin embargo, lo que no se discute es que marcó una distancia
5  entre el artista y la sociedad, o si se prefiere, entre el artista y el espectador, es decir, entre el creador de la obra y el observador.

Las ciencias sociales carecen de la objetividad y precisión que caracteriza a las ciencias exactas, lo que
10  dificulta su estudio y conceptualización, por lo que dar una definición única del arte y ponerse de acuerdo en lo que significa, no es ni será tarea fácil. Por su complejidad y riqueza, los expertos señalan que no existe una sola definición de arte, varía según la época y
15  el lugar en los que se desarrolla (crono-tropos).

Pero además, enfrentamos otra cuestión, fruto del alto porcentaje de subjetividad que el arte conlleva, inmediatamente surge la pregunta de qué tan válido es anteponer el gusto personal al momento de valorar
20  una obra. La respuesta es que tanto el historiador como el crítico necesitan forzosamente sacudirse de sus preferencias personales para emitir juicios de valor acertados, es decir, que no pueden darse el lujo de menospreciar o enaltecer una obra por el simple
25  hecho de que les guste o no, sin considerar todos aquellos elementos que la califican tanto artística como estéticamente.

Esta realidad se dificulta aún más cuando el espectador no es experto en la materia, es común comprobar
30  que basta que alguno tenga vocación de humanista

para que sienta que de arte conoce y conoce mucho, y parece que por el simple hecho de estar frente a una obra de arte puede discurrir sobre ella, lo cual no sería del todo incorrecto si se limitara a dar una simple opinión. El problema radica en que por lo regular emite  35 juicios de valor con carácter de absoluto, y sin más expresa sentencias extremas: «esta obra no vale nada», «cualquiera la hace», o «es espléndida, nada se había hecho igual».

Así, el Arte Moderno surge como una revolución, una  40 nueva creación que rechaza toda tradición, y es tan efectivo que tal característica no la ha perdido, pues a cien años de distancia sigue generando discusión y asombro.

**FUENTE NÚMERO 2** Estas cifras son de varias casas de subastas. La información fue publicada en el Diario Viaslado el 4 de diciembre de 2012.

| | | |
|---|---|---|
| Diego Velázquez – 80 – 120 millones de dólares<br><br>"Príncipe Baltasar Carlos a caballo", 1636<br><br>óleo sobre lienzo, 144-91 cm.<br><br>Colección Duque de Westminster | Pablo Picasso – 90 – 110 millones de dólares<br><br>"Desnudo, hojas verdes y busto", 1932<br>óleo sobre lienzo, 162 - 132 cm.<br>Colección privada | Domenikos Theotokopoulos – El Greco<br>sin título<br>**Estimado:€3.676.200, 28 - €5.146.680,39**<br>**Precio:** No adjudicado |
| Willem de Kooning – 65 – 85 millones de dólares "Interchange", 1955<br><br>óleo sobre lienzo, 200 – 175 cm. | Andy Warhol – 60 – 80 millones de dólares<br>"200 latas de sopa Campbell's", 1962<br>óleo sobre lienzo, 182 – 254 cm. | Frida Kahlo - Christie's ha anunciado que ofrecerá "Superviviente", 1938<br>**Estimado: 100.000 - 150.000 dólares** |

**FUENTE NÚMERO 3** Esta grabación, "¿Qué le da valor al arte?", trata de cómo valorar el arte. Es una producción de Museo Nacional del Arte de México publicada el 16 de enero de 2012. La grabación dura aproximadamente dos minutos y medio.

## Conversaciones

Esta es una conversación con Ariana, una amiga que trabaja en el teatro local. Tu amiga quiere saber más sobre tu interés en trabajar como voluntario/a con ella.

| Ariana | • Te saluda y te hace una pregunta. |
|--------|-------------------------------------|
| Tú | • Salúdala y contesta. |
| Ariana | • Te hace unas preguntas. |
| Tú | • Contesta. |
| Ariana | • Te hace unas preguntas. |
| Tú | • Contesta. |
| Ariana | • Reacciona y te hace una pregunta. |
| Tú | • Contesta. |
| Ariana | • Reacciona y te hace unas preguntas. |
| Tú | • Contesta, dale tus sugerencias y despídete. |

## Discursos

**Tema de la presentación:**

*¿Cuál es el papel del arte callejero en tu comunidad?*

*Compara tus observaciones acerca de las comunidades en las que has vivido con tus observaciones de una región del mundo hispanohablante que te sea familiar. En tu presentación, puedes referirte a lo que has estudiado, vivido, observado, etc.*

Grafitero pinta su muralla ante el público durante el Primer Festival Internacional de Graffiti y Danza, Aquí huele a pintura, España, septiembre 2012.

## CLASIFICADOS

**PÁGINA 291** Lecturas

### ESENCIAL: PARA UNA MEJOR COMPRENSIÓN

**el desalojo**—evacuación
**recto/a**—derecho
**gire (girar)**—doblar, virar

*IMPORTANTE: PARA UNA MEJOR DISCUSIÓN*

**Viernes Santo**—una fiesta religiosa

ÚTIL: PARA UNA MEJOR EXPRESIÓN

**hacia**—en dirección a

**Producto:** Identifica cuatro museos de arte que comprenden "La milla de oro de los museos" de Madrid.

**Práctica:** ¿En qué áreas de especialización se diferencian estos cuatro museos?

**Perspectiva:** ¿Cuáles son los detalles culturales que nos ofrecen los cuatro museos?

**PÁGINA 293** Ilustración con Audio

ESENCIAL: PARA UNA MEJOR COMPRENSIÓN

**menudo/a**—pequeño, chico

### IMPORTANTE: PARA UNA MEJOR DISCUSIÓN

**el asombro**—fascinación, sorpresa
**la inquietud**—intranquilidad
**la aldea**—pueblecito

### ÚTIL: PARA UNA MEJOR EXPRESIÓN

**cuyo/a**—(designa una relación de posesión)

**Producto:** Describe los elementos artísticos en el cuadro de María Martorell titulado "Pintura".

**Práctica:** ¿Por qué fue el arte de Martorell popular en los años 50?

**Perspectiva:** ¿Cómo chocó el arte de Martorell con los gustos artísticos de la época?

**PÁGINA 294** Audios

*ESENCIAL: PARA UNA MEJOR COMPRENSIÓN*

**plasmado/a (plasmar)**—representar artísticamente, moldear
**sordo/a**—que no oye

### IMPORTANTE: PARA UNA MEJOR DISCUSIÓN

**el desahogo**—alivio de sus preocupaciones
**las milongas**—composición musical folclórica argentina popular de Buenos Aires
**eminente**—distinguido

ÚTIL: PARA UNA MEJOR EXPRESIÓN

**a lo largo de**—por, a través de

**Producto:** ¿Cuáles son los elementos musicales que definen el tango?

**Práctica:** Explica la popularidad del tango hoy día.

**Perspectiva:** ¿Por qué representa el tango la vida porteña?

# CRÉDITOS

## Capítulo 1:

**LOS DESAFÍOS MUNDIALES SUBTHEME: 1 Los temas económicos**
© Emilio Morales Dopicio, "Cuba: La economía se hunde, las remesas crecen" from ,The Havana Consulting Group LLC, 01/30/2010; Emilio Morales Dopicio, "Cuba: La economía se hunde, las remesas crecen" from , © The Havana Consulting Group LLC, 01/30/2010; © Denise Dresser, "Carta de Denise Dresser a Carlos Slim" from Proceso Magazine, 02/14/2009; "Carlos Slim encabeza la lista de los más ricos" from © Telemundo Al Rojo Vivo, 2007; Leopoldo Abadía, "La crisis ninja y otros misterios de la economía actual" from © AdHoc Producciones Audiovisuales SL, 04/27/2009; "La globalización: ¿amenaza u oportunidad?" from © International Monetary Fund, 04/2000; "América Latina y el Caribe: Corrientes de inversión extranjera directa y de inversión directa en el exterior, 1992-2010" from © ECLAC, 06/15/2011; "América Latina enfrenta la crisis económica global" from © IMFWEB, 02/12/2009.

**LOS DESAFÍOS MUNDIALES SUBTHEME: 2 Los temas del medio ambiente**
© Pedro O. Gómez et. al., "Agricultura orgánica y medio ambiente" from Instituto de Investigaciones de Pastos y Forrajes, 2005; Pedro O. Gómez et. al., "Agricultura orgánica y medio ambiente" from © Instituto de Investigaciones de Pastos y Forrajes, 2005; "Plantemos para el Planeta: La campaña de los mil millones de árboles" from © UNEP, 03/2008. "Cómo plantar un árbol" from © Radio Araucano, 09/27/2011; "Los glaciares del sur argentino están desapareciendo" from © AFPTV, 05/15/2009; © Daniela Castillo, "Desechos electrónicos son reutilizables" from Diario digital El Periódico de Guatemala, 02/08/2011; Carlos Eduardo Meléndez Ávalos, "Estrategia sostenible de gestión de residuos electrónicos en El Salvador" from © CWG y Asociación Centroamericana para la Economía, la Salud y el Ambiente, 06/2008; "Desechos electrónicos" from © Centro de Producciones Radiofónicas (Radioteca), 05/2011.

**LOS DESAFÍOS MUNDIALES SUBTHEME: 3 El pensamiento filosófico y la religion**
© Miguel de Unamuno "Mi religión", 1909; © Carmen Noel Barreda "Camino de Santiago, la metáfora de la vida" from Turismo Temático de Suite 101, 02/22/2011; "La experiencia de Juan Andrés" from © XacobeoTV, 05/26/2010; "Jose Gregorio Hernández, el siervo de Dios" from © Formando Ciudadanía Radioteca, 11/2008; © usuariaunmillon "El hijab en las aulas" from WordPress, 05/2010. Best efforts made; "No me voy a quitar el velo" from © europapress 07/15/2010.

**LOS DESAFÍOS MUNDIALES SUBTHEME: 4 La población y la demografía**
© Antonio Ortega-Pacheco "La sobrepoblación canina: un problema con repercusiones potenciales para la salud humana" from Artemisa en Línea, 12/2001; "Menos mexicanos indocumentados van por "sueño americano"" from © Informador México, 12/09/2011; "Un día sin inmigrantes" from © Radialistas Pasionadas y Pasionados, 2006; "Árboles sin raíces" from © Radialistas Apasionadas y Apasionados, 2010; "Puntos de vista sobre la inmigración" from © Diario Viaslado, 02/17/2012; "El quinto país del planeta" from © Radialistas Apasionadas y Apasionados, 12/25/2004; "Opiniones sobre la migración" from © Pew Hispanic Center y el Centro de Estudios Sociales y de Opinión Pública.

**LOS DESAFÍOS MUNDIALES SUBTHEME: 5 El bienestar social**
"Levantate: Alzá la Voz" from © Naciones Unidas en la Argentina UNIC, 2007; "Escasez de agua y falta de agua en el mundo" from © Expeditionen.de, 2008; "La escasez de agua" from © El Mentidero de Mielost, 05/2008; "La pobreza en América Latina" from © ECUAVISA TV, 12/15/2010; "¿Se puede medir el bienestar social?" from © Consultoría en Prensa y Comunicación de México, 05/10/2011; "Calidad de vida" from © Fundación de Estadísticas Nacionales, 2012; "La felicidad interna bruta" from © Tele Radio América, 11/24/2009.

**LOS DESAFÍOS MUNDIALES SUBTHEME: 6 La conciencia social**
© Javier Sicilia "Estamos hasta la madre...carta abierta del poeta Javier Sicilia" from Revista Proceso 04/03/2011; "Principios que nos rigen" from © Fundación Conciencia Social; "Conciencia Social" from © Pontificia Universidad Javeriana de Bogotá, Colombia; "Francisco Mackinlay Conferencia Endeavor 10 años en Argentina" from © Décima Conferencia Endeavor Emprender con Conciencia Social, 08/30/2008; © María Luz González et al "Dinámica cerebral inconsciente del prejuicio hacia minorías: El cerebro detecta de forma automática el rostro, la raza y su contexto emocional en 170 milisegundos" from Cienciacognitiva.com, 06/2011; "Dinámica del trabajo infantil en la República Dominicana 2009-2010" from © Organización de Trabajo Internacional y UNICEF, 2011; "Hazle frente al Ciber-Acoso" from © Federal Trade Commission Alerta en Línea.

## Capítulo 2:

**LA CIENCIA Y LA TECNOLOGÍA SUBTHEME: 1 El acceso a la tecnología**
© Pablo Neruda "Maestranzas de noche" from Permission of Agencia Literaria Carmen Balcells Barcelona, España, 1923; Mario Castillo "Pymes y políticas de innovación y TIC en América Latina", presentación en el seminario Innovación tecnológica y pymes, Programa AL INVEST, Río Janeiro, 19 a 20 de mayo de 2011 [en línea]" from © ECLAC www.eclac.org, 05/20/2011; "Computadoras y teléfonos, herramientas del desarrollo" from © Radio Naciones Unidas, 2011; "Una computadora por niño" from © Paraguay Educa, 09/09/2009; "Crimen y violencia en Centro América: Un desafío para el desarrollo" from © Departamentos de Desarrollo Sostenible y Reducción de la Pobreza y Gestión Económica Región de América Latina y el Caribe del Banco Mundial, 2001; David Jiménez Ramírez "Derecho a Poseer y Portar Armas NO es una Concesión del Estado" from © Cámara Nacional de Radio Costa Rica, 01/20/2012.

**LA CIENCIA Y LA TECNOLOGÍA SUBTHEME: 2 Los efectos de la tecnología en el individuo**
© Manuel Blázquez Merino "La innovación tecnológica, la solución para la crisis en España" from Suite 101, 02/28/2011; "Informe COTEC 2011: Tecnología e innovación en España" from © COTEC; "Barreras para comprar por Internet" from © Tendencias digitales, 05/26/2010; Isa Weise "Cómo comprar en Internet" from © isaweise.com; "La ONU celebra el primer Día Mundial de la Radio" from © Radio Naciones Unidas, 09/2011; © Juan Molinero "Las ventajas de utilizar lectores electrónicos" from Diario Viaslado, 05/26/2012; Rüdiger Wischenbart "El uso de eLectores y eBooks en España durante el año 2010; Hábitos de lectura y compras de libros en España 2010" from © The Global eBook Market: Current Conditions and Future Prospectives; CONECTA para La Federación de Gremiales de Editores de España, 2010; Enrique Collado Peralta "BOOK, un producto revolucionario" from © Leer Está de Moda, 03/16/2010.

**LA CIENCIA Y LA TECNOLOGÍA SUBTHEME: 3 El cuidado de la salud y la medicina**
© Claudia Osuna "Carta al Dr. Lázaro Pérez" from Diario Viaslado, 05/2012; "La obesidad infantil" from © Guía Infantil, 2009; Guadalupe Sánchez Linares & Gerardo Vásquez "Obesidad infantil" from © Para Papás, 02/23/2006; "Romero Epazote: Medicina Tradicional Mexicana" from © Radioteca de Radio de la Universidad Autónoma de México, 07/01/2012; © Yasenia Álvarez "¿Le deberían aplicar impuestos a la comida chatarra?" from El Instituto Cato, 12/01/2012; "Tipos de comida chatarra y su popularidad" from © Viaslado, 05/15/2012; "Alimento chatarra en escuelas, Veracruz" from © Noticieros Televisa, 03/11/2010.

**LA CIENCIA Y LA TECNOLOGÍA SUBTHEME: 4 Las innovaciones tecnológicas**
© Javier Flores "El gadget que te avisa cuando te roban la cartera" from Muy interesante, 10/10/2011; © Daniel Diosdado Rivera "NAO el robot más famoso llega a México" from Addict Ware 10/27/2011. Best efforts made; "NAO El robot humanoide" from © Cadena Tres Noticias México, 11/08/2011; "La importancia de los prototipos en el proceso de innovación" from © Dirección General de Innovación y Tecnología del Ayuntamiento de Madrid, 10/20/2010; © Eugenio Sánchez Bravo "Las cámaras de vigilancia en las escuelas" from Blog Aula de Filosofía, 04/21/2009; "¿Qué opinas de instalar cámaras de seguridad en las aulas y pasadizos del cole?" from © Colegio San Bernardino, 05/2012. "Cámaras de seguridad en los colegios" from © CaracolTV Noticias, 02/10/2011.

**LA CIENCIA Y LA TECNOLOGÍA SUBTHEME: 5 Los fenómenos naturales**
© Arturo Pardo "La noche más corta" from La Nación, 09/04/2011; Palmira Marugán Mcimartin et al "Los eclipses de Sol: Explicación y fenómenos asociados" from © Astrosafor; © "Las migraciones de la mariposa monarca entre México y Canadá", 2012; Sergio Vicke "La mariposa monarca, un fenómeno migratorio de la naturaleza" from © Azteca Noticias México, 12/02/2009; "Semillas andinas, cinco mil años de sabiduría genética" from © Radio Naciones Unidas, 05/2010; "En 20 años podremos viajar a Marte" from © La Flecha, tu diario de ciencia y tecnología, 09/19/2004. Best efforts made; "Cómo evoluciona la enfermedad Alzhéimer" based on information from © Kelly Research Tecnología, 09/04/2004; © Julio Stang "Cuidemos nuestros árboles".

**LA CIENCIA Y LA TECNOLOGÍA SUBTHEME: 6 La ciencia y la ética**
© Enrique Obregón "Ciencia y moral: La ciencia está cuestionada por sus implicaciones potencialmente peligrosas" from La Nación, Costa Rica, 12/11/2010; © Florencia Gilardón "Polémica por la eutanasia, una confesión real sobre una vida de película" from Diario Clarín, Argentina, 01/02/2005; "La eutanasia" from © ACI Prensa, Lima, Perú, 02/06/2009; Víctor Pacheco y Marcelle Villarreal "Nuevas tecnologías de la educación" from © Universidad Interamericana para el Desarrollo de México, 08/14/2009; © Ariel Palazzesi "Debate: Los beneficios y perjuicios de la clonación" from Neoteo.com, 04/2008; "Las siguientes encuestas fueron realizadas en Uruguay" from © Liceo de Nueva Helvecia de Colonia, Uruguay; "Desacuerdo por posible debate" from © Nuestravision.com.mx, 2011.

## Capítulo 3:

**LA VIDA CONTEMPORÁNEA SUBTHEME: 1 La educación y las carreras profesionales**
"Honduras estadísticas" from © UNICEF, 2011; "Educación primaria en Centroamérica" from © COMplus Alliance, 03/03/2008. Best efforts made; "Los hologramas y las carreras profesionales" from © Carrerasconfuturo, Universidad de San Martín de Porres, 12/13/2010; © Siomara Martinez "¿Cómo se enfrentan las mujeres al masculino mundo de las TIC?" from El Mundo, 11/12/2010; "Mujeres y hombres en España" from © Instituto Nacional de Estadística España; "Diez carreras que son más rentables y diez no tan rentables" from © portfolio.com, 12/20/2012; "Veinte profesiones con más ofertas laborales disponibles" from © Portfolio, 12/20/2012; "Comunicaciones en el Siglo XXI: puerta de entrada al mundo profesional" from © Producción de TecEducativa de eCampus, 08/12/2012. Best efforts made.

**LA VIDA CONTEMPORÁNEA SUBTHEME: 2 El entretenimiento y el ocio**
"Santuario histórico de Machu Picchu" from © promPeru, 12/2012; "Plano de Macchu Picchu" from © Pablopablo, 2006; "Cartagena: destino colombiano de historia y cultura" from © Proexport, Colombia, Promoción de Turismo, inversión y exportaciones, 05/09/2011; "Cartagena de Indias, Colombia" from © Proexport, Colombia, Promoción de Turismo, inversión y exportaciones; "Frontón, potencial mundial que nace en la calle" from © El Universal TV, 12/02/2011; Diego Levis "Hablar con el teclado" from Razón y Palabra; "Símbolos de chat"; "Familia Cibercafé en Detroit" from © Panchalon Radio, La Cadena Azul, Guatemala, 01/2011.

**LA VIDA CONTEMPORÁNEA SUBTHEME: 3 Los estilos de vida**
© Sandra Cisneros "La casa en Mango Street" from Vintage Books, 1994; "Parques Biosaludables: Gimnasios al aire libre" from © Secretaría Distrital de Cultura, Recreación y Deporte de Bogotá, Colombia; Diego Duarte y Johana Galindo "Parque Biosaludable" from © Emisora Sabana de la Universidad de Sabana, Colombia, 10/13/2009; Sanie López Garelli "Tu basura, mi música" from CNN Asunción, 06/13/2011; © Elsa Diggs "El estilo de vida actual: ¿es saludable?" from Intra Med, 05/03/2006; "Factores de riesgo de enfermedades" from © Intra Med, 05/03/2006; "Educación para el consumo responsable" from © Departamento de Educación para el Consumo SERNAC, Chile, 01/19/2012.

**LA VIDA CONTEMPORÁNEA SUBTHEME: 4 Las relaciones personales**
© Ana María Schwarz "La familia contemporánea" from Nosotros2.com; "La familia chilena en el tiempo" from © Instituto Nacional de Estadísticas, Chile y la CEPAL, 11/2012; © José Ángel Medina, Fernando Cembrandos "Relaciones personales" from Fundación de Ayuda contra la Drogadicción, 1996; © Lucas Martínez Bellido "Relaciones humanas", 05/2008; Alfredo Carrión "Cómo ser más sociable en tres simples pasos" from autoayudaonline; "Atender a las relaciones personales" from © ACIprensa; "¿Cómo educar a un niño?" from © Explicast México, 05/14/2012.

**LA VIDA CONTEMPORÁNEA SUBTHEME: 5 Las tradiciones y los valores sociales**
© Mirella Cossovel de Cuellar "Tape Porã" from Arandurã Editorial, 04/2011; "Millones visitan a la Virgen de Guadalupe" from © laprensa.com.NI, 12/12/2012; Lucerito "Virgen de Guadalupe" from © Televisa SA de CV, 1985; "Charla: Educación y valores sociales" from © Mislata TV.es Ayto valencia.es; © Cecilia Absatz "El beso argentino" from La Nación, Argentina, 03/23/2008; Javier Solórzano "Sondeos: Tradiciones navideñas perdidas" from © javiersolorzano.com, 2009.

**LA VIDA CONTEMPORÁNEA SUBTHEME: 6 El trabajo voluntario**
"Ecuador: Ofrecerse como Voluntario" from © La Fundación Ecuador Volunteer; María José Romero "Trabajos voluntarios" from © TVUBO Universidad Bernardo O'Higgins, 08/10/2009; "¿Qué se siente al ser voluntario?" from © cruzrojauribealdea Acción Social Uribe Aldea; © Yaiza Martínez "El voluntariado puede aumentar la esperanza de vida" from Tendencias 21, 09/09/2011; "Oportunidades para voluntarios durante el verano" from © Viajesalado, 10/2012; "Brigada de dentistas españoles en Nicaragua" from © Canal 2.com. ni Televicentro de Nicaragua, 07/24/2009.

## Capítulo 4:

**LAS IDENTIDADES PERSONALES Y PÚBLICAS SUBTHEME: 1 La enajenación y la asimilación**
© Ana María Matute "Los pájaros" from Permission of Agencia Bacells, 1961; "La civilización pone en riesgo a los ayoreos en Paraguay" from © Blog Noticias de Indígenas, 03/07/2012; "Los indígenas aislado" from © Survival Internacional; "Inmigrantes en los pueblos: Integración total" from © Radio Televisión de Castilla y León; © Laura Jurado "La xenofobia no llega a las urnas" from Vía 52, 2011; María Ángeles Cea D'Ancona y Miguel S. Valles Martínez "Evolución del racismo y la xenofobia en España" from © Ministerio de Trabajo e Inmigración de España, 2011; "Luchando Por la erradicación del racismo en España" from © Iberoamérica TV, 08/12/2011.

**CAPÍTULO: IV LAS IDENTIDADES PERSONALES Y PÚBLICAS SUBTHEME: 2 Los héroes y los personajes históricos**
"¿Sabes quién es Juan Diego?" from © Revista México Desconocido: Guía Virgen de Guadalupe, 2001; "Seguridad a peregrinos" from © Agencia El Universal, 12/2010; © José Martí "Mi raza", 1893; "José Martí, símbolo de Cuba y de América" from © Radio Ciudad del Mar de Cienfuegos, Cuba, 06/2011; Pablo Martini "Homenaje a Mercedes Sosa" from © recorded for the program Tengo una idea, 10/2010; © Dicky del Hoyo "¿Qué es ser un héroe? ¿Quiénes son héroes?" from blog delhoyo.com, 02/25/2007; "Las actitudes sobre los héroes y sus características" from © Diario Viaslado, 12/2012; "Entrevista a Pilar Jericó" from permission of © Pilar Jericó, 04/2010.

**LAS IDENTIDADES PERSONALES Y PUBLICAS SUBTHEME: 3 La identidad nacional y la identidad étnica**
© Nicolás Guillén "Balada de los dos abuelos" from permissions of family of Nicolás Guillén, 1934; "Sueños y aspiraciones de l@s mexican@s" from © GAUSSC y Lexia with funding from Nexos en Línea, 02/2011; Roberto Bartra & Jorge Luis Marzo "América Latina y sus estereotipos" from © El d_efecto barroco: política de la imagen hispana, 04/23/2012; "La Revista Ébano de Colombia" from © Afrolatinos; © Mauricio Tenorio Trillo "Los 5 de mayo" from Nexos En Línea, 05/01/2012; Hernando Frías y José Guadalupe Posada "El 5 de mayo de 1662 y el sitio de Puebla" from © Los Hermanos Maucci in the collection of the Library for Children at Southern Methodist University, 1901; Daniela Pacheco "El 5 de mayo" from © Total Dynamix, Inc. de Ashburn, Virginia, 04/28/2010.

**LAS IDENTIDADES PERSONALES Y PÚBLICAS SUBTHEME: 4 Las creencias personales**
© Ingrid Salazar Romero "El Manual de Carreño: Hay comportamientos no reglamentados pero que la lógica del trato social actual señalan" from Protocolo Y Etiqueta, Revista Universalia de la Universidad de Simón Bolívar de Caracas, 10/15/2003; "La Conducta y la Etiqueta: Una encuesta para los siglos" from © Diario Viaslado, 11/10/2012; "Las supersticiones" from © Internautas, 2012; "Amuletos para atraer la suerte en Año Nuevo" from © Radio Azteca, 12/29/2009; Claudia Contreras "Receta para tener dinero todo el mes" from © TV3, Televisa Puebla, México in the program Aquí estamos, 06/2010. "¿El fin justifica los medios?" from © Blog Tertulia Filosófica Puerta de Toledo; "El bombardeo de Hiroshima, Japón" from © Comité Estudiantil de Paz Soka Gakkai Chugoku and Quinnipiac College 2009; © Mauricio Heredia "El fin justifica los medios", 09/14/2011.

**LAS IDENTIDADES PERSONALES Y PÚBLICAS SUBTHEME: 5 Los intereses personales**
© Elvira Manzanares de Pisoteo "Carta a Ibertren Modelismo, Barcelona, España" from Diario Viaslado 2/14/2012; © Jaime Nubiola "El placer de leer" from Aplicaciones Educativas with permission of www.fluvium.org & apliwordpress.com, 06/02/2010; "Me gusta leer" from © Random House Mondadori, 10/21/2008; "Curso de observación de las aves" from © Instituto Nacional de Biodiversidad de Costa Rica; © Mayer Margarici "Los videojuegos pueden ser peligrosos" from Educación Infantil, 08/31/2011. Best efforts made; "Los hábitos de ocio de jugadores y no-jugadores de videojuegos" from © Observatorio del Videojuego y de la Animación y la Facultad de Comunicación de la Universidad Europea de Madrid, 2010; Samuel Bernal "Sueños: Vidajuego" from © Máquina de Sueños, 2011.

**LAS IDENTIDADES PERSONALES Y PÚBLICAS SUBTHEME: 6 La autoestima**
"Coaching para organizaciones: El poder de la confianza" from © Coaching Salta, 2012; "Identidad étnica y autoestima en jóvenes indígenas y mestizos de San Cristóbal de las Casas" from © La Universidad Autónoma de Chiapas, México, 2012; Elías Berntsson "Sube tu autoestima estando de tu parte" from © aumentamiautoestima.com, 04/27/2012; "¿Caminas con seguridad?" from © AOL Latino, 08/19/2010; © E. Manuel García "Falta de autoestima" from Grupo Albor-COHS; © Luis Torres "Rasgos personales necesarios para el éxito", 07/25/2009; Elías Berntsson "Para triunfar debes fracasar" from © aumentandomiautoestima.com, 04/27/2012.

# IMÁGENES

# LOS TRES GLOSARIOS

Los tres glosarios contienen las palabras de la sección *Clasificados* que se puede encontrar al final de cada subtema. En los *Clasificados* hay tres categorías de vocabulario: Esencial, Importante y Útil. Vas a encontrarlo todo en estos glosarios. La definición dada tiene que ver con el uso de la palabra según su contexto. En el glosario Español/Español el número que sigue a la definición o al sinónimo se refiere a los capítulos y a los subtemas donde aparece la palabra. Por ejemplo: "abajo, los de abajo, III3" significa que la frase, es del Capítulo III, *LA VIDA CONTEMPORÁNEA*, y del subtema 3, *Los estilos de vida*. Si las siglas LS aparecen, esto indica que se puede encontrar la palabra en el texto indicado en la guía digital. De esta manera, puedes ubicar el uso de la frase en su contexto en el Capítulo III, subtema 3.

## ESPAÑOL—ESPAÑOL

## A

**abajo, los de abajo** — los de posición inferior III3

**abeto, el** — tipo de árbol III5

**abono, el** — fertilizante I2

**abordado/a** — afrontado VI3 a cambio - sin embargo, en cambio LS IV1

**acarrear** — transportar III3

**acceder** — aceptar, consentir, tener acceso o entrada a un lugar o cosa , consentir en lo que alguien necesita o quiere III1, III3, LS VI5

**aclaraciones, las (la aclaración)** — clarificación I5

**acogedor/a** — agradable, cómodo, tranquilo III4

**acoger** — recibir, aceptar, proteger LS VI6

**acogida, la** — aceptación, aprobación, hospitalidad IV3, V5, LS V5

**acontecimiento, el** — suceso, evento III4, V4

**acoplable** — que se puede juntar LS II1

**a corto plazo** — dentro de poco tiempo, dentro de un período breve LS VI5

**acotar** — comentar, atestiguar LS VI6

**acrecentar** — aumentar, mejorar I3

**actual** — en este momento, del momento, moderno I1, I5

**actualidad, en la actualidad** — tiempo presente, ahora V5, LS V5

**actualmente** — ahora, hoy, por ahora, II1, V3

**acudir a** — ir con frecuencia a, asistir a III6, V4, VI3

**acuerdo, de acuerdo a** — en conformidad con, según, conforme a VI2, LS II5

**acuerdo, de acuerdo con** — conforme con la misma opinión VI5

**adaptarse** — acostumbrarse, cambiar de hábitos IV1

**adelante, en adelante** — de anticipación, ir más allá III6

**además** — también LS I3

**además de** — adicionalmente, aparte de, también I6, II4, V6

**adhesión, la** — adherencia a una causa o idea II2

**adiestramiento, el** — entrenamiento LS III5

**adineradas/os** — ricos, de dinero V1

**adjuntar** — unir o incluir VI4

**adjunto/a** — que va o está unido con otra cosa, que acompaña LS VI3

**afincado/a** — residente VI4

**afinidad, la** — conexión y semejanza IV2 **afluencia, la** — abundancia, gran cantidad, aparición de un gran número de personas LS IV5

**afrontar** — enfrentar, confrontar V1 agobiar — molestar LS VI5

**agradecer** — dar las gracias, expresar gratitud LS I3

**agregar** — unir, añadir, juntar LS IV5

**agreste** — tierra no cultivada VI5

**aguardar** — esperar LS I3, LS IV6

**agudizar** — afilar, agravar, empeorar, preparar bien I4, IV5

**aguerrido/a** — agresivo, combativo III2

**aguja, de aguja** — tacón alto y muy fino VI2

**aislado/a** — aparte, no incluido IV1

**aislarse** — mantenerse solo y a parte IV2

**ajeno/a** — de otro, desconocido, distante V4, LS V4

**ajeno/a a** — fuera de, no pertenece II6 alabar — elogiar, mostrar admiración por, celebrar con palabras, halagar LS VI6

**al fin** — por fin V2, LS V2

**alberca, la** — piscina VI3

**alcance, el** — distancia dentro de la que se puede agarrar algo II2, LS III3

**aldea, la** — pueblo pequeño, pueblecito IV1, VI6

**alejar de** — distanciar, apartar, separar LS II1

**alejado/distante** — lejano LS VI1

**alentar** — animar, dar vigor, infundir aliento o esfuerzo III5

**algodón, el** — fibra vegetal, hilado o tejido con el que se elabora una tela para la ropa liviana LS VI2

**aliarse con** — asociarse para algún fin, unirse V3

**alimentación, la** — comida I2, II2, LS I4

**allegado/a** — pariente, familiar VI1

**almacenar** — acumular, guardar muchas cosas LS VI5

**almohadones, los (el almohadón)** — pieza de tela rellena con algo blando para apoyarse o descansar VI5

**alojamiento, el** — casa, hospedaje, lugar donde alguien puede alojarse III6

**alpendre, el** — techo VI1

**alrededor, de alrededor** — más o menos I2, II5

**alzar la voz** — expresar, llamar la atención I5

**amargo/a** — emoción de disgusto IV3

**ambas/os** — los dos V5

**amenaza, la** — advertencia de peligro, alarma, anuncio de algo malo que va a pasar, I2, IV1, V6 LS IV2

**amenazado/a** — presionado/a con miedo V5

**a menudo** — con frecuencia, frecuentemente LS II2, LS VI5

**amparado/a** — apoyado, protegido III1

**ampararse en** — apoyarse, protegerse I1

**amuleto, el** — objeto al que se le atribuyen poderes mágicos IV4

**analfabetismo, el** — falta de instrucción básica III1, VI1

**analfabetos, los** — personas que no saben leer ni escribir LS III1

**anfitrión, el** — el que tiene invitados en su casa V4

**angosto/a** — apretado, estrecho III2

**angustiar** — afligir, estresar I3

**animar** — dar energía y entusiasmo I6

**animarse** — decidirse, darse energía IV5

**anímico/a** — de los sentimientos, del estado de ánimo III4

**antelación, con antelación** — con anticipación, con atención, de antemano I2, II5

**antemano, de antemano** — anteriormente, antes, con anticipación, V1, VI4

**año tras año** — todos los años IV2

**aparición, la** — llegada V1

**apenas** — casi no, difícilmente, por poco no I5, II3, III5, VI5, V5

**apero, el** — instrumento de labranza VI5

**apoderarse** — obtener IV5

**aportación, la** — colaboración, contribución III6, V2, V4

**aportar** — colaborar, contribuir, dar, regalar II4, III6, VI2, LS VI2

**aporte, el** — contribución, contribuciones I6, IV3

**apostar por** — poner la confianza en algo V2

**apreciado/a** — estimado/a (en la correspondencia) II3

**aprendizaje, el** — acto de aprender, II, V2

**apresurarse** — apurarse, darse prisa III4

**apretado/a** — estrecho, con poco margen III3

**aprobación, la** — aceptación VI1

**aprovechar** — utilizar bien, sacar partido o beneficiarse de algo o alguien LS VI4

**a punto de** — en el momento de LS IV4

**arancel, el** — tarifa oficial V2

**armar** — hacer preparativos, juntar las piezas I6, VI4

**arrancar** — extraer, sacar, sacar de raíz, sacar violentamente, I3, V1

**arañar** — rasgar, raspar LS VI6

**arrayán, el** — tipo de arbusto muy fragante VI3

**ascenso, el** — subida a un lugar LS III2

**asemejarse** — parecerse, ser similar I3

**asentamiento, el** — establecimiento de poblaciones o pueblos, lugar en que se establece un pueblo I5, V5

**asequible** — cualidad de ser conseguido fácilmente II1

**asimismo** — también IV2

**asno terco, un** — burro, animal obstinado y tenaz LS IV2

**asombro, el** — gran admiración, fascinación VI5, VI6

**asombroso/a** — estupendo, admirable LS III2

**asueto, el** — descanso, tiempo sin trabajar II5

**asustar** — dar miedo, atemorizar LS II3

**atardecer, el** —última parte de la tarde LS IV6

**atentados, los** — ataques físicos LS IV2

**atender** — defender, vigilar, cuidar, prestar atención V2

**ateo, el** — el que niega la existencia de Dios I3

**atravesar** — cruzar IV5, V5

**a través de** — por, a lo largo de, de un lado a otro, por medio de LS I5, LS II6, LS V4, LS VI6

**atrevido/a** — aventurero VI4

**atropellado/a** — ser pasado por encima/embestido por un vehículo I4

**atropellar** – aplastar, pasar por encima I4

**auge, el** — crecimiento, momento de mayor importancia, avance, etc. VI6

**aulas, las (el aula)** — sala de clase II1

**aun** — hasta I3

**aún** — todavía I3, LS III1

**aunque** — por más que, si bien IV1

**avalado/a** — apoyado, justificado V2

**avance, el** — progreso, mejora I5

**avergonzado/a** — tener vergüenza LS II2

**averiguar** — descubrir la verdad de algo I6

## B

**baluarte, el** — defensa, fortificaciones, protección que sirve para defender III2

**banca, la** — conjunto de bancos II1

**banda ancha, la** — amplia capacidad de comunicación por la Red Mundial II1

**bañera, la** — lugar contenedor en que uno puede bañarse sentado LS II3

**barra, la** — pieza de metal u otra materia en forma de palo III2

**barrera, la** — obstáculo II2, LS III1

**barriga, la** — abdomen, estómago, vientre V3, LS V3

**bien nacido/a** — se refiere a alguien honorable, que tiene honradez V3

**bien, el** — lo bueno, (moral) II6

**bimestral** — tiene lugar o se publica cada dos meses LS III3

**boceto, el** — esquema o plan gráfico II4

**bolas de pelusa, las** — masa de suciedad de pelos y polvo de la casa LS II3

**bosquejo, el** — plan con sólo los elementos básicos IV5

**bóveda, la** — cúpula VI1

**bozal, el** — aparato para que el animal no muerda LS III5

**brecha, la** — agujero, distancia entre dos polos, abertura, espacio entre dos puntos I1, II1

**brechas sociales, las** — conflictos sociales, diferencias existentes en un ámbito de la sociedad LS I6

**brindar** — ofrecer I6, LS I2

**la bronca** — enojo, enfado LS VI6
bronce, el — metal metal que es una mezcla mezcla de cobre y estaño II1

**brotar** — comenzar a crecer, comenzar a nacer o a salir III5, V1

**brújula, la** — instrumento magnético que indica los puntos norte, sur, etc. II5

**bruñido/a** — pulido VI2

**bruto/a** — cantidad de dinero sin descuentos III1

**búmeran, el** — arma que, una vez lanzada, retorna al lugar de lanzamiento LS II5

## C

**cabizbajo/a** — con la cabeza hacia abajo IV6

**cachivache, el** — objeto en desuso IV5

**cachorro, el** — cría de perros, de gatos, etc. I4

**caimanes, los (el caimán)** — reptil parecido al cocodrilo IV3

**calvario, el** — largo sufrimiento II6

**caminata, la** — paseo largo I2

**campana, la** — instrumento metálico que frecuentemente se encuentra en las alturas de una iglesia V4

**campaña, la** — actividades para lograr una meta I5

**campo, el** — área de estudio o información II4

**canchas, las** — terrenos de juego, espacios deportivos LS III2

**caño, el** — parte de una planta, tubo III3, VI1

**capa, la** — estrato, plano I2

**capacidad, la** — aptitud II4

**capaz** — apto, que tiene cualidades para algo, talentoso III4

**carácter, el** — conjunto de características personales de personalidad, sentido de moralidad IV2

**carecer de** — no tener I6

**carente de** — que no tiene IV5, LS III1

**cargo, a cargo de** — al cuidado de VI3

**carné de vacunas** — el documento de inmunización LS III5

**carril, el** — la vía, la calle, la carretera LS VI5

**carruaje, el** — vehículo tirado por caballos III2

**carta de agradecimiento, una** — carta en que se da las gracias LS I1

**casualidad, por casualidad** — algo imprevisto, por fortuna, sin ser planeado IV1

**caucho, el** — sustancia elástica VI4

**causa, a causa de** — por I6

**censo, el** — lista de habitantes IV1

**certamen, el** — concurso abierto VI4

**charla, la** — disertación oral ante un público III5

**chévere** — excelente, estupendo I6

**chocante** — extravagante, raro LS III4

**chocar** — juntar con fuerza, puede producir un accidente V4

**choque, el** — golpe, conflicto, impacto violento V6

**"chorizo", el** — ladrón LS II2

**choza, la** — casa tosca hecha de madera cruda IV1

**chubasco, el** — chaparrón, lluvia fuerte, generalmente breve y con viento III2

**ciencia, a ciencia cierta** — con certeza, con exactitud II5

**cifra, la** — signo gráfico que representa un número I1, I4, I5

**cirugía, la** — operación médica II3

**citado/a** — nombrado VI3

**ciudadanía, la** — estado civil de los habitantes de un país o localidad I6

**ciudadanos, los** — habitantes de un país, ciudad LS I5

**ciudadela, la** — distrito, suburbio, recinto de fortificación en el interior de una plaza LS VI1

**claras, a las claras** — claramente I5

**clave** — esencial, importante I1

**clavel, el** — tipo de flor VI2

**coherente** — uniforme, constante, lógico IV3

**coincidir en** — ponerse de acuerdo con alguien; ocurrir al mismo tiempo V5

**colgar** — suspender II1

**colocación, la** — ubicación o situación de personas o cosas LS III4

**colocado/a** — situado/a, ubicado/a LS IV4, LS VI2

**columpio, el** — asiento colgado de un soporte más alto con cuerdas III3

**compartir** — dividir en partes, usar algo en común V5, LS V5

**comportamiento, el** — conducta personal, I4, IV4

**comprobar** — verificar la veracidad de algo IV2

**compromiso, el** — cita, responsabilidad, deber LS I3

**comunitario/a** — de la comunidad o del grupo V2

**conceder** — reconocer VI5

**conducir** — manejar, llevar, transportar, dirigir, guiar LS II4

**confiable** — que es digno de confianza IV6

**confiar** — tener confianza en, tener confianza en alguien IV6

**conformarse** — satisfacerse con IV3

**conjunto, en conjunto con** — en compañía de I6

**con lo puesto** — con todo lo que se tiene encima LS III2

**conmemorar** — celebrar en nombre de alguien o algo II2

**cosmovisión, la** — comprensión mundial, la manera de ver e interpretar el mundo LS VI1

**consagrar** — dedicar, bendecir LS I3

**consecuencia, a consecuencia de** — por, a causa de I3

**constancia, la** — certeza, justificación, prueba III1

**consolidar** — reforzar, dar firmeza y solidez a algo LS VI3

**contar con** — fiarse de alguien o algo para algún fin, tener confianza en, confiar en algo o alguien, tener en cuenta, considerarlo II2, III3 LS III, LS IV3, LS IV5, LS VI4

**continuación, a continuación** — inmediatamente V2

**contrario, por el contrario** — a diferencia I4

**convivencia, la** — vida en compañía de otros, vida con otros, vivir juntos III3, IV1, VI1, LS III5

**convocar** — llamar para reunir I5

**cordial saludo, un** — atentamente LS I1

**coronar** — glorificar VI1

**corriente, el** — movimiento de electricidad que fluye por un conductor LS II1

**coste, el** — cantidad que se paga II2

**costurero/a** — pertenece al arte o profesión de coser VI4

**cotillones, los (el cotillón)** — baile, fiesta, evento festivo, adornos festivos III6

**coyote, el** — el que se encarga del contrabando de inmigrantes I4

**crecer** — aumentar de forma natural, madurar, madurarse I2, IV5

**creciente** — que aumenta I2

**cría, la** — bebé de los animales I4

**crispar** — irritar, enojar II1

**cruzar (los perros)** — juntar una raza con otra I4

**cuanto, en cuanto a** — con respecto a, por lo que toca o corresponde a algo I1, III4

**cuenta, por su cuenta** — a su juicio, a su parecer IV3

**cuentas, en resumidas cuentas** — en fin, en resumen I3

**cuerno de la abundancia, el** — cuerno de cabra que representa la prosperidad IV4

**cumplimiento, el** — lo que se realiza I3

**cumplir** — realizar una obligación I5, LS II4

**cuna, la** — camita para un bebé V4

**cuyo/a** — indica posesión, de alguien II3, VI6

## D

**dañino/a** — desfavorable VI2

**dar origen a** — comenzar, poner en marcha V4

**dar palabras de aliento** — animar, estimular, impulsar a hacer algo II3

**darle la espalda a alguien o algo** — rechazar, no hacerle caso IV1

**darse cuenta de** — notar VI2

**darse por enterado/a** — saber o informarse de algo LS I1

**debajo, estar por debajo** — acercarse III1

**debido a** — a causa de I2, LS VI2

**decrecimiento, el** — descenso, reducción I1

**degustar** — probar, saborear I3

**de hecho** — en realidad LS V1

**dejar de** — terminar de V5

**demanda, a demanda de** — a petición de V2

**depurado/a** — perfecto, limpio I5

**derretimiento, el** — proceso en el que el hielo se convierte en líquido I2

**derrota, la** — pérdida adversa IV6

**desahogar** — aliviar el ánimo de sus preocupaciones VI6

**desalojo, el** — evacuación VI6

**desarrollo, el** — ampliación, aumento, crecimiento, elaboración, proceso de incremento intelectual I5, II4, V2

**desbordar** — tener una abundancia III2

**descarga, la** — transferencia de información (en un dispositivo electrónico) II4

**desde…hasta** — de…a I5

**desdén, el** — falta de interés VI2

**desdeñado/a** — menospreciado VI3

**desdibujarse** — perder la claridad VI1

**desecho, el** — resto, basura, residuo I2

**desempeñar** — ejercer, cumplir, realizar III1

**desenvolverse** — encontrar la manera de comportarse bien V5

**desfallecida/o** — agotado, cansado, exhausto, III5

**deslumbrar** — embelesar, producir una gran impresión, provocar admiración III1, VI3

**desmentir (desmienten)** — decir que algo hecho o dicho es falso LS IV1

**desmedido/a** — desmesurado, desproporcionado III4

**despedida, la** — acción de decir adiós LS I1

**despedirse de** — decir adiós I4

**despiste, el** — distracción, momento de no prestar atención II4

**desplazado/a** — incómodo, fuera de lugar V6

**desplazamiento, el** — sustitución en un puesto, lugar. I6

**desprecio, el** — falta de respeto I6

**destacado/a** — acentuado, sobresaliente, notorio, relevante LS III2

**destacar** — enfatizar, poner de relieve V5, LS I4

**destacarse** — distinguirse, enfatizarse I3

**desterrado/a** — expulsado/a de su país I4

**difundido/a** — esparcido, extendido III2

**difundir** — diseminar información LS II6

**difunto, el** — el muerto II5

**digno/a** — honorable, merecedor I6

**diluir** — disolver en líquido IV4

**dirigirse** — poner dirección hacia VI4

**dirimir** — resolver discutiendo V6

**diseñar** — dibujar, crear II1

**diseño, el** — actividad creativa de planear y producir algo LS I5

**disolver** — licuar, hacer líquido II6

**disponer de** — tener, poseer V6

**disponibilidad, la** — capacidad de ser utilizado I5

**disponible, está disponible** — está libre para hacer algo, puede estar listo para ser utilizado II4, LS II1, LS VI4

**dispositivo, el** — mecanismo, aparato, mecanismo tecnológico II4, LS I2

**dispuesto/a, estar dispuesto/a a** — tener ganas de; ser capaz de hacer algo II6, V1

**divulgar** — dar a conocer LS I4

**doble del ancho, el** — dos veces de ancho I2

**docencia, la** — actividad de enseñar en colegios, museos V2, LS V2

**domiciliación bancaria, la** — autorización de un pago o de un cobro con cargo a una cuenta de banco V4

**domicilio, el** — casa, residencia, vivienda III1

**dominio de la lengua, el** — buen control del idioma IV2

**dominio, el** — control V5

**donativo, el** — regalo de dinero, caridad V4

**duda, sin duda** — claro VI3

# E

**echarle la culpa a alguien** — culparle a otro, atribuirle la falta de éxito a otro IV6

**eclosión, la** — la salida, el surgimiento VI4

**educarse en** — adquirir conocimientos, desarrollar, formarse III6

**efímero/a** — que dura poco tiempo, breve VI4

**ejecutar** — hacer, realizar VI3

**elegir** — escoger, seleccionar, preferir algo o a alguien LS II3, LS VI4

**embargo, sin embargo** — pero, no obstante I5, V6, LS III2

**eminente** — distinguido VI6
empalmar — unir, juntar, combinar LS III2

**empaparse** — llenarse, quedarse totalmente involucrado en algo VI4

**empedrado/a** — cubierto de piedras III2

**empeñarse** — insistir con tesón en algo LS VI6

**emprendedor/a** — resuelto, enérgico, persistente II2

**empresarial** — relacionado al mundo comercial II2

**empuje, el** — ánimo, energía, impulso III6

**empujón, el** — impulso para mover algo III5

**encabezado/a por** — dirigido, liderado por II3

**encabezamiento, el** — conjunto de palabras que comienzan una carta o documento LS I1

**encajar** — combinar, introducir, unir V6, LS V6

**encarando (encarar)** — enfrentarse, hacer frente a un problema o dificultad LS III5

**encima, por encima** — arriba de, superior a otra cosa III4

**encogerse de pena** — entristecerse, sentir una inmensa tristeza III5

**encogido/a** — doblado, desanimado IV6

**encuesta, la** — cuestionario público I4

**endeudamiento, el** — obligación financiera V2 en especie — en frutos o géneros en lugar de dinero LS I5

**enfatizar** — hacer énfasis, resaltar LS I6

**en fin** — en resumen, en conclusión LS I3

**enfrente** — parte opuesta o que está delante de otro, punto que mira a otro III4

**enganchar** — agarrar, aferrar IV5

**engañar** — aprovecharse de la confianza de otro decirle algo falso a alguien VI1

**engrandecer** — honrar, aumentar I3

**enjuto/a** — delgado, flaco III5

**enseñanza, la** — lo que hace un profesor LS I3

**enterado/a** — leído, culto, que está al tanto de una noticia o de una información LS III4

**en su entorno** — en su vecindad LS I6

**entorno, el** — ámbito, ambiente, hábitat, lo que rodea II6, III2 LS I2, LS IV4

**entrar en juego** — poner en acción, empezar V4

**envenenar** — contaminar con algo que puede hacer daño como con un producto químico que puede producir la muerte V4

**envilecer** — pervertir, dañar I6

**envío, el** — lo que se manda por correo I1

**equidad, la** — imparcialidad, neutralidad V2

**érase una vez** — hace mucho tiempo (literario) IV5

**erizo, el** — animalito con piel de púas, nocturno LS II3

**ermita, la** — iglesia pequeña en zonas remotas IV2

**escarbarse los dientes** — limpiarse los dientes con el dedo o un palillo de madera IV4

**escasez, la** — falta I5

**escaso/a** — insuficiente en cantidad, limitado, poco II1, III3

**escoltar** — acompañar con respeto IV3

**escondido/a** — fuera de la vista de otros V1

**esfuerzo, el** — uso de fuerzas intelectuales o físicas para realizar algo II3

**especial, en especial** — sobre todo II3

**especie, la** — clasificación biológica IV5

**espionaje** — manera de descubrir secretos, acción de espiar LS II2

**estado, el** — división territorial política LS I2

**estiramiento, el** — ejercicio que aumenta la flexibilidad muscular y relaja, extensión de los miembros del cuerpo III3

**esto, por esto** — así, por esta razón IV5

**estremecimiento, el** — agitación, escalofrío IV1

**estrenarse** — inaugurar VI3

**etapa, la** — fase de una acción IV5

**ética, la** — estudio de la moralidad, conjunto de valores morales II6

**evocación, la** — recuerdo, imagen en el pensamiento V3

**exculpar** — perdonar II6

**exigir** — pedir I3 , LS I3

**éxitos, los** — resultados positivos LS I5

## F

**fabricar** — producir II1

**fachada, la** — exterior VI1

**facilidades, las** — medios que ayudan a conseguir algo II2

**factible** — posible, realizable IV2

**fecundo/a** — fértil IV2

**fiel, el** — creyente, el que cree III5

**filas, las** — línea, cola, serie de personas o cosas colocadas unas detrás de otras LS III5

**fines, a fines de** — con el propósito o motivo de I4

**fines, sin fines de lucro** — no comercial, no tener motivo de ganar dinero, sin beneficios o ganancias, sin objetivo de ganancia II1, III6, V2

**firma, la** — nombre de una persona escrito oficialmente por dicha persona LS I1

**fomento, el** — promoción II2

**forastero/a** — extranjero, fuereño, foráneo, uno que no pertenece a un lugar o pueblo IV1

**formación, la** — educación, enseñanza I6

**fortalecer** — hacer más fuerte II5

**fracasado/a, el/la** — alguien que no ha tenido éxito en la vida IV6

**fracaso, el** — algo sin éxito V6

**frente a** — ante algo o de algo III1

**frente a frente** — en presencia y delante de otro III5

**frente, estar frente a** — estar delante de II3

**frontera, la** — límite entre países I4

**fugacidad, la** — brevedad VI3

**fular, el** — tipo de bufanda VI4

## G

**gama de, la** — serie, extensión II6

**ganadero/a** — dedicado a la cría de animales como vacas, caballos, ovejas IV1

**ganado, el** — conjunto de animales domesticados I2

**gemir** — hacer un sonido agudo que expresa dolor II1 **genes, los** — unidad básica de entidades vivas LS II6

**geológico/a** — perteneciente al estudio de la formación de la Tierra LS II5

**gestarse** — iniciar, prepararse, desarrollarse III6

**gestión, la** — organización y realización de un proyecto V2

**gestor, el** — administrador III6

**girar** — doblar VI6

**golpe, el** — efecto brusco de pegar algo contra otra cosa con la mano o con una herramienta V3, LS V3

**gozar** — aprovechar VI2

**grano, el** — partícula pequeña, pedacito duro IV4

**gratuito/a** — gratis, de no pedir dinero II1

**Green Card, el** — documento legal que permite que un extranjero resida y trabaje en EE.UU. I4

**grillo, el** — insecto negro que canta rozándose las alas IV2

**guardabosques, el** — persona dedicada a proteger el bosque IV1

**haber de (has de)** — indica obligación LS IV6

## H

**habilitación, la** — preparación de algo para una cosa determinada IV5

**hacer caso** — prestar atención LS III1

**hacer falta** — faltar, necesitar I3

**hacer giras** — hacer un tour, hacer un viaje corto III3

**hacerle llegar** — mandar, enviar, acercar algo o alguien a un lugar LS VI3

**hacer(se) con Ud.** — ganar su confianza (coloquialismo argentino) IV6

**hacerse cargo de** — asumir la responsabilidad de algo IV6

**hacia** — en dirección a VI6

**hacimiento, el** — excesiva aglomeración de personas o cosas LS II4

**hadas, las (el hada)** — personaje dotado de poderes mágicos VI5

**hallar** — notar, encontrar VI5

**harapos, los** — ropa muy vieja y usada LS III4

**ha venido (venir) a menos** — deteriorarse LS III4

**hecho de que, el** — por la razón que II5

**hectárea, la** — medida de superficie igual a 2,47 acres II5

**heredado/a** — recibir bienes de los ascendientes VI2

**herradura, la** — pieza de metal en forma de U que llevan los caballos en las patas IV4

**herramienta, la** — instrumento útil, utensilio, instrumento, un instrumento o aparato para realizar algún trabajo como martillo, pinzas, sierra, parte de un dispositivo II4, II6, LS II1

**hierro, el** — metal duro II1

**hinchar** — aumentar su volumen III3

**hipoteca, la** — contrato para préstamos V3

**hipoteca subprime, la** — préstamo de dinero otorgado con altos intereses y con riesgo a perder un bien inmueble, como una casa, si no se cumple la deuda monetaria adquirida I1

**hogar, el** — donde se vive, la casa íntima, lugar donde vive la familia IV1, V3, V6, LS IV1, LS IV4

**hojear** — leer rápida o superficialmente LS III3

**hoyo, el** — agujero generalmente en la tierra I2

**hueco, el** — parte abierta, agujero VI1

**huella, la** — impresión duradera hecha por el pie VI4

**huir (huyeran)** — irse de prisa, escapar LS V1

**huir (huyeran)** — irse de prisa, escapar LS V1

**hundido/a** — sumergidos III5

**huraño/a** — insociable, arisco IV1

**husmear** — explorar con el olfato VI6

**idóneo/a** — ideal, indicado, apto LS I1

## I

**ignorar** — no saber I3, LS V1

**imanes, los (el imán)** — mineral que atrae otros metales II5

**imprescindible** — necesario V4

**impulso, el** — motivo, empuje II2

**impunidad, la** — sin castigo, fuera de ser responsabilizado I6

**incapaz** — inepto, ineficaz I6

**incluso** — también, además I1

**incremento, el** — ascenso, aumento I1

**inculcar** — infundir, inspirar, persuadir III5

**indocumentado/a, el/la** — que no tiene documentos legales de inmigración I4

**índole, la** — categoría, tipo II3

**informático/a** — perteneciente a la comunicación digital II6

**informe, el** — noticia, comunicación I5

**ingeniería, la** — conocimiento de técnicas científicas para resolver problemas, actividad profesional del ingeniero LS II6

**ingenuidad, la** — inocencia, falta de entendimiento profundo IV6

**ingerir (ingiera)** — beber, comer, tragar LS III5

**ingresar a** — entrar a formar parte de un grupo o de una institución como miembro V2, LS V2

**ingreso, el** — cantidad de dinero que se gana I1

**inmobiliario/a** — pertenece a la venta, al alquiler, a la construcción y a la administración de viviendas y de terrenos VI1

**inmueble, el** — edificio, construcción VI1

**inquietud, la** — intranquilidad VI6

**insigne** — famoso VI5

**intentar** — tratar de, pretender, procurar V6

**interrogantes, los** — problema o cuestión no aclarada LS II6

**involucrado/a** — incluido, abarcado I4, VI1

**involucrarse** — comprometerse en un asunto, complicarse en una situación, participar , formar parte de algo III1, LS III3

## J

**jaula, la** — caja de metal usada para transportar o encerrar animales

**jefatura, la** — cargo de jefe, directiva III4

**jerga, la** — lengua variada, argot V5

**jornada, la** — periodo de 24 horas, tiempo de duración del trabajo diario LS I4, LS VI4

**jubilación, la** — retirada de trabajo IV5

**jubilado/a** — retirado, ya no trabaja III2

**justo/a** — preciso III1

## L

**lado, por otro lado** — en cambio I4

**lanzarse** — tirarse, arrojarse LS III2

**largo, a lo largo de** — a través de, durante, por I4, III5, VI6

**largo, a lo largo y ancho de** — extenso I6

**lastimar** — hacer daño, herir III2

**látigo, el** — instrumento de vara y cuerda de cuero IV3

**lazo, el** — conexión, vínculo, enlace V1

**leal** — fiel, digno de confianza, amigable IV6

**legado, el** — aquello que se deja o transmite a los sucesores, sea cosa material o inmaterial LS I4

**lema, el** — frase que expresa el tema de algo LS I6

**lengua materna, la** — primer idioma de alguien, idioma de nacimiento LS V5

**letargo, el** — desgana de trabajar I2

**letra, la** — forma peculiar de escribir de una persona LS I1

**ligar** — conectar IV2

**limar asperezas** — suavizar o calmar desacuerdos y oposiciones II4

**limosnero/a, el/la** — el/la que pide comida o dinero en la calle I4

**linterna, la** — utensilio o farol portátil que proyecta una luz V1

**llevar a cabo** — completar, efectuar una acción o evento, hacer, realizar III2, VI1, LS I6

**llover a cántaros** — llover en abundancia VI5

**lograr** — adquirir, conseguir, obtener, poder, realizar, tener éxito I1, II4, IV3, VI2 LS III1

**lozano/a** — juvenil VI2

**lucir** — brillar, destacar III3, VI3

**lucro, de lucro** — de beneficio monetario II6

**madera, la** — parte sólida de los árboles cubierta por la corteza LS VI4

## M

**maderero/a** — perteneciente a los que cultivan madera, árboles, IV1

**madrugada, la** — inicio del día III5

**mancha, la** — señal de suciedad o de impureza V5

**maneras, las** — urbanidad, cortesía, modales IV4

**manifestante, el/la** — el/la que protesta públicamente I4

**mano de obra, la** — conjunto de obreros y precio que se paga por este trabajo I4

**maqueta, la** — reproducción arquitectónica a escala reducida, construcción en miniatura disminuida I6, IV5

**marca, la** — señal de una empresa, lema V6, LS V6

**maremoto, un** — movimiento sísmico del mar, agitación devastadora de agua LS V1

**marginalidad, la** — estado de no estar integrado, enajenación I5, LS IV3

**marroquinería, la** — objetos de cuero VI4

**más, lo más de** — la mayoría de I3

**mascotas, las** — animales domésticos LS III5

**matriarcado, el** — predominio de la madre en la sociedad VI2

**matutina/o** — de la mañana III5

**mayoritario/a** — referente a la mayoría LS IV1

**mayoristas, los** — comerciantes que venden o compran productos al por mayor o en grandes cantidades para volver a venderlos a otro comerciante LS VI4

**mazorca, la** — fruto del maíz de forma alongada IV4

**mediante** — por medio de, con, con la ayuda de I2, IV3

**medida, a medida que** — al mismo tiempo que, a la vez que VI2

**medida, en gran medida** — mayormente II6

**medida, en la medida en la cual** — en proporción con I1

**medio, en medio de** — entre dos cosas o dos momentos V5

**medio, el** — recurso, fuente IV3

**medir** — averiguar las dimensiones de algo II2

**mendicidad, la** — petición de limosna LS III4

**mendigo, el** — persona pobre que pide limosna, o sea, ayuda, dinero, o comida LS III4

**menos, por lo menos** — al menos, excepto I3

**menosprecio, el** — indiferencia VI2

**mentecato/a, el/la** — tonto, bobo I3

**menudo, a menudo** — con frecuencia II1, VI6

**mermar** — disminuir, bajar II5, LS VI5

**meta, la** — fin, objetivo III1, V5

**mezcla, la** — combinación LS IV3

**mezquindad, la** — egoísmo, tacañería V2, LS V2

**mientras tanto** — mientras I1

**milagro, el** — cosa o suceso maravilloso en un contexto religioso I3

**milagroso/a** — que no puede ser explicado III5

**milonga, la** — milonga — composición musical folclórica argentina popular de Buenos Aires VI6

**moda, de moda** — de acuerdo con los gustos del momento, gusto actual, forma de vestir V6

**modales, los** — urbanidad, cortesía, maneras IV4

**modo, a modo de** — como VI3

**modo, de este modo** — así, de esta manera II4, III4

**modos, de todos modos** — a pesar de todo, de igual manera IV1

**mojarse** — bañarse con agua, empaparse IV4

**moral, la** — la moralidad, conjunto de cualidades de la mala y buena conducta II6

**moriche, el** — tipo de árbol de la familia de las palmas VI2

**movilización, la** — algo puesto en acción I6

**mudarse (nos hayamos mudado)** — cambiarse de lugar LS IV4

**muro, el** — pared exterior, muralla LS IV6

**murciélago, el** — mamífero de hábitos nocturnos VI5

## N

**nacionalista** — que sigue o defiende la patria IV3

**nivel, al nivel del mar** — a la altura de la superficie del océano II5

**nocivo/a** — dañino, maligno I4

**norma, la** — regla de cómo debe ser algo IV4

## O

**obeso/a** — demasiado gordo/a II3

**ocurrido, lo ocurrido** — evento, suceso II6

**ofrenda, en ofrenda a** — en donación a, como regalo a V3

**oleada, la** — movimiento de las olas sobre el mar o un lago V5

**olmo, el** — tipo de árbol III3

**ONG, la** — Organización No Gubernamental LS I2

**oración, la** — frase expresada a un ser superior para pedir algo IV4

**orden, la** — mandamiento, instrucción, grupo religioso I3

**ordeñar** — sacar el máximo provecho de algo, extraer leche I1

## P

**padecer** — sufrir I1

**padecimiento, el** — sufrimiento II3

**paisaje, el** — panorama, vista I3

**palita, la** — especie de raqueta III2

**pandilla, la** — grupo de compañeros patoteros VI1, LS IV3

**pantalla, la** — sobre lo que se proyectan imágenes LS II1

**papel, el** — rol I1

**paracaidistas, los** — los que saltan en paracaídas, personas que se presentan en un sitio sin ser invitados LS III5

**paradigma, el** — ejemplo, modelo I3

**partir, a partir de** — desde, desde ahora en adelante, desde este momento o desde este punto en adelante III4, V5, LS VI3

**pasar por alto** — hacer caso omiso, no prestar atención VI5

**pasarelas de pago, las** — se refiere al sistema computarizado que sirve para efectuar pagos de manera electrónica II2

**pasatiempo, el** — diversión, juego IV5

**paso a paso** — poco a poco I3

**paso, el** — avance, progreso VI5

**patriarca, el** — dirigente, jefe V6

**patrimonio, el** — herencia o bienes de un grupo, un individuo o un país LS I4

**pauta, la** — un modelo VI4

**pecado** — acto lamentable VI3

**pegar** — juntar, unir III2

**pegarle un tiro a alguien** — disparar a alguien con un arma de fuego IV1

**peldaño, el** — parte de una escalera donde se pisa, grada LS IV6

**pelear** — luchar, reñir I6

**peligro, correr algún peligro** — circunstancia en la que puede ocurrir algún mal, lo que puede causar un daño o perjuicio II2, LS II5

**pendiente, el** — declive, cuesta I2

**penumbra, la** — sombra no muy oscura II5

**perecer (perezcas)** — morir LS IV2

**perecedero/a** — de poca duración, que va a acabar LS V1

**peregrinaje, el** — viaje que hace un peregrino I3

**peregrino/a, el/la** — el/la que visita un lugar sagrado o especial I3, III5

**pereza, la** — negligencia, cuando no se tiene ganas de trabajar VI1

**perfil, el** — conjunto de características, información de una persona sobre su capacitación, silueta III6, V6

**personaje, el** — persona importante; protagonista de una novela o de otro tipo de obra IV3

**persona de la tercera edad, la** — persona mayor V3

**pertenencia, la** — bien, cosa de alguien II4

**pesar, a pesar de** — aunque, por más que contra la resistencia de algo previamente indicado, pese a I1, I4, II3, II5, IV1, VI1, VI5

**pese a** — a pesar de I5

**PIB, el (Producto Interior Bruto)** — total de productos y servicios de un país V2

**pie, a pie** — caminando I4

**pillar** — sorprender, agarrar, aprehender LS II2

**pillar con las manos en la masa** — descubrir a alguien en el momento en que hace algo a escondidas LS II2

**pinza, la** — pliegue, herramienta usada para agarrar algo VI2

**piso, el** — apartamento V3

**planteamiento, el** — elaboración, organización de un proyecto V2

**plantear** — proponer algo III4

**plasmar** — representar VI6

**plazo, en el corto o largo plazo** — período corto o largo de tiempo I6

**plazas limitadas, unas** — sitios escasos en un teatro, una mesa, un estacionamiento LS I4

**pleito, el** — disputa legal I6

**plumaje, el** — conjunto de plumas IV5

**pobreza, la** — falta de bienes materiales esenciales para vivir I5

**poligamia, la** — familia en la cual hay varios esposos o esposas V6

**poner de manifiesto** — resaltar, señalar, mostrar con claridad V2, LS IV1

**poner en claro** — aclarar, hacer evidente IV2

**ponerse a** — comenzar a V2, LS V2

**ponerse en contacto con** — comunicarse con V6, LS V6

**por lo tanto** — por eso, por esta razón LS I2

**por otra parte** — en cambio LS II6

**poso, el** — residuo, sedimento IV5

**postre, a la postre** — al final, en fin V3, LS V3

**postura, la** — planta muy inmadura, hijuelo, retoño, rebrote I2

**potable** — que se puede beber porque es saludable I5

**potenciar** — fortalecer, animar, estimular V4, LS V4

**Pozo del Tío Raimundo, el** — nombre de un barrio que no tenía chabolas ningún tipo de servicio III6

**precoz** — talentoso para su edad IV2

**predio, el** — propiedad, sede, local, lugar LS VI6

**prejuicio, el** — opinión que se forma sin conocimiento completo LS III1

**prendas, las** — ropa, diferentes piezas que forman la vestimenta o atuendo de una persona. Una chaqueta es una prenda de abrigo LS VI2

**preocupante** — alarmante I2

**prescribir una ley** — concluir, legislar una ley II6

**presos, los** — prisioneros LS I3

**presupuesto, el** — cálculo de costos I1

**pretender** — intentar, intentarlo, tratar de II5, VI5

**prevenir** — anticipar e impedir algo LS II5

**primogénito, el** — el primero que ha nacido V3, LS V3

**principio, por principio** — en el comienzo II6

**principio, el** — idea moral IV4

**problemática, la** — problema I6

**procedentes de** — nativos, originarios V5

**promedio, el** — punto en que algo se divide por la mitad o casi por la mitad I1

**promover** — animar, iniciar la producción de algo, promocionar, tomar la iniciativa II2, V4 LS V4

**propuesta, la** — idea, oferta, ofrecimiento, proposición, algo sugerido o recomendado para hacer o realizar II4, V2, V4, LS V4

**provenir** — originarse V5

**puesta en escena, la** — realización de un guión o acción de llevar a cabo una obra VI3

**puesto, el** — trabajo, oficio, empleo LS I1

**puesto que** — ya que, pues, porque I4, LS VI3

**punto de partida, el** — sitio por donde se pone algo en marcha II2

**puntos de venta, los** — sitios donde se vende algo LS II1

## Q

**quejarse** — comunicar que algo no le gusta a uno, expresar disgusto V6

**quirófano, el** — sala de operaciones de cirugía II3

## R

**rabia, la** — enfermedad grave de algunos animales, enojo o enfado fuertes I4, V5

**racimo, el** — conjunto de uvas unidas IV2

**raíz, a raíz de** — a causa de, debido a, después de III6

**realizar** — alcanzar, conseguir, cumplir, efectuar, ejecutar, hacer, llevar a cabo, I3, II3, II6, III5, V4, VI1

**rebotar** — cambiar de dirección algo que está en movimiento III2

**recámara, la** — cuarto III3

**recaudar** — colectar, cobrar, percibir, recoger, juntar dinero V1

**receta, la** — papel en el que se escriben los ingredientes y la forma de hacer algo, nota en la cual se apuntan los componentes de algo IV4

**rechoncho/a** — regordete VI3

**recinto, el** — espacio cerrado y a veces limitado VI3

**reclamar** — presentar una queja por alguna injusticia II2

**recoger** — guardar, juntar algo en un lugar LS II2

**recorrer** — caminar, andar I3

**recto/a** — lineal, justo, derecho II5, VI6

**recuperar** — adquirir otra vez, volver a tener V3

**recursos, los** — bienes, posesiones, medios LS I5

**red, la** — tejido para atrapar algo, conexiones I5

**redacción, la** — acción de corregir algo por escrito LS I1

**redundante** — que se repite innecesariamente IV2

**reembolso, contra reembolso** — pagar la mercancía una vez recibida II2

**regar** — dar agua a una planta I2

**regir** — gobernar I6

**reglamentación, la** — control de preceptos y reglas II6

**remanso, el** — lugar muy tranquilo VI4

**remesa, la** — envío de bienes a otro país I4

**remontarse a** — datar de, originarse en II3, V4

**rendimiento, el** — beneficio que algo produce VI5

**rendir** — dar, dedicar, someter, vencer V3

**repartir** — distribuir en partes V1

**repente, de repente** — de golpe, sin esperar I6

**reposar** — descansar III2

**rescatar** — liberar de un daño, liberar de un peligro VI3, LS IV3

**rescate, el** — recuperación, salvamento V5

**resentimiento, el** — disgusto causado por falta de consideración, rencor V5

**residuo, el** — resto, basura, desecho I2

**resignarse** — someterse, conformarse I3

**respecto, con respecto a** — a lo que se refiere V3

**resultado, el** — lo que sigue de alguna acción, su efecto o consecuencia I1

**reto, el** — desafío, objetivo difícil de realizar, oposición II2, II4, II6, V3, VI3

**retroceso, el** — movimiento en sentido contrario, falta de avance I2

**rezagados/as** — los que se han quedado atrás o los que han sido dejados atrás LS I6

**riesgo, estar a riesgo de** — estar expuesto a un peligro o daño I4

**rompecabezas, el** — juego que consiste en componer determinada figura combinando cierto número de pedazos de madera o cartón, en cada uno de los cuales hay una parte de la figura, problema o acertijo de difícil solución VI5

**rostro, el** — cara LS IV6

**rueda de preguntas** — reunión periodística en la cual se entrevista a alguien, rueda de prensa LS I4

## S

**sabiduría, la** — erudición, conocimiento por experiencia propia, conocimiento profundo I1, II5

**sabiendas, a sabiendas de** — sabiendo, con pleno conocimiento o a pesar de éste I3

**sabor, el** — lo que se percibe al comer o beber LS II6

**sacar adelante** — ayudar o apoyar III6

**sacar el máximo partido de** — obtener beneficio, obtener ganancia V1

**sacar el máximo provecho de** — obtener beneficio, obtener ganancia V1

**sacar provecho a** — ganarse un beneficio a costa de otro II2

**sacar** — revelar, presentar IV3

**sacarle a alguien del error** — revelar la verdad V3, LS V3

**sacarle partido a alguien** — aprovechar I1

**salir bien parado/a** — tener buena suerte I1

**saneado/a** — purificado I5

**sanitario/a** — referente a la salud LS IV1

**sano/a** — saludable, no enfermo, de buena salud I2, II3

**sardónico/a** — sarcástico VI3

**sede, la** — lugar donde una organización civil, religiosa o privada tiene su domicilio principal LS I2

**sefardíes, los** — judíos que vienen de España LS I4

**seguida, en seguida** — inmediatamente V1

**selectividad, la** — conjunto de exámenes que se toman en España para poder acceder a la universidad III4

**sellos, los** — trocitos de papel que se pegan al sobre o paquete para mandarlo por correo LS IV5

**sembrar** — esparcir semillas en la tierra IV2

**semilla, la** — granito que se planta y del cual crece una planta I2, II5

**seno, el** — parte interna de algo III4

**sensibilidad, la** — empatía, gusto por el arte o lo estético LS I3

**sentido, el** — sentimiento, significado I6

**señal, la** — indicación, sonido de alerta II4

**señalar** — indicar I5

**sequía, la** — período sin lluvias II5

**ser, el** — persona III4

**servilleta, la** — pedazo de papel para limpiar se la boca I1

**si bien** — aunque I5

**sí mismo/a** — enfatiza la referencia personal, uno mismo III4, VI5

**silvestre** — no domesticado, salvaje V1

**sindicato, el** — grupo formal de trabajadores I6

**sinvergüenza** — atrevido, insolente, sin conciencia moral V2, LS V2

**sísmico/a** — perteneciente a los terremotos LS II5

**soberanía, la** — autoridad superior V3

**sobrepeso, el** — exceso de peso, pesar demasiado II3

**sobre todo** — especialmente, mayormente LS I6

**socio/a, el/la** — colega, compañero IV6, V4

**soler** — hacer algo con frecuencia, tener costumbre III5

**solicitar** — buscar, pedir III1, V2, LS I1, LS V2

**sollozar** — llorar profundamente II1

**sombra, la** — imagen oscura proyectada por un objeto al interceptar los rayos directos de la luz solar IV3

**soñar con** — imaginar, desear algo que no se tiene IV3, VI4

**sordo/a** — que no oye VI6

**sostener** — apoyar, defender, mantener V3

**suceso, el** — evento, acontecimiento II6

**sueldo, el** — pago periódico a cambio de un trabajo, salario LS I2

**suelo, el** — superficie de la tierra o del piso I2

**sumarse** — juntarse, unirse I5

**superarse** — sobrepasar un límite, ir más allá II4

**supuesto/a** — hipotético/a, posible, simulado/a II6

**surco, el** — canal VI5

**surgir** — aparecer, emerger, manifestarse, mostrarse, presentarse V4, V6, VI3, LS IV 1

**sustentable** — que perdura y se mantiene I2

**sustentar (sustentan)** — sostener, defender LS IV2

**susurro, el** — murmullo, sonido suave LS V1

## T

**taca taca, el** — futbolín, juego de fútbol de mesa en Chile III6

**tacón, el** — pieza vertical que se une a la suela que da elevación al zapato VI2

**tal, con tal de** — expresa la condición con la cual se haría algo V1, LS I5

**talla, la** — medida de la altura de una persona o de la ropa para su fabricación o venta II3, LS IV3

**taller, el** — lugar en el que se hacen reparaciones I6

**tambor, el** — instrumento de percusión IV3

**tanto X como Y** — igualmente II2

**tanto, por tanto** — por eso III1

**tapa, la** — aperitivo o comida que se sirve en pequeñas porciones V1

**tapita, la** — pieza que cierra por la parte superior cajas, botellas u otros recipientes III3

**tasa, la** — diferencia entre dos extremos expresada en porcentaje, pago exigido, proporción, relación entre dos magnitudes III1, V2, V3

**tataranieto/a, el/la** — tercer nieto, rebisnieto II5

**teclado, el** — conjunto de piezas móviles que se tocan para ingresar datos en una computadora LS II1

**técnicos/as, los/las** — personas que trabajan con la tecnología de cualquier maquinaria LS II4

**telas, las (la tela)** — material hecho de muchos hilos que forman una lámina LS VI2

**temblor, el** — seísmo, terremoto, agitación violenta de la tierra II5

**temor, el** — miedo II5, VI3

**temporero/a, el/ la** — trabajador de horas temporarias IV1

**tender** — mostrar tendencia II3

**tener en cuenta** — saber, considerar V2, VI5, LS I2

**tener en jaque a** — amenazar V2

**tener prisa** — ir rápidamente, estar apurado I3

**terrón, el** — masa pequeña VI5

**tesoro, el** — bienes materiales o naturales de valor guardados en un lugar II5

**tilma, la** — prenda para recolectar productos agrícolas IV2

**tiniebla, la** — falta de luz II5

**titulado/a** — graduado, licenciado, persona que tiene el título o diploma de una carrera LS III1

**tomar los hábitos** — hacerse cura, hacerse padre religioso I3

**tonada, la** — canción o tono regional del idioma IV2

**toque, el** — detalle VI4

**torno, en torno a** — acerca de , cerca de, alrededor de IV5, LS VI1

**tórrido/a** — muy caliente, sofocante VI5

**trago, el** — bebida, porción de una bebida que se toma V4

**traición, la** — acto que quiebra la confianza IV6

**tratar mal o bien** — portarse mal o bien con alguien LS II2

**trato, el** — manera de portarse con otros IV4

**través, a través de** — por, a lo largo de, por entre, por medio de, de un lado a otro I2, II1, V4, LS VI4

**trigal, el** — campo de trigo (un cereal) IV2

**el tríptico** — pintura en tres hojas LS VI4

**tugurio, el** — choza, barrio pobre VI1

**tutelar** — amparar, guiar, proteger, III2

## U

**ubicado/a** — localizado, situado III2

**ubicarse** — situarse, establecerse VI1, LS III5

**último, por último** — finalmente IV6

**umbral, el** — comienzo de la entrada o la puerta VI5

**utilitario/ a** — práctico, sencillo II3

## V

**vacunar** — inmunizar, inocular V4

**valía, de valía** — de valor, merece aprecio IV6

**varones, los (el varón)** — de sexo masculino, seres humanos de sexo masculino V2, LS V2

**vela, la** — cirio, candela IV4

**venado, el** — ciervo III2

**venerar** — admirar, apreciar I3

**vengarse** — responder a un daño con otro daño para vindicarse LS II5

**ventas ambulantes, las** — vender algo andando, negocio o tienda sin local fijo LS III5

**vereda, la** — camino estrecho, acera III5

**Viernes Santo** — fiesta religiosa durante Semana Santa VI6

**vínculo, el** — enlace, conexión V3, V5

**vinilo, el** — material sintético o de plástico VI4

**viudo/a, el/la** — sin esposo/a, persona a quien se le ha muerto su cónyuge VI1

**vivencia, la** — circunstancia de la vida, experiencia personal II6, IV6

**vivienda** — donde uno vive LS IV1

## A

**abajo, los de abajo** — inferiors
**abeto, el** — fir tree
**abono, el** — manure
**abordado/a** — addressed
**acarrear** — to haul
**acceder** — to log in
**aclaraciones, las (la aclaración)** — clarification
**acogedor/a** — cozy, agreeable, friendly
**acogida, la** — hospitality, welcome
**acontecimiento, el** — event
**acrecentar** — to increase
**actual** — present time
**actualidad, en la actualidad** — nowadays
**actualmente** — now
**acudir** — go to
**acuerdo, de acuerdo a** — according to
**acuerdo, estar de acuerdo con** — to be in agreement with
**adaptarse** — to adapt
**adelante, en adelante** — hereinafter
**además de** — plus, in addition to
**adhesión, la** — adhesion
**adinerado/a** — wealthy
**adjuntar** — to attach
**afincado/a** — settled
**afinidad, la** — affinity
**afrontar** — to face
**agreste** — wild
**agudizar** — to sharpen
**aguerrido/a** — combative, aggressive
**aguja, de aguja** — stiletto heel
**aislado/a** — isolated
**aislarse** — to isolate
**ajeno/a** — alien
**ajeno/a a** — alien, pertaining to others
**al fin** — at last
**alberca, la** — pool
**alcance, el** — scope, reach
**aldea, la** — village

**alentar** — to encourage
**aliarse con** — ally with
**alimentación, la** — food
**allegado/a** — insider
**almohadón, el** — cushion
**alojamiento, el** — accommodations
**alpendre, el** — terrace, overhang
**alrededor de** — around
**alrededor, de alrededor** — about, more or less
**alzar la voz** — speak up, raise your voice
**amargo/a** — bitter
**ambas/os** — both
**amenaza, la** — threat
**amenazado/a** — threatened
**amparado/a** — protected, helped
**ampararse en** — to protect oneself
**amuleto, el** — amulet, a
**analfabetismo, el** — illiteracy
**anfitrión, el** — host
**angosto/a** — narrow
**angustiar** — to get distressed
**animar** — to encourage
**animarse** — to liven up, to be motivated
**anímico/a** — pertaining to mood, emotional
**antelación, con antelación** — in advance
**antemano, de** — beforehand
**antemano, de antemano** — beforehand
**año tras año** — year after year
**aparición, la** — appearance
**apenas** — just, hardly
**apero, el** — implement the
**apoderarse** — to seize
**aportación** — input, contribution
**aportar** — contribute
**aportar** — to contribute
**aporte, el** — contribution
**apostar por** — bet
**apreciado/a** — appreciated
**aprendizaje, el** — learning
**aprendizaje, el** — learning

**apresurarse** — to hurry
**apretado/a** — tight
**aprobación, la** — approval
**arancel, el** — duty, fee
**armar** — to arm, to prepare
**arrancar** — to tear out, to pull out
**arrayán, el** — myrtle
**asemejarse** — to resemble, to be like
**asentamiento, el** — settlement
**asequible** — affordable
**asimismo** — also
**asombro, el** — amazement
**asueto, el** — day off
**atender** — attend (take care of)
**ateo/a, el/la** — atheist
**atravesar** — to cross
**atrevido/a** — bold
**atropellar** — run over, crush
**atropellado/a – crushed, run over**
**auge, el** — rise, zenith
**aula, el** — classroom
**aun** — even
**aún** — still
**aunque** — although
**avalado/a** — endorsed
**avance, el** — advance
**averiguar** — to find out

## B

**baluarte, el** — bulwark
**banca, la** — banking industry
**banda ancha, la** — broadband
**barra, la** — bar
**barrera, la** — barrier
**barriga, la** — belly
**bien nacido/a** — well-born
**bien, el** — the good, the moral
**boceto, el** — sketch
**bosquejo, el** — outline
**bóveda, la** — vault
**brecha, la** — gap
**brindar** — to offer, to offer a toast
**bronce, el** — bronze
**brotar** — to sprout
**brújula, la** — compass

**bruñido/a** — burnish/ burnished
**bruto/a** — gross

## C

**cabizbajo/a** — crestfallen
**cachivache, el** — piece of junk
**cachorro, el** — pup
**caimán, el** — alligator
**calvario, el** — suffering
**caminata, la** — walk, hike
**campana, la** — bells
**campaña, la** — campaign
**campo, el** — field (country and academic)
**caña, la** — cane (sugar)
**caño, el** — spout
**capa, la** — layer
**capacidad, la** — capability, ability
**capaz** — able
**carácter, el** — character (moral)
**carecer de** — to lack
**carente de** — lacking
**cargo, a cargo de** — in charge of
**carruaje, el** — carriage
**casualidad, por casualidad** — by chance
**caucho, el** — rubber
**causa, a causa de** — because of
**censo, el** — census
**certamen, el** — competition
**charla, la** — talk
**chévere** — great, good, cool
**chocar** — to crash
**choque, el** — crash
**choza, la** — hut
**chubasco, el** — rain shower
**ciencia, a ciencia cierta** — for sure
**cifra, la** — figure (numerical)
**cirugía, la** — surgery
**citado/a** — aforementioned/ cited
**ciudadanía, la** — citizenship
**claras, a las claras** — clearly
**clave** — key
**clavel, el** — carnation
**coherente** — coherent
**coincidir en** — to agree (with)
**colgar** — to hang
**columpio, el** — swing

**compartir** — to share
**comportamiento, el** — behavior, conduct
**comprobar** — to check, to prove
**comunitario/a** — community
**concederse** — to assent to
**confiable** — dependable
**confiar** — to trust
**conformarse** — to conform
**conjunto, en conjunto con** — together with
**conmemorar** — to commemorate
**consecuencia, a consecuencia de** — as a result of
**constancia, la** — constancy
**contar con** — to count on
**continuación, a continuación** — then, following
**contrario, por el contrario** — conversely, on the contrary
**convivencia, la** — coexistence
**convocar** — to convene
**coronar** — to crown
**coste, el** — cost (España)
**costurero/a** — sewing
**cotillón, el** — cotillion, dance, party
**coyote, el** — coyotes, person who illegally smuggles immigrants into a country
**crecer** — to grow
**creciente** — growing
**cría, la** — offspring (usually referring to animals)
**crispar** — to twitch, to irritate
**cruzar (los perros)** — cross breeding (dogs)
**cuanto, en cuanto a** — regarding
**cuenta, por su cuenta** — on his own account
**cuentas, en resumidas cuentas** — in a nutshell
**cuerno de la abundancia, el** — cornucopia
**cuidado, con** — carefully
**cumplimiento, el** — fulfillment, carrying out
**cumplir** — to comply
**cuna, la** — crib
**cuyo/a** — whose

## D

**dañino/a** — harmful
**dar origen a** — give rise to
**dar palabras de aliento** — give words of encouragement
**darle la espalda a alguien o algo** — to turn away from someone or something
**darse cuenta de** — to realize
**debajo, estar por debajo** — to be below
**debido a** — due to
**decrecimiento, el** — decrease

**degustar** — to taste
**dejar de** — to quit
**demanda, a demanda de** — in demand
**depurado/a** — debugged, clean, purified
**derretimiento, el** — melting
**derrota, la** — defeat
**desahogar** — to vent
**desalojo, el** — eviction
**desarrollo, el** — development
**desbordar** — to flood, to overflow
**descarga, la** — downloading, download
**desde...hasta** — from ... to
**desdén, el** — contempt
**desdeñado/a** — neglected
**desdibujarse** — to blur
**desecho, el** — waste
**desempeñar** — to play
**desenvolverse** — to unfold
**desfallecida/o, casi** — almost dead
**deslumbrar** — to dazzle
**desmedido/a** — excessive
**despedirse de** — take leave of, say goodbye
**despiste, el** — distraction
**desplazado/a** — displaced

**desplazamiento, el** — displacement

**desprecio, el** — contempt

**destacar** — to highlight

**destacarse** — to stand out

**desterrado/a** — banished, exiled

**difundido/a** — diffused

**difunto/a, el/la** — deceased person, dead person

**digno/a** — worthy

**diluir** — to dilute

**dirigirse** — to address

**dirimir** — to settle

**diseñar** — to design

**disolver** — to dissolve

**disponer de** — to dispose of

**disponibilidad, la** — availability

**disponible, está disponible** — is available

**dispositivo, el** — device, gadget

**dispuesto/a, estar dispuesto/a a** — to be willing

**doble del ancho, el** — double the width

**docencia, la** — teaching

**domiciliación bancaria, la** — debit

**domicilio, el** — home

**dominio de la lengua, el** — language proficiency

**dominio, el** — control, proficiency

**donativo, el** — donation

**duda, sin duda** — clearly

## E

**echarle la culpa a alguien** — blame it on someone

**eclosión, la** — hatching, blooming

**educarse en** — educated in

**efímero/a** — ephemeral

**ejecutar** — to run, to effect

**embargo, sin embargo** — however

**eminente** — eminent

**empaparse** — to soak

**empedrado/a** — paved

**emprendedor/a** — entrepreneurial

**empresarial** — business

**empuje, el** — thrust

**empujón, el** — push

**encabezado/a por** — headed by

**encajar** — to fit

**encima, por encima** — above

**encogerse de pena** — to cringe with sadness

**encogido/a** — shrunken

**encuesta, la** — survey, poll

**endeudamiento, el** — indebtedness

**enfrente** — opposite (placement)

**enganchar** — to hook

**engañar** — to deceive

**engrandecer** — to enlarge

**enjuto/a** — lean, skinny

**entorno, el** — environment, surroundings

**entrar en juego** — come into play

**envenenar** — to poison

**envilecer** — to debase

**envío, el** — the mailing, what is sent

**equidad, la** — equity

**érase una vez** — once upon a time

**ermita, la** — hermitage

**escarbarse los dientes** — pick one's teeth

**escasez, la** — scarcity, lack

**escaso/a** — little bit, scarce

**escoltar** — to escort

**escondido/a** — secret, hidden

**esfuerzo, el** — efforts

**especial, en especial** — especially

**especie, la** — species

**estiramiento, el** — elongation, stretch

**esto, por esto** — for this

**estremecimiento, el** — shudder

**estrenarse** — to premiere

**etapa, la** — stage

**ética, la** — ethics

**evocación, la** — evocation

**exculpar** — to exculpate, to excuse, to hold blameless

**exigir** — to demand

## F

**fabricar** — to manufacture

**fachada, la** — facade

**facilidades, las** — facilities

**factible** — feasible

**fecundo/a** — fertile, fruitful

**fiel, el** — faithful person

**fines, a fines de** — late, at the end of

**fines, sin fines de lucro** — non-profit

**fomento, el** — promotion, publicity

**forastero/a** — outsiders, strangers

**formación, la** — formation

**fortalecer** — to strengthen

**fracasado/a, el/la** — failed person, failure (person)

**fracaso, el** — failure

**frente a** — in front of

**frente a frente** — face to face

**frente, estar frente a** — to be facing

**frontera, la** — border

**fugacidad, la** — fugacity

**fular, el** — scarf

## G

**gama de, la** — range of

**ganadero/a** — rancher; livestock

**ganado, el** — cattle

**gemir** — to moan

**gestarse** — to gestate, to germinate

**gestión, la** — management

**gestor, el** — manager

**girar** — to turn

**golpe, el** — stroke, hit, punch

**gozar** — to enjoy

**grano, el** — grain

**gratuito/a** — free

**Green Card, el** — Green Card

**grillo, el** — cricket

**guardabosques, el** — forest ranger

## H

**habilitación, la** — habilitation

**hacer falta** — to lack, to need

**hacer giras** — to tour

**hacer(se) con Ud.** — to relate with you

**hacerse cargo de** — to take charge of

**hacia** — toward

**hada, el, (las hadas)** — fairy

**hallar** — to find

**hecho de que, el** — fact that

**hectárea, la** — hectar (2.47 acres)

**heredado/a** — inherited

**herradura, la** — horseshoe

**herramienta, la** — tool

**hierro, el** — iron

**hinchar** — to swell

**hipoteca, la** — mortgage

**hipoteca subprime, la** — subprime mortgage

**hogar, el** — home

**hoyo, el** — hole

**hueco, el** — hollow

**huella, la** — footprint

**hundido/a** — sunk

**huraño/a** — shy/sullen

**husmear** — sniff, spread around

## I

**ignorar** — to disregard

**imanes, los (el imán)** — magnet

**imprescindible** — essential, necessary

**impulso, el** — momentum, push, motive

**impunidad, la** — impunity

**incapaz** — incapable

**incluso** — even, including

**incremento, el** — increment

**inculcar** — to inculcate

**indocumentado/a, el/la** — undocumented person

**índole, la** — nature, type

**informático/a** — pertaining to computers

**informe, el** — report

**ingenuidad, la** — ingenuity

**ingresar a** — to enter (a university, for example)

**ingreso, el** — income

**inmobiliario/a** — real-estate

**inmueble, el** — property

**inquietud, la** — concern, worry

**insigne** — distinguished

**intentar** — to try

**involucrado/a** — involved

**involucrarse** — to be involved, to get involved

## J

**jefatura, la** — leadership

**jerga, la** — jargon

**jubilación, la** — retirement

**jubilado/a** — retired

**justo/a** — just

## L

**lado, por otro lado** — on the other hand

**largo, a lo largo de** — along, during

**largo, a lo largo y ancho de** — the length and width of

**lastimar** — to hurt

**látigo, el** — whip

**lazo, el** — tie, bond, connection

**leal** — loyal

**lengua materna, la** — mother tongue

**letargo, el** — lethargy

**ligar** — to bind

**limar asperezas** — to mend fences, to smooth things over

**limosnero/a, el/la** — beggar

**linterna, la** — flashlight

**llevar a cabo** — to carry out, to effect

**llover a cántaros** — to rain cats and dogs

**lograr** — to achieve

**lozano/a** — lush

**lucir** — to show off, to shine

**lucro, de lucro** — for profit

## M

**maderero/a** — logger

**madrugada, la** — early morning

**mancha, la** — stain

**maneras, las** — manners

**manifestante, el/la** — demonstrator

**mano de obra, la** — labor force

**maqueta, la** — model (arquitectura)

**marca, la** — trademark

**marginalidad, la** — marginality

**marroquinería, la** — leather goods (Spain)

**más, lo más de** — most of

**matriarcado, el** — matriarchy

**matutino/a** — morning

**mazorca, la** — cob

**mediante** — through, by way of

**medida, a medida que** — at the same time as

**medida, en gran medida** — to a large degree

**medida, en la medida en la cual** — to the extent that

**medio, en medio de** — amid

**medio, el** — medium

**medir** — to measure

**menos, por lo menos** — at least

**menosprecio, el** — belittling

**mentecato/a, el/la** — fool

**menudo, a menudo** — often

**mermar** — to deplete

**meta, la** — target, goal

**mezquindad, la** — pettiness, cheapness

**mientras tanto** — while

**milagro, el** — miracle

**milagroso/a** — miraculous

**milonga, la** — milonga

**moda, de moda** — fashionable

**modales, los** — manners

**modo, a modo de** — by way of

**modo, de este modo** — thereby

**modos, de todos modos** — anyway

**mojarse** — to get wet

**moral, la** — morality

**moriche, el** — moriche palm

**movilización, la** — mobilization

**murciélago, el** — bat

## N

**nacionalista** — nationalist

**nivel, al nivel del mar** — at sea level

**nocivo/a** — harmful
**norma, la** — standard, norm

## O

**obeso/a** — obese
**ocurrido, lo ocurrido** — that which happened
**ofrenda, en ofrenda a** — offering to
**oleada, la** — wave (of people, for example)
**olmo, el** — elm
**oración, la** — prayer, sentence
**orden, la** — order, command
**ordeñar** — to milk

## P

**padecer** — to suffer
**padecimiento, el** — condition, suffering
**paisaje, el** — landscape
**palita, la** — racquet (handball)
**pandilla, la** — gang
**papel, el** — paper; role
**paradigma, el** — paradigm
**partir, a partir de** — at the beginning of, from the beginning of, from (this point)
**pasar por alto** — to overlook, to ignore
**pasarelas de pago, las** — payment gateways
**pasatiempo, el** — pastime
**paso a paso** — step by step
**paso, el** — step
**patriarca, el** — patriarch
**pauta, la** — pattern

**pecado, el** — sin
**pegar** — to paste, to punch
**pegarle un tiro a alguien** — to shoot someone
**pelear** — to fight, to quarrel

**peligro, correr algún peligro** — to run some danger
**pendiente, el** — cliff
**penumbra, la** — dark
**peregrinaje, el** — pilgrimage
**peregrino/a, el/la** — pilgrim
**pereza, la** — laziness
**perfil, el** — profile
**personaje, el** — character (in a book, play, etc.), person of importance
**persona de la tercera edad, la** — older person, senior citizen
**pertenencia, la** — belongings
**pesar, a pesar de** — despite, inspite of
**pese a** — despite, inspite of
**PIB, el (Producto Interior Bruto)** — GDP (Gross Domestic Product)
**pie, a pie** — on foot
**pinza, la** — clamp, pliers
**piso, el** — floor
**planteamiento, el** — approach, proposal
**plantear** — to propose
**plasmar** — to capture, to represent
**plazo, en el corto o largo plazo** — in the short or long term, in the short or long run
**pleito, el** — lawsuit
**plumaje, el** — plumage, feathers
**pobreza, la** — poverty
**poligamia, la** — polygamy
**poner de manifiesto** — to highlight
**poner en claro** — to clarify
**ponerse a** — to begin to
**ponerse en contacto con** — to make contact with
**poso, el** — sediment
**postre, a la postre** — eventually
**postura, la** — seedling, young plant, shoot
**potable** — potable, drinkable
**potenciar** — to maximize
**Pozo del Tío Raimundo, el** — Pozo del Tío Raimundo
**precoz** — early, precocious
**preocupante** — worrysome

**prescribir una ley** — to pass a law
**presupuesto, el** — budget
**pretender** — to aspire to, to try, to attempt
**primogénito, el** — firstborn
**principio, por principio** — at the beginning
**principio, el** — principle (moral)
**problemática, la** — problem
**procedentes de** — from
**promedio, el** — average
**promover** — to promote
**propuesta, la** — proposal
**provenir** — to proceed
**puesta en escena, la** — staging
**puesto que** — inasmuch as, given
**punto de partida, el** — starting point

## Q

**quejarse** — to complain
**quirófano, el** — operating room

## R

**rabia, la** — rabies, anger
**racimo, el** — cluster
**raíz, a raíz de** — following
**realizar** — to attain, to fulfill, to achieve, to realize (a goal, a dream, etc.), to make happen
**rebotar** — to bounce
**recámara, la** — bedroom
**recaudar** — to collect
**receta, la** — recipe
**rechoncho/a** — chubby
**recinto, el** — enclosure
**reclamar** — to claim, to demand
**recorrer** — to tour, to traverse
**recto/a** — straight
**recuperar** — to recover
**red, la** — network, net
**redundante** — redundant
**reembolso, contra reembolso** — COD
**regar** — to water
**regir** — to govern, to rule
**reglamentación, la** — regulation
**remanso, el** — backwater

**remesa, la** — remittance

**remontarse a** — to trace to, to date back to

**rendimiento, el** — yield, performance, production

**rendir** — to pay, to give up

**repartir** — to distribute

**repente, de repente** — suddenly

**reposar** — to rest

**rescatar** — to rescue

**rescate, el** — rescue

**resentimiento, el** — resentment

**residuo, el** — residue, garbage, refuse

**resignarse** — to resign oneself

**respecto, con respecto a** — about

**resultado, el** — result

**reto, el** — challenge

**retroceso, el** — decline

**riesgo, estar a riesgo de** — be at risk of

**rompecabezas, el** — puzzle

## S

**sabiduría, la** — wisdom

**sabiendas, a sabiendas de** — knowing

**sacar** — to get, to take out

**sacar adelante** — to move forward

**sacar el máximo partido de** — to take advantage of

**sacar el máximo provecho de** — to get the maximum benefit from

**sacar provecho a** — to capitalize on, to take advantage of

**sacarle a alguien del error** — to correct someone, to dissuade someone

**sacarle partido a alguien** — to take advantage of someone

**salir bien parado/a** — to get away with

**saneado/a** — sanitized

**sano/a** — healthy

**sardónico/a** — sardonic

**seguida, en seguida** — immediately

**selectividad, la** — series of exams to gain admission to a university in Spain

**sembrar** — to plant, to seed

**semilla, la** — seed

**seno, el** — breast

**sentido, el** — sense, meaning

**señal, la** — signal

**señalar** — to mark, to point out

**sequía, la** — drought

**ser, el** — being (human)

**servilleta, la** — napkin

**si bien** — while

**sí mismo/a** — himself / herself

**silvestre** — wild

**sindicato, el** — workers union

**sinvergüenza, el** — scoundrel

**soberanía, la** — sovereignty

**sobrepeso, el** — weight (excess)

**socio/a, el/la** — partner

**soler** — to usually (do something)

**solicitar** — to request

**sollozar** — to sob

**sombra, la** — shadows

**soñar con** — to dream about

**sordo/a** — deaf

**sostener** — to hold, to maintain

**suceso, el** — event, happening

**suelo, el** — soil

**sumarse** — to join

**superarse** — to overcome

**supuesto/a** — supposed

**surco, el** — row (agriculture)

**surgir** — to arise

**sustentable** — sustainable

## T

**taca taca, el** — fooseball

**tacón, el** — heel

**tal, con tal de** — provided

**talla, la** — size

**taller, el** — workshop

**tambor, el** — drum

**tanto X como Y** — both X and Y

**tanto, por tanto** — therefore

**tapas, las** — finger food (Spain)

**tapita, la** — cap (bottle)

**tasa, la** — rate

**tataranieto/a, el/la** — great grandchild

**temblor, el** — tremor, earthquake

**temor, el** — fear

**temporero/a, el/a** — seasonal worker

**tender** — to lie down, stretch out

**tener en cuenta** — to take into account, to have in mind

**tener en jaque a** — to have in check

**tener prisa** — to be in a hurry

**terrón, el** — lump

**tesoro, el** — treasure

**tilma, la** — cloak

**tiniebla, la** — darkness, shadows

**tomar los hábitos** — to take the veil, to become a priest or nun

**tonada, la** — tone

**toque, el** — touch, stroke (art)

**torno, en torno a** — around

**tórrido/a** — hot

**trago, el** — drink

**traición, la** — betrayal

**trato, el** — treatment

**través, a través de** — through

**trigal, el** — wheat field

**tugurio, el** — slum

**tutelar** — to support, to tutor

## U

**ubicado/a** — located

**ubicarse** — to be located

**último, por último** — last

**umbral, el** — threshold

**utilitario/a** — useful

## V

**vacunar** — vaccinate

**valía, de valía** — of worth

**varones, los (el varón)** — male, male person

**vela, la** — candle

**venado, el** — deer

**venerar** — to venerate

**vereda, la** — sidewalk

**Viernes Santo** — Good Friday

**vínculo, el** — link

**vinilo, el** — vinyl

**viudo/a, el/la** — widower/widow

**vivencia, la** — experience

# INGLÉS— ESPAÑOL

## A

**ability** — capacidad, la
**able** — capaz
**about** — con respecto a
**about (more or less)** — alrededor de
**above** — encima, por encima de
**accommodations** — alojamiento, el
**according to** — de acuerdo a
**account, on his own** — por su cuenta
**achieve** — lograr, realizar
**achieve** — realizar
**adapt** — adaptarse
**addition to, in addition to** — además de
**address** — dirigirse
**addressed** — abordado/a
**adhesion** — adhesión, la
**advance** — avance, el
**advance, in** — con antelación
**affinity** — afinidad, la
**affordable** — asequible
**agree** — coincidir en
**alligator** — caimán, el
**ally with** — aliarse con
**also** — asimismo
**although** — aunque
**amazement** — asombro, el
**amid** — en medio de
**amulet** — amuleto, el
**anyway** — de todos modos
**apex** — auge, el
**appearance** — aparición, la
**appreciated** — apreciado/a
**approach** — planteamiento, el
**approval** — aprobación, la
**arise** — surgir
**around** — alrededor de, en torno a
**as a result of** — a consecuencia de
**assent to** — concederse
**atheist** — ateo/a, el/la
**at last** — al fin
**at least** — por lo menos
**at sea level** — al nivel del mar

**attach** — adjuntar
**attempt** — pretender
**attend (a university, for example)** — ingresar a
**attend to (take care of)** — atender
**at the beginning** — por principio
**at the end of** — a fines de
**at the same time as** — a medida que
**availability** — disponibilidad, la
**available** — disponible
**average** — promedio, el

## B

**backwater** — remanso, el
**banking industry** — banca, la
**bar** — barra, la
**barrier** — barrera, la
**bat** — murciélago, el
**be at risk of** — estar a riesgo de
**because of** — a causa de
**become a priest or nun** — tomar los hábitos
**bedroom** — recámara, la
**beforehand** — de antemano
**beggar** — limosnero/a, el/la
**beginning with** — a partir de
**begin to** — ponerse a
**behavior**—comportamiento, el
**be in agreement with** — estar de acuerdo con
**being (human)** — ser, el
**belittlement** — menosprecio, el
**bell** — campana, la
**belly** — barriga, la
**belongings** — pertenencias, las
**below** — debajo
**bet** — apostar por
**betrayal** — traición, la
**bitter** — amargo/a
**blame it on someone** — echarle la culpa a alguien
**blur** — desdibujarse
**bold** — atrevido/a
**border** — frontera, la
**both** — ambas/os

**both X and Y** — tanto X como Y
**bounce** — rebotar
**breast** — seno, el
**broadband** — banda ancha, la
**bronze** — bronce, el
**budget** — presupuesto, el
**bulwark** — baluarte, el
**burnished** — bruñido/a
**business** — empresarial
**by chance** — por casualidad
**by way of** — a modo de

## C

**campaign** — campaña, la
**candle** — vela, la
**cane** — caña, la

**cap (bottle)** — tapita, la
**capture**— plasmar (representar)
**carefully** — con cuidado
**carnation** — clavel, el
**carriage** — carruaje, el
**carry out** — llevar a cabo
**cattle** — ganado, el
**census** — censo, el
**challenge** — reto, el
**character (in a play, etc.)** — personaje, el
**character (moral)** — carácter, el
**charge of, in** — a cargo de
**chubby** — rechoncho/a
**cited** — citado/a
**citizenship** — ciudadanía, la
**claim**—reclamar
**clamp** — pinza, la
**clarification** — aclaración, la

clarify — ponerlo en claro
classroom — aula, el (las aulas)
clearly — sin duda, a las claras
cliff — pendiente, el
cloak — tilma, la
cluster (of fruit) — racimo, el
cob — mazorca, la
COD — contra reembolso
coexistence — convivencia, la
coherent — coherente
collect — recaudar
combative — aguerrido/a
come into play — entrar en juego
commemorate — conmemorar
community — comunitario/a
compass — brújula, la
competition — certamen, el
complain — quejarse
comply — cumplir
concern — inquietud, la
conform — conformarse
constancy — constancia, la
contact, make contact with — ponerse en contacto con
contempt — desdén, el, el desprecio
contrary, on the — por el contrario
contribute — aportar
contribution — aporte, el; la aportación
convene — convocar
cornucopia — cuerno de la abundancia, el
cost, (España) — coste, el
cotillion — cotillón, el
count on — contar con
coyote, person who illegally smuggles immigrants into a country — coyote, el
crash — chocar
crash — choque, el
crestfallen — cabizbajo/a
crib — cuna, la
cricket — grillo, el
cringe with sadness — encogerse de pena
cross — atravesar

cross breeding (dogs) — cruzar (los perros)
crown — coronar
cushion — almohadón, el

## D

darkness — tiniebla, la
dark — penumbra, la
date back to — remontarse a
day off — asueto, el
dazzle — deslumbrar
dead, almost — casi desfallecida/o
deaf — sordo/a
debase — envilecer
debit — domiciliación bancaria, la
deceased person — difunto/a, el/la
deceive — engañar
decline — retroceso, el
decrease — decrecimiento, el
deer — venado, el
defeat — derrota, la
degree, to a large — en gran medida
demand — exigir
demand, in — a demanda de
demonstrator — manifestante, el/la
dependable — confiable
deplete — mermar
design — diseñar
despite a pesar de, pese a
development — desarrollo, el
dilute — diluir
displaced — desplazado/a
displacement — desplazamiento, el
dispose of — disponer de
disregard — ignorar
dissolve — disolver
dissuade — sacarle a alguien del error
distinguished — insigne
distraction — despiste, el
distribute — repartir
domain — dominio, el
donation — donativo, el
double the width — doble del ancho, el
do with you — hacer(se) con Ud. (slang)

download — descarga, la
dream about — soñar con
drinkable — potable
drink — trago, el
drought — sequía, la
drum — tambor, el
due to — debido a
during — a lo largo de

## E

early morning — madrugada, la
earthquake — temblor, un
educate in — educarse en
effect — ejecutar
effort — esfuerzo, el
elm — olmo, el
elongation — estiramiento, el
eminent — eminente
emotional — anímico/a
enclosure — recinto, el
encourage — alentar, animar, dar palabras de aliento
encourage — dar palabras de aliento
endorsed — avalado/a
enjoy — gozar
enlarge — engrandecer
entrepreneurial — emprendedor/a
ephemeral — efímero/a
equity — equidad, la
escort — escoltar
especially — en especial
essential — imprescindible
ethics — ética, la
even — aun
event — acontecimiento, el; suceso, el
eventually — a la postre
eviction — desalojo, el
evocation — evocación, la
exams to gain admission to a university in Spain — selectividad, la
excessive — desmedido/a
excuse (hold blameless) — exculpar
exiled — desterrados/as

**experience** — vivencia, la
**extent that, to** — en la medida en la cual

## F

**facade** — fachada, la
**face** — afrontar
**face to face** — frente a frente
**facilities**— facilidades, las
**facing** — frente a
**fact that** — hecho de que, el
**failure (act)**— fracaso, el
**failure (person)**— fracasado/a, el/la
**fairy** — hada, el
**faithful** — fiel, el
**fashionable**—de moda
**fear** — temor, el
**feasible** — factible
**fee** — arancel, el
**field** — campo, el
**fight**— pelear
**figure (numerical)** — cifra, la
**find** — hallar
**find out** — averiguar
**fingerfood** — tapas, las
**firstborn** — primogénito, el
**fir tree** — abeto, el
**fit** — encajar
**flashlight** — linterna, la
**floor** — piso, el
**following** — a continuación
**following** — a raíz de, a continuación
**food** — alimentación, la; alimentos, los
**fool** — mentecato/a, el/la
**fooseball** — taca taca, el
**footprint** — huella, la
**formation** — formación, la
**free** — gratuito/a
**friendly** — acogedor/a
**from (this point)** — a partir de
**from ... to** — desde…hasta
**front of, in** — frente a
**fruitful** — fecundo/a
**fugacity** — fugacidad, la
**fulfillment**—cumplimiento, el

## G

**gadget** — dispositivo, el
**gang** — pandilla, la
**gap** — brecha, la
**garbage** — residuos, los
**GDP, (Gross Domestic Product)** — PIB, el (Producto Interior Bruto)
**germinate** — gestarse
**get away with** — salir bien parado/a
**get distressed** — angustiar
**get the best of** — sacar el máximo provecho de
**get wet** — mojarse
**give rise to** — dar origen a
**give up** — rendir
**goal** — meta, la
**Good Friday**— Viernes Santo
**good(moral)**— bien, el
**go to** — acudir a
**govern**—regir
**grain** — grano, el
**great, good, cool** — chévere
**great grandchild** — tataranieto/a, el/la
**Green Card** — Green Card, el
**gross (economic)** — bruto/a
**grow** — crecer
**growing** — creciente

## H

**habilitation** — habilitación, la
**hand, on the other** — por otro lado
**hang** — colgar
**happening** — lo ocurrido
**hardly** — apenas
**harmful** — dañino/a, nocivo/a
**hatching** — eclosión, la
**haul** — acarrear
**headed by** — encabezado/a por
**healthy** — sano/a
**hectar (2.47 acres)** — hectárea, la
**heel** — tacón, el
**hereinafter** — en adelante
**hermitage** — ermita, la
**hidden** — escondido/a
**highlight** — destacar, poner de manifiesto

**hike** — caminata, la
**himself / herself** — sí mismo/a
**hole** — hoyo, el
**hollow** — hueco, el
**home** — domicilio, el; hogar, el
**hook** — enganchar
**horseshoe** — herradura, la
**host** — anfitrión, el
**hot** — tórrido/a
**however** — sin embargo
**hurry** — apresurarse
**hurry, be in a** — tener prisa
**hurt** — lastimar
**hut** — choza, la

## I

**ignore** — pasar por alto
**illiteracy** — analfabetismo, el
**immediately** — en seguida
**implement** — apero, el
**impunity** — impunidad, la
**inasmuch as**— puesto que
**incapable** — incapaz
**including** — incluso
**income** — ingreso, el
**increase** — acrecentar
**increment**— incremento, el
**inculcate** — inculcar
**indebtedness** — endeudamiento, el
**inferiors** — los de abajo
**ingenuity** — ingenuidad, la
**inherited** — heredado/a
**insider** — allegado/a
**in spite of** — a pesar de, pese a
**involved, be** — involucrarse
**involved** — involucrado/a
**iron** — hierro, el
**isolate** — aislarse
**isolated** — aislado/a

## J

**jargon** — jerga, la
**join** — sumarse
**junk, piece of** — cachivache, el
**just (almost)**— apenas
**just** — justo/a

## K

**keep in check** — tener en jaque a
**key** — clave
**knowing** — a sabiendas de

## L

**labor force** — mano de obra, la
**lack** — carecer de, hacer falta
**lacking** — carente de
**landscape** — paisaje, el
**language proficiency** — dominio de la lengua, el
**last(ly)** — por último
**lawsuit** — pleito, el
**layer** — capa, la
**laziness** — pereza, la
**leadership** — jefatura, la
**lean** — enjuto/a
**learning** — aprendizaje, el
**leather goods (Spain)** — marroquinería, la
**length and width of** — a lo largo y ancho de
**lethargy** — letargo, el
**link** — vínculo, el
**little bit of** — escaso/a
**liven up** — animarse
**/livestock** — ganadero/a
**located** — ubicado/a
**locate** — ubicarse
**logger** — maderero/a
**log in** — acceder
**loyal** — leal
**lump** — terrón, el
**lush** — lozano/a

## M

**magnet** — imán, el
**mailing (what is sent)** — envío, el

**male** — varón, el
**management** — gestión, la
**manager** — gestor, el
**manners** — maneras, las
**manners** — modales, los
**manufacture** — fabricar
**manure** — abono, el
**marginality** — marginalidad, la
**mark (to point out)** — señalar
**matriarchy** — matriarcado, el
**maximize** — potenciar
**measure** — medir
**medium** — medio, el
**melting** — derretimiento, el
**milk** — ordeñar
**milonga** — milonga, la
**miracle** — milagro, el
**miraculous** — milagroso/a
**moan** — gemir
**mobilization** — movilización, la
**model (arquitectura)** — maqueta, la
**momentum** — impulso, el
**morals** — moral, la
**moriche palm** — moriche, el
**morning** — matutina/o
**mortgage** — hipoteca, la
**most of** — lo más de
**mother tongue** — lengua materna, la
**move forward** — sacar adelante
**myrtle** — arrayán, el

## N

**napkin** — servilleta, la
**narrow** — angosto/a
**nationalist** — nacionalista
**nature** — índole, la
**needle** — aguja
**neglected** — desdeñado/a
**network** — red, la
**nonprofit** — sin fines de lucro
**now** — actualmente
**nowadays** — en la actualidad
**nutshell, in a** — en resumidas cuentas

## O

**obese** — obeso/a
**offering to en ofrenda a**
**offspring** — cría, la
**often** — a menudo
**Once Upon a Time** — Érase una vez
**on foot** — a pie
**operating room** — quirófano, el
**opposite (location)** — enfrente
**order (command)** — orden, la
**outline** — bosquejo, el
**outsider** — forastero/a
**overcome** — superarse
**overflow** — desbordar
**overhang** — alpendre, el

## P

**paradigm** — paradigma, el
**partner** — socio/a, el/la
**pass a law** — prescribir una ley
**paste,** — pegar
**pastime** — pasatiempo, el
**patriarch** — patriarca, el
**pattern** — pauta, la
**paved** — empedrado/a
**payment gateways** — pasarelas de pago, las
**performance (production)** — rendimiento, el
**pertaining to computers** — informático/a
**pertaining to others** — ajeno/a a
**pettiness** — mezquindad, la
**pick one's teeth** — escarbarse los dientes
**pilgrimage** — peregrinaje, el
**pilgrim** — peregrino/a, el/la
**plant ( seed)** — sembrar
**play (a role)** — desempeñar
**plumaje** — plumaje, el
**poison** — envenenar
**polygamy** — poligamia, la
**pool** — alberca, la
**poverty** — pobreza, la
**Pozo del Tio Raimundo** — Pozo del Tío Raimundo, el
**prayer** — oración, la

**precocious** — precoz
**premiere** — estrenarse
**prepare** — armar
**present (time)** — actual
**principle** — principio, el
**problem** — problemática, la
**proceed** — provenir
**profile** — perfil, el
**profit, for de lucro**
**promote** — promover
**promotion** — fomento, el
**property** — inmueble, el
**proposal** — propuesta, la
**propose** — plantear
**protected** — amparado/a
**protect oneself** — ampararse en
**prove** — comprobar
**provided** — con tal de
**punch -- pegar**
**puppy** — cachorro, el
**purified** — depurado/a
**push** — empujón, el
**puzzle** — rompecabezas, el

## Q

**quit** — dejar de

## R

**rabies** — rabia, la
**racquet (handball)** — palita, la
**rain cats and dogs** — llover a cántaros
**rain shower** — chubasco, el
**range of** — gama de, la
**ranger (forrest)** — guardabosques, el
**rate** — tasa, la
**ready** — dispuesto/a
**real-estate** — inmobiliario/a
**realize (a goal, a dream, etc.)** — realizar
**realize (make happen)** — realizar
**realize (realize a goal, make happen)** — llevar a cabo, realizar
**realize (to know)** — darse cuenta de
**recipe** — receta, la
**recover (health)** — recuperarse

**recover** — recuperar
**redundant** — redundante
**regarding** — en cuanto a
**regulation** — reglamentación, la
**remittance** — remesa, la
**report** — informe, el
**request** — solicitar
**rescue** — rescatar
**rescue** — rescate, el
**resemble** — asemejarse
**resentment** — resentimiento, el
**resign oneself** — resignarse
**resort to** — acudir a
**rest** — reposar
**result** — resultado, el
**retired** — jubilado/a
**retirement** — jubilación, la
**role** — papel, el
**row (agriculture)** — surco, el
**rubber** — caucho, el
**run, in the short or long** — en el corto o largo plazo
**run over – atropellado/a**
**run over** — atropellar
**run some danger** — correr algún peligro

## S

**sanitized** — saneado/a
**sardonic** — sardónico/a
**say goodbye** — despedirse de
**scarce** — escaso/a
**scarcity** — escasez, la
**scarf** — fular, el
**scope** — alcance, el
**scoundrel** — sinvergüenza. el/la
**seasonal worker** — temporero/a, el/la
**sediment** — poso, el
**seed** — semilla, la
**seize** — apoderarse
**senior citizen** — persona de la tercera edad
**sense** — sentido, el
**settled** — afincado/a
**settle** — dirimir
**settlement** — asentamiento, el
**sewing** — costurero/a

**shadow** — sombra, la
**share** — compartir
**sharpen** — agudizar
**shoot (plant)** — posturas, las
**shoot someone** — pegarle un tiro a alguien
**show off** — lucir
**show off** — lucir
**shrunken** — encogido/a
**shudder** — estremecimiento, el
**shy** — huraño/a
**sidewalk** — vereda, la
**signal** — señal, la
**sin** — pecado, el
**size** — talla, la
**sketch** — boceto, el
**slum** — tugurio, el
**smooth things over** — limar asperezas
**sniff** — husmear
**soak** — empaparse
**sob** — sollozar
**soil** — suelo, el
**sovereignty** — soberanía, la
**speak up** — alzar la voz
**species** — especie, la
**spout** — caño, el
**spread around** — difundido/a
**sprout** — brotar
**stage** — etapa, la
**staging** — puesta en escena, la
**stain** — mancha, la
**standard** — norma, la
**stand out** — destacarse
**starting point** — punto de partida, el
**step by step** — paso a paso
**step** — paso, el
**stiletto heel** — de aguja
**still** — aún
**straight** — recto/a
**strengthen** — fortalecer
**stretch out** — tender
**stroke (art)** — toque, el
**stroke** — golpe, el
**subprime mortgage** — hipoteca subprime, la
**suddenly** — de repente

**suffering** — calvario, el
**suffering** — padecimiento, el
**suffer** — padecer
**sunk** — hundido/a
**supposed** — supuesto/a
**sure, for** — a ciencia cierta
**surgery** — cirugía, la
**surroundings** — entorno, el
**survey** — encuesta, la
**sustainable** — sustentable
**sustain** — sostener
**swell** — hinchar
**swing** — columpio, el

**T**

**take advantage of** — sacar el máximo partido de
**take advantage of** — sacar provecho a
**take advantage of someone** — sacarle partido a alguien
**take charge of** — hacerse cargo de
**take into account** — tener en cuenta
**take into account** — tener en cuenta
**take out** — sacar
**talk** — charla, la
**taste** — degustar
**teaching** — docencia, la
**tear out** — arrancar
**thereby** — de este modo
**therefore** — por tanto, por esto
**those below inferiors** — los de abajo
**threat** — amenaza, la
**threatened** — amenazado/a
**threshold** — umbral, el
**through** — , a través de
**thrust** — empuje, el
**tie** — lazo, el
**tight** — apretado/a
**toast** — brindar
**together with** — en conjunto con
**tone** — tonada, la
**tool** — herramienta, la
**tour** — hacer giras
**toward** — hacia
**traced back to** — remontarse a

**trademark** — marca, la
**traverse** — recorrer
**treasure** — tesoro, el
**treatment** — trato, el
**trust** — confiar
**try** — intentar
**try** — pretender
**turn away from someone or something** — darle la espalda a alguien o algo
**turn** — girar
**tutor** — tutelar
**twitch** — crispar

**U**

**undocumented** — indocumentado/a, el/la
**unfold** — desenvolverse
**useful** — utilitario/a
**usually (do something)** — soler

**V**

**vaccinate** — vacunar
**vault** — bóveda, la
**venerate** — venerar
**vent** — desahogar
**village** — aldea, la
**vinyl** — vinilo, el

**W**

**waste** — desecho, el
**water** — regar
**wave (of people, for example)** — oleada, la
**way of, by** — mediante
**wealthy** — adinerado/a
**weight (excessive)** — sobrepeso, el
**welcome** — acogida, la
**welcome** — acogida, la
**well-born** — bien nacido/a
**wheat field** — trigal, el
**while** — si bien
**whip** — látigo, el
**whose** — cuyo/a
**widower – viudo, el**
**widow** — viuda, la
**wild** — agreste, silvestre
**willing** — dispuesto/a,
**wisdom** — sabiduría, la
**workers union** — sindicato, el
**workshop** — taller, el
**worrysome** — preocupante
**worth, of** — de valía
**worthy** — digno/a

**Y**

**year after year** — año tras año

# Triángulo Author Bios

Barbara Gatski teaches Spanish at the Millbrook School in Millbrook, New York, where she is the Department Head of World Languages. She has taught AP® Language for over twenty years. Barbara received a Fulbright Grant and lived and taught in Argentina in 2004-2005. She received her Masters Degree in Spanish Language and Literature from Middlebury College. A Table Leader for ETS, Barbara has served on the early leadership team which is responsible for selecting the samples for the reading and ensuring the consistent application of rubrics. She has edited for McDougal-Littell and continues to volunteer for the Fulbright Program.

John McMullan is a teacher and textbook writer. He has taught AP® Spanish Language and Literature and is currently teaching at the Millbrook School. John is a consultant for College Board and participates as a leader in the correction of the spoken portion of the Advanced Placement Spanish Language Exam. He received his BA in Spanish from Hamilton College and his Masters Degree from Middlebury College. He co-authors Triángulo with his wife Barbara Gatski. In his spare time he enjoys fishing and gardening and an occasional asado.

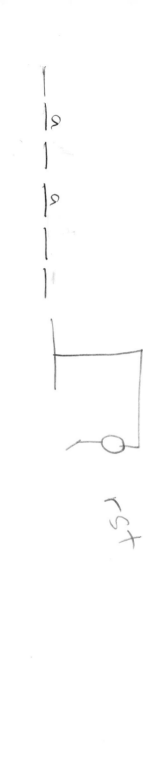

Name of type of cloud

Car company

## Fast Food Restaurants

Mc. Donalds
Chick FA
In n Out
Burger King
Taco Bell
Jack n Box
Del Taco
Dominos
Wendy's
Whattaburger
Shake Shack
Carls Jr
Dairy Queen

Little Caesars
Papa Johns
CCC
Pizza Hut
Firehouse subs
subway
Jersey mikes
chipotle
Sharkies
White Castle
IHOP
Panda Express
Pinks
Habit Burger
Carney's
Sweet Green
5 guys
Raddi Click
Wetzel's pretzels
KFC
Starbucks
Alfred
Gyre bear
Box Coffee
raising canes
Jolly B
K's donuts
Dunkin Donuts
Cinnabon

Roman Josh
5 / 0

Name someone in this class

JT
Asher
Samuel
Imri
Max
Morgan
divii
annabello
zoe
happer
skyler
ERIC
aiden
Joseph
dielah
nick-kwon
Josh
Rain
St. Pierre.

Tesla
BMW
Toyota
Lexus
Lamborghini
Ferrari
Mercedes
Ford
Infinity
GMC
Bugatti
Subaru
Prius
Chrysler
Ram
Volkswagen
Lucid
Jeep
porsch
Cadillac

### AP classes
AP spanish
Post AP
Ap French
Multivariable
Ap Chinese

## Sports
baseball
basketball
football
soccer
golf
ping pong
tennis
archery
rugby
track+field
cricket
water polo
ice hockey
field hockey
equestrian
cross country
fencing
lacrosse
volleyball
soccer ball
swim
handball

racing (car)
cornhole
polo
bowling
surfing
shuffleboard
Kickball
pickleball
racquetball